#내신 대비서
#고득점 예약하기

국어전략

Chunjae
Makes
Chunjae

▼

[국어전략] 중학 2

개발총괄 김덕유
편집개발 고명선, 노신희, 명세진
제작 황성진, 조규영
조판 동국문화(한은주)
디자인총괄 김희정
표지디자인 윤순미, 한은비
내지디자인 박희춘, 이혜미

발행일 2022년 1월 1일 초판 2022년 1월 1일 1쇄
발행인 (주)천재교육
주소 서울시 금천구 가산로9길 54
신고번호 제2001-000018호
고객센터 1577-0902
내용 문의 (02)3282-8526

※ 정답 분실 시에는 천재교육 교재 홈페이지에서 내려받으세요.

국어전략
중학 2
BOOK 1

이 책의 구성과 활용

이 책은 3권으로 이루어져 있는데
본책인 BOOK1, 2의 구성은 아래와 같아.

주 도입

재미있는 만화를 보며 한 주에 공부할 내용을 미리 떠올릴 수 있습니다.

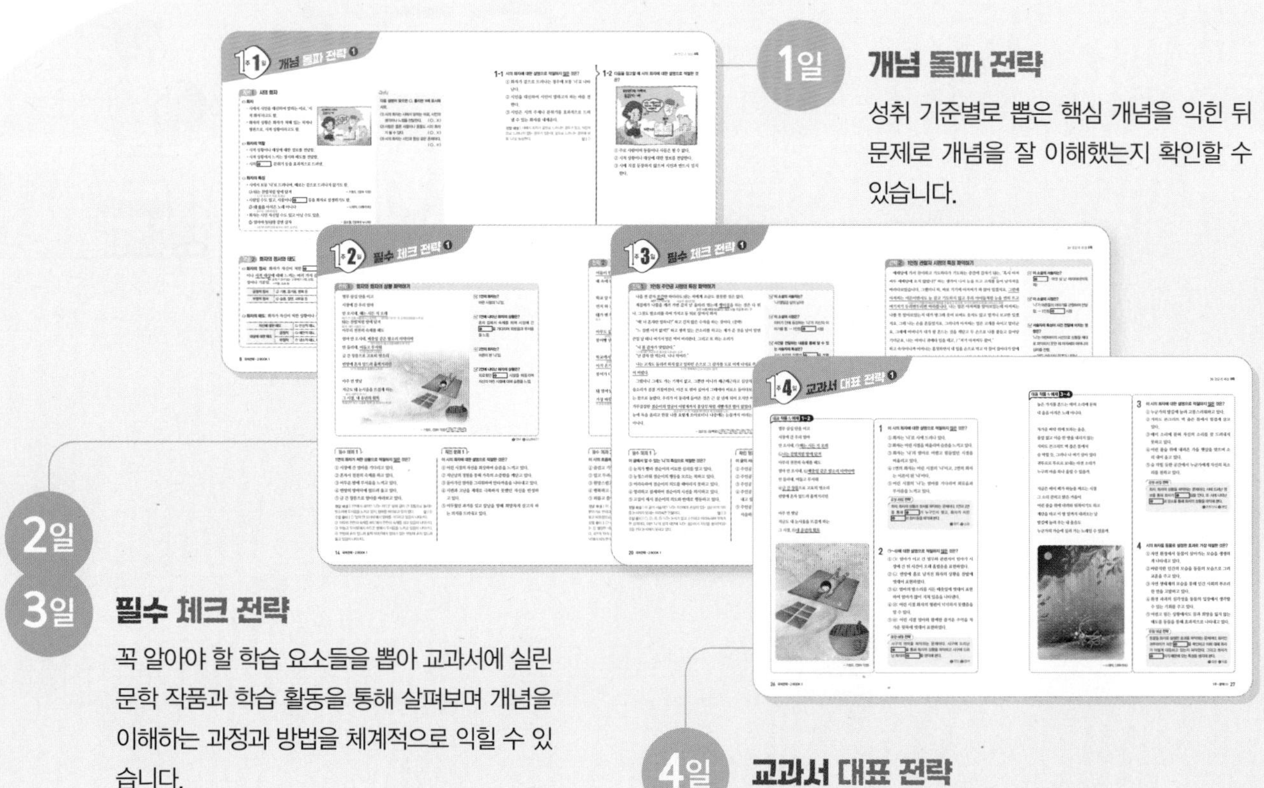

1일 개념 돌파 전략

성취 기준별로 뽑은 핵심 개념을 익힌 뒤 문제로 개념을 잘 이해했는지 확인할 수 있습니다.

2일 3일 필수 체크 전략

꼭 알아야 할 학습 요소들을 뽑아 교과서에 실린 문학 작품과 학습 활동을 통해 살펴보며 개념을 이해하는 과정과 방법을 체계적으로 익힐 수 있습니다.

4일 교과서 대표 전략

학교 시험에 자주 나오는 대표 유형 문제를 모았습니다. 문제를 해결하기 어려울 때에는 '유형 해결 전략'과 '도움말'을 참고할 수 있습니다.

부록 **시험에 잘 나오는 개념BOOK**

점선대로 자르면 미니북으로 활용할 수 있습니다.
시험 전에 개념을 확실하게 짚어 보세요.

주 마무리와 권 마무리의 특별 코너들로
국어 실력이 더 탄탄해질 거야!

주 마무리 코너

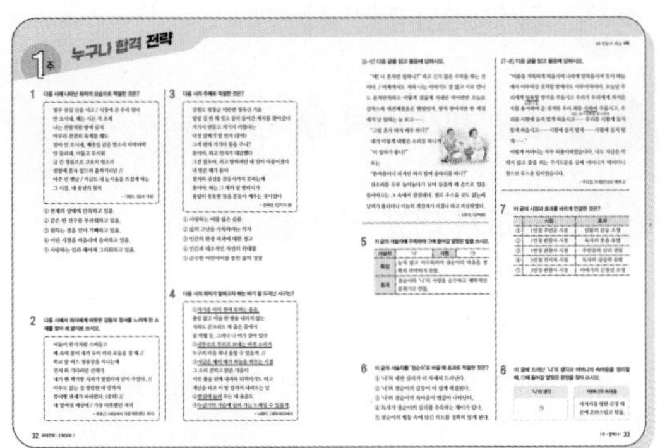

누구나 합격 전략

누구나 쉽게 풀 수 있는 쉬운 문제로 학습 자신감을 높일 수 있습니다.

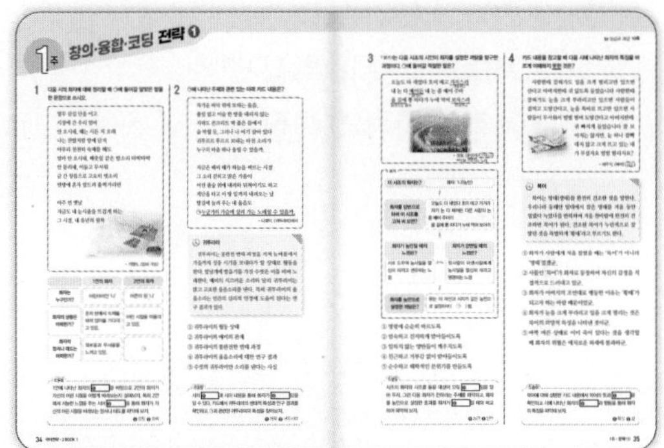

창의·융합·코딩 전략

융·복합적 사고력을 길러 주는 문제로 문제 해결력을 기를 수 있습니다.

권 마무리 코너

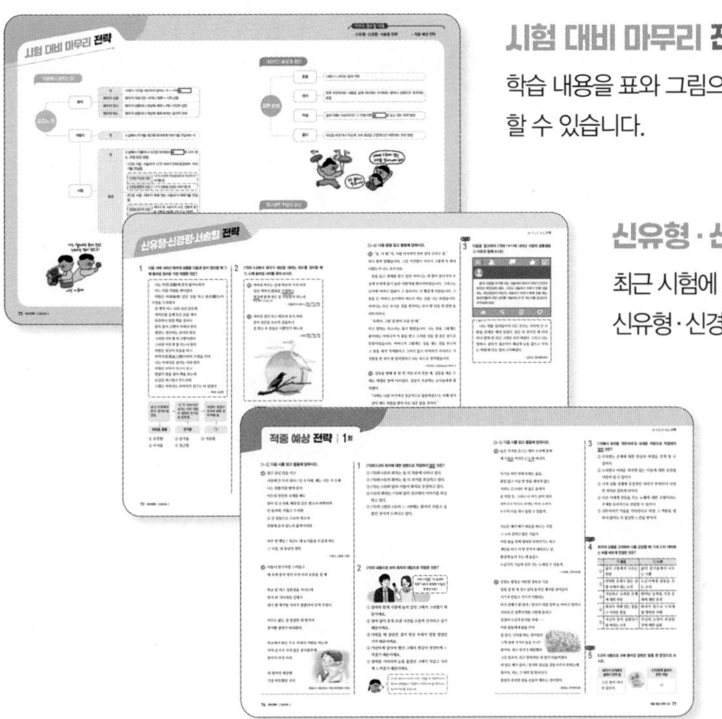

시험 대비 마무리 전략

학습 내용을 표와 그림으로 정리하여 배운 내용을 한눈에 파악할 수 있습니다.

신유형·신경향·서술형 전략

최근 시험에 나오는 새로운 유형의 문제로 구성하여 신유형·신경향·서술형 문제를 대비할 수 있습니다.

적중 예상 전략

실전 문제를 2회로 구성하여 실제 시험에 대비할 수 있습니다.

이 책의 차례

BOOK 1

이 개념들만 알면
문학 작품 감상은
문제없지!

BOOK 2

문학 (1)

시에서 말하는 이는 누구일까?

시에서 말하는 이는 화자인데요. 시인은 자신의 정서를 효과적으로 표현하기 위해 화자를 내세우지요.

공부할 내용

❶ 화자의 특징　　❷ 서술자의 특징　　❸ 시점의 종류와 특징

소설에서 말하는 이는 누구일까?

소설에서 말하는 이는 서술자인데요. 소설의 서술자가 등장인물이나 사건을 어떤 태도로 바라보느냐에 따라 작품의 주제나 분위기가 달라져요.

1주 1일

개념 돌파 전략 ❶

개념 1 시의 화자

화자

- 시에서 시인을 대신하여 말하는 이로, '시적 화자'라고도 함.
- 화자의 상황은 화자가 처해 있는 처지나 형편으로, 시적 상황이라고도 함.

화자의 역할

- 시적 상황이나 대상에 대한 정보를 전달함.
- 시적 상황에서 느끼는 정서와 태도를 전달함.
- 시의 ❶ ______, 분위기 등을 효과적으로 드러냄.

화자의 특징

- 시에서 보통 '나'로 드러나며, 때로는 겉으로 드러나지 않기도 함.
  - 예 나는 찬밥처럼 방에 담겨 – 기형도, 〈엄마 걱정〉
    → '나'로 화자가 직접 드러남.
- 사람일 수도 있고, 사물이나 ❷ ______ 등을 화자로 설정하기도 함.
  - 예 내 울음 아직은 노래 아니다 – 나희덕, 〈귀뚜라미〉
    → 화자는 귀뚜라미임.
- 화자는 시인 자신일 수도 있고 아닐 수도 있음.
  - 예 엄마야 누나야 강변 살자 – 김소월, 〈엄마야 누나야〉
    → 시인은 어른인데 화자는 어린 소년임.

❶ 주제 ❷ 동물

Quiz

다음 설명이 맞으면 ○, 틀리면 X에 표시하시오.

(1) 시의 화자는 시에서 말하는 이로, 시인의 생각이나 느낌을 전달한다. (○, X)

(2) 사람은 물론 사물이나 동물도 시의 화자가 될 수 있다. (○, X)

(3) 시의 화자는 시인과 항상 같은 존재이다. (○, X)

답 | (1) ○ (2) ○ (3) X

개념 2 화자의 정서와 태도

화자의 정서: 화자가 자신이 처한 ❶ ______ 이나 시적 대상에 대해 느끼는 여러 가지 감정이나 기분임.
(시적 대상 └ 화자가 바라보는 구체적인 사물, 인물, 자연물, 상황 등)

긍정적 정서	예 기쁨, 즐거움, 행복 등
부정적 정서	예 슬픔, 절망, 괴로움 등

화자의 태도: 화자가 자신이 처한 상황이나 시적 ❷ ______ 에 대해 갖는 자세임.

자신에 대한 태도		예 반성적 태도, 성찰적 태도 등
대상에 대한 태도	긍정적	예 예찬적 태도, 감탄적 태도 등
	부정적	예 냉소적 태도, 비판적 태도 등

❶ 상황 ❷ 대상

Quiz

다음 설명에 해당하는 말을 바르게 연결하시오.

(1) 화자가 상황이나 시적 대상에 대해 갖는 자세 • • ㉠ 화자의 정서

(2) 화자가 상황이나 시적 대상에 대해 갖는 감정이나 기분 • • ㉡ 화자의 태도

답 | (1) ㉡ (2) ㉠

1-1 시의 화자에 대한 설명으로 적절하지 않은 것은?

① 화자가 겉으로 드러나는 경우에 보통 '너'로 나타난다.

② 시인을 대신하여 시인이 말하고자 하는 바를 전한다.

③ 시인은 시의 주제나 분위기를 효과적으로 드러낼 수 있는 화자를 내세운다.

정답 해설 | 시에서 화자가 겉으로 드러나는 경우가 있고, 직접적으로 드러나지 않는 경우가 있는데, 겉으로 드러나는 경우에 보통 '나'로 등장한다. **답** | ①

1-2 다음을 참고할 때 시의 화자에 대한 설명으로 적절한 것은?

① 주로 사람이며 동물이나 사물은 될 수 없다.

② 시적 상황이나 대상에 대한 정보를 전달한다.

③ 시에 직접 등장하지 않으며 시인과 반드시 일치한다.

2-1 다음 시구에서 화자가 고향의 따스한 정을 느끼고 있음을 미루어 짐작할 수 있는 시어를 찾아 쓰시오.

손길은 따스하고 부드러워
고향도 아버지도 아버지의 친구도 다 있었다.

정답 해설 | 화자의 정서란 화자가 대상이나 상황에 대해 느끼는 기분이나 감정을 말한다. 제시된 시에서는 '따스하고'를 통해 화자의 정서를 미루어 짐작할 수 있다. **답** | 따스하고

2-2 다음 세 시구에 공통으로 드러나는 화자의 정서로 적절한 것은?

• 그립다 / 말을 할까 / 하니 그리워.
• 보내고 그리워하는 정은 나도 몰라 하노라.
• 흙에서 자란 내 마음 / 파아란 하늘빛이 그리워.

① 기쁨 ② 그리움 ③ 안도감

개념 3 소설의 서술자와 시점

서술자: 소설에서 작가를 대신하여 독자에게 이야기를 전달하는 이임.

서술자의 역할과 특징

- 이야기 속 인물의 행동과 ❶ [ ], 사건 등을 전달함.
- 서술자의 관점에 따라 이야기의 분위기가 달라질 수 있음.

시점

- 소설에서 인물이나 사건을 바라보는 ❷ [ ]의 시각, 태도, 관점임.
- 시점은 이야기 안에 서술자가 인물로 등장하면 1인칭 시점, 이야기 안에 서술자가 직접 등장하지 않으면 3인칭 시점으로 크게 나뉨.

1인칭 시점	서술자가 이야기 안에 등장함.	1인칭 주인공 시점 / 1인칭 관찰자 시점
3인칭 시점	서술자가 이야기 안에 등장하지 않음.	3인칭 전지적 시점 / 3인칭 관찰자 시점

❶ 심리 ❷ 서술자

Quiz

(   ) 안에 들어갈 알맞은 말을 고르시오.

소설에서 인물의 마음이나 행동, 사건의 진행 상황 등 독자에게 전달하는 이를 (화자 , 서술자)라고 한다.

답 | 서술자

개념 4 시점의 특징

1인칭 주인공 시점	1인칭 관찰자 시점
• 주인공 '나'가 자신의 이야기를 직접 서술함. • 주인공의 ❶ [ ]가 잘 드러남. 예 나는 약이 오를 대로 다 올라서 두 눈에서 (서술자, 중심인물 / '나'의 심리가 잘 드러남.) 불과 함께 눈물이 퍽 쏟아졌다. 나무 지게도 벗어 놀 새 없이 그대로 내동댕이치고는 지게막대기를 뻗치고 허둥지둥 달려들었다. - 김유정, 〈동백꽃〉	• 관찰자 '나'가 주인공의 이야기를 전해 줌. • 주인공의 심리가 정확하게 드러나지 않음. 예 나는 금년 여섯 살 난 처녀 애입니다. (중략) (서술자, 주변 인물) 우리 어머니는, 그야말로 세상에서 둘도 없이 곱게 생긴 우리 어머니는, 금년 나이 스물네 살인데 과부랍니다. (중심인물) - 주요섭, 〈사랑손님과 어머니〉
3인칭 전지적 시점	**3인칭 관찰자 시점**
• 서술자가 사건과 인물의 심리를 모두 전달함. 때로는 인물을 평가하기도 함. • 인물의 심리까지 전달하여 독자의 상상력이 제한됨. 예 경상 감사 길현은 동생을 잡아 올리고 안타까운 마음을 달래지 못하고 있었다. (주변 인물 / 중심인물(홍길동)) 이야기 밖의 서술자가 모든 인물의 심리와 행동을 파악하여 전달함. - 허균, 〈홍길동전〉	• 서술자가 인물이나 사건을 ❷ [ ]한 내용만 전달함. • 인물의 심리나 사건 전개를 독자가 적극적으로 상상함. 예 소녀는 소년이 개울둑에 앉아 있는 걸 아는지 모르는지, 그냥 날쌔게 물만 움켜 낸다. 그러나 번번이 허탕이다. (→ 중심인물) 이야기 밖의 서술자가 중심인물의 행동을 관찰하여 전달함. - 황순원, 〈소나기〉

❶ 심리 ❷ 관찰

Quiz

다음에서 설명하는 시점을 | 보기 |에서 골라 기호를 쓰시오.

- 주인공의 심리를 직접 서술함.
- '나'의 관점을 통해서만 사건을 전달함.

보기
ㄱ. 1인칭 주인공 시점
ㄴ. 1인칭 관찰자 시점
ㄷ. 3인칭 전지적 시점
ㄹ. 3인칭 관찰자 시점

답 | ㄱ

3-1 서술자에 대한 설명으로 적절하지 <u>않은</u> 것은?

① 인물의 심리나 사건에 대해 서술한다.
② 작가를 대신하여 이야기 안 상황을 독자에게 전달한다.
③ 이야기의 분위기나 내용에 별다른 영향을 끼치지 않는다.

정답 해설 | 인물이나 사건 등의 이야기 내용을 독자에게 전달하는 이를 서술자라고 한다. 서술자의 관점에 따라 이야기의 분위기나 내용은 달라질 수 있다. 답 | ③

3-2 서술자에 대한 설명이 바른 것끼리 묶은 것은?

ㄱ. 서술자는 언제나 이야기 안에 등장하는 인물이다.
ㄴ. 서술자는 독자에게 이야기를 전달하는 역할을 한다.
ㄷ. 서술자는 사건, 인물의 행동이나 심리 등을 전달한다.
ㄹ. 서술자가 달라져도 이야기의 내용이나 분위기는 달라지지 않는다.

① ㄱ, ㄷ ② ㄴ, ㄷ ③ ㄴ, ㄹ

4-1 다음을 참고할 때 시점에 대한 설명으로 적절한 것은?

① 인물이나 사건을 바라보는 서술자의 시각이나 태도, 관점을 말한다.
② 서술자가 이야기 안에 등장하면 3인칭 전지적 시점과 3인칭 관찰자 시점으로 나뉜다.
③ 서술자가 대상을 긍정적으로 보느냐 부정적으로 보느냐에 따라 1인칭 시점과 3인칭 시점으로 나뉜다.

정답 해설 | 시점은 소설에서 인물이나 사건을 바라보는 서술자의 시각, 태도, 관점을 말한다. ②, ③ 서술자가 이야기 안 인물이면 1인칭 시점, 이야기 안 인물이 아니면 3인칭 시점이다.

답 | ①

4-2 시점의 종류를 다음과 같이 나타낼 때 ㉠, ㉡에 들어갈 시점을 쓰시오.

서술의 범위 / 서술자의 위치	주인공(등장인물)의 심리까지 서술함.	주인공(등장인물)의 행동만을 서술함.
서술자가 이야기 안에 있을 때	1인칭 주인공 시점	㉠
서술자가 이야기 밖에 있을 때	㉡	3인칭 관찰자 시점

개념 돌파 전략 ❷

바탕 문제

시에서 말하는 이를 화자라 할 때, 다음 시에 나타난 화자를 찾아 쓰세요.

> 난 꼬마도 될 수 있고
> 엄청난 거인도 될 수 있다. (중략)
> 언제나 너를 따라
> 함께 노는 나.
> 그럼 난 누구게?

답 | 나

1 다음 시의 화자에 대한 설명으로 적절하지 않은 것은?

> 난 꼬마도 될 수 있고
> 엄청난 거인도 될 수 있다.
> 아파트 벽쯤 단숨에 오르고
> 물 위로 벌렁 누울 수도 있다.
> 하지만 난 / 혼자서는 안 논다.
> 꼭꼭 누구랑 같이 논다.
> 누구가 누구냐구?
> 바로 너지 누구야.
> 언제나 너를 따라 / 함께 노는 나.
> 그럼 난 누구게?

① 화자는 '나'로 겉으로 드러나 있다.
② 화자는 '나'로 시인 자신과 일치한다.
③ 화자는 사람이나 동물이 아닌 사물이다.
④ 화자는 자신에 대한 정보를 전달하고 있다.
⑤ 화자에 대한 정보를 통해 '나'가 그림자임을 알 수 있다.

바탕 문제

다음 시의 화자로 볼 수 없는 것은?

> 진이가 전학을 간다
> 눈물이 글썽글썽
> 진이의 눈 속에
> 무지개가 떴다

① 무지개
② 진이의 친구
③ 진이의 선생님

답 | ①

2 다음 시에 나타난 화자의 상황으로 적절한 것은?

> 진이가 전학을 간다
> 눈물이 글썽글썽
> 진이의 눈 속에
> 무지개가 떴다

① 진이와 함께 무지개를 바라보고 있다.
② 진이와 미술 시간에 그림을 그리고 있다.
③ 진이가 전학 가는 장면을 바라보고 있다.
④ 진이와 함께, 전학 간 친구를 그리워하고 있다.
⑤ 진이가 전학 간다는 말을 듣고 슬퍼하고 있다.

바탕 문제

다음 소설에서 사건을 보고 이야기를 전달하는 이를 찾아 쓰세요.

어제까지도 저와 나는 이야기도 잘 않고 서로 만나도 본척만척하고 이렇게 점잖게 지내던 터이련만 오늘로 갑작스레 대견해졌음은 웬일인가.

답 | 나

3 다음 글의 서술자와 시점을 바르게 연결한 것은?

이번에도 점순이가 쌈을 붙여 놨을 것이다. 바짝바짝 내 기를 올리느라고 그랬음에 틀림없을 것이다. 고놈의 계집애가 요새로 들어서서 왜 나를 못 먹겠다고 고렇게 아르렁거리는지 모른다.
나흘 전 감자 쪼간만 하더라도 나는 저에게 조금도 잘못한 것은 없다.

서술자	시점	서술자	시점
① '나'	1인칭 주인공 시점	② '나'	1인칭 관찰자 시점
③ 점순이	1인칭 주인공 시점	④ 점순이	1인칭 관찰자 시점
⑤ 제삼자	3인칭 관찰자 시점		

바탕 문제

'1인칭 관찰자 시점'에서 서술자가 서술할 수 있는 것에 모두 표시하세요.

- '나'의 행동 □
- '나'의 속마음 □
- 다른 인물의 행동 □
- 다른 인물의 정확한 속마음 □

답 | '나'의 행동, '나'의 속마음, 다른 인물의 행동

4 다음 글의 서술자인 '나'의 특징으로 적절한 것은?

나는 아저씨가 아주 좋았어요. 그렇지마는 외삼촌은 가끔 툴툴하는 때가 있었어요. 아마 아저씨가 마음에 안 드나 봐요. 아니, 그것보다도 아저씨 상 심부름을 꼭 외삼촌이 하게 되니까 그것이 싫어서 그러나 봐요.

① 이야기의 주인공이다.
② 이야기 밖에 존재한다.
③ 자신의 심리를 잘 모른다.
④ 다른 인물의 행동을 관찰한다.
⑤ 다른 인물의 심리를 정확히 전달한다.

바탕 문제

다음 글의 서술자의 위치를 |보기|의 ( ) 안에서 고르세요.

정예 기병들이 말을 달려 길동을 쏘려 하였다. 하지만 말을 아무리 채찍질한들 축지법을 써서 달아나는 길동을 어찌 잡을 수 있겠는가?

보기

이 글에서 사건을 전달하는 서술자는 이야기에 등장하지 않는 인물로 이야기 (안 , 밖)에 있다.

답 | 밖

5 다음 〈홍길동전〉에서 알 수 있는 서술자의 역할로 적절한 것을 |보기|에서 두 개 골라 쓰시오.

- 감사가 그 이유를 물었으나 길동은 대답하지 않았다. 감사는 까닭은 알지 못한 채 동생의 요청대로 호송원을 뽑아 길동을 서울로 올려 보내었다.
- 이러한 조정의 움직임을 길동은 모두 예견하고 있었다.

보기

ㄱ. 이야기 안에서 인물을 평가한다.
ㄴ. 이야기 안에서 인물의 행동을 관찰한다.
ㄷ. 이야기 밖에서 인물의 심리를 전달한다.
ㄹ. 이야기 밖에서 사건의 진행 과정을 전달한다.

1주 2일 필수 체크 전략 ❶

전략 1 화자와 화자의 상황 파악하기

열무 삼십 단을 이고

시장에 간 우리 엄마

안 오시네, 해는 시든 지 오래
해가 진 것을 시들었다고 표현함. → 엄마를 기다린 지 오래되었음을 나타냄.
나는 찬밥처럼 방에 담겨
화자, 어린 시절의 '나'
아무리 천천히 숙제를 해도

엄마 안 오시네, 배춧잎 같은 발소리 타박타박
지친 엄마의 발소리를 배춧잎에 빗댐.
안 들리네, 어둡고 무서워
'나'의 정서가 나타남.
금 간 창틈으로 고요히 빗소리

빈방에 혼자 엎드려 훌쩍거리던
'나'의 외로움과 슬픔이 느껴짐.

아주 먼 옛날

지금도 내 눈시울을 뜨겁게 하는
화자, 어른이 된 '나'
그 시절, 내 유년의 윗목
힘들었던 유년 시절을 '윗목'에 빗대어 나타냄.

– 기형도, 〈엄마 걱정〉 천재(노), 천재(박)

☑ **1연의 화자는?**
어린 시절의 '나'임.

☑ **1연에 나타난 화자의 상황은?**
혼자 집에서 숙제를 하며 시장에 간 ❶ ______ 를 기다리며 외로움과 무서움을 느낌.

☑ **2연의 화자는?**
어른이 된 '나'임.

☑ **2연에 나타난 화자의 상황은?**
외로웠던 ❷ ______ 시절을 떠올리며 자신의 어린 시절에 대해 슬픔을 느낌.

❶ 엄마 ❷ 유년(어린)

필수 예제 1

1연의 화자가 처한 상황으로 적절하지 않은 것은?

① 시장에 간 엄마를 기다리고 있다.
② 혼자서 천천히 숙제를 하고 있다.
③ 어두운 밤에 무서움을 느끼고 있다.
④ 빈방의 방바닥에 엎드려 울고 있다.
⑤ 금 간 창틈으로 엄마를 바라보고 있다.

정답 해설 | 1연에서 화자인 '나'는 어두운 밤에 금이 간 창틈으로 들리는 빗소리에 무서움을 느끼고 있지, 엄마를 바라보고 있지 않다. 답 | ⑤

오답 풀이 | ① '엄마 안 오시네'에서 엄마를 기다리고 있음이 나타난다.
② '아무리 천천히 숙제를 해도'에서 천천히 숙제를 하고 있음이 나타난다.
③ '어둡고 무서워'에서 어두운 방에서 무서움을 느끼고 있음이 나타난다.
④ '빈방에 혼자 엎드려 훌쩍거리던'에서 엄마가 없는 빈방에 혼자 엎드려 울고 있음이 나타난다.

확인 문제 1

이 시의 화자에 대한 설명으로 적절한 것은?

① 어린 시절의 자신을 회상하며 슬픔을 느끼고 있다.
② 지난날의 경험을 통해 가족의 소중함을 깨닫고 있다.
③ 돌아가신 엄마를 그리워하며 안타까움을 나타내고 있다.
④ 시련과 고난을 제대로 극복하지 못했던 자신을 반성하고 있다.
⑤ 어두웠던 과거를 잊고 앞날을 향해 희망차게 살고자 하는 의지를 드러내고 있다.

전략 2 화자의 정서나 태도 파악하기

어둠이 한기처럼 스며들고
분위기: 차가움, 어두움
배 속에 붕어 새끼 두어 마리 요동을 칠 때

학교 앞 버스 정류장을 지나는데
먼저 와 기다리던 선재가
내가 멘 책가방 지퍼가 열렸다며 닫아 주었다.
화자

아무도 없는 집 썰렁한 내 방까지
분위기: 차가움, 외로움.
붕어빵 냄새가 따라왔다.

학교에서 받은 우유 꺼내려 가방을 여는데
경제적으로 어려운 화자의 상황이 나타남.
아직 온기가 식지 않은 종이봉투에
분위기: 따뜻함.
붕어가 다섯 마리

내 열여섯 세상에
가장 따뜻했던 저녁
친구의 따뜻한 마음에 감동을 느낌. 분위기: 따뜻함.

– 복효근, 〈세상에서 가장 따뜻했던 저녁〉 지학사

☑ 이 시의 화자는?
❶ [   ] 살의 학생인 '나' 또는 어른이 된 '나'

☑ 1~4연에 나타난 화자의 상황은?
급식 우유로 배고픔을 달래는 것으로 보아 경제적으로 어렵게 지냄.

☑ 1~3연에 나타난 화자의 정서는?
학교가 끝나고 아무도 없는 썰렁한 집으로 돌아와 외로움을 느낌.

☑ 4~5연에 나타난 화자의 정서는?
친구가 책가방에 몰래 넣어 준 붕어빵을 통해 ❷ [   ]을 느끼고 감동을 받음.

❶ 열여섯 ❷ 따뜻함

필수 예제 2

이 시의 흐름에 따른 화자의 정서 변화를 바르게 나타낸 것은?

① 즐겁고 기쁨. → 슬프고 아쉬움.
② 밉고 두려움. → 안타깝고 안쓰러움.
③ 원망스럽고 화남. → 부끄럽고 창피함.
④ 행복하고 신남. → 그립고 사랑스러움.
⑤ 외롭고 쓸쓸함. → 따뜻한 마음과 감동을 느낌.

정답 해설 | 이 시는 시의 흐름에 따라 어둡고 차가운 분위기에서 따뜻한 분위기로 변하고 있다. 분위기에 따라 화자의 정서도 어둡고 외로움에서 밝고 따뜻함으로 바뀌고 있다. **답** | ⑤

오답 풀이 | ①~④ 1연의 '어둠이 한기처럼 스며들고'와 3연의 '아무도 없는 집 썰렁한 내 방까지'에서 외롭고 쓸쓸한 화자의 정서를 파악할 수 있다. 4연의 '아직 온기가 식지 않은 종이봉투에'와 5연의 '가장 따뜻했던 저녁'에서 따뜻한 마음을 느끼고 감동을 받은 화자의 정서를 파악할 수 있다.

확인 문제 2

이 시에 나타난 화자의 정서로 적절한 것은?

① 화자는 자신을 속인 친구에게 배신감을 느끼고 있다.
② 화자는 자신의 어렵고 힘든 상황을 안타깝게 여기고 있다.
③ 화자는 자신을 배려한 친구의 따뜻한 마음에 감동을 느끼고 있다.
④ 화자는 자신을 위해 마음을 써 주었던 친구에게 미안해하고 있다.
⑤ 화자는 친구의 마음을 오해했던 자신을 부끄럽게 생각하고 있다.

전략 3 화자에 주목하여 시의 주제나 분위기 파악하기

높은 가지를 흔드는 매미 소리에 묻혀
내 울음 아직은 노래 아니다.
(내: 화자)

차가운 바닥 위에 토하는 울음,
(차가운 바닥: 귀뚜라미가 사는 곳)
풀잎 없고 이슬 한 방울 내리지 않는
지하도 콘크리트 벽 좁은 틈에서
숨 막힐 듯, 그러나 나 여기 살아 있다
귀뚜르르 뚜르르 보내는 타전 소리가
(타전 소리: 귀뚜라미의 울음.-귀뚜라미가 살아 있다는 표시.)
누구의 마음 하나 울릴 수 있을까.
(누구의 마음에 감동을 줄 수 있을까.)

지금은 매미 떼가 하늘을 찌르는 시절
그 소리 걷히고 맑은 가을이
어린 풀숲 위에 내려와 뒤척이기도 하고
계단을 타고 이 땅 밑까지 내려오는 날
발길에 눌려 우는 내 울음도
누군가의 가슴에 실려 가는 노래일 수 있을까.
(누군가의 가슴에 실려 가는: 누군가의 가슴에 감동을 주는)

– 나희덕, 〈귀뚜라미〉 미래엔

☑ 이 시의 화자는?
'❶ ______'(귀뚜라미)

☑ 이 시에 나타난 화자의 상황은?
여름에 차가운 지하도 콘크리트 벽 좁은 틈에서 울고 있음.(힘들고 어려운 삶의 공간에서 고통을 겪고 있음.)

☑ 이 시의 화자가 1연에서 "내 울음 아직은 노래 아니다."라고 말한 까닭은?
여름에는 매미 떼가 우는 소리에 묻혀 '나'의 울음이 사람들에게 전해지지 않기 때문임.

☑ 이 시의 화자가 3연에서 "누군가의 가슴에 실려 가는 노래일 수 있을까."라고 말한 까닭은?
가을이 되어 사람들의 마음에 감동을 주는 ❷ ______를 들려줄 수 있는 존재가 되기를 바라는 마음 때문임.

❶ 나 ❷ 노래

필수 예제 3

이 시의 화자에 대한 설명으로 적절한 것은?

① 화자는 일상적 삶의 소중함을 느끼고 있다.
② 화자는 이기적으로 살았던 자신의 삶을 반성하고 있다.
③ 화자는 타인을 위해 자신을 희생한 존재를 예찬하고 있다.
④ 화자는 자신의 힘을 과시하기 위해 다른 사람을 억압하고 있다.
⑤ 화자는 고통에 굴하지 않고 자신의 노래로 타인에게 감동을 주기를 소망하고 있다.

정답 해설 | 이 시의 화자는 가을이 되어 사람들의 마음에 감동을 주는 노래를 들려줄 수 있는 존재가 되기를 바라고 있다. 답 | ⑤

오답 풀이 | 2연을 보면 화자는 어렵고 고통스러운 상황에 굴하지 않고 자신의 목소리를 내고 있으며, 자신의 울음이 누구의 마음 하나 울릴 수 있기를 소망하고 있다. 또한 3연에서도 화자는 자신의 노래가 타인의 가슴에 실려 가서 감동을 주기를 소망하고 있다.

확인 문제 3

이 시의 화자가 처해 있는 상황을 바탕으로 시구의 의미를 파악할 때, ㉠에 들어갈 말로 적절한 것은?

"내 울음 아직은 노래가 아니다."	"누군가의 가슴에 실려 가는 노래일 수 있을까."
여름에는 '나'의 울음이 매미 소리에 묻혀서 노래가 되어 전해지지 못함.	가을에는 '나'의 울음이 (㉠)

① 여름에 비해 작게 들려 걱정함.
② 매미 소리와 어울려 조화를 이루기를 바람.
③ 누군가의 마음에 감동을 주는 노래이기를 바람.
④ 누군가가 노래에 가사를 붙여 완성해 주기를 바람.
⑤ 누군가에게 감동을 주어서 '나'의 노래가 자랑스러움.

전략 4 화자가 시에 미치는 영향(설정 효과) 파악하기

강원도 평창군 미탄면 청옥산 기슭

덜렁 집 한 채 짓고 살러 들어간 제자를 찾아갔다
(화자가 강원도 산골에서 사는 제자의 집에 찾아감.)

거기서 만들고 거기서 키웠다는 / 다섯 살배기 딸 민지

민지가 아침 일찍 눈 비비고 일어나

저보다 큰 물뿌리개를 나한테 들리고
(나: 화자)

질경이 나싱개 토끼풀 억새……
(나싱개: '냉이'의 방언.)

이런 풀들에게 물을 주며

잘 잤니, 인사를 하는 것이었다

그게 뭔데 거기다 물을 주니?

㉠ 꽃이야, 하고 민지가 대답했다
('풀'을 '꽃'으로 인식하고 있는 민지)
그건 잡초야, 라고 말하려던 내 입이 다물어졌다
('풀'에 대한 화자와 민지의 인식 차이)

내 말은 때가 묻어
(민지의 말을 듣고 자신을 성찰함.)

천지와 귀신을 감동시키지 못하는데

꽃이야, 하는 그 애의 말 한마디가
(세상의 때가 묻지 않은 순수한 마음)

풀잎의 풋풋한 잠을 흔들어 깨우는 것이었다.

– 정희성, 〈민지의 꽃〉 비상

☑ 이 시의 화자는?
'❶ '

☑ 이 시에 나타난 화자의 상황은?
제자의 다섯 살배기 딸 민지가 풀에 물을 주며 인사하는 것을 보고 말을 걸고 있음.

☑ 이 시의 화자가 민지에게 "그건 잡초야"라고 말하지 못한 까닭은?
민지의 순수한 마음을 지켜 주고 싶어서, 세상의 때가 묻은 자신이 부끄러워서 등

☑ 이 시의 화자가 민지를 바라보는 태도를 통해 드러난 주제는?
민지를 따뜻한 시선으로 바라봄. → 순수한 민지를 통해 세상의 때가 묻은 자신을 ❷ 함.

❶ 나 ❷ 성찰

필수 예제 4

시의 화자를 고려하여 이 시를 바르게 감상한 내용끼리 묶은 것은?

ㄱ. 화자는 시에 드러나지 않지만, 시의 분위기를 따뜻하게 만든다.
ㄴ. 민지가 화자로 설정되어, 풀을 아끼는 민지의 마음을 생생히 드러낸다.
ㄷ. '나'가 화자로 설정되어, '나'의 깨달음을 통해 읽는 이의 성찰을 이끌어 낸다.
ㄹ. 민지의 엄마가 화자로 설정되어, 세상 물정을 모르는 민지를 안타까운 시선으로 바라본다.
ㅁ. '나'가 화자로 설정되어, '풀'에 대한 '나'와 민지의 생각을 비교하여 민지의 순수함을 강조한다.

① ㄱ, ㄴ ② ㄴ, ㄷ ③ ㄴ, ㄹ ④ ㄷ, ㅁ ⑤ ㄹ, ㅁ

정답 해설 | 화자인 '나'는 민지를 만난 일상적인 경험을 통해 자신의 말은 때가 묻었다며 성찰하고 있다. 이를 통해 어린 민지의 순수함이 강조되며 시의 분위기를 따뜻하게 만들어 주고 있다. **답** | ④

오답 풀이 | ㄱ, ㄴ, ㄹ 이 시의 화자는 '나'이다.

확인 문제 4

㉠에 나타난 화자의 태도가 시의 주제와 분위기에 미치는 영향을 바르게 말하지 못한 것은?

① 민지의 대답을 통해 화자가 무언가를 깨달았음을 드러내고 있네.
② 세상의 때가 묻은 화자의 태도와 비교하여 민지의 순수함을 강조하네.
③ '풀'을 바라보는 화자와 민지의 관점이 비슷하여 독자와 공감대를 형성하네.
④ 민지를 바라보는 화자의 태도가 따뜻하여 시의 분위기도 따뜻함이 느껴지네.
⑤ 민지의 순수함을 지켜 주려는 화자의 태도에서 자신의 모습을 성찰하는 주제가 드러나네.

1주 2일 필수 체크 전략 ❷

[1~2] 다음 시를 읽고 물음에 답하시오.

나는 나룻배
㉠당신은 행인.

㉡당신은 흙발로 나를 짓밟습니다.
나는 당신을 안고 물을 건너갑니다.
나는 당신을 안으면 깊으나 옅으나 급한 여울이나 건너갑니다.

만일 당신이 아니 오시면 나는 바람을 쐬고 눈비를 맞으며 밤에서 낮까지 당신을 기다리고 있습니다.
㉢당신은 물만 건너면 나를 돌아보지도 않고 가십니다그려.
㉣그러나 당신이 언제든지 오실 줄만은 알아요.
㉤나는 당신을 기다리면서 날마다 날마다 낡아 갑니다.

나는 나룻배
당신은 행인.

– 한용운, 〈나룻배와 행인〉 (천재(박), 교학사)

시의 화자
'나'(나룻배)

시의 대상
'당신'(행인)

화자의 상황
- '당신'을 안고 물을 건너감.
- '당신'을 기다리면서 낡아 감.

1 시의 화자에 주목하여 이 시를 감상한 내용으로 적절한 것은?

① 화자 자신을 '행인'에 비유하여 '당신'에 대한 무심함을 전하네.
② 화자인 '나룻배'를 통해 반성하는 태도의 중요성을 생각하게 돼.
③ 화자 자신을 '나룻배'에 비유하여 '당신'에 대한 헌신을 드러내네.
④ 화자가 '나룻배'와 '행인'의 행동 변화를 나타내어 생동감이 느껴져.
⑤ 화자가 '나룻배'와 '행인'의 대화를 전달하여 밝은 분위기를 만드네.

문제 해결 전략
시의 ❶ [   ]가 누구인지 먼저 찾고, 화자가 처한 ❷ [   ]을 파악한 다음, 상황이나 대상을 대하는 화자의 태도가 어떠한지 보고 시의 주제를 파악해 본다.

❶ 화자 ❷ 상황

2 ㉠~㉤ 중에서 | 보기 |와 관련 있는 시구로 적절한 것은?

| 보기 |
화자인 '나'가 대상인 '당신'이 반드시 올 것이라는 절대적인 믿음을 드러내고 있다.

① ㉠　② ㉡　③ ㉢　④ ㉣　⑤ ㉤

문제 해결 전략
화자가 바라보는 인물, 자연물 등의 시적 ❶ [   ]을 찾은 후, 대상에 대한 화자의 ❷ [   ]가 어떠한지를 파악해 본다.

❶ 대상 ❷ 태도

>> 정답과 해설 6쪽

[3~4] 다음 시를 읽고 물음에 답하시오.

나는 북관(北關)에 혼자 앓어누워서
'함경도'의 다른 이름.
어느 아츰 의원을 뵈이었다

의원은 여래(如來) 같은 상을 하고 관공(關公)의 수염을 드리워서
'부처'를 달리 이르는 말. / '관우'를 높여 부르는 말.
먼 옛적 어느 나라 신선 같은데

새끼손톱 길게 돋은 손을 내어

묵묵하니 한참 맥을 짚더니

문득 물어 고향이 어데냐 한다

평안도 정주라는 곳이라 한즉

그러면 아무개 씨 고향이란다

그러면 아무개 씰 아느냐 한즉

의원은 빙긋이 웃음을 띠고

막역지간(莫逆之間)이라며 수염을 쓴다
서로 거스르지 않는 사이라는 뜻으로 허물이 없는 아주 친한 사이를 이르는 말.
나는 아버지로 섬기는 이라 한즉

의원은 또다시 넌즈시 웃고

말없이 팔을 잡어 맥을 보는데

㉠ 손길은 따스하고 부드러워
고향도 아버지도 아버지의 친구도 다 있었다

– 백석, 〈고향〉 천재(노)

○ 시의 화자
'나'

○ 시의 대상
타향에서 만난 어느 의원

○ 화자의 상황
낯선 타향에서 혼자 앓게 되어 어느 아침에 의원을 만나 진찰을 받고 있음.

3 이 시에 나타난 화자의 상황으로 적절하지 않은 것은?

① 화자는 낯선 타향에서 혼자 앓아누워 있다.
② 신선 같아 보이는 의원이 화자를 진찰하고 있다.
③ 화자를 진찰하던 의원이 화자에게 고향을 묻고 있다.
④ 화자가 알고 있는 아무개 씨가 의원의 친구임이 밝혀지고 있다.
⑤ 의원은 화자와 아무개 씨의 관계를 화자가 말하기 전에 이미 알고 있었다.

문제 해결 전략

화자가 언제 어디서 ❶ ______ 와 무엇을 하고 있는지 찾은 후, ❷ ______ 의 흐름에 따라 나타나는 화자와 대상의 말과 행동을 통해 시적 상황을 파악해 본다.

❶ 누구 ❷ 시간

4 ㉠에 나타난 화자의 정서로 가장 적절한 것은?

① 고향에 와 있는 것 같아 따스함을 느낌.
② 자신을 치료해 준 의원에게 고마움을 느낌.
③ 타향에서 혼자 병들어 있어 절망감을 느낌.
④ 신선처럼 수염을 길게 기른 의원의 모습에 즐거움을 느낌.
⑤ 아무 말 없이 넌지시 미소만 짓는 의원의 모습에 답답함을 느낌.

문제 해결 전략

화자가 현재 있는 공간과 건강 상태를 통해 화자의 ❶ ______ 을 알아보고, 화자가 대상을 대하는 태도를 통해 화자의 ❷ ______ 를 파악해 본다.

❶ 상황 ❷ 정서

1주 3일 필수 체크 전략 ❶

전략 1 1인칭 주인공 시점의 특징 파악하기

나흘 전 감자 쪼간만 하더라도 나는 저에게 조금도 잘못한 것은 없다.
(쪼간: 어떤 사건이나 일. / 나: 서술자, 중심인물)

계집애가 나물을 캐러 가면 갔지 남 울타리 엮는데 쌩이질을 하는 것은 다 뭐냐. 그것도 발소리를 죽여 가지고 등 뒤로 살며시 와서
(쌩이질: 한창 바쁠 때에 쓸데없는 일로 남을 귀찮게 구는 짓.)

"얘! 너 혼자만 일하니?" 하고 긴치 않은 수작을 하는 것이다. (중략)

"느 집엔 이거 없지?" 하고 생색 있는 큰소리를 하고는 제가 준 것을 남이 알면 큰일 날 테니 여기서 얼른 먹어 버리란다. 그리고 또 하는 소리가

"너 봄 감자가 맛있단다."
(봄 감자: '나'에 대한 점순이의 호감을 드러내는 소재)

"난 감자 안 먹는다. 니나 먹어라."

나는 고개도 돌리려 하지 않고 일하던 손으로 그 감자를 도로 어깨 너머로 쑥 밀어 버렸다.
('나'의 무뚝뚝하고 눈치 없는 성격)

그랬더니 그래도 가는 기색이 없고, 그뿐만 아니라 쌔근쌔근하고 심상치 않게 숨소리가 점점 거칠어진다. 이건 또 뭐야 싶어서 그때에야 비로소 돌아다보니 나는 참으로 놀랐다. 우리가 이 동리에 들어온 것은 근 삼 년째 되어 오지만 여지껏 가무잡잡한 점순이의 얼굴이 이렇게까지 홍당무처럼 새빨개진 법이 없었다. 게다 눈에 독을 올리고 한참 나를 요렇게 쏘아보더니 나중에는 눈물까지 어리는 것이 아니냐.
(점순이가 '나'의 거절에 무안함과 부끄러움을 느낌.)

– 김유정, 〈동백꽃〉 천재(노), 천재(박), 교학사, 금성, 미래엔

☑ **이 소설의 서술자는?**
'나'(열일곱 살의 남자)

☑ **이 소설의 시점은?**
이야기 안에 등장하는 '나'가 자신의 이야기를 함. → 1인칭 ❶ [ ] 시점

☑ **사건을 전달하는 내용을 통해 알 수 있는 서술자의 특성은?**
자신 이외의 인물의 ❷ [ ] 를 정확히 알지 못함.
→ 점순이가 '나'를 좋아하기 때문에 감자를 주는 것을 모르고 점순이가 생색낸다고 생각함.

❶ 주인공 ❷ 심리

필수 예제 1

이 글에서 알 수 있는 '나'의 특징으로 적절한 것은?

① 눈치가 빨라 점순이의 미묘한 심리를 알고 있다.
② 능청스러워 점순이의 행동을 모르는 척하고 있다.
③ 어리숙하여 점순이의 의도를 헤아리지 못하고 있다.
④ 영리하고 섬세하여 점순이의 시선을 의식하고 있다.
⑤ 고집이 세서 점순이의 의도와 반대로 행동하고 있다.

정답 해설 | 이 글의 서술자인 '나'는 자신에게 관심이 있는 점순이의 의도를 눈치채지 못하는 어리숙한 인물이다. 답 | ③

오답 풀이 | ①, ②, ④, ⑤ '나'는 눈치가 없고 순진하고 어리숙하며 무뚝뚝한 성격이다. 이런 '나'의 성격 때문에 '나'는 점순이가 자신을 좋아한다는 것을 전혀 눈치채지 못하고 있다.

확인 문제 1

이 글의 서술상의 특징으로 적절하지 않은 것은?

① 주인공 '나'가 자신의 이야기를 말하고 있다.
② 주인공 '나'가 자신의 시선으로 사건을 전달하고 있다.
③ 주인공 '나'가 자신의 속마음을 솔직하게 드러내고 있다.
④ 주인공 '나'가 점순이의 속마음을 정확히 파악하여 나타내고 있다.
⑤ 주인공 '나'가 점순이의 행동에 대해 자신이 판단한 대로 서술하고 있다.

전략 2 1인칭 관찰자 시점의 특징 파악하기

예배당에 가서 찬미하고 기도하다가 기도하는 중간에 갑자기 나(서술자)는, '혹시 아저씨두 예배당에 오지 않았나?' 하는 생각이 나서 눈을 뜨고 고개를 들어 남자석을 바라다보았습니다. 그랬더니 하, 바로 거기에 아저씨가 와 앉아 있겠지요. 그런데 아저씨는 어른이면서도 눈 감고 기도하지 않고 우리 아이들처럼 눈을 번히 뜨고 여기저기 두리번두리번 바라봅니다.(서술자가 인물(아저씨)의 행동을 관찰하고 있으며, 자신이 어린아이임을 나타내고 있음.) 나는 얼른 아저씨를 알아보았는데 아저씨는 나를 못 알아보았는지 내가 방그레 웃어 보여도 웃지도 않고 멀거니 보고만 있겠지요. 그래 나는 손을 흔들었지요. 그러니까 아저씨는 얼른 고개를 숙이고 말더군요. 그때에 어머니가 내가 팔 흔드는 것을 깨닫고 두 손으로 나를 붙들고 끌어당기더군요. 나는 어머니 귀에다 입을 대고, / "저기 아저씨두 왔어."
하고 속삭이니까 어머니는 흠칫하면서 내 입을 손으로 막고 막 끌어 잡아다가 앞에 앉히고 고개를 누르더군요. 보니까 어머니가 또 얼굴이 홍당무처럼 빨개졌군요.(인물의 모습을 관찰하여 나타내고 있지만 속마음은 헤아리지 못함.)

그날 예배는 아주 젬병이었어요.(이날의 상황에 대한 자신의 속마음을 솔직하게 나타내고 있음.) 웬일인지 예배 다 끝날 때까지 어머니는 성이 나서 강대만 향하여 앞으로 바라보고 앉았고, 이전 모양으로 가끔 나를 내려다보고 웃는 일이 없었어요. 그리고 아저씨를 보려고 남자석을 바라다보아도 아저씨도 한 번도 바라다보아 주지 않고 성이 나서 앉아 있고, 어머니는 나를 보지도 않고 공연히 꽉꽉 잡아당기지요. ㉠왜 모두들 그리 성이 났는지! 나는 그만 으아 하고 한번 울고 싶었어요.

– 주요섭, 〈사랑손님과 어머니〉 (동아, 창비)

☑ **이 소설의 서술자는?**
'❶ ____': 여섯 살 난 여자아이(박옥희)

☑ **이 소설의 시점은?**
'나'가 어른들의 이야기를 관찰하여 전달함. → 1인칭 ❷ ____ 시점

☑ **서술자의 특성이 사건 전달에 미치는 영향은?**
'나'는 어린아이의 시선으로 상황을 제대로 파악하지 못한 채 아저씨와 어머니의 심리를 전함.
→ 어린 서술자의 한계가 나타남.

❶ 나 ❷ 관찰자

필수 예제 2

이 글의 서술자에 대한 설명으로 적절하지 않은 것은?

① '나'로 어린아이이다.
② 자신의 속마음을 드러내고 있다.
③ 아저씨와 어머니의 행동을 관찰하고 있다.
④ 어머니와 아저씨의 속마음을 꿰뚫고 있다.
⑤ 이야기 안에 등장하여 사건을 서술하고 있다.

정답 해설 | 이 글은 1인칭 관찰자 시점으로, '나'는 아저씨와 어머니의 행동에 담긴 의미를 제대로 파악하지 못한 채 어린아이의 순수한 관점으로 사건을 전달하고 있다. **답** | ④

오답 풀이 | ① 서술자가 '나'로 드러나며, '우리 아이들처럼'이라는 말을 통해 어린아이임을 알 수 있다.
② '나'는 아저씨와 어머니가 성이 났다고 생각해 '울고 싶었'다며 속마음을 나타내고 있다.
③, ⑤ '나'는 이야기 안에서 아저씨와 어머니의 행동을 관찰하며 사건을 전달하고 있다.

확인 문제 2

㉠에 대한 설명으로 적절한 것은?

① 서술자가 등장인물의 심리를 정확하게 분석하여 전달하고 있다.
② 서술자가 등장인물의 심리를 제대로 파악하지 못한 채로 전달하고 있다.
③ 서술자가 자신이 직접 들은 사실을 전달하면서 등장인물을 평가하고 있다.
④ 서술자가 사건의 상황을 정확하게 파악하여 앞으로 일어날 일을 예측하고 있다.
⑤ 서술자가 등장인물의 행동에 대해 자신의 판단을 개입시키지 않고 객관적으로 나타내고 있다.

전략 3 3인칭 전지적 시점의 특징 파악하기

"형님께서는 염려하지 마시고 내일 저를 잡아 보내십시오. 단 압송하는 군사들은 부모와 처자가 없는 자로 가려서 하시기 바랍니다."

압송: 죄인을 어느 한 곳에서 다른 곳으로 감시하면서 데려가는 일.

감사가 그 이유를 물었으나 길동은 대답하지 않았다. 감사는 까닭은 알지 못한 채 동생의 요청대로 호송원을 뽑아 길동을 서울로 올려 보내었다.

조정에서는 길동이 잡혀 온다는 말을 듣고 총을 잘 쏘는 군사 수백 명을 남대문 부근에 매복시켜 놓았다. 그들에게 길동이가 문안에 들어서면 일시에 총을 쏘아 잡으라고 명령했다. / 이러한 조정의 움직임을 길동은 모두 예견하고 있었다. 길동을 실은 수레가 동작리 근처를 지나고 있을 때였다. 길동은 동작리 나루를 건너면서 '비 우(雨)' 자(字)를 석 자를 써서 공중에 날리고 왔다. 길동이 남대문 안에 당도하자 좌우의 포수가 명령에 따라 일시에 총을 쏘았다. 하지만 때 아닌 폭우가 갑자기 쏟아지는 바람에 총구에 물이 가득하여 총질조차 할 수 없었다. 길동을 향해 총 한 번 겨눠 보지 못한 채, 길동을 태운 수레는 대궐문 앞에 이르렀다. 길동이 호송하는 군사들에게 말하였다.

매복: 상대의 상황을 살피거나 갑자기 공격하려고 일정한 곳에 몰래 숨어 있음.

이러한 조정의 움직임을 길동은 모두 예견하고 있었다: 서술자가 인물의 심리를 직접 전달함. → 3인칭 전지적 시점의 특징

길동은 동작리 나루를 건너면서 '비 우(雨)' 자(字)를 석 자를 써서 공중에 날리고 왔다: 길동이 한 행동을 객관적으로 전달함.

"너희는 나를 여기까지 성공적으로 압송하였으니, 이제 내가 간다 해도 처벌을 받아 죽는 일은 없을 것이다." / 순식간에 몸을 날려 수레를 깨뜨리고는 수레에서 내려와 천천히 걸어 나갔다. 정예 기병들이 말을 달려 길동을 쏘려 하였다. 하지만 말을 아무리 채찍질한들 축지법을 써서 달아나는 길동을 어찌 잡을 수 있겠는가? 성안의 모든 백성들은 그 신기한 술법에 그저 놀랄 뿐이었다.

정예: 썩 날래고 용맹스러움. 또는 그런 군사.

하지만 말을 아무리 채찍질한들 축지법을 써서 달아나는 길동을 어찌 잡을 수 있겠는가?: 서술자가 사건 진행의 이유를 설명하고 있음.

성안의 모든 백성들은 그 신기한 술법에 그저 놀랄 뿐이었다: 서술자가 인물의 심리를 직접 전달함.

– 허균, 〈홍길동전〉 교학사, 금성

☑ **이 소설의 서술자는?**
이야기 밖에 위치하며 모든 인물의 심리와 사건의 진행 과정을 알고 전달하는 서술자

☑ **이 소설의 시점은?**
3인칭 ❶ [ ] 시점

☑ **서술자가 인물과 사건을 서술하는 방식은?**
인물이 벌이는 사건의 진행 과정과 인물의 심리를 전달하고 사건이나 인물을 ❷ [ ] 하기도 함.

❶ 전지적 ❷ 평가

필수 예제 3

이 글의 서술자에 대한 설명으로 적절한 것은?

① 이야기 안에서 주인공을 관찰하고 있다.
② 이야기 안에서 주인공으로 등장하고 있다.
③ 이야기 안에서 인물의 심리를 전달하고 있다.
④ 이야기 밖에서 인물의 심리를 서술하고 있다.
⑤ 이야기 밖에서 인물을 객관적으로 관찰만 하고 있다.

정답 해설 | 이 글은 3인칭 전지적 시점으로, 이야기 밖에 위치하는 서술자가 모든 인물의 심리와 행동, 사건을 전달하고 있다. 답 | ④

오답 풀이 | ①은 1인칭 관찰자 시점의 특징, ②는 1인칭 주인공 시점의 특징, ⑤는 3인칭 관찰자 시점의 특징에 해당한다.

확인 문제 3

이 글의 서술상 특징을 잘 이해한 것은?

① 서술자는 인물의 심리와 사건 진행의 이유를 설명하고 있어.
② 서술자는 자신이 겪고 있는 사건의 의미를 해석하여 나타내고 있어.
③ 서술자는 인물의 심리는 파악하지 못한 채 겉모습에 대해서만 서술하고 있어.
④ 서술자는 사건의 진행 과정을 제대로 파악하지 못하는 한계를 드러내고 있어.
⑤ 서술자는 사건을 객관적으로 전달함으로써 독자가 상상력을 발휘하도록 하고 있어.

>> 정답과 해설 6쪽

전략 4 서술자가 소설에 미치는 영향(설정 효과) 파악하기

가 1 → 부유하게 자란 여자가 서술자 '나'로 등장함. '나'의 심리가 주로 나타남.

왜 안 했을까. 그때 나('1'의 서술자)를 스쳐 가던 그 아이, 그 아이의 표정 때문인지도 몰라. 땟국물이 흐르던 목덜미. 전신에서 풍겨 나던 뭔가 찌든 듯한 그 냄새, 그 너절한 인상이 내 실수와 잘못된 과정을 바로잡는 게 너절하고 귀찮은 일이라는 생각을 하게 했을 거야. 어쩌면 그 결과 한 아이가 가지게 될지도 모르는 씻지 못한 좌절감이 내게도 약간 느껴졌는지도 모르지. 상관없어. 나는 그런 상하고는 담을 쌓고 살아도 행복해. 그런 스트레스를 받는 것 자체가 싫어. 왜 내가 그렇게 살아야 하는데?

나 0 → 화가인 남자가 서술자 '나'로 등장함. '나'의 심리가 주로 드러남.

나('0'의 서술자)는 천천히 그림이 전시된 곳으로 걸어갔지. 내 그림은 맨 안쪽에 걸려 있었어. 입선작 여덟 점을 지나서 특선작 세 점을 지나고 나서 황금색 종이 리본을 매달고 좀 떨어진 곳에, 검정 붓글씨로 '壯元(장원)'이라고 크게 쓰인 종이를 거느리고, 다른 작품보다 세 뼘쯤 더 높이. 초등학교에 다니는 아이들이라면 우러러볼 수밖에 없는 높이에. / 그런데, 그런데, 그런데, 그런데 그 그림은 내가 그린 그림이 아니었어. 풍경은 내가 그린 것과 비슷했지만 절대로, 절대로 내가 그린 그림이 아니야. 아버지가 사 준 내 오래된 크레파스에는 진작에 떨어지고 없는 회색이 히말라야시다 가지 끝 앞부분에 살짝 칠해져 있는 그림이었어. 나는 가슴이 후들후들 떨려서 두 손으로 가슴을 가렸어. 사방을 둘러봤지만 아무도 없었어. 나는 까치발을 하고 손을 최대한 쳐들어서 그림 뒷면의 번호를 확인했어.

– 성석제, 〈내가 그린 히말라야시다 그림〉 (미래엔, 지학사)

☑ **이 소설의 서술자는?**
- 1의 서술자: '나' → 부유하게 자란 여자
- 0의 서술자: '나' → 화가가 된 남자

☑ **이 소설의 시점은?**
1인칭 ❶ [   ] 시점

☑ **서술자가 인물과 사건을 서술하는 방식은?**
초등학교 때 사생 대회에서 겪은 같은 사건을 두 서술자가 번갈아 가며 서술함. → 같은 사건에 대한 두 사람의 ❷ [   ]이나 심리를 모두 알 수 있음.

❶ 주인공 ❷ 생각

필수 예제 4

이 글에서 서술자를 두 명으로 설정한 까닭으로 적절한 것은?

① 같은 사건을 시간 순서대로 나타낼 수 있어서
② 같은 사건에 대해 일관된 관점을 유지할 수 있어서
③ 같은 사건이 과거와 현재에 지닌 의미를 비교할 수 있어서
④ 같은 사건에 대한 두 사람의 생각을 모두 나타낼 수 있어서
⑤ 같은 사건의 의미를 당시의 시대적 배경과 연관 지어 나타낼 수 있어서

정답 해설 | 1의 서술자와 0의 서술자는 각자 자신의 관점에서 이야기를 전하고 있다. 따라서 같은 사건에 대한 두 관점을 모두 알 수 있다. **답** | ④
오답 풀이 | 0과 1의 '나'는 같은 사건을 겪었지만 자신의 관점으로만 사건을 서술하였을 뿐 상대의 심리는 알지 못한다. 서술자가 두 명이라 양쪽의 생각을 모두 알게 되는 효과가 있다.

확인 문제 4

이 글의 서술상 특징과 효과로 적절한 것은?

① 1의 서술자의 눈을 통해 0의 서술자에게 일어날 일을 미리 예측할 수 있다.
② 0의 서술자의 관찰을 통해 1의 서술자의 상황을 객관적으로 전달할 수 있다.
③ 두 명의 서술자를 번갈아 제시하여 한 사건을 서로 다른 관점으로 이해할 수 있다.
④ 1의 서술자와 0의 서술자의 심리를 전달하여 두 사람의 의견 대립을 드러낼 수 있다.
⑤ 이야기 밖의 서술자가 두 사람의 상황을 번갈아 가며 제시하여 주제를 강조할 수 있다.

1주 3일 필수 체크 전략 ❷

[1~3] 다음 글을 읽고 물음에 답하시오.

앞부분 줄거리 '나'는 봄 방학을 한 날 이성 친구인 미옥이에게서 답장을 받고, 이날 중국에서 왔다는 일가인 아저씨(당숙)가 집에 찾아온다. 아저씨는 떠날 기미를 보이지 않고, 미옥이가 보낸 편지를 엄마가 압수한 일로 엄마와 아버지가 싸운다.

(가) 엄마, 아버지의 싸움은 쉽게 끝날 것 같지 않았다. 싸움은 그놈의 '갈취했다'(남의 것을 강제로 빼앗음.)는 부분에 막혀서 타협점이라곤 찾을 수 없는 극한으로 치닫고 있는 형국이었다.

"갈취라고요?" / "그래, 갈취." (중략)

아버지는 집으로 들어올 때 그랬던 것처럼 나갈 때도 쟁반을 들고 저벅저벅 과수원으로 나갔고 엄마는 마루에 주저앉아 한숨을 몰아쉬고 있었다. 말없이 한숨만 몰아쉬고 있는 엄마가 왠지 두려웠다. 나는 걸음아, 날 살려라, 하고 과수원 쪽으로 뺑소니를 쳤다. 그래야 엄마가 그때쯤, 자존심 때문에라도 꾹 참고 있었던 눈물을 마음껏 흘릴 수 있을 것이 아닌가. 누가 보면 절대로 눈물 따위 흘리고 싶지 않은 것은 애나 어른이나 마찬가지일 테니까. / 나는 알고 있었다. 사실 엄마, 아버지가 저렇게 대립할 수밖에 없는 밑바닥 감정에는 분명 아저씨의 존재가 작용하고 있다는 것을. 그러나 엄마도, 아버지도 아저씨에 대한 말은 입 끝에도 올리지 않았다. 그 이유는 아저씨가 바로 지척에 있는 우사에서 거름을 내는 척하면서 집 안의 상황에 낱낱이 귀를 기울이고 있을지도 모르기 때문이었을 것이다.

(나) 그런데 나야말로 왜 새삼스럽게 그 아저씨를 궁금해하는 것일까. 내가 정말 크기는 큰 것일까? (중략) / "내가 내 외로움 때문에 울 때는 아직 그가 덜 컸다는 증거고 나와 상관없는 남의 외로움 때문에 울 수 있다면 이미 그가 다 컸다는 것을 의미한다. 그는 이제 더 이상 어린애가 아니다."

선생님이 그 말을 할 때는 무슨 뜻인 줄 정말 몰랐다. 그러나 나는 어둠 속에서 벽에 등을 기대고 앉아 있을 때 알게 되었다. 작년 이맘때 나는 미옥이 때문에 울었다. 그러나 지금 나는 나의 일가, 나의 당숙 때문에 울고 있는 나를 종종 발견하게 된다. 미옥이를 생각하며 울 때는 미옥이가 내 마음을 알아주지 않은 게 원통해서 울었던 것임을 나는 알고 있다. 그런데 지금 이 눈물은 왜 나오는 것일까. 이것도 나중에 저절로 알아지는 눈물일까. 그것은 아직 알 수 없었다. 다만, 한 가지 내가 알 수 있는 것은 어떤 한 사람의 외로움이 이제사 내게로 전해져 왔다는 것뿐. 나는 이제 열일곱 살이다. 더는 어린애가 아닌 것이다.

– 공선옥, 〈일가(一家)〉 비상

① 한 집에 사는 가족. ② 성이 같고 혈연관계에 있는 사람들.

인물

'나': 사춘기 청소년

배경

- 시간: (가) 봄 방학
  (나) (가)에서 1년 정도 지난 뒤
- 공간: 시골 과수원

사건

'나'의 엄마와 아버지가 싸우고, '나'는 그 둘이 대립할 수밖에 없는 밑바닥 감정에는 아저씨의 존재가 있다고 생각함.

갈등의 원인

- 표면적 원인: 엄마의 행동을 아버지가 '갈취'라고 표현했기 때문에
- 근본적 원인: 손님으로 온 아저씨가 집을 떠날 생각을 안 하는데, 아버지가 아무런 조치도 하지 않았기 때문에

>> 정답과 해설 8쪽

1 이 글의 서술자인 '나'의 특징으로 바른 것끼리 묶은 것은?

> ㄱ. '나'로 이야기 안에 등장한다.
> ㄴ. '나'로 자신의 심리를 제대로 드러내지 않는다.
> ㄷ. '나'로 엄마와 아버지의 심리를 나름대로 추측한다.
> ㄹ. '나'로 엄마와 아버지의 심리를 정확히 알고 두 사람의 갈등을 서술한다.

① ㄱ, ㄴ ② ㄱ, ㄷ ③ ㄴ, ㄷ
④ ㄴ, ㄹ ⑤ ㄷ, ㄹ

문제 해결 전략

서술자가 이야기 안에 등장하는지 등장하지 않는지 서술자의 ❶ [ ]를 살펴본다. 그리고 서술자가 대상을 바라보는 ❷ [ ]과 서술자가 서술할 수 있는 범위를 파악해 본다.

❶ 위치 ❷ 관점

2 이 글의 서술자를 다음과 같이 바꿀 때의 변화로 적절한 것은?

> 이야기 밖에서 인물의 심리까지 모두 꿰뚫어 보고 전달하는 이

① 모든 인물의 속마음을 알게 된다.
② 인물이 갈등하게 되는 계기가 달라진다.
③ 인물의 감정이 정확하게 드러나지 않는다.
④ 인물이 갈등하게 되는 이유를 추측하게 된다.
⑤ 독자의 입장에서 인물의 심리를 추측하게 된다.

문제 해결 전략

1인칭 시점에서 ❶ [ ] 전지적 시점으로 바꾸어 서술할 때 서술자가 서술할 수 있는 범위의 정도를 파악해 본다. 서술할 수 있는 범위는 인물의 행동과 ❷ [ ]로 나누어 본다.

❶ 3인칭 ❷ 심리

3 보기와 같이 '나'가 성장하면서 겪은 변화를 나타낼 때, 작가가 '나'를 통해 말하고자 한 바를 바르게 말한 것은?

보기

열여섯의 '나'		열일곱의 '나'
엄마와 아버지가 아저씨 때문에 싸웠다고 생각함.	 →	아저씨의 외로움에 공감했기 때문에 눈물을 흘림.

① 청소년인 '나'를 통해 친척에도 여러 유형이 있음을 이야기하네.
② 청소년인 '나'를 통해 고향을 그리워하는 마음을 보여 주려 하네.
③ 청소년인 '나'를 통해 가족끼리 대화의 중요성을 깨우쳐 주려 하네.
④ 청소년인 '나'를 통해 현대인들에게 추억이 소중하다고 말하고 있네.
⑤ 청소년인 '나'를 통해 친척의 의미가 퇴색한 현대 사회를 비판하고 있네.

문제 해결 전략

서술자인 '나'의 특징, '나'의 ❶ [ ]의 변화가 글의 ❷ [ ]나 분위기에 미치는 영향을 생각해 본다.

❶ 생각 ❷ 주제

1주 4일 교과서 대표 전략 ❶

대표 작품 & 예제 1~2

열무 삼십 단을 이고
시장에 간 우리 엄마
안 오시네, ㉠해는 시든 지 오래
㉡나는 찬밥처럼 방에 담겨
아무리 천천히 숙제를 해도
엄마 안 오시네, ㉢배춧잎 같은 발소리 타박타박
안 들리네, 어둡고 무서워
㉣금 간 창틈으로 고요히 빗소리
빈방에 혼자 엎드려 훌쩍거리던

아주 먼 옛날
지금도 내 눈시울을 뜨겁게 하는
그 시절, ㉤내 유년의 윗목

– 기형도, 〈엄마 걱정〉

1 이 시의 화자에 대한 설명으로 적절하지 않은 것은?

① 화자는 '나'로 시에 드러나 있다.
② 화자는 어린 시절을 떠올리며 슬픔을 느끼고 있다.
③ 화자는 '나'의 엄마로 어렵고 힘들었던 시절을 떠올리고 있다.
④ 1연의 화자는 어린 시절의 '나'이고, 2연의 화자는 어른이 된 '나'이다.
⑤ 어린 시절의 '나'는 엄마를 기다리며 외로움과 무서움을 느끼고 있다.

유형 해결 전략

화자, 화자의 상황과 정서를 파악하는 문제이다. 1연과 2연을 통해 ❶ ______가 누구인지 찾고, 화자가 처한 ❷ ______과 정서 등을 파악해 본다.

❶ 화자 ❷ 상황

2 ㉠~㉤에 대한 설명으로 적절하지 않은 것은?

① ㉠: 엄마가 이고 간 열무와 관련지어 엄마가 시장에 간 뒤 시간이 오래 흘렀음을 표현하였다.
② ㉡: 빈방에 홀로 남겨진 화자의 상황을 찬밥에 빗대어 표현하였다.
③ ㉢: 엄마의 발소리를 시든 배춧잎에 빗대어 표현하여 엄마가 많이 지쳐 있음을 나타낸다.
④ ㉣: 어린 시절 화자의 형편이 넉넉하지 못했음을 알 수 있다.
⑤ ㉤: 어린 시절 엄마와 함께한 즐거운 추억을 차가운 윗목에 빗대어 표현하였다.

유형 해결 전략

시구의 의미를 파악하는 문제이다. 시구에 드러난 ❶ ______를 통해 화자의 상황을 파악하고 시구에 드러난 화자의 ❷ ______를 생각해 본다.

❶ 정보 ❷ 정서

대표 작품 & 예제 3~4

높은 가지를 흔드는 매미 소리에 묻혀
내 울음 아직은 노래 아니다.

차가운 바닥 위에 토하는 울음,
풀잎 없고 이슬 한 방울 내리지 않는
지하도 콘크리트 벽 좁은 틈에서
숨 막힐 듯, 그러나 나 여기 살아 있다
귀뚜르르 뚜르르 보내는 타전 소리가
누구의 마음 하나 울릴 수 있을까.

지금은 매미 떼가 하늘을 찌르는 시절
그 소리 걷히고 맑은 가을이
어린 풀숲 위에 내려와 뒤척이기도 하고
계단을 타고 이 땅 밑까지 내려오는 날
발길에 눌려 우는 내 울음도
누군가의 가슴에 실려 가는 노래일 수 있을까.

– 나희덕, 〈귀뚜라미〉

3 이 시의 화자에 대한 설명으로 적절하지 않은 것은?

① 누군가의 발길에 눌려 고통스러워하고 있다.
② 지하도 콘크리트 벽 좁은 틈에서 힘겹게 살고 있다.
③ 매미 소리에 묻혀 자신의 소리를 잘 드러내지 못하고 있다.
④ 어린 풀숲 위에 내려온 가을 햇살을 맞으며 소리 내어 울고 있다.
⑤ 숨 막힐 듯한 공간에서 누군가에게 자신의 목소리를 전하고 있다.

유형 해결 전략

화자, 화자의 상황을 파악하는 문제이다. 시에 드러난 정보를 통해 화자가 ❶ [ ] 임을 안다. 또 시에 나타난 ❷ [ ] 과 장소를 통해 화자의 상황을 파악해 본다.

❶ 귀뚜라미 ❷ 계절

4 시의 화자를 동물로 설정한 효과로 가장 적절한 것은?

① 자연 환경에서 동물이 살아가는 모습을 생생하게 나타내고 있다.
② 바람직한 인간의 모습을 동물의 모습으로 그려 교훈을 주고 있다.
③ 자연 생태계의 모습을 통해 인간 사회의 부조리한 면을 고발하고 있다.
④ 환경 파괴의 심각성을 동물의 입장에서 생각할 수 있는 기회를 주고 있다.
⑤ 어렵고 힘든 상황에서도 꿈과 희망을 잃지 않는 태도를 동물을 통해 효과적으로 나타내고 있다.

유형 해결 전략

동물을 화자로 설정한 효과를 파악하는 문제이다. 화자인 귀뚜라미가 처한 ❶ [ ] 을 확인하고 이에 대해 화자가 어떻게 대응하고 있는지 파악한다. 그리고 화자가 ❷ [ ] 이기 때문에 갖는 특성을 생각해 본다.

❶ 상황 ❷ 동물

교과서 대표 전략 ❶

대표 작품 & 예제 5~6

가 "느 집엔 이거 없지?" 하고 생색 있는 큰소리를 하고는 제가 준 것을 남이 알면 큰일 날 테니 여기서 얼른 먹어 버리란다. 그리고 또 하는 소리가

"너 봄 감자가 맛있단다."

"난 감자 안 먹는다, 너나 먹어라."

[A] 나는 고개도 돌리려 하지 않고 일하던 손으로 그 감자를 도로 어깨 너머로 쑥 밀어 버렸다.

그랬더니 그래도 가는 기색이 없고, 그뿐만 아니라 쌔근쌔근하고 심상치 않게 숨소리가 점점 거칠어진다. 이건 또 뭐야 싶어서 그때에야 비로소 돌아다보니 나는 참으로 놀랐다. 우리가 이 동리에 들어온 것은 근 삼 년째 되어 오지만 여지껏 가무잡잡한 점순이의 얼굴이 이렇게까지 홍당무처럼 새빨개진 법이 없었다.

나 나는 비슬비슬 일어나며 소맷자락으로 눈을 가리고는 얼김에 엉 하고 울음을 놓았다. 그러다 점순이가 앞으로 다가와서 / "그럼, 너 이담부터 안 그럴 터냐?" 하고 물을 때에야 비로소 살길을 찾은 듯싶었다. 나는 눈물을 우선 씻고 뭘 안 그러는지 명색도 모르건만

얼김에: 어떤 일이 벌어지는 바람에 자기도 모르게 정신이 얼떨떨한 상태.

"그래!" 하고 무턱대고 대답하였다.

"요담부터 또 그래 봐라, 내 자꾸 못살게 굴 터니?"

"그래그래, 인젠 안 그럴 테야!"

"닭 죽은 건 염려 마라, 내 안 이를 테니."

그리고 뭣에 떠다밀렸는지 나의 어깨를 짚은 채 그대로 픽 쓰러진다. 그 바람에 나의 몸뚱이도 겹쳐서 쓰러지며 한창 피어 퍼드러진 노란 동백꽃 속으로 폭 파묻혀 버렸다.

– 김유정, 〈동백꽃〉

5 서술자를 '나'로 설정하여 얻는 효과로 적절한 것은?

① 이기적인 '나'를 통해 비극적인 결말을 암시한다.
② 점순이의 속마음을 모르고 행동하는 '나'를 통해 해학적인 분위기를 만든다.
③ 애정 표현에 서투른 '나'를 통해 청소년기의 혼란스러운 마음 상태를 전달한다.
④ 점순이의 의도를 파악하지 못하는 '나'를 통해 이웃에 무관심을 현대인을 비판한다.
⑤ 점순이에게 무뚝뚝하게 대하는 '나'를 통해 타인을 배려하는 마음의 필요성을 강조한다.

유형 해결 전략

서술자를 설정한 효과를 파악하는 문제이다. '❶ ' 의 특징과 '나'의 특징으로 발생하는 ❷ 와의 오해에 주목하여 설정 효과를 알아본다.

❶ 나 ❷ 점순이

6 [A]를 보기 와 같이 바꾸었을 때의 변화로 적절한 것은?

보기

순돌이는 점순이의 말에 기분이 상해 고개도 돌리려 하지 않고 그 감자를 도로 어깨 너머로 쑥 밀어 버렸다.

점순이는 자신의 호의가 거절당하자 자존심이 상했다. 점순이의 숨소리가 거칠어지자 순돌이는 점순이를 돌아다보고 참으로 놀랐다.

① 점순이가 서술자가 되어 '나'의 심리를 전한다.
② 점순이가 서술자가 되어 자신의 심리를 전한다.
③ 제삼자가 서술자가 되어 인물의 심리를 드러낸다.
④ 점순이가 서술자가 되어 전개될 사건을 예측한다.
⑤ 제삼자가 서술자가 되어 자신의 이야기를 전한다.

유형 해결 전략

서술자를 바꾸었을 때의 달라진 점을 파악하는 문제이다. 서술자의 ❶ 를 파악하고, 인물의 ❷ 나 행동을 어떤 방식으로 서술하는지 파악해 본다.

❶ 위치 ❷ 심리

대표 작품 & 예제 7~8

앞부분 줄거리 1의 '나'와 0의 '나'는 4학년이 되어 학교 대표로 군 단위의 사생 대회에 나가고, 0의 '나'가 장원을 차지한다.

가 1

그렇지만 단 한 번 상을 받을 뻔한 적이 있지. 나 자신의 실수 때문에 못 받은 거니까 누구를 원망할 수도 없지만. 그 실수를 인정하고 내가 받을 상이 남에게 간 것을 바로잡을 수 있었을까. 할 수 있었을지도 몰라. 아버지에게 이야기했다면, 아니면 천수기 선생님한테라도. / 왜 안 했을까. 그때 나를 스쳐 가던 그 아이, 그 아이의 표정 때문인지도 몰라. 땟국물이 흐르던 목덜미, 전신에서 풍겨 나던 뭔가 찌든 듯한 그 냄새, 그 너절한 인상이 내 실수와 잘못된 과정을 바로잡는 게 너절하고 귀찮은 일이라는 생각을 하게 했을 거야.

나 0

나는 가슴이 찢어질 것 같은 통증을 느끼면서 강당을 걸어 나왔어. 열 걸음쯤 떼었을 때 강당 문으로 어떤 여자아이가 걸어 들어왔어. 자주색 원피스를 입고 있었어. 검정 에나멜 구두를 신고 있었지. 나는 그 여자아이를 지나칠 때 눈을 감았어. 눈을 감은 채 열 걸음쯤 걸어가서 다시 눈을 떴어.

내가 주 선생님을 찾아가서 말해야 했을까. 이건 내 그림이 아니라고. 다른 사람이 그린 그림이라고. 나는 그 사람만한 재능이 없다고. 실수를 바로잡아 달라고. 나는 그렇게 하지 못했어. 주 선생님의 품에 안겨 울지만 않았더라도 찾아갈 수 있었어. 가능성이 크지는 않지만. 내 더러운 눈물로 주 선생님의 앞가슴에 늘어뜨려진 흰 레이스를 더럽히지만 않았더라도.

– 성석제, 〈내가 그린 히말라야시다 그림〉

7 이 글의 1과 0의 서술자를 비교할 때 적절하지 않은 것은?

① 1과 0의 서술자는 모두 이야기의 주인공이다.
② 1과 0의 서술자는 모두 이야기 안에 등장한다.
③ 1과 0의 서술자는 모두 자신의 심리를 드러낸다.
④ 1과 0의 서술자는 모두 자신의 이야기를 전한다.
⑤ 1의 서술자는 이야기 밖에서 이야기하고 있고, 0의 서술자는 이야기 안에서 이야기하고 있다.

유형 해결 전략
소설의 ❶ [ ] 를 파악하는 문제이다. 1과 0의 서술자가 '나'임을 알고, 둘의 특징과 ❷ [ ] 점을 파악해 본다.
❶ 서술자 ❷ 공통

8 |보기|의 질문에 대한 답으로 적절하지 않은 것은?

| 보기 |
만약 이 소설이 0의 '나'만 서술자였다면 지금과 어떤 차이가 있을까?

지은: ① 다른 인물의 생각이나 심리를 정확히 파악하기 어려워지겠지.

하나: ② 0의 '나'의 관점대로 사건을 객관적으로 파악할 수 있을 거야.

정우: ③ 같은 사건에 대한 0의 '나'의 생각과 고민에 집중할 수 있지 않을까?

호영: ④ 0의 '나'의 관점만 독자에게 전달되므로 사건을 이해하는 데 추측의 과정이 필요하겠지.

태서: ⑤ 0의 '나'의 심리만 드러나서 같은 사건에 대한 두 인물의 심리를 비교하는 재미가 없을 거야.

유형 해결 전략
서술자를 설정한 효과를 파악하는 문제이다. 1과 0, ❶ [ ] 명의 서술자를 내세우지 않고 한 명의 서술자만 내세웠을 때의 ❷ [ ] 을 생각해 본다.
❶ 두 ❷ 차이점

1주 4일 교과서 대표 전략 ❷

[1~2] 다음 시를 읽고 물음에 답하시오.

(가) 어둠이 한기처럼 스며들고
배 속에 붕어 새끼 두어 마리 요동을 칠 때

학교 앞 버스 정류장을 지나는데
먼저 와 기다리던 선재가
내가 멘 책가방 지퍼가 열렸다며 닫아 주었다.

아무도 없는 집 썰렁한 내 방까지
붕어빵 냄새가 따라왔다.

학교에서 받은 우유 꺼내려 가방을 여는데
아직 온기가 식지 않은 종이봉투에 / 붕어가 다섯 마리

내 열여섯 세상에 / 가장 따뜻했던 저녁

– 복효근, 〈세상에서 가장 따뜻했던 저녁〉

(나) 강원도 평창군 미탄면 청옥산 기슭
덜렁 집 한 채 짓고 살러 들어간 제자를 찾아갔다
거기서 만들고 거기서 키웠다는 / 다섯 살배기 딸 민지
민지가 아침 일찍 눈 비비고 일어나
저보다 큰 물뿌리개를 나한테 들리고
질경이 나싱개 토끼풀 억새…… / 이런 풀들에게 물을 주며
잘 잤니, 인사를 하는 것이었다
그게 뭔데 거기다 물을 주니?
꽃이야, 하고 민지가 대답했다
그건 잡초야, 라고 말하려던 내 입이 다물어졌다
내 말은 때가 묻어 / 천지와 귀신을 감동시키지 못하는데
꽃이야, 하는 그 애의 말 한마디가
풀잎의 풋풋한 잠을 흔들어 깨우는 것이었다

나싱개: '냉이'의 방언.

– 정희성, 〈민지의 꽃〉

1 (가)의 분위기를 파악한 내용으로 적절한 것은?

① '어둠이 한기처럼 스며들고'에서 평화롭고 아늑한 느낌을 받는다.
② '학교 앞 버스 정류장을 지나는데'에서 명랑하고 활기참이 느껴진다.
③ '아무도 없는 집 썰렁한 내 방'에서 정겹고 다정스러운 느낌을 받는다.
④ '아직 온기가 식지 않은 종이봉투'에서 무료하고 답답함을 느낄 수 있다.
⑤ '가장 따뜻했던 저녁'에서 친구가 몰래 넣어 준 붕어빵을 통해 따뜻함이 느껴진다.

도움말
시에서 ❶ ____ 감(차가움, 서늘함, 따뜻함 등)이 드러나는 시구를 찾아보고, ❷ ____ 가 같은 것끼리 묶어 보자.
❶ 온도 ❷ 분위기

2 (나)를 읽은 후, 화자를 통해 말하고자 하는 바를 잘 파악한 것은?

① 제자를 찾아간 '나'의 모습을 통해 인간관계의 소중함을 전하려 하네.
② 어린아이의 순수함을 지켜 주지 못하는 어른의 어리석음을 탓하려 하네.
③ 민지의 순수한 마음에 감동을 받은 경험을 통해 삶의 성찰을 보여 주려 하네.
④ '나'가 바라는 민지의 모습과 '나'가 추구하는 삶의 모습이 다름을 말하려 하네.
⑤ '토끼풀', '억새'와 같은 자연물을 소재로 하여 자연의 아름다움을 강조하려 하네.

도움말
'풀'을 바라보는 화자와 민지의 서로 다른 ❶ ____ 에 주목하여 화자가 민지에게 하지 못한 말이 무엇인지, 그 까닭은 무엇인지를 통해 ❷ ____ 를 파악해 보자.
❶ 관점 ❷ 주제

[3~4] 다음 글을 읽고 물음에 답하시오.

가 나는 금년 여섯 살 난 처녀 애입니다. 내 이름은 박옥희이구요. 우리 집 식구라고는 세상에서 제일 이쁜 우리 어머니와 단 두 식구뿐이랍니다. 아차 큰일 났군, 외삼촌을 빼놓을 뻔했으니.

지금 중학교에 다니는 외삼촌은 어디를 그렇게 싸돌아다니는지 집에는 끼니때나 외에는 별로 붙어 있지를 않으니까 어떤 때는 한 주일씩 가도 외삼촌 코빼기도 못 보는 때가 많으니까요, 깜빡 잊어버리기도 예사지요, 무얼.

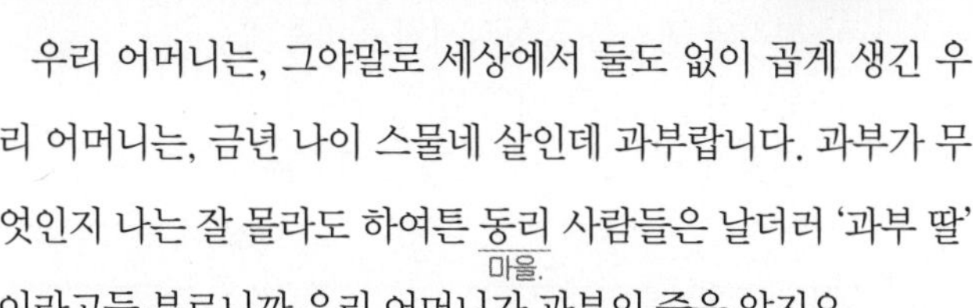

우리 어머니는, 그야말로 세상에서 둘도 없이 곱게 생긴 우리 어머니는, 금년 나이 스물네 살인데 과부랍니다. 과부가 무엇인지 나는 잘 몰라도 하여튼 동리(마을.) 사람들은 날더러 '과부 딸'이라고들 부르니까 우리 어머니가 과부인 줄을 알지요.

중간 부분 줄거리 '나'의 집 사랑방에 아저씨가 하숙을 하게 되고 어머니와 아저씨가 서로에게 관심을 가지게 된다.

나 아저씨는 나를 못 알아보았는지 내가 방그레 웃어 보여도 웃지도 않고 멀거니 보고만 있겠지요. 그래 나는 손을 흔들었지요. 그러니까 아저씨는 얼른 고개를 숙이고 말더군요. 그때에 어머니가 내가 팔 흔드는 것을 깨닫고 두 손으로 나를 붙들고 끌어당기더군요. 나는 어머니 귀에다 입을 대고,

"저기 아저씨두 왔어." / 하고 속삭이니까 어머니는 흠칫하면서 내 입을 손으로 막고 막 끌어 잡아다가 앞에 앉히고 고개를 누르더군요. 보니까 어머니가 또 얼굴이 홍당무처럼 빨개졌군요.

그날 예배는 아주 젬병이었어요. 웬일인지 예배 다 끝날 때까지 어머니는 성이 나서 강대만 향하여 앞으로 바라보고 앉았고, 이전 모양으로 가끔 나를 내려다보고 웃는 일이 없었어요. 그리고 아저씨를 보려고 남자석을 바라다보아도 아저씨도 한 번도 바라다보아 주지 않고 성이 나서 앉아 있고, 어머니는 나를 보지도 않고 공연히 꽉꽉 잡아당기지요. 왜 모두들 그리 성이 났는지! 나는 그만 으아 하고 한번 울고 싶었어요.

– 주요섭, 〈사랑손님과 어머니〉

3 이 글에 대한 설명으로 적절한 것은?

① 서술자가 이야기에 등장하여 자신의 상황을 말한다.
② 서술자가 이야기 안 주인공으로서 이야기를 전한다.
③ 서술자가 주변 인물의 속마음을 정확히 알고 전한다.
④ 두 명의 서술자가 번갈아 가며 사건과 인물의 심리를 전한다.
⑤ 서술자가 이야기 밖에서 객관적인 태도로 사건을 관찰만 하여 전한다.

도움말
서술자가 이야기 ❶ [ ]과 밖 가운데 어디에 있는지를 살펴보고, ❷ [ ]과 3인칭 시점 중 해당하는 시점을 찾아 특징을 파악해 보자.
❶ 안 ❷ 1인칭

4 다음 ㉠에 들어갈 말로 적절한 것은?

나는 '나'의 어머니와 아저씨 얼굴이 빨개지는 까닭을 알겠던데, '나'는 왜 어머니와 아저씨가 화가 났다고 생각할까?

'나'는 여섯 살 난 어린아이로 (㉠). 그래서 글을 읽는 재미도 있고, 어머니와 아저씨의 사랑이 순수하게 느껴지지.

① 상황을 제대로 이해하고 있잖아
② 어른들의 감정을 배려하고 있잖아
③ 어른들의 감정을 제대로 파악하고 있잖아
④ 일부러 어른들의 감정을 반대로 전하잖아
⑤ 어른들이 겪는 사건을 보이는 대로만 말하잖아

도움말
서술자인 '❶ [ ]'의 특징을 나이를 중심으로 파악해 보고, 이야기의 ❷ [ ]에 미치는 영향을 파악해 보자.
❶ 나 ❷ 분위기

1 다음 시에 나타난 화자의 모습으로 적절한 것은?

열무 삼십 단을 이고 / 시장에 간 우리 엄마
안 오시네, 해는 시든 지 오래
나는 찬밥처럼 방에 담겨
아무리 천천히 숙제를 해도
엄마 안 오시네, 배춧잎 같은 발소리 타박타박
안 들리네, 어둡고 무서워
금 간 창틈으로 고요히 빗소리
빈방에 혼자 엎드려 훌쩍거리던 //
아주 먼 옛날 / 지금도 내 눈시울을 뜨겁게 하는
그 시절, 내 유년의 윗목

– 기형도, 〈엄마 걱정〉

① 현재의 상태에 만족하고 있음.
② 같은 반 친구를 부러워하고 있음.
③ 원하는 것을 얻어 기뻐하고 있음.
④ 어린 시절을 떠올리며 슬퍼하고 있음.
⑤ 사랑하는 임과 헤어져 그리워하고 있음.

2 다음 시에서 화자에게 따뜻한 감동의 정서를 느끼게 한 소재를 찾아 세 글자로 쓰시오.

어둠이 한기처럼 스며들고
배 속에 붕어 새끼 두어 마리 요동을 칠 때 //
학교 앞 버스 정류장을 지나는데
먼저 와 기다리던 선재가
내가 멘 책가방 지퍼가 열렸다며 닫아 주었다. //
아무도 없는 집 썰렁한 내 방까지
붕어빵 냄새가 따라왔다. (중략) //
내 열여섯 세상에 / 가장 따뜻했던 저녁

– 복효근, 〈세상에서 가장 따뜻했던 저녁〉

3 다음 시의 주제로 적절한 것은?

강원도 평창군 미탄면 청옥산 기슭
덜렁 집 한 채 짓고 살러 들어간 제자를 찾아갔다
거기서 만들고 거기서 키웠다는
다섯 살배기 딸 민지 (중략)
그게 뭔데 거기다 물을 주니?
꽃이야, 하고 민지가 대답했다
그건 잡초야, 라고 말하려던 내 입이 다물어졌다
내 말은 때가 묻어
천지와 귀신을 감동시키지 못하는데
꽃이야, 하는 그 애의 말 한마디가
풀잎의 풋풋한 잠을 흔들어 깨우는 것이었다

– 정희성, 〈민지의 꽃〉

① 사랑하는 이를 잃은 슬픔
② 삶의 고난을 극복하려는 의지
③ 인간의 환경 파괴에 대한 경고
④ 인간과 대조적인 자연의 위대함
⑤ 순수한 어린아이를 통한 삶의 성찰

4 다음 시의 화자가 말하고자 하는 바가 잘 드러난 시구는?

①차가운 바닥 위에 토하는 울음,
풀잎 없고 이슬 한 방울 내리지 않는
지하도 콘크리트 벽 좁은 틈에서
숨 막힐 듯, 그러나 나 여기 살아 있다
②귀뚜르르 뚜르르 보내는 타전 소리가
누구의 마음 하나 울릴 수 있을까. //
③지금은 매미 떼가 하늘을 찌르는 시절
그 소리 걷히고 맑은 가을이
어린 풀숲 위에 내려와 뒤척이기도 하고
계단을 타고 이 땅 밑까지 내려오는 날
④발길에 눌려 우는 내 울음도
⑤누군가의 가슴에 실려 가는 노래일 수 있을까.

– 나희덕, 〈귀뚜라미〉에서

>> 정답과 해설 9쪽

[5~6] 다음 글을 읽고 물음에 답하시오.

"얘! 너 혼자만 일하니?" 하고 긴치 않은 수작을 하는 것이다. / 어제까지도 저와 나는 이야기도 잘 않고 서로 만나도 본척만척하고 이렇게 점잖게 지내던 터이련만 오늘로 갑작스레 대견해졌음은 웬일인가. 항차 망아지만 한 계집애가 남 일하는 놈 보고…….

"그럼 혼자 하지 떼루 하디?"

내가 이렇게 내뱉은 소리를 하니까

"너 일하기 좋니?"

또는

"한여름이나 되거던 하지 벌써 울타리를 하니?"

잔소리를 두루 늘어놓다가 남이 들을까 봐 손으로 입을 틀어막고는 그 속에서 깔깔댄다. 별로 우스울 것도 없는데 날씨가 풀리더니 이놈의 계집애가 미쳤나 하고 의심하였다.

– 김유정, 〈동백꽃〉

5 이 글의 서술자에 주목하여 ㉠에 들어갈 알맞은 말을 쓰시오.

서술자	'나'	시점	㉠
특징	눈치 없고 어수룩하여 점순이의 마음을 정확히 파악하지 못함.		
효과	점순이와 '나'의 사랑을 순수하고 해학적인 분위기로 만듦.		

6 이 글의 서술자를 '점순이'로 바꿀 때 효과로 적절한 것은?

① '나'의 내면 심리가 더 자세히 드러난다.
② '나'와 점순이의 갈등이 더 쉽게 해결된다.
③ '나'와 점순이의 속마음이 번갈아 나타난다.
④ 독자가 점순이의 심리를 추측하는 재미가 있다.
⑤ 점순이의 행동 속에 담긴 의도를 정확히 알게 된다.

[7~8] 다음 글을 읽고 물음에 답하시오.

"이름을 거룩하게 하옵시며 나라에 임하옵시며 뜻이 하늘에서 이루어진 것처럼 땅에서도 이루어지이다. 오늘날 우리에게 일용할(날마다 쓸.) 양식을 주옵시고 우리가 우리에게 죄지은 자를 용서하여 준 것처럼 우리 죄를 사하여(지은 죄나 허물을 용서하여.) 주옵시고, 우리를 시험에 들지 말게 하옵시고…… 우리를 시험에 들지 말게 하옵시고…… 시험에 들지 말게…… 시험에 들지 말게……."

이렇게 어머니는 자꾸 되풀이하였습니다. 나도 지금은 막히지 않고 줄줄 외는 주기도문을 글쎄 어머니가 막히다니 참으로 우스운 일이었습니다.

– 주요섭, 〈사랑손님과 어머니〉

7 이 글의 시점과 효과를 바르게 연결한 것은?

	시점	효과
①	1인칭 주인공 시점	인물의 갈등 조장
②	1인칭 관찰자 시점	독자의 웃음 유발
③	1인칭 관찰자 시점	주인공의 심리 전달
④	3인칭 전지적 시점	독자의 상상력 유발
⑤	3인칭 관찰자 시점	이야기의 긴장감 조성

8 이 글에 드러난 '나'의 생각과 어머니의 속마음을 정리할 때, ㉠에 들어갈 알맞은 문장을 찾아 쓰시오.

'나'의 생각	어머니의 속마음
㉠	아저씨를 향한 감정 때문에 혼란스럽고 힘듦.

1주 창의·융합·코딩 전략 ❶

1 다음 시의 화자에 대해 정리할 때 ㉠에 들어갈 알맞은 말을 한 문장으로 쓰시오.

열무 삼십 단을 이고
시장에 간 우리 엄마
안 오시네, 해는 시든 지 오래
나는 찬밥처럼 방에 담겨
아무리 천천히 숙제를 해도
엄마 안 오시네, 배춧잎 같은 발소리 타박타박
안 들리네, 어둡고 무서워
금 간 창틈으로 고요히 빗소리
빈방에 혼자 엎드려 훌쩍거리던

아주 먼 옛날
지금도 내 눈시울을 뜨겁게 하는
그 시절, 내 유년의 윗목

– 기형도, 〈엄마 걱정〉

	1연의 화자	2연의 화자
화자는 누구인가?	어린아이인 '나'	어른이 된 '나'
화자의 상황은 어떠한가?	혼자 방에서 숙제를 하며 엄마를 기다리고 있음.	어린 시절을 떠올리고 있음.
화자의 정서나 태도는 어떠한가?	외로움과 무서움을 느끼고 있음.	㉠

도움말

1연에 나타난 화자의 ❶ ［　　］을 바탕으로 2연의 화자가 자신의 어린 시절을 어떻게 바라보는지 살펴보자. 특히 2연에서 서늘한 느낌을 주는 시어 ❷ ［　　］을 통해 화자가 자신의 어린 시절을 바라보는 정서나 태도를 파악해 보자.

❶ 상황 ❷ 윗목

2 ㉠에 나타난 주제와 관련 있는 아래 카드 내용은?

차가운 바닥 위에 토하는 울음,
풀잎 없고 이슬 한 방울 내리지 않는
지하도 콘크리트 벽 좁은 틈에서
숨 막힐 듯, 그러나 나 여기 살아 있다
귀뚜르르 뚜르르 보내는 타전 소리가
누구의 마음 하나 울릴 수 있을까.

지금은 매미 떼가 하늘을 찌르는 시절
그 소리 걷히고 맑은 가을이
어린 풀숲 위에 내려와 뒤척이기도 하고
계단을 타고 이 땅 밑까지 내려오는 날
발길에 눌려 우는 내 울음도
㉠<u>누군가의 가슴에 실려 가는 노래일 수 있을까.</u>

– 나희덕, 〈귀뚜라미〉에서

귀뚜라미

귀뚜라미는 불완전 변태 과정을 거쳐 늦여름에서 가을까지 성충 시기를 보내다가 알 상태로 월동을 한다. 앞날개에 발음기를 가진 수컷은 이를 비벼 노래한다. 매미의 시끄러운 소리와 달리 귀뚜라미는 맑고 고요한 울음소리를 낸다. 특히 귀뚜라미의 울음소리는 인간의 심리적 안정에 도움이 된다는 연구 결과가 있다.

① 귀뚜라미의 월동 상태
② 귀뚜라미와 매미의 관계
③ 귀뚜라미의 불완전한 변태 과정
④ 귀뚜라미의 울음소리에 대한 연구 결과
⑤ 수컷의 귀뚜라미만 소리를 낸다는 사실

도움말

시의 ❶ ［　　］과 시의 내용을 통해 화자가 ❷ ［　　］임을 알 수 있다. 카드에서 귀뚜라미의 생태적 특성과 연구 결과를 확인하고, ㉠과 관련된 귀뚜라미의 특성을 찾아보자.

❶ 제목 ❷ 귀뚜라미

>> 정답과 해설 10쪽

3 「보기」는 다음 시조의 시인이 화자를 설정한 까닭을 탐구한 과정이다. ㉠에 들어갈 적절한 말은?

> 오늘도 다 새었다 호미 메고 가자스라(가자꾸나)
> 내 논 다 매어든(매거든) 네 논 좀 매어 주마
> 올 길에(돌아오는 길에) 뽕 따다가 누에 먹여 보자스라(보자꾸나)

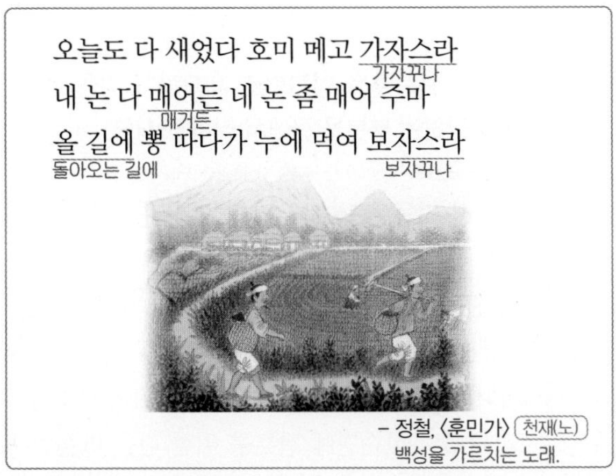

– 정철, 〈훈민가〉 천재(노)
백성을 가르치는 노래.

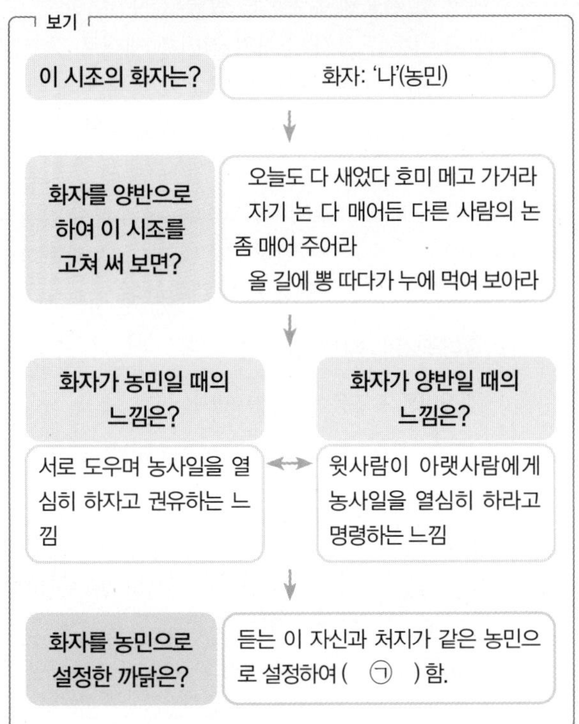

① 명령에 순순히 따르도록
② 엄숙하고 진지하게 받아들이도록
③ 일하지 않는 양반들이 깨우치도록
④ 친근하고 거부감 없이 받아들이도록
⑤ 순수하고 해학적인 분위기를 만들도록

도움말
시조의 화자와 시조를 들을 대상이 모두 ❶ [　　] 임을 알아 두자. 그런 다음 화자가 전하려는 주제를 파악하고, 화자를 농민으로 설정한 효과를 화자가 ❷ [　　] 일 때와 비교하여 파악해 보자.

❶ 농민 ❷ 양반

4 카드 내용을 참고할 때 다음 시에 나타난 화자의 특징을 바르게 이해하지 못한 것은?

> 사람한테 잡혀가도 입을 크게 벌리고만 있으면 산다고 아버지한테 귀 닳도록 들었습니다 사람한테 잡혀가도 눈을 크게 부라리고만 있으면 사람들이 겁먹고 도망간다고, 눈을 똑바로 뜨고만 있으면 사람들이 무서워서 벌벌 떨며 도망간다고 아버지한테 귀 빠지게 들었습니다 잘 보이지는 않지만, 눈 하나 깜빡대지 않고 크게 뜨고 있는 내가 무섭지요 벌벌 떨리지요?

– 배우식, 〈북어〉 금성

북어
북어는 명태(생태)를 완전히 건조한 것을 말한다. 우리나라 동해안 일대에서 잡은 명태를 겨울 동안 얼렸다 녹였다를 반복하며 겨울 찬바람에 완전히 건조하면 북어가 된다. 건조된 북어가 누런색으로 잘 말린 것을 특별하게 '황태'라고 부르기도 한다.

① 화자가 사람에게 처음 잡혔을 때는 '북어'가 아니라 '명태'였겠군.
② 사물인 '북어'가 화자로 등장하여 자신의 감정을 직접적으로 드러내고 있군.
③ 화자가 아버지의 조언대로 행동한 이유는 '황태'가 되고자 하는 바람 때문이었군.
④ 화자가 눈을 크게 부라리고 입을 크게 벌리는 것은 북어의 외양적 특성을 나타낸 것이군.
⑤ 바짝 마른 상태로 이미 죽어 있다는 것을 생각할 때 화자의 위협은 애처로운 허세에 불과하군.

도움말
북어에 대해 설명한 카드 내용에서 북어의 뜻과 ❶ [　　] 을 확인하고 시에 나타난 화자의 ❷ [　　] 과 행동을 통해 화자의 특징을 파악해 보자.

❶ 특징 ❷ 말

1주 창의·융합·코딩 전략 ❷

5 |보기|를 참고하여 다음 글에 사용된 시점과 그 이유를 쓰시오.

> "원, 아무리 일가래도 저건 몰상식이야."
> "맞아, 몰상식."
> "아무리 일가래도 엄연히 손님으로 와 놓구선 날마다 술을 달래지 않나, 옷을 빨아 달래지 않나."
> "맞아, 아무리 일가래도."
> "야, 근데, 너 요새 뭐 하고 돌아댕기니?"
> "내가 뭘요?"
> "네 책상 위에 있던 웬 여학생한테서 온 편지, 내가 압수했다."
> 아차, 미옥이에게서 온 편지. 나는 엄마에게 조용히 말했다. 이럴 때 악을 쓰면 더 어린애 취급을 받을 것이 확실하기 때문에. 목소리가 변하고 나서 좋은 점은 바로 이럴 때다. 어린애 목소리로는 도저히 이런 '공포의 저음'이 나오지 않기 때문에.
> "엄마, 그 편지 도로 저에게 주세요."
> "자기한테 온 편지를 제대로 간수하지도 못하는 애한테 내가 왜 주냐?"
>
> – 공선옥, 〈일가〉에서

보기

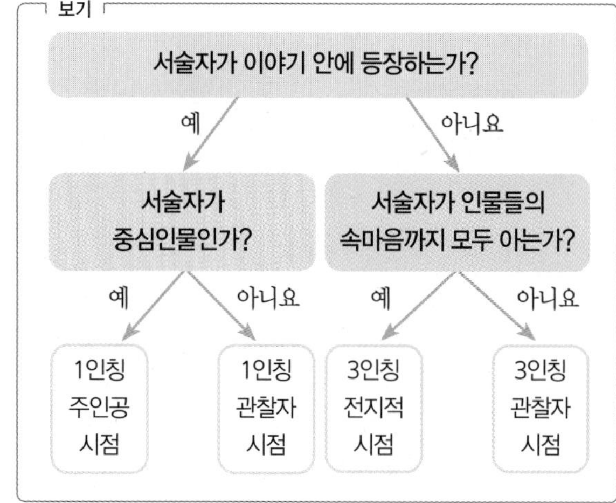

도움말

이야기 안에 '❶ ____'가 나타나는지 나타나지 않는지를 통해 1인칭 시점인지 아닌지를 확인한다. 또한 주인공뿐만 아니라 등장인물의 ❷ ____가 상세하게 나타나는지 파악해 보자.

❶ 나 ❷ 심리

6 |보기|는 다음 글을 영상으로 제작하기 위한 계획서이다. ㉠에 해당하는 부분을 글에서 찾아 쓰시오.

> 한편 길동은 동대문 밖의 구석진 곳에 가서 둔갑술을 부리는 신장을 불러내 호령했다.
> 신병을 거느리는 장수. 전략과 전술에 능한 장수.
> "진을 치고 싸울 준비를 하라!"
> 두 병사가 공중에서 내려와 몸을 굽히고 좌우에 서니, 난데없이 무수히 많은 병사들이 구름을 헤치고 나타나 한순간에 전투를 위한 진을 만들었다. 곧 이어 진 가운데 황금으로 삼층의 지휘대를 쌓고, 그 위에 길동을 모셔 군대의 격식을 제대로 갖추었다. 그 위엄은 하늘을 찌를 듯하고 그 형세는 더 이상 거칠 것이 없었다.
>
> – 허균, 〈홍길동전〉에서

보기

영상 제작 계획서

촬영 장소	동대문 밖
등장인물	길동, 신장, 많은 병사들
촬영 장면	• 길동이 신장에게 호령하는 장면 • 병사들이 진을 만들고, 지휘대 위에 길동을 모시는 장면
특수 효과	병사들이 구름을 헤치고 나타나는 장면에 특수 효과를 사용함.
자막 효과	㉠ 서술자가 직접 인물이나 사건에 대한 평가를 나타낸 부분에는 자막 효과를 사용함.

도움말

서술자의 서술 내용을 바탕으로 주된 ❶ ____이나 사건이 무엇인지 찾고, 이에 대한 서술자의 ❷ ____가 나타난 부분을 파악해 보자.

❶ 인물 ❷ 평가

7 다음 글의 서술자를 바르게 파악하지 못한 것은?

1

왜 안 했을까. 그때 나를 스쳐 가던 그 아이, 그 아이의 표정 때문인지도 몰라. 땟국물이 흐르던 목덜미, 전신에서 풍겨 나던 뭔가 찌든 듯한 그 냄새, 그 너절한 인상이 내 실수와 잘못된 과정을 바로잡는 게 너절하고 귀찮은 일이라는 생각을 하게 했을 거야. 어쩌면 그 결과 한 아이가 가지게 될지도 모르는 씻지 못할 좌절감이 내게도 약간 느껴졌는지도 모르지.

0

주 선생님을 찾아가서 말해야 했을까. 이건 내 그림이 아니라고. 다른 사람이 그린 그림이라고. 나는 그 사람만 한 재능이 없다고. 실수를 바로잡아 달라고. 나는 그렇게 하지 못했어. 주 선생님의 품에 안겨 울지만 않았더라도 찾아갈 수 있었어. 가능성이 크지는 않지만. 내 더러운 눈물로 주 선생님의 앞가슴에 늘어뜨려진 흰 레이스를 더럽히지만 않았더라도.

– 성석제, 〈내가 그린 히말라야시다 그림〉에서

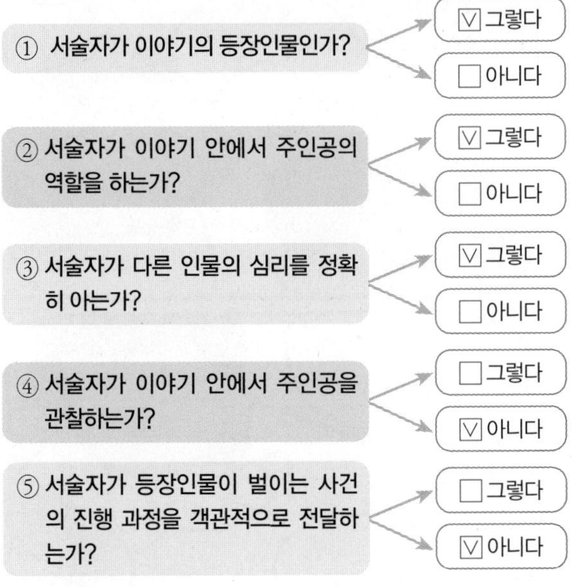

도움말

서술자가 이야기 안에 등장하는지 등장하지 않는지를 보고 ❶ ______ 시점인지 3인칭 시점인지 구분해 보자. 그리고 서술자가 다른 등장인물의 ❷ ______ 를 아는지도 파악하여 시점을 알아보자.

❶ 1인칭 ❷ 심리

8 댓글에 적절하지 않은 내용을 쓴 사람을 쓰시오.

◉ 〈사랑손님과 어머니〉의 일부를 서술자를 바꿔 〈보기〉와 같이 써 보았어요. 달라진 점을 댓글로 남겨 주세요.

잠깐 다녀올 터이니 집을 보고 있으라고 외삼촌에게 이르고 어머니는 내 손목을 잡고 나섰습니다.

"엄마, 나 저, 아저씨가 준 인형 가지고 가?"

"그러렴." / 나는 인형을 안고 어머니 손목을 잡고 뒷동산으로 올라갔습니다. 뒷동산에 올라가면 정거장이 빤히 내려다보입니다.

↓

보기

"잠깐 다녀올 터이니 집 좀 보고 있으렴."

누님은 내게 말하고는 옥희의 손목을 잡고 집을 나섰다.

"엄마, 나 저, 아저씨가 준 인형 가지고 가?"

옥희는 사랑손님이 주고 간 인형까지 챙겼다.

뒷동산에서는 기차 정거장이 내려다보이는데, 아마 누님은 기차를 타고 떠나는 사랑손님을 마지막으로 배웅하고 싶은 것이리라. 옥희와 함께 집을 나서는 누님의 뒷모습이 왠지 쓸쓸하게 느껴졌다.

댓글을 입력하세요.

보라: 어린아이의 시선으로 사건을 엉뚱하게 전달해 읽는 재미가 있었는데, 그 재미가 없어졌어.

찬우: 서술자가 바뀌면서 작품의 분위기가 쓸쓸한 분위기로 바뀌었어.

연경: 외삼촌이 서술자가 되어 어머니의 심리를 추측하여 알려 주고 있어.

주호: 옥희 어머니가 뒷동산에 올라가자고 옥희에게 제안한 이유가 달라지게 되었네.

도움말

각 이야기에서 이야기를 전달하는 ❶ ______ 를 파악한 후 서술자의 ❷ ______ 변화가 내용이나 분위기에 어떤 영향을 끼치는지를 파악해 보자.

❶ 서술자 ❷ 관점

2주 문학 (2)

다양한 표현 방법을 왜 사용할까?

작가는 반어, 역설, 풍자 등 여러 표현 방법을 사용하여
자신의 의도를 효과적으로 전달하지요.

공부할 내용

❶ 표현 방법의 종류와 특징

❷ 문학 작품의 재구성

원작과 재구성된 작품을 어떻게 읽을까?

원래의 작품과 재구성된 작품의 공통점과 차이점을 비교해 보면 읽는 재미를 느낄 수 있어요.

2주 1일 개념 돌파 전략 ❶

개념 1 운율

- **운율**: 시를 읽을 때 느껴지는 말의 ❶ ______.
- **운율 형성 방법**: 규칙적인 반복

같거나 비슷한 소리, 시어, 문장 구조의 반복	같거나 비슷한 글자 수의 반복	음보의 반복 (끊어 읽기의 규칙적 반복)
돌담에 속삭이는 햇발 같이 풀 아래 웃음 짓는 샘물같이	가시는 걸음걸음 -7자 놓인 그 꽃을 -5자 사뿐히 즈려밟고 / 가시옵소서 -7자 -5자	먼 훗날∨당신이∨찾으시면∨ 그때에∨내 말이∨잊었노라 → 3개 마디(3음보)

- **효과**
  - 음악적 효과를 바탕으로 시의 정서와 분위기를 드러내 줌.
  - ❷ ______를 효과적으로 전달하는 데 도움을 줌.

❶ 가락 ❷ 주제

Quiz

다음 설명에 해당하는 표현 방법을 한 단어로 쓰시오.

> 시를 읽을 때 느껴지는 말의 가락으로, 주로 같거나 비슷한 소리를 규칙적으로 반복함으로써 형성된다.

답 | 운율

개념 2 반어

- **반어**: 원래 표현하려는 내용을 실제 의미와는 ❶ ______되는 말이나 상황으로 표현하는 방법.

예

→ 시험을 못 봤는데 잘했다고 반대로 말함.: 성적이 좋지 않게 나왔음을 강조하고 성적이 좋지 않음을 비판하려는 의도로 사용함.

- **효과**
  - 있는 그대로 표현하는 것보다 강한 인상을 주어 본래 의도를 강조함.
  - 상황에 따라 대상을 비꼬거나 ❷ ______할 수 있음.

❶ 반대 ❷ 비판

Quiz

다음과 같은 표현 효과를 줄 수 있는 표현 방법을 고르시오.

> 있는 그대로 표현하는 것보다 강한 인상을 줄 수 있고, 표현하고자 하는 내용을 반대되게 나타내어 강조할 수 있다.

(운율 , 반어)

답 | 반어

1-1 다음을 참고할 때 운율을 형성하는 방법으로 볼 수 없는 것은?

① 한자어를 주로 사용한다.
② 일정한 글자 수를 되풀이한다.
③ 같거나 비슷한 시어나 시구를 되풀이한다.

정답 해설 | 운율이란 시를 읽을 때 느껴지는 말의 가락이다. 운율은 소리, 시어나 시구, 문장 구조 등을 규칙적으로 반복할 때 생긴다.
답 | ①

1-2 시에서 운율이 잘 느껴질 수 있는 요소를 고르시오.

ㄱ. 사물을 사람에 빗댄 표현
ㄴ. 상징의 뜻을 지닌 시어 사용
ㄷ. 각 행을 세 마디씩 끊어 읽기의 반복

2-1 밑줄 친 반어 표현을 통해 얻을 수 있는 효과로 적절한 것은?

① 읽을 때 음악적 효과를 느낄 수 있다.
② 대상을 시각적으로 표현하여 선명한 인상을 줄 수 있다.
③ 말하고자 하는 바와 반대로 표현하여 내용을 더욱 강조할 수 있다.

정답 해설 | 반어는 말하고자 하는 바와 반대로 나타내는 표현 방법이다. 반어를 사용하면, 뜻한 바를 반대로 표현하여 그 의미를 더욱 강조할 수 있다.
답 | ③

2-2 밑줄 친 말과 같이 표현한 의도로 적절한 것은?

교통 체증으로 고속도로가 꽉 막혀 있을 때

① 차가 막히는 원인을 실제로 밝히려고
② 차가 막히는 상황을 사실적으로 나타내려고
③ 차가 막히는 상황에 대한 불만을 강조하려고

개념 3 역설

○ **역설**: 겉보기에는 모순이지만 그 안에 어떤 ❶ ______ 을 담고 있는 표현 방법.

어떤 사실의 앞뒤, 또는 두 사실이 이치에 어긋나서 서로 맞지 않음.

예

→ 전기 플러그를 뽑아 전력을 절약하는 것이 나무를 심는 것(자연을 보호하는 것)임을 강조함.

○ **효과**

- 모순된 표현에 담긴 사실이나 진실을 ❷ ______ 함.
- 독자가 표현에 담긴 의미를 생각하게 되고 독자에게 신선함을 줌.

❶ 진실 ❷ 강조

Quiz

다음에서 설명하는 표현 방법으로 적절한 것은?

- 뜻: 겉보기에는 모순이지만, 그 안에 어떤 진실을 담고 있는 표현 방법이다.
- 효과: 신선한 느낌을 주고 표현에 담긴 진실을 더욱 강조한다.

① 운율 ② 반어 ③ 역설

답 | ③

개념 4 풍자

○ **풍자**: 대상을 비꼬거나 우습게 그려 대상을 간접적으로 ❶ ______ 하는 표현 방법.

예

→ 자연을 훼손하는 사람들을 비꼬아 비판함.

○ **효과**

- 웃음을 통해 독자가 읽는 재미를 느끼게 함.
- 독자가 대상을 비판적으로 생각하게 함.
- 개인이나 사회의 ❷ ______ 적인 면을 효과적으로 비판할 수 있음.

❶ 비판 ❷ 부정

Quiz

다음 설명이 맞으면 ○, 틀리면 X에 표시하시오.

(1) 풍자는 대상을 우스꽝스럽게 표현하여 대상을 비판한다. (○, X)

(2) 작가는 풍자를 통해 대상에 대해 긍정적 태도를 보여 준다. (○, X)

답 | (1) ○ (2) X

개념 5 문학 작품의 재구성

○ **문학 작품의 재구성**: 문학 작품을 읽고 자신의 관점에서 작품의 내용, 표현, 형식, ❶ ______, 맥락, 매체 등을 바꾸어 쓰는 것으로 또 하나의 작품을 창조하는 것임.

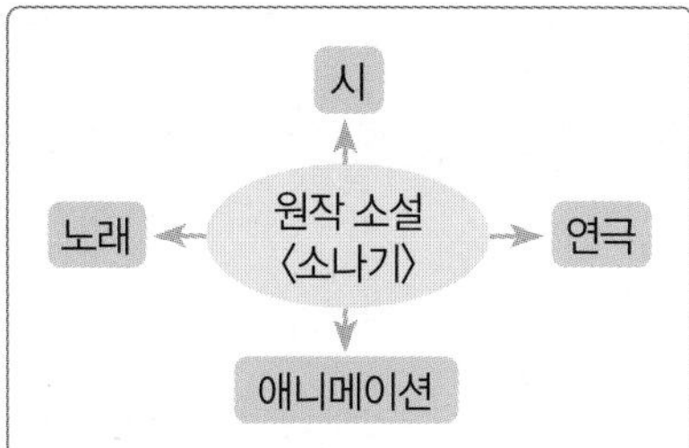

○ **효과**

- 문학 작품을 깊이 ❷ ______ 하는 능력을 기를 수 있음.
- 내용, 형식, 갈래, 맥락, 매체 등에 대해 좀 더 잘 알 수 있음.
- 새로운 것을 상상하고 조직하여 표현하는 능력을 기를 수 있음.

❶ 갈래 ❷ 이해

Quiz

다음에서 설명하는 것을 쓰시오.

문학 작품을 읽고 자신의 관점에서 작품의 내용, 표현, 형식, 갈래, 맥락, 매체 등을 바꾸어 쓰는 것을 이르는 말이다.

답 | (문학 작품의) 재구성

3-1 역설의 효과에 해당하지 않는 것은?

① 독자에게 참신한 느낌을 준다.

② 대상을 반대되게 나타내어 강조할 수 있다.

③ 표현에 담긴 의미를 독자 스스로 되새기게 한다.

정답 해설 | 역설은 겉보기에는 모순이지만 그 속에 진실을 담고 있는 표현이다. 역설을 사용하면 표현에 담긴 사실이나 진리를 강조할 수 있고 독자에게 신선한 느낌을 주며 독자가 표현에 담긴 의미를 생각하게 되는 효과가 있다. ②는 반어의 효과에 해당한다.

답 | ②

3-2 다음과 같은 효과를 줄 수 있는 표현 방법을 쓰시오.

'지는 것'이 '이기는 것'이라는 모순되는 표현을 통해 너그럽게 양보하는 것이 도덕적으로 승리하는 것이라는 진실을 전하고 있다.

4-1 풍자에 대한 설명으로 적절한 것은?

① 대상의 장단점을 균형 있게 설명한다.

② 대상의 긍정적인 면을 높이 평가한다.

③ 대상의 부정적인 면을 우스꽝스럽게 나타낸다.

정답 해설 | 풍자는 대상을 비꼬거나 우습게 그려 대상을 간접적으로 비판하는 표현 방법이다. 이러한 풍자는 작품을 읽는 재미를 느끼게 하고 대상을 비판적으로 바라보게 하는 효과가 있다.

답 | ③

4-2 풍자의 특징으로 적절하지 않은 것은?

① 대상의 부정적인 모습을 간접적으로 비판한다.

② 대상에게 하고자 하는 말을 반대로 표현하여 강조한다.

③ 대상을 우스꽝스럽게 표현하여 독자에게 읽는 재미를 준다.

5-1 문학 작품의 재구성에 대한 설명으로 적절하지 않은 것은?

① 원작을 자신의 관점에서 바꾸는 행위이다.

② 재구성할 때 내용, 형식, 맥락, 매체 등을 바꾼다.

③ 원작을 일부 바꾸는 것일 뿐 창조에 해당하지 않는다.

정답 해설 | 문학 작품의 재구성은 원작의 내용과 표현, 갈래, 형식, 맥락, 매체 등을 바꾸는 것으로, 일부를 단순히 바꾸는 것이 아니라 또 하나의 작품을 창조하는 것이다.

답 | ③

5-2 문학 작품의 재구성에 대한 설명으로 적절하지 않은 것은?

①문학 작품의 재구성은 원작의 내용과 표현, 형식 등을 그대로 표현하는 것으로, ②문학 작품의 재구성은 원작을 깊이 이해하는 데에서부터 시작한다. 그리고 ③원작을 다른 매체나 갈래로 재구성할 때는 바꾸고자 하는 매체나 갈래의 특성을 고려해야 한다.

2주 1일 개념 돌파 전략 ②

1 다음 시에서 운율을 형성하는 방법으로 적절하지 않은 것은?

> 실비 금비 내려라.
> 잔디밭에 내려라. //
> 실비 꽃비 내려라.
> 꽃송이에 내려라.

① '실비'라는 시어를 반복하였다.
② 7자로 글자 수를 일정하게 반복하였다.
③ 'ㅣ'와 같이 비슷한 소리를 반복하였다.
④ 같은 위치에서 '디'라는 시어를 반복하였다.
⑤ '~에 ~내려라.'라는 문장 구조를 반복하였다.

바탕 문제

( ) 안에서 알맞은 말을 골라 운율 형성 방법에 대한 설명을 완성해 보세요.

시에서 같거나 비슷한 시어, 글자 수, 문장 구조 등을 반복하면 (운율이 생긴다 , 현장감이 드러난다).

답 | 운율이 생긴다

2 다음 시의 화자가 ㉠과 같이 말한 까닭으로 적절한 것은?

> ㉠이젠 당신이 그립지 않죠, 보고 싶은 마음도 없죠.
> 사랑한 것도 잊혀 가네요, 조용하게.
> 알 수 없는 건 그런 내 맘이 / 비가 오면 눈물이 나요.

① '당신'을 빨리 만나기 위해
② '당신'을 이미 잊었음을 알리기 위해
③ '당신'에 대한 분노를 나타내기 위해
④ '당신'에 대한 그리움을 강조하기 위해
⑤ '나'에 대한 '당신'의 원망을 피하기 위해

바탕 문제

다음과 같이 나타내는 표현 방법을 한 단어로 쓰세요.

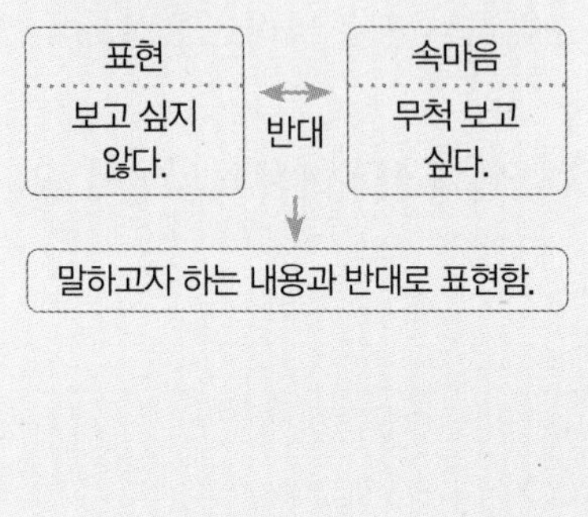

답 | 반어

3 밑줄 친 부분에 사용된 표현으로 적절한 것은?

> <u>나뭇잎이 벌레 먹어서 예쁘다</u>
> 귀족의 손처럼 상처 하나 없이 / 매끈한 것은
> 어쩐지 베풀 줄 모르는 / 손 같아서 밉다

① 대상을 청각적으로 나타내는 표현
② 대상을 다른 것에 빗대어 나타내는 표현
③ 모순된 표현을 통해 의미를 드러내는 표현
④ 대상을 우스꽝스럽게 나타내어 비판하는 표현
⑤ 속마음과 반대로 나타내어 의미를 강조하는 표현

바탕 문제

㉠에 들어갈 알맞은 표현 방법을 한 단어로 쓰세요.

(㉠)은 "만남은 헤어짐이다."와 같이 서로 상반된 어휘나 상황을 연결하여 하고자 하는 말을 강조한다.

답 | 역설

바탕 문제

풍자를 활용하여 비판할 수 있는 대상으로 적절한 것은?

① 손자를 사랑하는 할머니의 모습
② 일부러 세금을 안 내는 어른의 모습
③ 버려진 쓰레기를 줍는 중학생의 모습

답 | ②

4 **| 보기 |로 보아, 다음 시에 사용된 표현 방법으로 적절한 것은?**

> 자고 일어나 / 달리기를 하면 발목 삘까 봐
> 조깅을 한다. / 땀이 나
> 찬물로 씻으면 피부병 걸릴까 봐 / 냉수로 샤워만 한다.

| 보기 |

순우리말이 있지만, 습관적으로 외래어나 한자어를 쓰는 모습을 비꼬아 나타내어 대상을 비판하고 있군.

① 운율　② 반어　③ 역설
④ 풍자　⑤ 상징

바탕 문제

원작과 비교하여 재구성된 작품을 감상할 때 비교할 요소가 아닌 것은?

① 원작과의 인기 비교
② 원작과의 내용 비교
③ 원작과의 갈래 비교

답 | ①

5 **| 보기 |는 원작 (가)를 (나)로 재구성한 과정을 쓴 것이다. ㉠에 들어갈 알맞은 말을 한 단어로 쓰시오.**

(가) •당콩밥에 가지 냉국의 저녁을 먹고 나서
바가지꽃 하이얀 지붕에 •박각시 주락시 붕붕 날아오면
집은 안팎 문을 횅하니 열젖기고
인간들은 모두 뒷등성으로 올라 멍석자리를 하고 바람을 쐬이는데

• 당콩밥: 강낭콩밥.
• 박각시: 박각싯과의 나방.

↓

(나) 고마도 뒤돌아보는데, 아까 집에서 보았던 그 사내가 성큼성큼 걸어오고 있는 게 아닌가요?
"박각시다!"
"무사히 돌아왔군그래."
다들 그렇게 말했습니다.
박각시는 덩실덩실 춤을 추듯 걸어오며 방글방글 웃어 보였습니다.

| 보기 |

원작은 시이니 (㉠)을/를 바꾸어 동화로 써야지.

2주 2일 필수 체크 전략 ❶

전략 1 운율 형성 방법과 효과 파악하기

길이 끝나는 곳에서도

길이 있다
→ '~ 곳에서도 ~이 있다'의 문장 구조를 반복함.

길이 끝나는 곳에서도

길이 되는 사람이 있다

스스로 봄 길이 되어
희망, 긍정의 공간

끝없이 걸어가는 사람이 있다
→ '스스로 ~이 되어 ~ 걸어가는 사람이 있다'라는 문장 구조를 반복함.

강물은 흐르다가 멈추고

새들은 날아가 돌아오지 않고

하늘과 땅 사이의 모든 꽃잎은 흩어져도

보라

사랑이 끝난 곳에서도

사랑으로 남아 있는 사람이 있다

스스로 사랑이 되어

한없이 봄 길을 걸어가는 사람이 있다

– 정호승, 〈봄 길〉 비상

☑ 이 시에서 반복되는 표현은?

- '❶ ', '사람', '사랑' 등
- '~ 곳에서도 ~이 있다'
- '스스로 ~이 되어 ~ 걸어가는 사람이 있다'

☑ 이 시에서 운율을 형성하는 방법은?

같은 시어와 같은 ❷ 구조를 반복함.

☑ 이 시에 나타난 운율의 효과는?

- 희망적인 시의 분위기를 형성함.
- '시련을 극복하고 스스로 사랑을 찾기 위해 노력하는 삶의 태도'라는 주제를 효과적으로 전하는 데 도움을 줌.

❶ 길 ❷ 문장

필수 예제 1

이 시에서 운율을 형성한 방법으로 적절한 것은?

① 의젓하고 단호한 목소리
② 길이 끝나는 곳에도 길이 있다는 생각
③ 새, 하늘, 땅, 꽃잎과 같은 자연물 사용
④ '~ 곳에서도 ~이 있다'는 문장 구조의 반복
⑤ 절망적인 상황에서 희망을 잃지 않는 사람의 모습 표현

정답 해설 | 이 시에는 '길', '사랑'과 같은 시어와 '~ 곳에서도 ~이 있다', '스스로 ~이 되어 ~ 걸어가는 사람이 있다'는 문장 구조를 되풀이하여 운율을 형성하고 있다. **답** | ④

오답 풀이 | ① 시의 어조에 해당한다. 어조는 화자의 독특한 말하기 방식이나 억양, 말투를 의미하는데, 어조를 통해 화자의 태도나 정서, 시의 분위기가 드러난다.
② 역설에 해당한다. '길이 끝났지만 길이 있다'는 모순되는 상황을 제시하여 절망적인 상황에서도 희망이 있음을 강조하고 있다.
③ '새, 하늘, 땅, 꽃잎' 등의 자연물은 시의 소재에 해당한다.
⑤ '희망을 잃지 않는 사람'은 시적 대상에 해당한다.

확인 문제 1

이 시의 표현에 나타난 특징으로 적절한 것은?

① 비슷한 문장 구조를 반복하여 운율을 형성하고 주제를 강조하고 있다.
② 모든 행을 명사로 마무리하여 여운을 주고 주제를 효과적으로 전하고 있다.
③ 의성어를 활용하여 경쾌한 분위기를 자아내고 상황을 생생하게 전하고 있다.
④ 모든 연을 2행으로 구성하여 형태에 안정감을 주고 화자의 의지를 강조하고 있다.
⑤ 명령하는 말투를 반복하여 화자의 정서를 나타내고 시의 분위기를 선명하게 드러내고 있다.

>> 정답과 해설 13쪽

전략 2 반어 표현과 효과 파악하기

먼 훗날 당신이 찾으시면

그때에 내 말이 '잊었노라'

: '잊었노라'를 반복하여 운율을 형성하고 의미를 강조함.

당신이 속으로 나무라면

'무척 그리다가 잊었노라'

화자의 정서: 임을 그리워함.

그래도 당신이 나무라면

'믿기지 않아서 잊었노라'

오늘도 어제도 아니 잊고

화자의 속마음이 나타남.

먼 훗날 그때에 '잊었노라'

화자가 자신의 속마음을 반대로 표현하는 '반어'를 사용하고 있음.

– 김소월, 〈먼 후일〉 천재(노), 천재(박), 교학사, 비상

이 시에 나타난 화자의 상황은?
사랑하는 사람인 '당신'과 헤어졌지만 '당신'을 잊지 못함.

'잊었노라'에 담긴 화자의 속마음은?
'당신'을 잊지 못하고 ❶ ______ 함.

'잊었노라'에 사용된 표현 방법은?
❷ ______ : 자신의 속마음과는 반대로 표현함.

'잊었노라'라는 표현의 효과는?
'당신'을 그리워하는 화자의 마음을 강조하고 인상 깊게 드러냄.

❶ 그리워 ❷ 반어

필수 예제 2

이 시에 쓰인 '잊었노라'에 대한 설명으로 적절한 것은?

① '당신'이 떠나면서 화자에게 한 말이다.
② 화자가 '당신'에게 무척 듣고 싶은 말이다.
③ 화자가 자신의 속마음과 반대로 표현한 말이다.
④ 화자가 하고 싶은 말을 있는 그대로 표현한 말이다.
⑤ 헤어진 임을 원망하는 화자의 마음을 드러낸 말이다.

정답 해설 | '무척 그리다가', '믿기지 않아서', '오늘도 어제도 아니 잊고', '먼 훗날 그때에'와 같은 표현으로 보아 화자는 '당신'을 그리워하고 있음을 알 수 있다. 따라서 이 시의 화자는 '당신'을 간절히 그리워하는 마음을 강조하기 위해 '잊었노라'라고 반대로 표현하였다. 답 | ③

오답 풀이 | ① '당신'이 화자에게 남긴 말은 확인할 수 없다.
② 화자는 '당신'을 그리워하고 있으므로 '잊었노라'는 '당신'에게서 듣고 싶지 않은 말일 것이다.
④ 4연의 내용으로 보아 화자의 속마음은 '당신'을 그리워하는 것이다.
⑤ 시에서 화자가 '당신'을 원망하는 마음은 드러나지 않는다.

확인 문제 2

이 시를 바르게 이해하지 못한 사람은?

현지: '오늘도 어제도 아니 잊고'에서 '당신'을 잊지 못하고 그리워하는 화자의 속마음을 알 수 있어.
소라: 화자는 '당신'을 잊을 수 없는데, '잊었노라'라고 속마음과는 반대로 표현하였네.
진성: 그렇게 원래 표현하려는 내용을 반대로 나타내는 표현 방법이 반어이지.
인애: 화자는 자신의 마음을 더 절실하게 나타내기 위해 반어를 사용했어.
민준: 뜻이 모순되고 이치에 맞지 않는 말을 사용하여 내용을 강조하는 효과도 나타나.

① 현지 ② 소라 ③ 진성
④ 인애 ⑤ 민준

>> 정답과 해설 13쪽

전략 3 역설 표현과 효과 파악하기

은행나무 열매에서 구린내가 난다

주의해 주세요 구린내가 향기롭다
역설 ①: 열매를 지키기 위한 냄새임을 강조함.

밤톨이 여물면서 밤송이가 따가워진다

날카롭게 찌르는 가시가 너그럽다
역설 ②: 밤톨을 지키기 위한 가시의 역할을 강조함.

복어알을 먹으면 죽는다

복어의 독이 복어의 사랑이다
역설 ③: 복어알을 보호하는 독의 역할을 강조함.

자식을 낳고 술을 끊은 친구가 있다

㉠친구의 독한 마음이 아름답다
역설 ④: 자식을 위하는 부모의 마음을 강조함.

– 함민복, 〈독(毒)은 아름답다〉 천재(박)

☑ 겉보기에 모순된 표현이 쓰인 구절과 그에 담긴 참뜻은?

- 1연: '구린내가 향기롭다' → 구린내가 은행나무 ❶ [ ] 를 보호함.
- 2연: '날카롭게 찌르는 가시가 너그럽다' → 밤송이의 가시가 밤톨을 보호함.
- 3연: '복어의 독이 복어의 사랑이다' → 다른 동물이 복어의 알을 먹지 못하게 함.
- 4연: '친구의 독한 마음이 아름답다' → 자식을 위한 부모의 마음이 아름다움.

☑ 이 시에 주로 사용된 표현 방법은?

❷ [ ] : 겉보기에는 모순이지만 그 안에 어떤 진실을 담고 있는 표현임.

☑ 겉보기에 모순된 표현의 효과는?

모순된 표현 속에 진실이 담겨 있어 깊이 생각해 보게 하고 참신한 느낌을 줌.

❶ 열매 ❷ 역설

필수 예제 3

이 시에 주로 쓰인 표현 방법에 대한 설명으로 적절한 것은?

① 원래 표현하려는 의도와 반대로 나타냄.
② 나타내려는 대상을 다른 것에 빗대어 나타냄.
③ 두 대상의 차이점을 중심으로 내용을 강조함.
④ 대상을 조롱하거나 우습게 그려 대상을 비판함.
⑤ 겉보기에는 모순이지만 그 속에 진실을 담고 있음.

정답 해설 | 이 시에는 '구린내가 향기롭다', '날카롭게 찌르는 가시가 너그럽다', '복어의 독이 복어의 사랑이다', '친구의 독한 마음이 아름답다'에 역설이 사용되었다. 역설은 겉으로는 모순되거나 불합리해 보이지만 실제로는 그 안에 삶의 진실을 담고 있는 표현 방법으로, 서로 어울리지 않는 말을 결합하여 참신한 느낌을 주고, 전달하고자 하는 새로운 의미를 더욱 강조한다. **답** | ⑤

오답 풀이 | ①은 반어, ②는 비유, ③은 대조, ④는 풍자에 대한 설명이다.

확인 문제 3

㉠에 사용된 표현 방법과 그 표현 방법을 사용한 까닭을 바르게 연결한 것은?

	표현 방법	사용한 까닭
①	풍자	친구의 독한 마음을 비판하기 위해
②	반어	자식에 대한 친구의 마음을 나타내기 위해
③	반어	친구의 독한 마음을 인상적으로 나타내기 위해
④	역설	독한 마음이 갖는 위험성을 드러내기 위해
⑤	역설	자식을 사랑하는 친구의 마음을 강조하기 위해

2주 2일 필수 체크 전략 ❷

[1~2] 다음 시를 읽고 물음에 답하시오.

나 보기가 역겨워
가실 때에는
말없이 고이 보내 드리우리다

영변에 약산
진달래꽃
아름 따다 가실 길에 뿌리우리다

영변은 평안북도의 한 지명으로, 영변 부근의 약산은 진달래꽃으로 유명함.

가시는 걸음걸음
놓인 그 꽃을
사뿐히 즈려밟고 가시옵소서

나 보기가 역겨워
가실 때에는
㉠죽어도 아니 눈물 흘리우리다

– 김소월, 〈진달래꽃〉 동아, 지학사

시의 화자
'나'

시의 대상
'나'를 떠나는 임

화자의 상황
'나'가 사랑하는 이를 떠나보내고 있음.

개념+ 수미상관
시의 처음과 마지막을 같거나 비슷하게 반복하는 표현 방법으로 운율을 형성하고 주제를 강조하며, 시에 안정감을 줌.

1 이 시에서 운율을 형성하는 요소로 적절하지 않은 것은?

① 시행의 끝에서 '–우리다'가 되풀이된다.
② 4연이 1연과 비슷한 형태로 마무리된다.
③ 세 마디씩 끊어 읽히는 것이 되풀이된다.
④ 의성어와 의태어가 일정하게 되풀이된다.
⑤ 7자와 5자로 일정한 글자 수가 되풀이된다.

문제 해결 전략
시에서 느껴지는 가락을 ❶ [ ]이라고 한다. 시에서 ❷ [ ]되고 있는 부분, 시를 읽을 때 끊어 읽게 되는 부분, 형태상 유사한 두 연을 찾아보며 운율 형성 요소를 살펴본다.

❶ 운율 ❷ 반복(되풀이)

2 ㉠에 사용된 표현의 효과로 적절한 것은?

① 모순을 통해 이별에 대한 화자의 안타까운 마음을 드러낸다.
② 속마음과 반대로 나타내어 임을 떠나보내는 슬픔을 강조한다.
③ 임과 이별한 후 새로운 사랑을 기대하는 화자의 마음을 전달한다.
④ 힘 있는 말투로 절대 슬퍼하지 않겠다는 화자의 의지를 전달한다.
⑤ 부정하는 표현을 통해 떠나는 임에 대한 화자의 원망을 드러낸다.

문제 해결 전략
화자가 처한 시적 ❶ [ ]과 시적 대상에 대한 화자의 정서나 태도를 확인한 후, 이를 어떤 ❷ [ ] 방법을 사용하여 나타내고 있는지 살펴본다.

❶ 상황 ❷ 표현

필수 체크 전략 ❷

[3~4] 다음 시를 읽고 물음에 답하시오.

씹던 껌을 아무 데나 퉤, 뱉지 못하고
종이에 싸서 쓰레기통으로 달려가는 / 너는 참 바보다.

개구멍으로 쏙 빠져나가면 금방일 것을
비잉 돌아 교문으로 다니는 / 너는 참 바보다.

얼굴에 검댕 칠을 한 연탄장수 아저씨한테
쓸데없이 꾸벅, 인사하는 / 너는 참 바보다.

호랑이 선생님이 전근 가신다고
계집애들도 흘리지 않는 눈물을 찔끔거리는 / 너는 참 바보다.

그까짓 게 뭐 그리 대단하다고
민들레 앞에 쪼그리고 앉아 한참 바라보는 / 너는 참 바보다.

내가 아무리 거짓으로 허풍을 떨어도
눈을 동그랗게 뜨고 머리를 끄덕여 주는 / 너는 참 바보다.

바보라고 불러도 화내지 않고
씨익 웃어 버리고 마는 너는 / 정말 정말 바보다.

—그럼, 난 뭐냐? / 그런 네가 좋아서 그림자처럼
네 뒤를 졸졸 따라다니는 / 나는?

- 신형건, 〈넌 바보다〉 미래엔

개구멍: 담이나 울타리 또는 대문의 밑에 개 등이 드나들 정도로 터진 작은 구멍.
검댕: 그을음이나 연기가 엉겨 생기는, 검은 물질.
전근: 일하는 곳을 옮김.

○ 시의 화자
'너'를 관찰하고 있는 '나'

○ 시의 대상
'너'

○ 화자의 상황
'나'가 '너'를 따라다니며 '너'가 생활하는 모습을 관찰함.

3 이 시에서 운율을 형성하는 요소로 적절한 것은?

① 1연을 2연에서 반복함.
② 같거나 비슷한 시구를 반복함.
③ 모든 행을 네 마디씩 끊어 읽음.
④ 같은 의성어나 의태어를 반복함.
⑤ 3자와 4자로 글자 수를 일정하게 반복함.

문제 해결 전략
이 시를 읽을 때 말의 ❶ ____ 이 느껴지는 까닭을 찾아본다. 주로 시에서 반복되는 ❷ ____ 나 시구를 찾아본다.

❶ 가락(리듬감) ❷ 시어(단어)

4 이 시에 사용된 표현 방법이 다음과 같을 때, ㉠에 들어갈 표현 방법을 쓰시오.

표현	(㉠)	'나'의 속마음
너는 참 바보다.	↔ '나'의 속마음을 반대로 표현함.	'너'는 정직하고 따뜻하고 순수하고 착한 아이임.

문제 해결 전략
화자가 시의 대상인 '너'를 ❶ ____ 적으로 바라보는 이유를 확인한다. 그리고 화자가 그러한 태도를 ❷ ____ 하기 위해 사용한 표현 방법이 무엇인지 살펴본다.

❶ 긍정 ❷ 강조

[5~6] 다음 시를 읽고 물음에 답하시오.

가야 할 때가 언제인가를 / 분명히 알고 가는 이의
뒷모습은 얼마나 아름다운가.

봄 한철 / 격정을 인내한 / 나의 사랑은 지고 있다.
강렬하고 갑작스러워 누르기 어려운 감정.

분분한 낙화……
여럿이 한데 뒤섞여 어수선한.
결별이 이룩하는 축복에 싸여 / 지금은 가야 할 때,

무성한 녹음과 그리고 / 머지않아 열매 맺는 / 가을을 향하여

나의 청춘은 꽃답게 죽는다.

헤어지자. / 섬세한 손길을 흔들며 / 하롱하롱 꽃잎이 지는 어느 날
작고 가벼운 물체가 떨어지면서 잇따라 흔들리는 모양.

나의 사랑, 나의 결별,
샘터에 물 고이듯 성숙하는 / 내 영혼의 슬픈 눈.

– 이형기, 〈낙화〉 천재(노)

시의 화자
'나'

시의 대상
꽃잎이 지는 모습(낙화)

화자의 상황
늦은 봄 꽃잎이 흩날리며 떨어지는 장면을 바라보며 이별을 생각함.

5 이 시에서 자연 현상을 통해 전하려는 뜻이 다음과 같을 때, 적절하지 않은 것은?

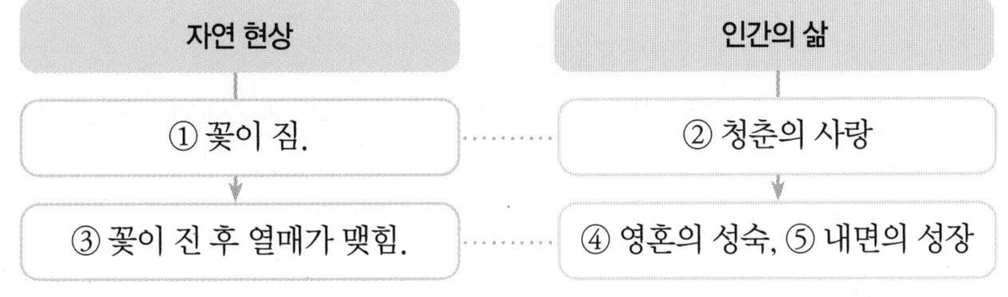

문제 해결 전략
시의 화자가 바라보고 있는 장면이 무엇인지, 이를 보며 화자가 무슨 ❶ [ ]을 하는지 살펴본다. 그리고 화자가 ❷ [ ] 현상을 통해 말하고자 하는 바를 파악해 본다.

❶ 생각 ❷ 자연

6 다음 ㉠에 들어갈 시구를 찾아 쓰시오.

현우: '(㉠)'은/는 의미상 서로 어울리지 않는 말이 결합되었어.
지우: 응. 겉으로는 모순되거나 불합리해 보이지만 실제로는 그 안에 삶의 진실을 담고 있는 표현이야.
현우: 이런 표현 방법을 역설이라고 하지?
지우: 맞아. 대상에 담긴 진실을 강조하기 위해서 사용하지.
현우: 표현이 참신하여 인상에 남는 효과도 있지.

문제 해결 전략
이 시에 사용된 ❶ [ ] 방법과 그 특징을 파악해 본다. 의미상 서로 어울리지 않는 말로 결합된 시구를 찾아보고, 그 표현의 의미, 그 표현 방법을 사용하여 얻을 수 있는 ❷ [ ]도 생각해 본다.

❶ 표현 ❷ 효과

2주 3일 필수 체크 전략 ❶

전략 1 풍자 표현과 효과 파악하기 ①

'양반'이란 사족(士族)을 높여 부르는 말이다.
선비나 무인(武人)의 집안, 또는 그 자손.

정선군에 어떤 양반이 살았다. 양반은 어질고 책 읽기를 좋아해서 고을에 군수가 새로 부임할 때마다 반드시 그 집에 찾아가 인사를 차렸다. 하지만 집이 가난해서 해마다 군(郡)에서 환곡을 빌려다가 먹었는데, 몇 해가 지나고 보니 빌린 곡식이 일천 섬에 이르렀다.
조선 시대에 각 고을에서 봄에 백성들에게 곡식을 꾸어 주고 가을에 이자를 붙여 거두는 일. 또는 그 곡식.

관찰사가 각 고을을 순시하다가 환곡 장부를 살펴보고는 몹시 노하여 말했다.

"어떤 놈의 양반이 관아 곡식을 이처럼 축냈단 말이냐!"

관찰사는 양반을 옥에 가두도록 명했다. 군수는 양반이 가난해서 빌린 곡식을 갚을 길이 없는 형편임을 딱하게 여겨 차마 가두지 못했지만, 그렇다고 해서 달리 뾰족한 방법을 찾을 수도 없었다. 양반은 밤낮으로 울기만 할 뿐 아무런 대책이 없었다. 그러자 양반의 아내가 나무랐다.
풍자 ①: 문제를 해결하지 못하는 나약한 모습

㉠"평생 당신은 책 읽기를 좋아하더니만 환곡 갚는 데는 아무 소용도 없구려. 쯧쯧, 양반! 양반은 한 푼어치도 안 되는구려!"
풍자 ②: 경제적으로 무능력한 양반의 모습

– 박지원, 〈양반전〉 천재(노), 천재(박), 동아, 지학사

☑ **양반이 처한 상황은?**
자신이 빌린 ❶ [　　] 을 갚지 못해 옥에 갇힐 위기에 처함.

☑ **양반이 자신의 상황에 대처하는 모습은?**
밤낮으로 울기만 할 뿐, 적절하게 대처하지 못하는 나약하고 ❷ [　　] 한 모습을 보임.

☑ **작가가 양반을 비판한 방법은?**
"양반은 한 푼어치도 안 되는구려!"라는 아내의 말을 통해 현실 문제에 대처하지 못하는 양반의 무능력함을 풍자함.

☑ **작가가 양반의 모습을 풍자한 효과는?**
양반의 부정적 모습을 강조하여 비판함.

❶ 환곡 ❷ 무능

필수 예제 1

이 글에서 비판하고 있는 양반의 모습으로 적절한 것은?

① 책 읽기를 좋아하지 않음.
② 경제적 문제를 제대로 해결하지 못함.
③ 성품이 어질지 못하고 체면을 중시함.
④ 빌린 곡식을 갚지 않는 사람을 찾아가 나무람.
⑤ 집에 곡식이 많은데도 욕심을 부려 환곡을 계속 빌림.

정답 해설 | 이 글에서 양반은 어질고 글 읽기를 좋아하지만 빚을 갚지 못하는 무능한 모습을 보여 주고 있다. 작가는 이러한 양반의 모습을 아내의 말을 통해 풍자하여 간접적으로 비판하고 있다. **답** | ②

오답 풀이 | ① 이 글에서 양반이 책 읽기를 좋아한다고 하였으며, 이것이 양반의 부정적인 모습은 아니다.
③ 양반의 성품이 어질다고 하였으며 체면을 중시한다는 내용은 없다.
④ 빌린 곡식을 갚지 않는 사람은 양반이며, 이를 나무라는 것은 양반의 아내이다.
⑤ 양반은 가난 때문에 곡식을 빌린 것이지 욕심을 부려 빌린 것은 아니다.

확인 문제 1

㉠에서 알 수 있는 양반을 바라보는 작가의 태도로 적절한 것은?

① 현실 문제에 적절히 대처하지 못하는 무능함 비판
② 생계를 꾸리기 위해 다른 사람을 속이는 모습 조롱
③ 고을의 문제를 해결하기 위해 계속 고민하는 모습 예찬
④ 평민들이 양반을 크게 믿고 있어 부담스러워하는 모습 공감
⑤ 문제를 해결할 수 있는 능력이 있는데도 실천하지 않는 모습 비판

전략 2 풍자 표현과 효과 파악하기 ②

두꺼비 파리를 물고 두엄 위에 치달아 앉아

위쪽으로 달리어 또는 위쪽으로 달려 올라가.

건넛산 바라보니 백송골이 떠 있거늘 가슴이 끔찍하여 풀떡 뛰어 내닫다가 두엄 아래에 자빠졌구나

모쳐라 날랜 나이니 망정이지 어혈 질 뻔했구나

'마침'의 옛말. 타박상 등으로 살 속에 피가 맺힘.

– 작자 미상의 사설시조 (미래엔, 비상)

시조에 드러난 두꺼비의 행동은?
두꺼비가 ❶ [ ] 를 물고 두엄 위에 앉아 있다가 백송골을 발견하고 무서워서 뛰어내리다가 자빠짐.

두꺼비의 행동에서 알 수 있는 두꺼비의 태도는?
잘난 척하며 허세를 부리고, 약자에게는 강하고 강자에게는 약한 모습을 보임.

작가가 이 시조를 쓴 의도는?
두꺼비는 탐관오리를 뜻하는데, 탐관오리를 우스꽝스럽게 표현하여 비판함.

풍자를 사용한 효과는?
탐관오리의 부정적 모습을 에둘러 표현하여 ❷ [ ] 을 유발하고 주제를 효과적으로 드러냄.

❶ 파리 ❷ 웃음

필수 예제 2

이 시조에서 작가가 비판하고 있는 두꺼비의 태도로 적절한 것은?

① 의견 없이 남이 시키는 대로만 함.
② 다른 사람의 조언을 전혀 듣지 않음.
③ 약자에게는 강하고 강자에게는 약함.
④ 어려운 일은 하지 않고 쉬운 일만 하려 함.
⑤ 진실을 숨기고 거짓말로 위기를 피하려 함.

정답 해설 | 두꺼비는 백송골이 나타나기 전에는 파리를 물고 두엄 위에 앉아 있다가 백송골이 나타난 이후에는 깜짝 놀라 도망치다가 넘어졌다. 파리가 힘없는 백성을 뜻하고, 백송골이 두꺼비보다 더 힘이 있는 권력자라고 했을 때, 약자에게 강하고 강자에게 약한 두꺼비의 태도를 비판하고 있다. **답** | ③

오답 풀이 | ①, ②, ④, ⑤는 이 시조를 통해 드러나지 않는 내용이다.

확인 문제 2

| 보기 |를 참고하여 이 시조를 이해할 때 적절하지 않은 것은?

> 보기
> 이 시조가 지어진 조선 후기에는 백성들이 탐관오리들에게 큰 고통을 받았다. 탐관오리들은 자신보다 더 힘이 있는 권력자에게는 아첨하거나 뇌물을 바치고, 힘없는 백성들은 못살게 굴었다. 그러한 고통을 받은 백성들이 이 시조를 창작했다고 볼 수 있다.
>
> 백성의 재물을 탐내어 빼앗는, 행실이 깨끗하지 못한 관리.

① '두꺼비'는 탐관오리, '파리'는 백성, '백송골'은 더 힘이 있는 권력자를 상징한다.
② 초장에서 '두꺼비'가 '파리'를 물고 있는 모습은 탐관오리가 백성들을 착취하는 모습을 의미한다.
③ 중장에서 '두꺼비'가 자빠지는 모습은 풍자가 쓰인 것으로 독자의 웃음을 자아낸다.
④ 종장에서 '두꺼비'가 잘난 척하는 모습은 탐관오리의 힘이 여전히 강함을 드러낸다.
⑤ 탐관오리가 부패한 모습을 돌려서 비판하기 위해 당시 백성이 이 시조를 창작하였다.

전략 3 원작과 재구성된 작품의 내용과 표현 비교하기

(가) 그날도 소년은 주머니 속 흰 조약돌만 만지작거리며 개울가로 나왔다. 그랬더니 이쪽 개울둑에 소녀가 앉아 있는 게 아닌가.

(주인공. 산골 소년임. 소녀를 좋아함. / 소녀에 대한 소년의 그리움을 상징하는 소재 / 주인공. 도시에서 옴. 몸이 약함.)

소년은 가슴부터 두근거렸다.

"그동안 앓았다." / 알아보게 소녀의 얼굴이 해쓱해져 있었다.

"그날, 소나기 맞은 것 땜에?"

소녀가 가만히 고개를 끄덕이었다.

"인제 다 났냐?" / "아직두……." / "그럼 누워 있어야지."

– 황순원, 〈소나기〉 천재(박)

(나) S# 83. 개울가

(장면 번호와 공간적 배경 → 갈래: 드라마 대본)

흰 조약돌만 만지작거리며 오던 소년, 멈칫 서서 마른침을 삼킨다.

(소녀에 대한 그리움 → 소재의 의미가 원작에서와 같음.)

핼쑥한 얼굴로 나무 아래 앉아 돌을 쌓고 있는 소녀.

(원작에 없던 내용이 추가됨.)

소년: (반가우면서도 어색하고 부끄러운 듯) 학교에 왜 안 나왔니?

소녀: 좀 아팠어.

소년: 그날, 소나기 맞아서?

소녀: (가만히 고개를 끄덕인다.)

소년: 인제 다 나은 거야?

소녀: (기침하며) 아직……. / **소년:** 그럼 누워 있어야지.

– 황순원 원작, 염일호 각본, 〈소나기〉 천재(박)

☑ 재구성된 작품을 감상하는 방법은?

형식, 내용, 표현 등의 변화를 바탕으로 작가가 ❶ [   ]을 어떠한 관점에서 재구성하여 어떤 가치를 담으려 했는지를 파악함.

☑ 원작 (가)와 재구성된 작품 (나)의 인물의 같은 점은?

	(가)	(나)
같은 점	가을의 농촌을 배경으로 소년과 소녀의 순수한 ❷ [ ] 이야기가 전개됨.	

☑ 원작 (가)와 재구성된 작품 (나)의 갈래와 표현을 비교하면?

	(가)	(나)
갈래	소설	드라마 대본
표현	인물의 행동을 서술자가 서술함.	인물의 행동을 지시문으로 표현함.
	등장인물의 대화로 구성됨.	등장인물의 대사로 구성됨.

❶ 원작 ❷ 사랑

필수 예제 3

(가)를 (나)로 재구성하면서 변화된 점이 아닌 것은?

① 인물의 말을 대사로 나타내고 있다.
② 서술자가 인물의 심리를 서술하고 있다.
③ 장면 번호와 배경을 함께 제시하고 있다.
④ 원작에는 없는 인물의 행동이 추가되었다.
⑤ 지시문을 통해 인물의 행동을 나타내고 있다.

정답 해설 | (가)는 서술자가 인물의 심리를 서술하고 있지만, (나)는 서술자 없이 지시문으로 인물의 심리를 제시한다. 답 | ②

오답 풀이 | ① (나)에는 소년과 소녀의 말이 대사로 나타나 있다.
② (나)에서는 장면 번호 'S# 83'과 '개울가'라는 배경을 함께 제시하고 있다.
④ (가)에 나타나지 않은 소년이 마른침을 삼키는 행동, 소녀가 돌을 쌓는 행동 등이 (나)에는 나타나 있다.
⑤ (나)에는 고개를 끄덕이는 행동이 지시문으로 나타나 있다.

확인 문제 3

원작인 (가)와 재구성된 작품인 (나)를 비교한 내용으로 적절하지 않은 것은?

① (나)는 (가)를 바탕으로 작가가 상상력을 발휘하여 창작해 낸 이야기이다.
② (가)와 (나)는 둘 다 인물, 사건, 배경을 중심으로 내용을 구성하고 있다.
③ (가)는 소설이고, (나)는 드라마 대본으로 서로 갈래가 다르다.
④ (가)에는 촬영이나 편집과 관련된 용어가 나타나지 않지만, (나)에는 장면 번호 등의 용어가 나타난다.
⑤ (가)는 서술자 없이 인물 간의 대화를 통해 사건을 전개하지만, (나)는 서술자가 이야기를 전개한다.

전략 4 원작과 재구성된 작품의 관점 비교하기

"거울아 거울아, 세상에서 가장 못생긴 사람이 누구니?"

그러면 거울은 그때마다 정직하게 대답했다.

"저 바닷가 마을 오두막에 사는 메리라는 처녀입니다."

그러면 공주는 그 사람을 불러다 자신의 아름다움을 깨달을 수 있도록 도와주었다. 다른 사람들이 세운 아름다움의 기준이라는 것은 하루아침에 바뀔 수 있는 허약한 것으로, 아름다움이란 것은 누구에게나 깃들어 있다는 것을 알려 주었다. 자신만이 가지고 있는 아름다움을 찾아내어 바라볼 수 있는 눈을 키워 주었던 것이다.(흑설 공주가 메리라는 처녀에게 일깨워 준 것) 그리하여 흑설 공주의 나라에는 아름답지 않은 사람이 하나도 없게 되었다.

이제 거울은 "거울아 거울아, 세상에서 가장 아름다운 사람이 누구지?" 하는 공주의 질문에 대답할 수 없게 되었다.

"모르겠어요. 다들 나름대로 아름다우니 누가 가장 아름다운지 도무지 알 수가 없어요."

흑설 공주는 그제야 미소를 지으며 대답했다.

"그래, 그게 정답이란다. 세상 사람들은 누구나 각각 다른 아름다움을 가지고 있거든. 장미는 장미대로 아름답고, 제비꽃은 제비꽃대로 아름답듯이 말이야!"(작가가 전하고자 한 가치)

그러나 나무꾼에게 있어 가장 아름다운 사람은 여전히 검은 피부, 검은 눈동자, 검은 머리의 온통 밤처럼 새까만 흑설 공주 한 사람뿐이었다.

– 이경혜, 〈흑설 공주〉 지학사

☑ 원작 〈백설 공주〉와 재구성된 작품 〈흑설 공주〉의 인물의 다른 점은?

〈백설 공주〉	〈흑설 공주〉
눈처럼 하얀 피부를 지님.	검은 피부를 지님.

☑ 원작 〈백설 공주〉와 재구성된 작품 〈흑설 공주〉의 결말의 다른 점은?

〈백설 공주〉	〈흑설 공주〉
왕자와 공주가 결혼하여 ❶ [ ] 하게 사는 것으로 끝맺음.	모든 사람이 각자 나름의 아름다움이 있음을 깨닫게 해 준다는 것으로 끝맺음.

☑ 재구성된 작품 〈흑설 공주〉를 통해 작가가 전하고자 하는 가치는?

사람에게는 각자의 아름다움이 있고, 그 아름다움을 스스로 발견해야 함.

→ 원작 〈백설 공주〉와는 다른 ❷ [ ] 에 대한 관점을 보여 줌.

❶ 행복 ❷ 아름다움

필수 예제 4

이 글의 결말로 보아 작가가 원작 〈백설 공주〉를 〈흑설 공주〉로 재구성하여 전하고자 하는 가치로 적절한 것은?

① 다른 사람의 시선에 주눅들지 않는 것
② 모든 존재는 각자의 아름다움이 있다는 것
③ 아름다워지려면 부단히 노력해야 한다는 것
④ 아름다움에 대한 기준은 시대에 따라 변한다는 것
⑤ 아름다움을 평가하는 기준은 한 가지이므로 신경 쓸 필요가 없다는 것

정답 해설 | 누구나 각각 다른 아름다움을 지녔다는 흑설 공주의 말을 통해 작가는 사람에게는 각자의 아름다움이 있고, 그 아름다움을 스스로 발견해야 한다는 깨달음을 전하고 있다. **답** | ②

오답 풀이 | ④ 다른 사람들이 세운 아름다움의 기준은 하루 아침에 바뀔 수 있다는 허약한 것이라고는 했지만, 시대에 따라 변한다는 내용은 없다. ⑤ 아름다움은 한 가지 기준으로 판단해서는 안 되고 또한 외모로만 결정되는 것은 아님을 알 수 있다.

확인 문제 4

이 글의 작가가 동화 〈백설 공주〉를 재구성한 까닭으로 적절한 것은?

① 동화 속 존재인 '거울'의 신비한 능력을 부각하려고
② 동화 속 주인공인 '백설 공주'의 억울한 죽음을 강조하려고
③ 동화 속 주인공인 '백설 공주'와 달리 '흑설 공주'의 따뜻한 마음을 표현하려고
④ 동화 속 '왕자'와 달리 '나무꾼'은 상대방의 능력을 인정하고 있음을 나타내려고
⑤ 동화 속 주인공인 '백설 공주'만 아름다운 것이 아니라 세상의 모든 존재가 아름답다는 것을 전하려고

2주 3일 필수 체크 전략 ❷

[1~2] 다음 글을 읽고 물음에 답하시오.

우리 박 선생님은 참 이상한 선생님이었다.

박 선생님은 생긴 것부터가 무척 이상하게 생긴 선생님이었다. 키가 한 뼘밖에 안 되어서 뼘생 또는 뼘박이라는 별명이 있는 것처럼, 박 선생님의 키는 키 작은 사람 가운데에서도 유난히 작은 키였다. ㉠일본 정치 때에, 혈서로 지원병을 지원했다 체격 검사에 키가 제 척수에 차지 못해 낙방이 되었다면, 그래서 땅을 치고 울었다면, 얼마나 작은 키인지 알 일이다.

척수: 치수. 길이에 대한 몇 자 몇 치의 셈.

그런 작은 키에 몸집은 그저 한 줌만 하고, 이 한 줌만 한 몸집, 한 뼘만 한 키 위에 깜짝 놀랄 만큼 큰 머리통이 위태위태하게 올라앉아 있다. 그래서 박 선생님 또 하나의 별명은 대갈장군이라고도 했다. / 머리통이 그렇게 큰 박 선생님의 얼굴은 어떻게 생겼느냐 하면, 또한 여느 사람과는 많이 달랐다.

뒤통수와 앞이마가 툭 내솟고, 내솟은 좁은 이마 밑으로 눈썹이 시꺼멓고, 왕방울 같은 두 눈은 부리부리하니 정기가 있고도 사납고, 코는 매부리코요, 입은 메기입으로 귀밑까지 넓죽 째지고, 목소리는 쇠꼬챙이로 찌르는 것처럼 쨍쨍하고.

뒷부분 줄거리 박 선생님은 광복이 되기 전에는 조선말을 쓰는 학생들을 혼내고 일본에 충성하였으나, 광복이 되고 나서는 학생들에게 일본은 나쁜 나라라고 가르치면서 미국 말을 공부하라고 한다.

– 채만식, 〈이상한 선생님〉 비상

인물
서술자인 '나'와 주인공인 박 선생님

배경
• 시간: 해방 전후
• 공간: 어느 초등학교

사건
해방 전후 혼란한 상황 속에서 박 선생님이 기회주의적으로 행동함.

기회주의적: 한결 같은 입장을 지니지 못하고 그때그때의 정세에 따라 이로운 쪽으로 행동하는. 또는 그런 것.

서술의 특징
어린아이인 '나'를 서술자로 설정하여 주인공의 모습을 관찰하여 서술함.

1 '나'가 말한 이상하게 생긴 박 선생님의 모습이 아닌 것은?

① 눈은 부리부리하고도 사납고 입은 넓죽 째졌다.
② 뒤통수와 앞이마가 툭 나왔고 눈썹은 시커멓다.
③ 키가 유난히 작아 뼘생, 뼘박이라는 별명이 있다.
④ 몸집은 작은데 머리통은 커서 대갈장군이라고 불린다.
⑤ 목소리는 쇠꼬챙이로 찌르는 것처럼 차분하고 조용하다.

문제 해결 전략
'나'가 박 선생님의 ❶ [   ]를 과장되게 표현한 부분을 찾아보고, 그러한 표현에서 느껴지는 박 선생님에 대한 서술자의 ❷ [   ]를 파악해 본다.

❶ 외모 ❷ 태도

2 ㉠에 대한 설명으로 적절하지 않은 것은?

① 풍자의 표현을 사용하여 대상의 모습을 비판하고 있다.
② 친일 행동을 보이는 박 선생님의 모습을 부각하고 있다.
③ 글을 읽는 독자가 박 선생님을 부정적으로 바라보게 한다.
④ 서술자가 자신의 속마음과 반대로 표현하여 의미를 강조하고 있다.
⑤ 박 선생님의 모습을 우스꽝스럽게 표현하여 웃음을 유발하고 있다.

문제 해결 전략
박 선생님의 태도를 ❶ [   ] 배경과 관련지어 생각해 보고, '나'가 박 선생님을 우스꽝스럽게 표현하여 얻을 수 있는 ❷ [   ]를 생각해 본다.

❶ 시대 ❷ 효과

>> 정답과 해설 16쪽

[3~4] 다음 시를 읽고 물음에 답하시오.

(가) 모진 소리를 들으면 / 내 입에서 나온 소리가 아니더라도
내 귀를 겨냥한 소리가 아니더라도
모진 소리를 들으면 / 가슴이 쩌엉한다. / 온몸이 쿡쿡 아파 온다
누군가의 온몸을 / 가슴속부터 쩡 금 가게 했을 / 모진 소리 //
나와 헤어져 / 덜컹거리는 지하철에서 / 고개를 수그리고
내 모진 소리를 자꾸 생각했을 / 내 모진 소리에 무수히 정 맞았을
누군가를 생각하면 / 모진 소리, / 늑골에 정을 친다
쩌어엉 세상에 금이 간다.

- 황인숙, 〈모진 소리〉 천재(박)

(나) 따뜻한 말을 들으면 / 내 입에서 나온 말이 아니더라도
내 귀를 향한 말이 아니더라도
따뜻한 말을 들으면 / 가슴이 따뜻하다. / 미소가 사르르 번진다
누군가의 온몸을 / 가슴속부터 활짝 꽃 피게 했을 / 따뜻한 말 //
나와 헤어져 / 초록빛 가득한 가로수 길에서 / 미소 지으며
내 따뜻한 말을 종종 떠올렸을 / 내 따뜻한 말에 살며시 꽃 피웠을
누군가를 생각하면 / 따뜻한 말, / 가슴에 빛이 든다
화알짝 세상에 꽃이 핀다.

- 〈따뜻한 말〉 천재(박)

시의 화자
(가)와 (나) 모두 '나'

시의 대상
(가)는 모진 소리, (나)는 따뜻한 말

화자의 상황
(가)의 화자는 '모진 소리'가 타인에게 주는 상처에 대해 생각하고 있고, (나)의 화자는 '따뜻한 말'이 타인에게 주는 긍정적 영향을 생각하고 있음.

3 (가)를 재구성하여 (나)를 창작할 때 고려한 점이 아닌 것은?

① 2연 18행의 형식은 그대로 유지해야겠어.
② 의성어나 의태어는 사용하지 말아야겠어.
③ 시에 사용된 기본적인 문장 구조는 그대로 유지해야겠어.
④ '모진 소리'라는 소재는 '마음을 따뜻하게 하는 말'로 바꾸어야겠어.
⑤ 말이 타인에게 주는 영향을 '정을 치는 모습'에서 '꽃을 피우는 모습'으로 바꾸어야겠어.

문제 해결 전략
(가)와 (나)를 ❶ [ ] 하면서 달라진 점과 달라지지 않은 점을 확인하고, 달라진 점을 중심으로 내용이나 ❷ [ ], 형식 등이 어떻게 달라졌는지 파악해 본다.

❶ 비교 ❷ 표현

4 (가)와 (나)를 읽은 학생의 반응으로 적절한 것은?

① 행복이나 불행은 스스로 마음먹기에 달려 있군.
② 상대방의 말을 들을 때는 귀 기울여 들어야 하는군.
③ 상대방에게 의견을 전할 때는 정확한 말을 써야 하는군.
④ 상대방의 말을 들을 때는 말에 숨겨진 의미를 찾아야 하는군.
⑤ 자신의 말이 상대방에게 미칠 영향을 생각해서 신중하게 말해야겠군.

문제 해결 전략
(가)와 (나)의 ❶ [ ] 를 바탕으로 하여 공통점과 차이점을 살펴본다. 그리고 ❷ [ ] 을 중심으로 (가)와 (나)에서 둘 다 중요하게 여기는 내용이 무엇인지 파악해 본다.

❶ 주제 ❷ 공통점

2주 4일 교과서 대표 전략 ❶

대표 작품 & 예제 1~2

가 첫 번에 삼십 전, 둘째 번에 오십 전 — 아침 댓바람에 그리 흉치 않은 일이었다. 그야말로 재수가 옴 붙어서 근 열흘 동안 돈 구경도 못 한 김 첨지는 십 전짜리 백동화 서 푼, 또는 다섯 푼이 찰깍하고 손바닥에 떨어질 제 거의 눈물을 흘릴 만큼 기뻤었다. 더구나 이날 이때에 이 팔십 전이란 돈이 그에게 얼마나 유용한지 몰랐다.

(전: 우리나라의 옛 화폐 단위. / 댓바람: 아주 이른 시간.)

나 이 환자가 그러고도 먹는 데는 물리지 않았다. 사흘 전부터 설렁탕 국물이 마시고 싶다고 졸랐다. / "이런! 조밥도 못 먹는 년이 설렁탕은, 또 처먹고 지랄병을 하게."

라고 야단을 쳐 보았건만 못 사 주는 마음이 시원치는 않았다. / 인제 설렁탕을 사 줄 수도 있다. 앓는 어미 곁에서 배고파 보채는 개똥이(세 살 먹이)에게 죽을 사 줄 수도 있다 — 팔십 전을 손에 쥔 김 첨지의 마음은 푼푼하였다.

(푼푼하였다: 모자람 없이 넉넉하였다.)

다 개똥이가 물었던 젖을 빼어 놓고 운다. 운대도 온 얼굴을 찡그려 붙여서 운다는 표정을 할 뿐이다. (중략)

"이 눈깔! 이 눈깔! 왜 나를 바라보지 못하고 천장만 보느냐? 응." / 하는 말끝엔 목이 메었다. 그러자 산 사람의 눈에서 떨어진 닭똥 같은 눈물이 죽은 이의 뻣뻣한 얼굴을 어룽어룽 적신다. 문득 김 첨지는 미친 듯이 제 얼굴을 죽은 이의 얼굴에 한데 비비대며 중얼거렸다.

"설렁탕을 사다 놓았는데 왜 먹지를 못하니, 왜 먹지를 못하니? ㉠괴상하게도 오늘은 운수가 좋더니만……."

– 현진건, 〈운수 좋은 날〉 천재(노)

1 제목 '운수 좋은 날'에 대한 설명으로 적절한 것은?

① 반어 표현을 사용하여 주제를 강조하고 있다.
② 풍자 표현을 사용하여 의미를 강조하고 있다.
③ 대상을 사람처럼 표현하여 친근함을 주고 있다.
④ 역설 표현을 사용하여 신선한 느낌을 주고 있다.
⑤ 자연물을 소재로 하여 주제를 인상 깊게 드러내고 있다.

유형 해결 전략

제목에 쓰인 표현 방법의 특징과 효과를 파악하는 문제이다. 하루 동안 김 첨지에게 일어난 ❶ ______ 과 불행을 떠올려 보고 제목 '❷ ______ 좋은 날'과 연관 지어 표현 방법을 파악해 보자.

❶ 행운 ❷ 운수

2 ㉠과 같이 표현한 작가의 의도로 적절한 것은?

① 김 첨지가 가장 불행한 날을 맞이한 비극성을 강조하려고
② 김 첨지가 하루 동안 운수 좋은 날을 보냈음을 강조하려고
③ 김 첨지가 아이와 살아갈 방법을 걱정하고 있음을 나타내려고
④ 김 첨지가 아내를 돌보지 못한 것을 반성하고 있음을 말하려고
⑤ 김 첨지가 아내를 위해 설렁탕을 사 온 것이 행운이었음을 전하려고

유형 해결 전략

글의 결말에 나타난 표현의 특징과 작가의 의도를 파악하는 문제이다. 김 첨지에게 일어난 ❶ ______ 과 관련하여 운수가 좋다는 말에 숨은 의미를 확인하고, ❷ ______ 로 표현한 작가의 의도를 파악해 보자.

❶ 불행 ❷ 반대

» 정답과 해설 17쪽

대표 작품 & 예제 3~4

가 한국을 떠나 미국의 애리조나주 투손시의 인디언 축제에 참가했을 때의 일이다. 인디언 천막 안에서 인디언 노인들과 흥미 있는 대화를 주고받으리라 기대했던 나는 아주 뜻밖의 일을 경험했다. 천막 안으로 들어가 그들과 마주 앉자마자, 나는 내 소개를 하기 시작했다. (중략)

그런데 그들은 아무런 반응도 보이지 않았다.

나 훗날에야 나는 그것이 인디언 부족들의 전통인 것을 알았다. 누군가를 만나면 그들은 대화를 시작하기 전에 그렇게 한동안 침묵으로 상대방을 느끼는 것이다. 자기 앞에 있는 존재를 가장 잘 느끼는 방법은 말을 통한 것이 아니라 침묵을 통한 것임을 그들은 깨닫고 있었다. (중략)

그렇다. 고백하지만, 나는 그들의 침묵에는 턱없이 모자랐고, 그들의 말에는 더없이 넘쳐 났다. 나는 이 생에서 쓸데없는 말을 너무 많이 하며 살고 있지 않은가?

다 라코타족 인디언인 '서 있는 곰'은 말한다.

미국 인디언 부족의 하나. '라코타'는 그들의 언어로 '친구', '동맹자'를 의미함.

"침묵은 라코타족에게 의미 깊은 것이었다. 라코타족은 대화를 시작할 때, 잠시 침묵하는 것을 진정한 예의로 알고 있었다. '말 이전에 침묵이 먼저'라는 것을 알았던 것이다. 슬픈 일이 닥쳤거나 누가 병에 걸렸거나, 또는 누가 죽었을 때, 나의 부족은 먼저 침묵하는 것을 잊지 않았다. 어떤 불행 속에서도 침묵하는 마음을 잃지 않았다."

인디언들은 여러 부족으로 이루어져 있고, 부족마다 언어도 매우 다르다. 그래서 나는 인디언을 만나면 그들의 부족 언어를 묻곤 했다. / "당신의 모국어는 무엇입니까?"

그러면 그들은 이렇게 답하곤 했다.

㉠"우리의 모국어는 침묵입니다."

– 류시화, 〈나의 모국어는 침묵〉 미래엔

3 이 글의 내용으로 보아 침묵의 의미로 적절한 것은?

① 상대방의 말을 무조건 잘 들어주는 방법
② 말보다 상대방을 가장 잘 느낄 수 있는 방법
③ 대화하기 전에 상대방의 눈을 바라보는 방법
④ 상대방의 말에 어떤 반응도 보이지 않는 방법
⑤ 쓸데없는 말도 필요하다는 것을 보여 주는 방법

유형 해결 전략

글쓴이의 깨달음을 파악하는 문제이다. 글쓴이가 겪은 ❶ ______ 에서 얻은 깨달음을 정리하고 인디언들이 말을 하지 않은 이유를 통해 ❷ ______ 의 의미를 생각해 보자.

❶ 경험 ❷ 침묵

4 다음을 참고할 때 ㉠에 쓰인 표현 방법으로 적절한 것은?

모국어	여러 민족으로 이루어진 국가에서, 자기 민족의 언어를 국어 또는 외국어에 상대하여 이르는 말.
↕	
침묵	아무 말도 없이 잠잠히 있음. 또는 그런 상태.

① 사람이 아닌 대상을 사람처럼 표현하여 주제를 인상 깊게 전한다.
② 표현하려는 대상을 그와 비슷한 다른 대상에 빗대어 생생하게 전한다.
③ 전하려는 내용과 반대로 표현하여 읽는 이 스스로 의미를 되새기게 한다.
④ 대상의 부정적인 모습을 우스꽝스럽게 표현하여 읽는 이가 웃음 짓게 한다.
⑤ 겉으로 보기에 이치에 어긋나는 표현을 사용하여 전하려는 바를 인상적으로 나타낸다.

유형 해결 전략

문장에 사용된 표현 방법과 효과를 파악하는 문제이다. '모국어'와 '침묵'의 ❶ ______ 를 보고, 어떤 ❷ ______ 이 담겨 있으며, 쓰인 표현 방법이 무엇인지 파악해 보자.

❶ 뜻풀이 ❷ 진실(진리)

대표 작품 & 예제 5~6

앞부분 줄거리 마을의 부자는 양반이 빌린 환곡을 대신 갚아 주고 양반 신분을 산다. 군수는 이를 증빙하고자 양반으로서 지켜야 할 일을 담은 매매 증서를 작성한다. 증서를 본 부자는 자신이 실질적인 이익을 얻도록 매매 증서를 고쳐 달라고 요구한다.

하늘이 백성을 낳을 때 넷으로 구분하였다. 네 가지 백성 가운데 가장 높은 것이 선비이니, 이것이 곧 양반이다. 양반의 이익은 막대하다. 농사도 짓지 않고 장사도 하지 않는다. 글만 대충 읽어도 크게 되면 문과(文科)에 급제하고, 작아도 진사(進仕)가 된다.

문과의 홍패(紅牌)는 팔뚝만 하지만, 여기에 온갖 물건이 갖추어져 있으니, 그야말로 돈 자루이다. 서른에야 진사가 되어 첫 벼슬을 얻더라도, 오히려 이름난 음관(蔭官)이 되어 높은 벼슬자리에 오를 수 있다. (중략)

벼슬을 아니 하고 시골에 묻혀 살더라도 모든 일을 제멋대로 할 수 있다. 강제로 이웃의 소를 끌어다 먼저 자신의 땅을 갈고, 마을의 일꾼을 잡아다 먼저 자기 논의 김을 맨들, 누가 감히 나에게 대들겠느냐? 네놈들 코에 잿물을 들이붓고, 머리끄덩이를 잡아 휘휘 돌리고, 귀밑 수염을 다 뽑아도 누가 감히 나를 원망하겠느냐?

부자는 증서 내용을 듣고 있다가 혀를 내둘렀다.

"그만두시오, 그만두시오. 참으로 맹랑하구먼. ㉠나를 도둑놈으로 만들 작정입니까?"

부자는 머리를 흔들면서 떠나 버렸다. 그러고는 죽을 때까지 다시는 양반이 되고 싶다는 말을 입에 올리지 않았다.

– 박지원, 〈양반전〉

5 이 글에서 작가가 당시 양반의 모습을 표현한 방법으로 적절한 것은?

① 양반의 품위 있는 여러 모습을 나열하여 설명하고 있다.
② 부도덕한 양반의 모습을 동물에 빗대어 비판하고 있다.
③ 권력을 누리는 양반의 문제점을 인물의 말을 통해 나열하고 있다.
④ 부당한 특권을 누리며 평민을 괴롭히는 양반의 부도덕한 모습을 풍자하고 있다.
⑤ 부자가 양반의 장단점에 대해 스스로 묻고 답하는 형식을 통해 읽는 이가 문제를 깨닫게 하고 있다.

유형 해결 전략

글에 사용된 표현 방법을 파악하는 문제이다. 증서의 내용을 통해 ❶ ☐ 의 부정적인 모습을 살펴보고, 부자의 반응을 통해 작가가 양반의 모습을 어떠한 방식으로 ❷ ☐ 하고 있는지 파악해 보자.

❶ 양반 ❷ 비판

6 부자가 ㉠과 같이 말한 까닭으로 적절한 것은?

① 양반의 처지가 불쌍하게 느껴져서
② 양반이 지켜야 할 규칙과 규범이 엄격해서
③ 양반이 되면 경제적으로 이득이 없다고 판단해서
④ 신분을 사고파는 행위가 법에 어긋남을 알게 되어서
⑤ 양반이 부도덕하고 횡포를 일삼는 존재라고 생각해서

유형 해결 전략

인물의 말에 나타난 생각을 파악하는 문제이다. 부자가 ❶ ☐ 이 되기를 포기한 이유를 생각해 보고, 양반의 어떤 면을 보고 ❷ ☐ 에 빗대어 말했는지 파악해 보자.

❶ 양반 ❷ 도둑놈

대표 작품 & 예제 **7~8**

가 "어따 이놈 흥부 놈아! 하늘이 사람 낼 때 제각기 정한 분수가 있어서 잘난 놈은 부자 되고 못난 놈은 가난한데 내가 이리 잘사는 게 네 복을 뺏었느냐? 누구한테 떼쓰자고 이 흉년에 곡식을 달라느냐? 목멘 소리 내어 눈물방울이나 찍어 내면 네 잔꾀에 내가 속을 줄 알고! 어림 반 푼어치도 없다. 쌀 한 말이나 주자 한들 대청 큰 뒤주에 가득가득 들었으니 네놈 주자고 뒤주 헐며, 벼 한 말을 주자 한들 곳간 노적가리 태산같이 쌓였는데 네놈 주자고 노적가리를 헌단 말이냐?" (중략)

노적가리: 한데에 수북이 쌓아 둔 곡식 더미.

놀부는 말을 마치자마자 몽둥이를 들어 메더니 좁은 골에 벼락 치듯 후닥닥 뚝딱 동생을 두드려 패기 시작했다.

– 작자 미상, 〈흥부전〉 미래엔

나 옛날에 흥부와 놀부라는 형제가 살았어요. 흥부는 집도 가난하고 일도 잘 못했지요. 매번 놀부를 찾아와 도움을 받았어요. 그러던 어느 날, 놀부는 부인에게 이렇게 말했지요.

"여보, 이제 흥부네 가족이 찾아오면 절대 도와주지 마시오. 도와주는 것도 한두 번이지 자꾸 도와주니까 의지만 하고 스스로 일할 생각을 하지 않는 것 같구려."

"그러다 굶어 죽으면 어떡해요?"

"내게 다 생각이 있으니 당신은 절대 도와주면 안 돼요. 마음이 아파도 냉정하게 대하시오."

그때 흥부가 도움을 청하러 왔어요.

"형님, 좀 도와주십시오. 아내와 아이들이 굶고 있습니다."

"이제부터 네 가족은 네가 책임져라. 네가 열심히 벌어서 아이들을 먹이고 공부도 시키란 말이다."

– 류일윤, 〈놀부전〉 미래엔

7 **(가), (나)에 나타난 놀부의 모습을 비교한 내용으로 적절한 것은?**

① (가)의 놀부는 동생을 배려하지만, (나)의 놀부는 그렇지 못하다.
② (가)의 놀부는 동생에게 의지하지만, (나)의 놀부는 동생을 돌본다.
③ (가)의 놀부는 일을 열심히 하지만, (나)의 놀부는 그렇지 못하다.
④ (가)의 놀부는 착한 모습을 보이지만, (나)의 놀부는 그렇지 못하다.
⑤ (가)의 놀부는 재물에 욕심이 많지만, (나)의 놀부는 동생이 스스로 자립하기를 바란다.

유형 해결 전략

원작과 재구성된 작품을 비교하는 문제이다. 원작 〈흥부전〉과 재구성된 작품 〈놀부전〉에 등장하는 놀부의 ❶ [ ] 과 행동을 통해 ❷ [ ] 을 파악해 보자.

❶ 말 ❷ 성격

8 **작가가 원작인 (가)를 (나)로 재구성하면서 놀부의 모습을 바꾼 까닭으로 적절한 것은?**

① 착한 행동을 하면 복을 받는다는 가치를 전하려고
② 동생을 때리는 형의 폭력적인 모습을 강조하려고
③ 형제간의 우애도 재물 앞에서는 소용 없음을 말하려고
④ 남에게 의지하지 않고 스스로 개척하는 삶의 가치를 보여 주려고
⑤ 현대 사회에서 정신적 가치보다 물질적 가치가 중요함을 깨우쳐 주려고

유형 해결 전략

작가가 원작을 재구성한 의도를 파악하는 문제이다. 시대가 변하면서 ❶ [ ] 도 달라짐을 이해하고 〈놀부전〉에서 오늘날 놀부와 흥부가 어떤 인물로 ❷ [ ] 되는지 생각해 보자.

❶ 가치관 ❷ 평가

2주 4일 교과서 대표 전략 ❷

[1~3] 다음 시를 읽고 물음에 답하시오.

(가) 나 보기가 역겨워 / 가실 때에는
말없이 고이 보내 드리우리다

영변에 약산
진달래꽃 / 아름 따다 가실 길에 뿌리우리다

가시는 걸음걸음 / 놓인 그 꽃을
사뿐히 즈려밟고 가시옵소서

나 보기가 역겨워 / 가실 때에는
㉠죽어도 아니 눈물 흘리우리다

– 김소월, 〈진달래꽃〉

(나) 별들의 바탕은 어둠이 마땅하다
대낮에는 보이지 않는다
지금 대낮인 사람들은
별들이 보이지 않는다
지금 어둠인 사람들에게만
별들이 보인다
지금 어둠인 사람들만
별들을 낳을 수 있다

㉡지금 대낮인 사람들은 어둡다

– 정진규, 〈별〉 동아

1 (가)에 나타난 운율의 효과로 적절하지 않은 것은?

① 음악을 듣는 듯한 느낌을 준다.
② 시의 애상적 분위기를 형성한다.
③ 시의 전체 구성에 안정감을 준다.
④ 화자의 슬픈 감정이 잘 느껴진다.
⑤ 시의 주제를 시각적으로 전달한다.

도움말
운율은 시를 읽을 때 느껴지는 말의 ❶ [ ] 으로 시의 분위기를 형성하거나 화자의 ❷ [ ] 를 효과적으로 드러내므로, 이를 중심으로 운율의 효과를 파악해 보자.
❶ 가락 ❷ 정서

2 ㉠에 쓰인 표현 방법에 대한 설명으로 적절한 것은?

① 반어 표현이 나타나 있다.
② 다른 사물에 빗대고 있다.
③ 관용 표현이 사용되고 있다.
④ 여러 대상을 나열하고 있다.
⑤ 질문과 대답으로 구성되어 있다.

3 ㉡에 쓰인 표현 방법의 특징으로 적절한 것은?

① 의성어를 사용하여 읽는 즐거움을 느끼게 한다.
② 의미가 비슷한 단어를 연결하여 주제를 전달한다.
③ 인간의 삶을 자연 현상에 빗대어 인상 깊게 전달한다.
④ 실제 속마음과 반대되는 말로 표현하여 의미를 강조한다.
⑤ 의미가 서로 어울리지 않는 말을 연결하여 삶의 진실을 전달한다.

[4~5] 다음 글을 읽고 물음에 답하시오.

(가) 마을 갔던 아버지가 언제 돌아왔는지,

"윤 초시 댁두 말이 아니여. 그 많던 전답을 다 팔아 버리구, 대대로 살아오던 집마저 남의 손에 넘기더니, 또 악상까지 당하는 걸 보면……."

(전답: 밭과 논. / 악상: 수명을 다 누리지 못하고 젊은 사람이 죽은 사고.)

남폿불 밑에서 바느질감을 안고 있던 어머니가

"증손이라곤 계집애 그 애 하나뿐이었지요?"

"그렇지, 사내애 둘 있던 건 어려서 잃구……."

"어쩌믄 그렇게 자식 복이 없을까."

"글쎄 말이지. 이번 앤 꽤 여러 날 앓는 걸 약두 변변히 못 써 봤다더군. 지금 같애서는 윤 초시네두 대가 끊긴 셈이지. 그런데 참, 이번 계집애는 어린것이 여간 잔망스럽지가 않어. 글쎄, 죽기 전에 이런 말을 했다지 않어? 자기가 죽거든 자기 입던 옷을 꼭 그대루 입혀서 묻어 달라구……."

(잔망스럽지: 얄밉도록 맹랑한 데가 있지.)

- 황순원, 〈소나기〉

(나) S# 95. 소년의 집

엄마: 윤 초시 그 어른한테 증손이라곤 걔 하나뿐이었죠?

아버지: 그렇지, 사내애 둘 있던 건 어려서 잃고…….

엄마: 어쩌면 그렇게 자식 복이 없을까? 완전히 대가 끊긴 셈이네.

소년: (눈을 반짝 뜬다.) / **아버지:** (소리) 그러게나 말이야. 이젠 증손녀까지 죽어 가슴에 묻어야 하니…….

소년: (불안정하게 돌아가는 눈동자.)

엄마: (소리) 양평댁한테 들었는데 계집애가 여간 잔망스럽지 않더라구요.

아버지: (소리, 조심스럽지 않다는 듯) 허, 참…….

엄마: (소리) 자기가 죽거든 입던 옷을 꼭 그대로 입혀서 묻어 달랬다니 하는 말이에요.

소년: (숨이 제대로 쉬어지지 않는다.)

- 황순원 원작, 염일호 각본, 〈소나기〉

---

4 원작 (가)와 재구성된 작품 (나)를 비교한 내용으로 적절한 것은?

① (가)는 (나)와 달리 인물, 사건, 배경으로 구성되어 있다.

② (가)는 (나)와 달리 작가가 주요 사건을 통해 주제 의식을 전달한다.

③ (나)는 (가)와 달리 서술자가 작품 속에 등장하여 내용을 서술한다.

④ (가)는 등장인물의 대화를 통해, (나)는 대사를 통해 사건을 진행한다.

⑤ (가)와 (나)는 둘 다 카메라의 움직임을 통해 내용을 전달한다.

도움말

원작과 재구성된 작품의 표현과 형식의 차이점을 알아보자. (가)의 ❶ [ ] 소설을 (나)로 재구성하면서 ❷ [ ]가 어떻게 바뀌었는지 확인하고 표현의 특징을 파악해 보자.

❶ 원작 ❷ 갈래

5 작가가 원작인 (가)를 (나)로 재구성할 때 고려한 점으로 적절한 것은?

① (가)와 달리 소녀의 죽음을 알게 된 소년의 감정을 지시문으로 나타내야겠어.

② (가)와 달리 소녀의 죽음이 소년 부모님의 대화를 통해 드러나도록 해야겠어.

③ (가)와 달리 소녀가 죽기 전에 남긴 말을 인용하여 소년에 대한 소녀의 마음을 나타내야겠어.

④ (가)에서 소년이 잠드는 바람에 부모님의 대화를 제대로 듣지 못한 것은 그대로 나타내야겠어.

⑤ (가)에서 소년의 어머니가 양평댁이 소녀가 죽기 전에 남긴 말을 전하는 모습은 그대로 나타내야겠어.

2주 누구나 합격 전략

1 끊어 읽는 곳에 표시한 ∨를 참고하여 (가)와 (나)에 공통으로 나타난 운율 형성 요소를 보기 에서 고르시오.

(가) 먼 훗날∨당신이∨찾으시면∨
그때에∨내 말이∨'잊었노라'∨

– 김소월, 〈먼 후일〉에서

(나) 나 보기가∨역겨워∨/ 가실 때에는∨
말없이∨고이 보내∨드리우리다∨

– 김소월, 〈진달래꽃〉에서

보기
ㄱ. 3음보의 반복
ㄴ. 4음보의 반복
ㄷ. 수미상관 구조
ㄹ. 7자·5자의 글자 수 반복

2 2연에 나타난 '나'의 태도를 볼 때 밑줄 친 부분에 사용된 표현 방법을 쓰시오.

내가 아무리 거짓으로 허풍을 떨어도
눈을 동그랗게 뜨고 머리를 끄덕여 주는
너는 참 바보다.
바보라고 불러도 화내지 않고
씨익 웃어 버리고 마는 너는 / 정말 정말 바보다.

—그럼, 난 뭐냐?
그런 네가 좋아서 그림자처럼
네 뒤를 졸졸 따라다니는
나는?

– 신형건, 〈넌 바보다〉에서

3 ㉠~㉢에 공통으로 나타난 표현 방법으로 적절한 것은?

(가) 분분한 낙화……
㉠결별이 이룩하는 축복에 싸여
지금은 가야 할 때, //
무성한 녹음과 그리고
머지않아 열매 맺는 / 가을을 향하여

– 이형기, 〈낙화〉에서

(나) ㉡나뭇잎이 벌레 먹어서 예쁘다
귀족의 손처럼 상처 하나 없이
매끈한 것은 / 어쩐지 베풀 줄 모르는
손 같아서 밉다

– 이생진, 〈벌레 먹은 나뭇잎〉에서

(다) ㉢길이 끝나는 곳에서도 / 길이 있다
길이 끝나는 곳에서도
길이 되는 사람이 있다
스스로 봄길이 되어
끝없이 걸어가는 사람이 있다

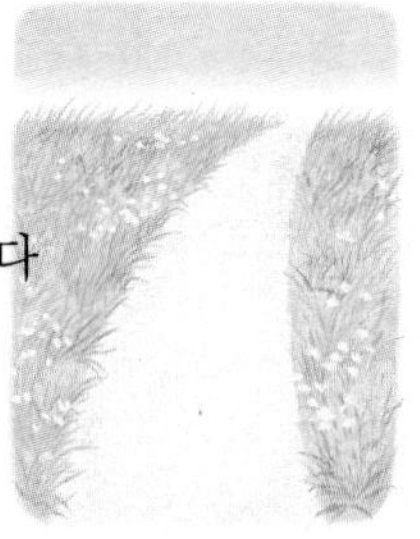

– 정호승, 〈봄 길〉에서

① **의인**: 동식물을 사람처럼 표현함.
② **대조**: 두 사물의 다른 점을 견주어 나타냄.
③ **풍자**: 개인의 어리석음을 간접적으로 비판함.
④ **반어**: 전달하고자 하는 내용을 반대되게 나타냄.
⑤ **역설**: 겉보기에 모순이지만 그 안에 진실을 담아 냄.

4 소설 〈양반전〉의 내용을 다음과 같이 정리할 때 | 보기 |의 ㉠, ㉡에 들어갈 알맞은 말을 쓰시오.

		두 번째 증서 내용
내용	양반은 밤낮으로 울기만 할 뿐 아무런 대책이 없었다.	……곤궁한 사(士)는 시골에 살아도 제멋대로 횡포를 부릴 수 있다.……
인물의 반응	평생 당신은 책 읽기를 좋아하더니만 환곡 갚는 데는 아무 소용도 없구려. 쯧쯧, 양반! 양반은 한 푼어치도 안 되는구려! 	그만두시오, 그만두시오. 참으로 맹랑하구먼. 나를 도둑놈으로 만들 작정입니까?
양반의 모습	현실 문제를 해결하지 못하고 경제적으로 무능력함.	이기적이고 횡포를 부림.

| 보기 |

(㉠)의 부정적인 모습을 우습게 그려 간접적으로 비판하는 (㉡)의 표현 방법을 사용하여 작가의 의도를 효과적으로 드러내었다.

5 다음 시조에서 작가가 풍자하는 대상과 그 대상이 상징하는 바를 바르게 연결한 것은?

두꺼비 파리를 물고 두엄 위에 치달아 앉아
건넛산 바라보니 백송골이 떠 있거늘 가슴이 끔찍하여 풀떡 뛰어 내닫다가 두엄 아래 자빠졌구나
모쳐라 날랜 나이니 망정이지 어혈 질 뻔했구나

– 작자 미상의 사설시조

	풍자 대상	의미
①	두꺼비	탐관오리
②	파리	더 힘 있는 권력자
③	두엄	재물
④	백송골	힘 없는 백성
⑤	어혈	뇌물

6 다음은 〈백설 공주〉를 재구성한 작품 〈흑설 공주〉의 결말이다. 이를 | 보기 |와 같이 정리할 때 ㉠에 들어갈 알맞은 말을 한 단어로 쓰시오.

이제 거울은 "거울아 거울아, 세상에서 가장 아름다운 사람이 누구지?" 하는 공주의 질문에 대답할 수 없게 되었다.

"모르겠어요. 다들 나름대로 아름다우니 누가 가장 아름다운지 도무지 알 수가 없어요."

흑설 공주는 그제야 미소를 지으며 대답했다.

"그래, 그게 정답이란다. 세상 사람들은 누구나 각각 다른 아름다움을 가지고 있거든. 장미는 장미대로 아름답고, 제비꽃은 제비꽃대로 아름답듯이 말이야!"

– 이경혜, 〈흑설 공주〉에서

| 보기 |

작가는 원작 〈백설 공주〉를 재구성한 작품 〈흑설 공주〉의 결말을 달리함으로써 외모만 중요한 것이 아니라 사람에게는 각자의 (㉠)이/가 있고, 그것을 스스로 발견해야 한다는 가치를 전하고 있다.

7 다음은 원작 〈소나기〉를 재구성한 작품이다. | 보기 |에서 다음 글에 나타난 원작과의 차이점에 해당하지 않는 것을 고르시오.

S# 83. 개울가

흰 조약돌만 만지작거리며 오던 소년, 멈칫 서서 마른침을 삼킨다.

핼쑥한 얼굴로 나무 아래 앉아 돌을 쌓고 있는 소녀.

소년: (반가우면서도 어색하고 부끄러운 듯) 학교에 왜 안 나왔니?

소녀: 좀 아팠어.

– 황순원 원작, 염일호 각본, 〈소나기〉에서

| 보기 |

ㄱ. 번호를 붙여 장면을 구분함.
ㄴ. 서술자가 배경을 자세히 서술함.
ㄷ. 등장인물의 대화는 대사로 표현함.
ㄹ. 등장인물의 행동을 지시문으로 표현함.

2주 창의·융합·코딩 전략 ①

1 다음 시를 랩으로 만들기 위해 나눈 대화이다. ㉠, ㉡에 해당하는 것을 바르게 연결한 것은?

> 내를 건너서 숲으로 / 고개를 넘어서 마을로
>
> 어제도 가고 오늘도 갈 / 나의 길 새로운 길
>
> 민들레가 피고 까치가 날고
> 아가씨가 지나고 바람이 일고
>
> 나의 길은 언제나 새로운 길
> 오늘도…… 내일도……
>
> 내를 건너서 숲으로 / 고개를 넘어서 마을로
>
> – 윤동주, 〈새로운 길〉

지은: 랩(rap)은 반복되는 리듬과 가사로 구성되고, 멜로디보다 리듬에 기반을 둔 음악의 갈래야. 주로 비슷한 단어를 리듬에 맞춰 발성하는 방식으로 구성되니, 먼저 시에서 같거나 비슷한 발음을 반복하는 부분을 찾아보자.

호영: 이 시는 ㉠같은 형태의 연이 반복되고 있으니 이를 사용하면 되겠다. 그리고 ㉡2연과 4연에서 같은 단어가 사용되고 있어.

	㉠	㉡
①	1연과 2연	갈, 길
②	2연과 3연	-고, 도
③	3연과 4연	가-, -고
④	4연과 5연	-서, 로
⑤	1연과 5연	길, 도

도움말

시를 읽을 때 ❶ [ ] 를 부르는 듯한 느낌이 드는 이유를 랩과 연관 지어 생각해 보자. 그리고 ❷ [ ] 이 느껴지는 이유를 시어나 시구, 문장 구조를 규칙적으로 반복하는 데서 찾아보자.

❶ 노래 ❷ 운율

2 다음 시의 '잊었노라'라는 표현을 보기 와 같이 탐구할 때 ㉠, ㉡에 들어갈 알맞은 말을 조건 에 맞게 쓰시오.

> 먼 훗날 당신이 찾으시면
> 그때에 내 말이 '잊었노라'
>
> 당신이 속으로 나무라면
> '무척 그리다가 잊었노라'
>
> 그래도 당신이 나무라면
> '믿기지 않아서 잊었노라'
>
> 오늘도 어제도 아니 잊고
> 먼 훗날 그때에 '잊었노라'
>
> – 김소월, 〈먼 후일〉

보기

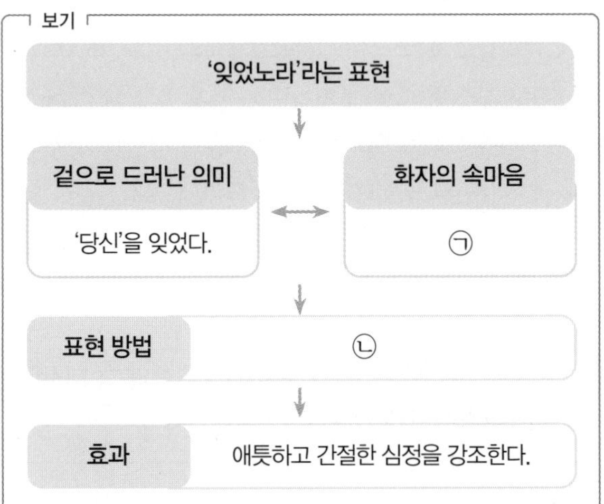

조건

• ㉠은 10자 이내의 한 문장으로, ㉡은 표현 방법의 개념을 30자 이내의 한 문장으로 쓸 것.

도움말

시의 내용을 통해 화자의 ❶ [ ] 을 추측한 후, ❷ [ ] 으로 드러난 의미와 화자의 속마음이 어떻게 다른지 주목하여 표현 방법이 무엇인지 파악해 보자.

❶ 속마음 ❷ 겉

>> 정답과 해설 20쪽

3 **아래 카드 내용을 참고하여 다음 시를 이해할 때 적절하지 <u>않은</u> 것은?**

은행나무 열매에서 구린내가 난다
주의해 주세요 구린내가 향기롭다

밤톨이 여물면서 밤송이가 따가워진다
날카롭게 찌르는 가시가 너그럽다

복어알을 먹으면 죽는다
복어의 독이 복어의 사랑이다

자식을 낳고 술을 끊은 친구가 있다
친구의 독한 마음이 아름답다

– 함민복, 〈독(毒)은 아름답다〉

◎ 복어

복어는 4~6월의 산란 시기에 독의 양이 15배까지 증가하며 이는 난소에 축적된다. 난소에 축적된 독은 알로 옮겨지는데 복어 새끼가 태어난 후에도 그 효과가 지속된다. 그래서 다른 물고기가 복어 새끼를 먹으면 그 독 때문에 바로 뱉어내게 된다. 즉 복어의 독은 알과 새끼를 적에게서 지키는 일을 한다.

① '복어의 사랑'은 자식을 향한 사랑을 의미한다.
② '복어의 독'은 '친구의 독한 마음'과 같은 의미이다.
③ 4연과 관련지을 때 '복어의 독'도 아름다운 것이라 볼 수 있다.
④ '복어알을 먹으면 죽는다'는 화자가 자신의 생각을 반대로 표현한 것이다.
⑤ '복어의 독이 복어의 사랑이다'는 모순된 표현이지만 부모의 사랑이라는 진실을 담고 있다.

도움말

카드의 내용인 복어의 특성을 통해 복어가 ❶ [ ] 이 있는 이유를 확인하고, '복어의 독이 복어의 사랑이다'라는 표현을 사용한 화자의 ❷ [ ] 를 파악해 보자.

❶ 독 ❷ 의도

4 **|보기|를 참고하여 다음 글의 제목 '열보다 큰 아홉'에 쓰인 표현 방법을 쓰고, 제목을 통해 글쓴이가 전달하려는 바를 한 문장으로 쓰시오.**

우리의 조상들이 열보다 아홉을 더 사랑한 것은 무슨 까닭이었을까요? 간단히 말해서 모든 일에 완벽함을 기대하지 않았다는 뜻이 아니었을까요? 다시 말하면, 이 세상에 완전한 것은 없다는 사실을, 우리의 선조들은 아주 오랜 옛날부터 익히 알고 있었다는 것입니다. (중략)

열이란 수가 넘치지도 않고 모자라지도 않고, 또 조금도 여유가 없는 꽉 찬 수, 그래서 다음도 없고 다음다음도 없이 아주 끝나 버린 수라는 점에서, 아홉은 열보다 많고, 열보다 크고, 열보다 높고, 열보다 깊고, 열보다 넓고, 열보다 멀고, 열보다 긴 수였으며, 그리하여 다음, 또 그다음, 그도 아니면 그 다음다음을 바라볼 수 있는, 미래의 꿈과 그 가능성의 수였기에, 슬기롭고 끈기 있는 우리의 선조들에게 일찍부터 열보다 열 배도 넘는 사랑을 담뿍 받아 왔던 것입니다.

– 이문구, 〈열보다 큰 아홉〉에서 (지학사)

|보기|

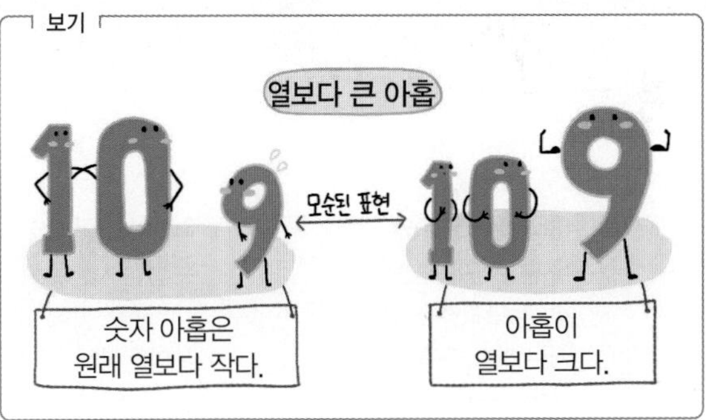

도움말

열은 아홉보다 큰 수이지만 ❶ [ ] 이 더 크다는 말을 하기 위해 글쓴이가 사용한 표현 방법을 파악하고, 그러한 표현 방법의 ❷ [ ] 를 생각해 보자.

❶ 아홉 ❷ 효과

5 보기 는 다음 시에 쓰인 표현 방법을 찾는 과정이다. ㉠에 들어갈 시구를 찾아 쓰시오.

별들의 바탕은 어둠이 마땅하다
대낮에는 보이지 않는다
지금 대낮인 사람들은
별들이 보이지 않는다
지금 어둠인 사람들에게만
별들이 보인다
지금 어둠인 사람들만
별들을 낳을 수 있다

지금 대낮인 사람들은 어둡다

– 정진규, 〈별〉

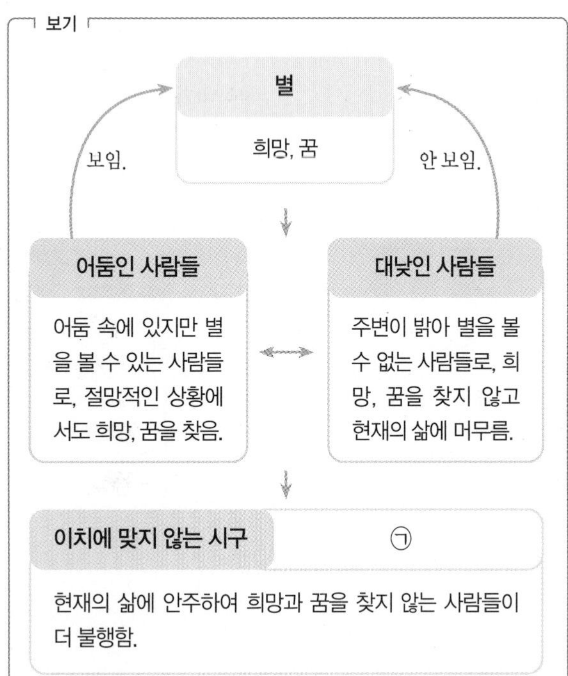

도움말
〈보기〉에서 살펴본 '별', '어둠인 사람들', '대낮인 사람들'의 의미를 통해 대상을 대하는 화자의 ❶ [　　] 를 확인해 본다. 이를 바탕으로 ❷ [　　] 내용이 이치에 맞지 않는 표현을 사용하여 어떤 의미를 전하려는지 파악해 보자.

❶ 태도 ❷ 앞뒤

6 보기 는 다음 글의 '박 선생님'에 대한 인물 분석표이다. ㉠과 같이 생각할 수 있는 근거로 적절한 것은?

우리 박 선생님은 참 이상한 선생님이었다.

박 선생님은 생긴 것부터가 무척 이상하게 생긴 선생님이었다. 키가 한 뼘밖에 안 되어서 뼘생 또는 뼘박이라는 별명이 있는 것처럼, 박 선생님의 키는 키 작은 사람 가운데에서도 유난히 작은 키였다. 일본 정치 때에, 혈서로 지원병을 지원했다 체격 검사에 키가 제 척수에 차지 못해 낙방이 되었다면, 그래서 땅을 치고 울었다면, 얼마나 작은 키인지 알 일이다.

그런 작은 키에 몸집은 그저 한 줌만 하고. 이 한 줌만 한 몸집, 한 뼘만 한 키 위에 깜짝 놀랄 만큼 큰 머리통이 위태위태하게 올라앉아 있다. 그래서 박 선생님 또 하나의 별명은 대갈장군이라고도 했다.

– 채만식, 〈이상한 선생님〉에서

보기

- **이름**: 박 ○○
- **별명**: 뼘생(뼘박), 대갈장군
- **외모**: 키가 매우 작고, 머리가 매우 큼.
- **특징**: 일제 강점기 때 혈서로 지원병을 지원했다가 작은 키 때문에 체격 검사를 통과하지 못하고 낙방함.
- **평가**: ㉠주변 사람들에게 부정적인 평가를 받고 있음.

① '나'가 박 선생님의 장점만 설명함.
② '나'가 박 선생님을 우스꽝스럽게 묘사함.
③ '나'가 박 선생님을 친근한 말투로 묘사함.
④ '나'가 박 선생님의 외모를 과장 없이 사실대로 묘사함.
⑤ '나'가 박 선생님에 대한 다른 사람의 생각을 인용함.

도움말
서술자인 '나'가 말한 박 선생님의 ❶ [　　] 이 어떠한 특징을 드러내는지 살펴본다. 그리고 서술한 방식에서 박 선생님에 대한 '나'의 ❷ [　　] 를 파악해 보자.

❶ 별명 ❷ 태도

>> 정답과 해설 21쪽

7 다음 시조를 참고하여 보기 의 ㉠에 공통으로 들어갈 알맞은 말을 한 단어로 쓰시오.

두꺼비 파리를 물고 두엄 위에 치달아 앉아
건넛산 바라보니 백송골이 떠 있거늘 가슴이 끔찍하여 풀떡 뛰어 내닫다가 두엄 아래에 자빠졌구나
모쳐라 날랜 나이니 망정이지 어혈 질 뻔했구나

– 작자 미상의 사설시조

보기

민지: 어제 찰리 채플린의 영화를 봤는데 우스꽝스러운 분장과 과장된 행동이 인상적이었어.
영수: 그래? 네 말을 들으니 어제 수업 시간에 배운 사설시조가 떠오르네. 그 시조에서 두꺼비가 자빠지는 모습이 우스꽝스러웠잖아.
민지: 맞아. 안 그래도 어제 수업 시간에 배운 (㉠)(이)라는 표현에 대해 인터넷에서 자료를 찾다가 발견한 영화야. 이런 영화들을 슬랩스틱 코미디라고 하는데, 과장된 방식을 통해 웃음을 유발하면서 당시의 사회를 (㉠)했다고 하더라고. 다만 차이점은 어제 배운 사설시조는 대상의 모습을 우스꽝스럽게 나타냈다면, 찰리 채플린은 영화 속에서 자신의 모습을 우스꽝스럽게 나타냈어.
영수: 그렇구나. 나도 한번 찾아서 봐야지.

도움말

제시된 사설시조에서 작가가 ❶ ______ 하고자 하는 대상을 확인하고, 비판하기 위해 사용한 표현 방법을 파악해 보자. 그리고 〈보기〉의 두 학생의 ❷ ______ 내용을 읽어 보면서 표현 방법을 생각해 보자.

❶ 비판 ❷ 대화

8 (나)는 (가)를 재구성하여 만든 노랫말이다. (가)와 비교하여 (나)를 이해한 내용으로 적절하지 <u>않은</u> 것은?

(가) 나 보기가 역겨워 / 가실 때에는
말없이 고이 보내 드리우리다

영변에 약산
진달래꽃 / 아름 따다 가실 길에 뿌리우리다

가시는 걸음걸음 / 놓인 그 꽃을
사뿐히 즈려밟고 가시옵소서

나 보기가 역겨워 / 가실 때에는
죽어도 아니 눈물 흘리우리다

– 김소월, 〈진달래꽃〉

(나) 나 보기가 역겨워 가실 때에는
말없이 고이 보내 드리오리다
나 보기가 역겨워 가실 때에는
죽어도 아니 눈물 흘리오리다
날 떠나 행복한지 이젠 그대 아닌지
그댈 바라보며 살아온 내가
그녀 뒤에 가렸는지
사랑 그 아픔이 너무 커 숨을 쉴 수가 없어
그대 행복하길 빌어 줄게요
내 영혼으로 빌어 줄게요

– 우지민 작사·작곡, 〈진달래꽃〉에서

① 원작의 1연과 4연의 내용을 사용했군.
② 원작과 같이 떠나는 임에 대한 원망을 직설적으로 드러냈군.
③ 원작과 같이 사랑하는 임과 이별하는 상황을 노래하고 있어.
④ 원작과 같이 떠나는 임을 위하는 화자의 마음이 드러나 있어.
⑤ 원작과 달리 임을 떠나보내는 화자의 아픔을 직접 표현하고 있어.

도움말

(가)와 (나)에 드러난 내용의 ❶ ______ 과 차이점을 확인하고, (나)가 원작의 내용에서 어떤 내용을 ❷ ______ 하거나 삭제했는지 파악해 보자.

❶ 공통점 ❷ 추가

시험 대비 마무리 전략

작품에서 말하는 이

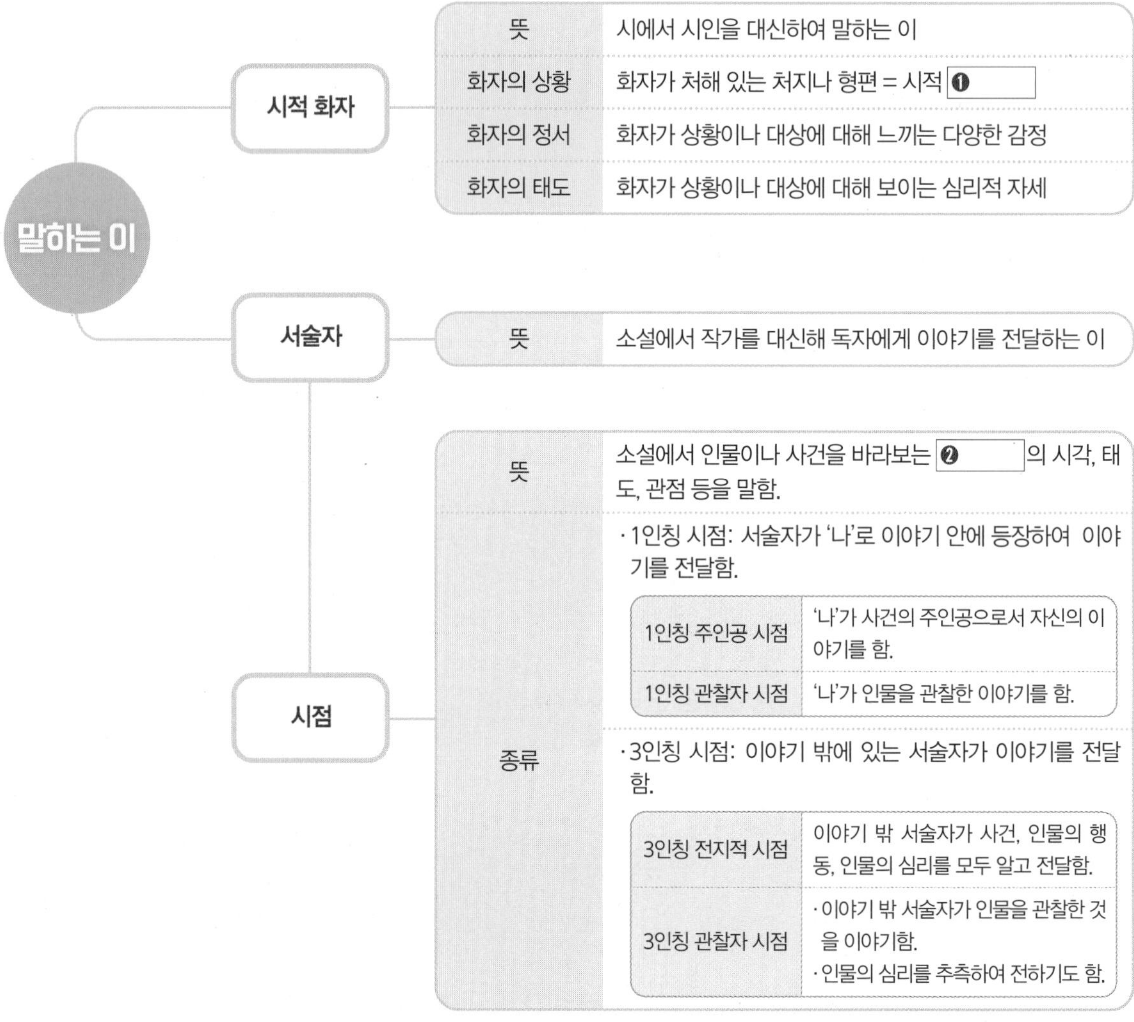

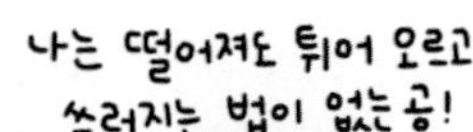

❶ 상황 ❷ 서술자

개성적인 발상과 표현

표현 방법

- **운율**: 시에서 느껴지는 말의 가락
- **반어**: 원래 표현하려는 내용을 실제 의미와는 반대되는 말이나 상황으로 표현하는 방법
- **역설**: 겉보기에는 모순이지만 그 안에 어떤 ❶ ______ 을 담고 있는 표현 방법
- **풍자**: 대상을 비꼬거나 우습게 그려 대상을 간접적으로 비판하는 표현 방법

재구성된 작품의 감상

재구성

뜻	문학 작품을 읽고 자신의 관점에서 작품의 내용, 표현, 형식, 갈래, 맥락, 매체 등을 바꾸어 쓰는 것
감상 방법	• 내용, 표현, 형식 등에서 어떤 점이 달라졌는지 비교하기 • 재구성하는 데 바탕이 된 작가의 ❷ ______ 파악하기 • 재구성된 작품이 담고 있는 가치 생각하기

❶ 진실 ❷ 관점

신유형·신경향·서술형 전략

1 다음 시에 나타난 화자의 상황을 다음과 같이 정리할 때 ㉠에 들어갈 정서로 가장 적절한 것은?

나는 북관(北關)에 혼자 앓어누워서
어느 아츰 의원을 뵈이었다
의원은 여래(如來) 같은 상을 하고 관공(關公)의 수염을 드리워서
먼 옛적 어느 나라 신선 같은데
새끼손톱 길게 돋은 손을 내어
묵묵하니 한참 맥을 짚더니
문득 물어 고향이 어데냐 한다
평안도 정주라는 곳이라 한즉
그러면 아무개 씨 고향이란다
그러면 아무개 씰 아느냐 한즉
의원은 빙긋이 웃음을 띠고
막역지간(莫逆之間)이라며 수염을 쓴다
나는 아버지로 섬기는 이라 한즉
의원은 또다시 넌즈시 웃고
말없이 팔을 잡어 맥을 보는데
손길은 따스하고 부드러워
고향도 아버지도 아버지의 친구도 다 있었다

– 백석, 〈고향〉

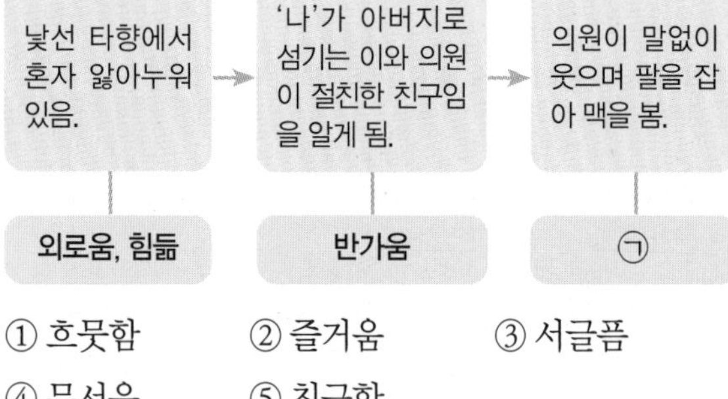

① 흐뭇함 ② 즐거움 ③ 서글픔
④ 무서움 ⑤ 친근함

2 (가)와 (나)에서 화자가 대상을 대하는 태도를 정리할 때 ㉠, ㉡에 들어갈 시어를 찾아 쓰시오.

가 까마귀 싸우는 골에 백로야 가지 마라
성난 까마귀 흰빛을 시샘하니 (시샘하니: 샘을 내니.)
청강에 맑게 씻은 몸 더럽힐까 하노라. (청강: 맑은 물이 흐르는 강.)

– 정몽주의 어머니 (동아, 지학사)

나 까마귀 검다 하고 백로야 웃지 마라
겉이 검은들 속조차 검을쏘냐
아마도 겉 희고 속 검을 손 너뿐인가 하노라.

– 이직 (동아, 지학사)

	비판하고 있는 대상	대상의 특성
(가)	㉠	다툼을 일삼고 성을 내며 흰빛을 더럽히는 존재임.
(나)	㉡	겉은 희지만 속은 검은 존재로, 올바른 척하지만 양심이 바르지 못함.

도움말

(가)와 (나)는 대상에 대한 화자의 ❶ [ ] 이 다르기 때문에 화자가 말하고자 하는 바도 달라진다. 먼저 화자가 바라보는 대상을 찾고 시구를 바탕으로 화자가 대상을 대하는 ❷ [ ] 를 파악해 보자.

❶ 관점 ❷ 태도

[3~4] 다음 글을 읽고 물음에 답하시오.

가 "응, 이 꽃! 저, 사랑 아저씨가 엄마 갖다 주라구 줘."
하고 불쑥 말했습니다. 그런 거짓말이 어디서 그렇게 툭 튀어 나왔는지 나도 모르지요.

꽃을 들고 냄새를 맡고 있던 어머니는 내 말이 끝나기가 무섭게 무엇에 몹시 놀란 사람처럼 화닥닥하였습니다. 그러고는 금시에 어머니 얼굴이 그 꽃보다도 더 빨갛게 되었습니다. 그 꽃을 든 어머니 손가락이 파르르 떠는 것을 나는 보았습니다. 어머니는 무슨 무서운 것을 생각하는 듯이 방 안을 휘 한번 둘러보시더니,

"옥희야, 그런 걸 받아 오문 안 돼."
하고 말하는 목소리는 몹시 떨렸습니다. 나는 꽃을 그렇게도 좋아하는 어머니가 이 꽃을 받고 그처럼 성을 낼 줄은 참으로 뜻밖이었습니다. 어머니가 그렇게도 성을 내는 것을 보니까 그 꽃을 내가 가져왔다고 그러지 않고 아저씨가 주더라고 거짓말을 한 것이 참 잘되었다고 나는 속으로 생각했습니다.

– 주요섭, 〈사랑손님과 어머니〉

나 길동을 향해 총 한 번 겨눠 보지 못한 채, 길동을 태운 수레는 대궐문 앞에 이르렀다. 길동이 호송하는 군사들에게 말하였다.

"너희는 나를 여기까지 성공적으로 압송하였으니, 이제 내가 간다 해도 처벌을 받아 죽는 일은 없을 것이다."

㉠순식간에 몸을 날려 수레를 깨뜨리고는 수레에서 내려와 천천히 걸어 나갔다. 정예 기병들이 말을 달려 길동을 쏘려 하였다. ㉡하지만 말을 아무리 채찍질한들 축지법을 써서 달아나는 길동을 어찌 잡을 수 있겠는가? 성안의 모든 백성들은 그 신기한 술법에 그저 놀랄 뿐이었다.

– 허균, 〈홍길동전〉

서술형

3 **다음을 참고하여 (가)와 보기 에 나타난 시점의 공통점을 그 이유와 함께 쓰시오.**

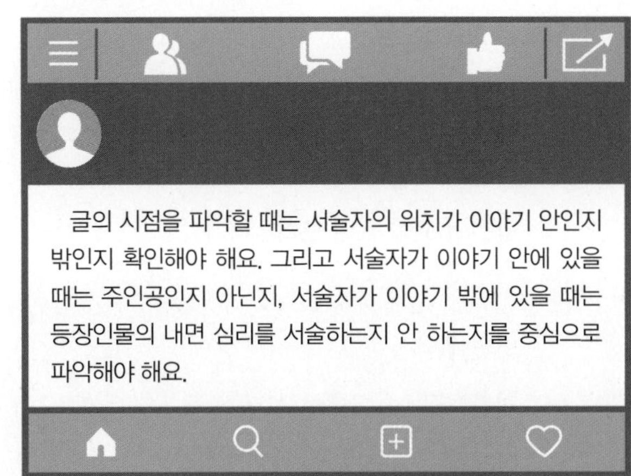

보기

나는 대뜸 달려들어서 나도 모르는 사이에 큰 수탉을 단매로 때려 엎었다. 닭은 푹 엎어진 채 다리 하나 꼼짝 못 하고 그대로 죽어 버렸다. 그리고 나는 멍하니 섰다가 점순이가 매섭게 눈을 흡뜨고 닥치는 바람에 뒤로 벌렁 나자빠졌다.

– 김유정, 〈동백꽃〉에서

서술형

4 **ⓐ에 들어갈 알맞은 말을 문맥에 맞게 쓰시오.**

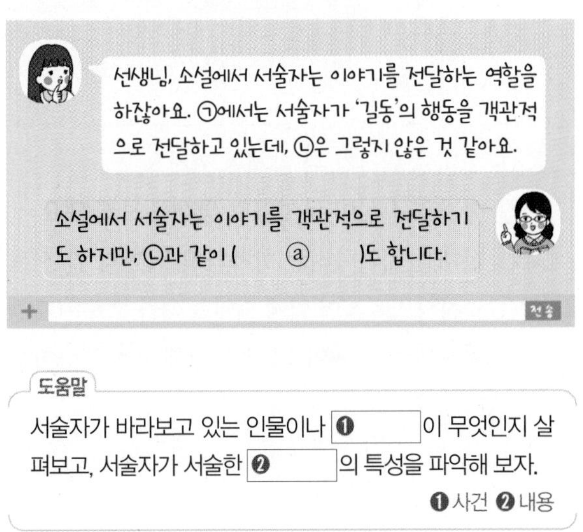

도움말

서술자가 바라보고 있는 인물이나 ❶ ______ 이 무엇인지 살펴보고, 서술자가 서술한 ❷ ______ 의 특성을 파악해 보자.

❶ 사건 ❷ 내용

5 다음 시의 내용을 바탕으로 할 때, 「보기」의 질문에 대한 답으로 적절한 것은?

> 나 보기가 역겨워
> 가실 때에는
> 말없이 고이 보내 드리우리다
>
> 영변에 약산
> 진달래꽃
> 아름 따다 가실 길에 뿌리우리다
>
> 가시는 걸음걸음
> 놓인 그 꽃을
> 사뿐히 즈려밟고 가시옵소서
>
> 나 보기가 역겨워
> 가실 때에는
> ㉠죽어도 아니 눈물 흘리우리다
>
> – 김소월, 〈진달래꽃〉

보기

> 내가 싫어져 떠나신다면 나는 너무 슬퍼서 눈물을 흘릴 것입니다.

위 문장은 ㉠에 드러난 화자의 속마음을 직접적으로 드러나도록 바꾸어 본 것입니다. 표현을 바꾸니 느낌이 어떻게 달라지나요?

① 시의 분위기가 더 밝게 느껴져요.
② 화자의 진심이 무엇일지 생각해 보게 돼요.
③ 상대를 배려하려는 화자의 의도가 더 잘 전해져요.
④ 규칙적으로 끊어 읽게 되어 노래를 부르는 것 같아요.
⑤ 화자의 속마음이 그대로 전해져서 추측하는 재미가 줄었어요.

6 「보기」는 ㉠에 나타난 표현 방법을 탐구한 과정이다. 내용이 적절하지 않은 것은?

> 라코타족 인디언인 '서 있는 곰'은 말한다.
> "침묵은 라코타족에게 의미 깊은 것이었다. 라코타족은 대화를 시작할 때, 잠시 침묵하는 것을 진정한 예의로 알고 있었다. '말 이전에 침묵이 먼저'라는 것을 알았던 것이다. 슬픈 일이 닥쳤거나 누가 병에 걸렸거나, 또는 누가 죽었을 때, 나의 부족은 먼저 침묵하는 것을 잊지 않았다. 어떤 불행 속에서도 침묵하는 마음을 잃지 않았다."
> 인디언들은 여러 부족으로 이루어져 있고, 부족마다 언어도 매우 다르다. 그래서 나는 인디언을 만나면 그들의 부족 언어를 묻곤 했다.
> "당신의 모국어는 무엇입니까?"
> 그러면 그들은 이렇게 답하곤 했다.
> ㉠"우리의 모국어는 침묵입니다."
>
> – 류시화, 〈나의 모국어는 침묵〉에서

보기

① '모국어'와 '침묵'의 사전적 의미를 떠올려 보면 ㉠에 쓰인 표현 방법을 알 수 있을 거야.
↓
② 모국어, 즉 말은 의사소통을 위한 수단인데 침묵은 아무 말도 없는 상태이니 앞뒤가 맞지 않는 ㉠은 모순된 표현이군.
↓
③ ㉠은 모순된 표현을 통해 인디언들이 말보다 침묵으로 상대방을 더 잘 느낄 수 있다는 것을 강조하고 있군.
↓
④ ㉠은 모순된 표현을 통해 인디언들이 침묵 대신 언어로 소통하는 글쓴이를 비판하여 신선함을 주는군.
↓
⑤ ㉠은 이렇게 모순된 표현으로 침묵의 중요성을 강조하고 독자에게 신선함을 주므로 역설이 사용되었군.

도움말

㉠이 논리적으로 ❶ ______ 이 없는지 확인하고, ㉠의 표현이 왜 인상적으로 느껴지는 ❷ ______ 를 파악하여 ㉠에 쓰인 표현 방법을 알아보자.

❶ 모순 ❷ 이유

서술형

7 '풍자'의 뜻을 참고하여 다음 글에서 관리들을 우스꽝스럽게 그린 의도를 '풍자'를 넣어 한 문장으로 쓰시오.

앞부분 줄거리 백성을 괴롭히는 부패한 관리 변학도의 생일잔치가 열리자 이웃 읍의 수령들이 방문한다. 잔치가 무르익을 때 암행어사가 출두하고 관리들은 떨며 정신없이 도망친다.

각 읍 수령 도망칠 때 그 거동이 장관이었다. 임실 현감은 하도 급해서 갓을 거꾸로 뒤집어 쓰고는,
"여보아라, 어느 놈이 갓 구멍을 막았구나."
소리치자 누군가, / "갓을 뒤집어 썼소."
"아따, 언제 바로 쓸 새 있더냐. 좀 눌러 다오."
하여 그대로 꽉 누르니 갓이 벌컥 뒤집혔다. 겨우 갓을 쓰고 나서 오줌을 눈다는 것이 그만 칼집을 쥐고 누니, 오줌 맞은 하인들이
"허, 요새는 하늘이 비를 따뜻하게 덥혀서 내리는 모양일세." / 하며 갈팡질팡하였다.
구례 현감은 말을 거꾸로 타고 채찍질을 하니 말이 뒤로 달아났다.
"허, 이 말이 웬일이냐? 본래 목이 없느냐?"
"거꾸로 타셨소. 내려서 바로 타시오."
"어느 겨를에 바로 타겠느냐! 목을 빼어다가 말똥구멍에 박아라."/ 변 사또는 정신이 아득하여 바지에 똥을 싸서 엉겁결에 내실로 뛰어들며 소리쳤다.
"어, 춥다. 문 들어온다, 바람 닫아라. 물 마르다, 목 들여라."

– 작자 미상, 〈춘향전〉에서 (비상, 창비)

풍자 ▼ 검색

풍자(諷刺)
사실을 곧이곧대로 드러내지 않고 과장하거나 왜곡하고, 비꼬아서 표현하여 웃음을 유발함으로써, 현실의 부정적 현상이나 모순을 폭로하는 것을 말한다.

도움말
작가가 ❶ ______ 으로 바라보는 대상이 누구인지 확인하고, 인물의 말이나 ❷ ______ 을 작가가 어떻게 표현하고 있는지 파악해 보자.

❶ 비판적 ❷ 행동

서술형

8 아래 대화를 참고하여 ㉠에 사용된 표현 방법의 효과를 한 문장으로 쓰시오.

요즈음은 가족 모임이나 친구들의 모임 장소가 늘 뷔페식당이다. 결혼식장을 가도 한결같이 뷔페식이다(난, 정말이지 말간 잔치국수가 그립단 말이다). 이곳저곳 피라미드처럼 쌓아 올린 음식들은 먹음직스러워 보이고, 그 앞에 접시를 들고 서 있는 사람들의 얼굴은 만족스러워 보인다. 무언가 선택의 폭이 넓어진 것 같고, 그만큼 더 풍요로워진 느낌이다. ㉠욕심껏 하나하나, 본전 생각에 마음 아리지 않도록, 사람들은 최선을 다해 음식을 먹고 또 먹는다. 인터넷에서 찾아본 '호텔 뷔페 뽕 뽑기 전략' 지침대로, 가벼운 것에서부터 무거운 것으로, 조금 더 신선한 것을 먹기 위해, 사람들은 줄지어 움직인다. 입맛에 맞지 않아 남겨진 음식들은 종업원에 의해 신속히 치워지고, 사람들은 다시 새 접시를 들고 화수분처럼 줄지 않는 음식들을 향해 걸어 나간다. 음식은 많되 영혼은 없고, 음식은 많되 맛은 언제나 평균적인 뷔페식당으로, 사람들은 오늘도 만족스러운 표정을 지으며 찾아간다. 먹어도 먹어도 채워지지 않는 허기에 잠시 고개를 갸우뚱하지만, 그것도 잠깐, 자신의 능력치 이상을 먹기 위해 애쓴다. 뷔페들 다녀오셨습니까? 잘하셨습니다. 이제 당신의 허기는 예전보다 갑절은 더 늘어났을 것입니다. 허기란 원래 상대적인 것이니까요.

화수분: 재물이 계속 나온다는 전설 상의 보물단지.

– 이기호, 〈뷔페들 다녀오십니까〉 (금성)

'호텔 뷔페 뽕 뽑기 전략'이 뭐야?

뷔페는 일정한 돈을 지불하고 음식을 마음껏 먹을 수 있는 곳이니, 그곳에서 자신이 지불한 돈의 본전을 뽑기 위해 최대한 음식을 먹는 전략이라는 뜻이야.

그렇구나. 사람들이 본전을 뽑기 위해 무리하게 음식을 먹는 모습이 우스꽝스럽게 느껴지네.

전송

적중 예상 전략 | 1회

[1~2] 다음 시를 읽고 물음에 답하시오.

(가) 열무 삼십 단을 이고
시장에 간 우리 엄마 / 안 오시네, 해는 시든 지 오래
나는 찬밥처럼 방에 담겨
아무리 천천히 숙제를 해도
엄마 안 오시네, 배춧잎 같은 발소리 타박타박
안 들리네, 어둡고 무서워
금 간 창틈으로 고요히 빗소리
빈방에 혼자 엎드려 훌쩍거리던

아주 먼 옛날 / 지금도 내 눈시울을 뜨겁게 하는
그 시절, 내 유년의 윗목

- 기형도, 〈엄마 걱정〉

(나) 어둠이 한기처럼 스며들고
배 속에 붕어 새끼 두어 마리 요동을 칠 때

학교 앞 버스 정류장을 지나는데
먼저 와 기다리던 선재가
내가 멘 책가방 지퍼가 열렸다며 닫아 주었다.

아무도 없는 집 썰렁한 내 방까지
붕어빵 냄새가 따라왔다.

학교에서 받은 우유 꺼내려 가방을 여는데
아직 온기가 식지 않은 종이봉투에
붕어가 다섯 마리

내 열여섯 세상에
가장 따뜻했던 저녁

- 복효근, 〈세상에서 가장 따뜻했던 저녁〉

1 (가)와 (나)의 화자에 대한 설명으로 적절하지 않은 것은?

① (가)와 (나)의 화자는 둘 다 작품에 나타나 있다.
② (가)와 (나)의 화자는 둘 다 과거를 회상하고 있다.
③ (가)는 (나)와 달리 사물이 화자로 등장하고 있다.
④ (나)의 화자는 (가)와 달리 친구와의 이야기를 회상하고 있다.
⑤ (가)의 1연과 (나)의 1~3연에는 화자의 외롭고 슬펐던 정서가 드러나고 있다.

2 (가)의 내용으로 보아 화자의 대답으로 적절한 것은?

① 엄마와 함께 시장에 놀러 갔던 그때가 그리웠기 때문이에요.
② 엄마 없이 혼자 보낸 시간을 소중히 간직하고 싶기 때문이에요.
③ 어렸을 때 살았던 집이 항상 추워서 벌벌 떨었던 기억 때문이에요.
④ 가난하게 살아야 했던 그때의 현실이 냉정하게 느껴졌기 때문이에요.
⑤ 엄마를 기다리며 눈물 흘렸던 그때가 차갑고 시리게 느껴졌기 때문이에요.

(가)의 화자가 자신의 어린 시절을 왜 '윗목'이라고 빗대어 표현했는지 '윗목'의 사전적 의미를 생각하며, 화자의 정서를 추측해 봐.

[3~5] 다음 시를 읽고 물음에 답하시오.

가 높은 가지를 흔드는 매미 소리에 묻혀
내 ㉠울음 아직은 ㉡노래 아니다.

차가운 바닥 위에 토하는 울음,
풀잎 없고 이슬 한 방울 내리지 않는
지하도 콘크리트 벽 좁은 틈에서
숨 막힐 듯, 그러나 나 여기 살아 있다
귀뚜르르 뚜르르 보내는 타전 소리가
누구의 마음 하나 울릴 수 있을까.

지금은 매미 떼가 하늘을 찌르는 시절
그 소리 걷히고 맑은 가을이
어린 풀숲 위에 내려와 뒤척이기도 하고
계단을 타고 이 땅 밑까지 내려오는 날
발길에 눌려 우는 내 울음도
누군가의 가슴에 실려 가는 노래일 수 있을까.

– 나희덕, 〈귀뚜라미〉

나 강원도 평창군 미탄면 청옥산 기슭
덜렁 집 한 채 짓고 살러 들어간 제자를 찾아갔다
거기서 만들고 거기서 키웠다는
다섯 살배기 딸 민지 / 민지가 아침 일찍 눈 비비고 일어나
저보다 큰 물뿌리개를 나한테 들리고
질경이 나싱개 토끼풀 억새……
이런 풀들에게 물을 주며
잘 잤니, 인사를 하는 것이었다
그게 뭔데 거기다 물을 주니?
꽃이야, 하고 민지가 대답했다
그건 잡초야, 라고 말하려던 내 입이 다물어졌다
내 말은 때가 묻어 / 천지와 귀신을 감동시키지 못하는데
꽃이야, 하는 그 애의 말 한마디가
풀잎의 풋풋한 잠을 흔들어 깨우는 것이었다

– 정희성, 〈민지의 꽃〉

3 (가)에서 화자를 '귀뚜라미'로 내세운 까닭으로 적절하지 않은 것은?

① 주목받는 존재에 대한 관심과 애정을 갖게 할 수 있어서
② 소외받고 어려운 처지에 있는 이들에 대한 공감을 이끌어 낼 수 있어서
③ 시적 상황 전체에 상징적인 의미가 부여되어 다양한 의미로 읽히게 되어서
④ 다른 이에게 감동을 주는 노래에 대한 소망이라는 주제를 효과적으로 전달할 수 있어서
⑤ 귀뚜라미가 가을을 기다린다고 하면 그 까닭을 말하지 않아도 더 절실한 느낌을 받아서

4 화자의 상황을 고려하여 시를 감상할 때 ㉠과 ㉡이 의미하는 바를 바르게 연결한 것은?

	㉠ 울음	㉡ 노래
①	삶의 고통에서 나오는 한탄	삶의 즐거움에서 나오는 기쁨
②	연약한 존재가 힘든 상황 속에서 내는 소리	누군가에게 감동을 주는 소리
③	가난하고 소외된 존재에 대한 연민	뛰어난 능력을 가진 존재에 대한 동경
④	화자가 처해 있는 힘들고 어려운 현실	화자가 앞으로 누리게 될 행복한 미래
⑤	자신의 꿈이 실현되기를 바라는 소망	자신의 소망이 좌절된 것에 대한 슬픔

서술형

5 (나)의 내용으로 ⓐ에 들어갈 알맞은 말을 한 문장으로 쓰시오.

화자가 민지에게 말하지 못한 말	민지에게 말하지 못한 까닭
그건 꽃이 아니라 잡초야.	ⓐ

[6~7] 다음 글을 읽고 물음에 답하시오.

가 나흘 전 감자 쪼간만 하더라도 나는 저에게 조금도 잘못한 것은 없다. / 계집애가 나물을 캐러 가면 갔지 남 울타리 엮는 데 쌩이질을 하는 것은 다 뭐냐. 그것도 발소리를 죽여 가지고 등 뒤로 살며시 와서

"얘! 너 혼자만 일하니?" 하고 긴치 않은 수작을 하는 것이다.

어제까지도 저와 나는 이야기도 잘 않고 서로 만나도 본척만척하고 이렇게 점잖게 지내던 터이련만 오늘로 갑작스레 대견해졌음은 웬일인가. 항차 망아지만 한 계집애가 남 일하는 놈 보고……. / "그럼 혼자 하지 떼루 하디?"

나 "너 봄 감자가 맛있단다."

"난 감자 안 먹는다. 니나 먹어라."

나는 고개도 돌리려 하지 않고 일하던 손으로 그 감자를 도로 어깨 너머로 쑥 밀어 버렸다.

그랬더니 그래도 가는 기색이 없고, 그뿐만 아니라 쌔근쌔근하고 심상치 않게 숨소리가 점점 거칠어진다. 이건 또 뭐야 싶어서 그때에야 비로소 돌아다보니 나는 참으로 놀랐다.

다 "그럼 너 이담부텀 안 그럴 터냐?" 하고 물을 때에야 비로소 살길을 찾은 듯싶었다. 나는 눈물을 우선 씻고 뭘 안 그러는지 명색도 모르건만 / "그래!" 하고 무턱대고 대답하였다.

"요담부터 또 그래 봐라. 내 자꾸 못살게 굴 터니?"

"그래그래, 인젠 안 그럴 테야!"

"닭 죽은 건 염려 마라. 내 안 이를 테니."

그리고 뭣에 떠다밀렸는지 나의 어깨를 짚은 채 그대로 픽 쓰러진다. 그 바람에 나의 몸뚱이도 겹쳐서 쓰러지며 한창 피어 퍼드러진 노란 동백꽃 속으로 폭 파묻혀 버렸다.

– 김유정, 〈동백꽃〉

6 이 글의 시점에 대한 설명으로 적절한 것은?

① 이야기 안의 서술자인 '나'가 주인공을 관찰하여 서술하고 있다.
② 이야기 안의 서술자이자 주인공인 '나'가 자신의 이야기를 직접 전하고 있다.
③ 이야기 밖의 서술자가 자신이 관찰한 주인공의 말과 행동을 전달하고 있다.
④ 이야기 밖의 서술자가 인물의 심리를 모두 꿰뚫어 보고 인물을 주관적으로 평가하고 있다.
⑤ 이야기 안의 서술자인 '나'와 이야기 밖의 서술자가 번갈아 가며 인물의 행동과 심리를 전달하고 있다.

고난도

7 (나)와 보기 를 서술자를 중심으로 비교할 때 적절한 것은?

보기

"너 봄 감자가 맛있단다."

"난 감자 안 먹는다. 니나 먹어라."

순돌이는 점순이의 말에 기분이 상해 고개도 돌리려 하지 않고 그 감자를 도로 어깨 너머로 쑥 밀어 버렸다.

점순이는 자신의 호의가 거절당하자 자존심이 상했다. 점순이의 숨소리가 거칠어지자 순돌이는 점순이를 돌아다보고 참으로 놀랐다.

① (나)와 〈보기〉 모두 '나'의 심리가 드러나지 않는다.
② (나)에는 '나'의 심리가 드러나지만, 〈보기〉에는 드러나지 않는다.
③ (나)에는 점순이의 심리가 드러나지 않지만, 〈보기〉에는 점순이의 심리가 정확히 드러난다.
④ (나)의 '나'는 점순이의 의도를 정확히 알지만, 〈보기〉의 순돌이는 정확히 알지 못한다.
⑤ (나)의 '나'와 〈보기〉의 서술자는 모두 점순이의 행동을 관찰하여 객관적으로 전한다.

[8~9] 다음 글을 읽고 물음에 답하시오.

(가) 1

나는 한 번도 상 같은 건 받아 본 적 없어. 학교 다닐 때 그 흔한 개근상도 못 받았으니까. 상에 욕심을 부려 본 적도 없었어. 내게는 모자란 게 없어서 그랬는지도 몰라. 어릴 때는 부유한 집안에서 단 하나밖에 없는 딸로 사랑을 받으며 자랐고 여자 대학에서 가정학을 공부하다가 판사인 남편을 중매로 만나서 결혼했지. (중략)

그렇지만 단 한 번 상을 받을 뻔한 적이 있지. 나 자신의 실수 때문에 못 받은 거니까 누구를 원망할 수도 없지만, 그 실수를 인정하고 내가 받을 상이 남에게 간 것을 바로잡을 수 있었을까. 할 수 있었을지도 몰라. (중략) / 왜 안 했을까. 그때 나를 스쳐 가던 그 아이, 그 아이의 표정 때문인지도 몰라. 땟국물이 흐르던 목덜미, 전신에서 풍겨 나던 뭔가 찌든 듯한 그 냄새, 그 너절한 인상이 내 실수와 잘못된 과정을 바로잡는 게 너절하고 귀찮은 일이라는 생각을 하게 했을 거야. 어쩌면 그 결과 한 아이가 가지게 될지도 모르는 씻지 못할 좌절감이 내게도 약간 느껴졌는지도 모르지.

(나) 0

내 그림은 맨 앞쪽에 걸려 있었어. 입선작 여덟 점을 지나서 특선작 세 점을 지나고 나서 황금색 종이 리본을 매달고 좀 떨어진 곳에, 검정 붓글씨로 '壯元(장원)'이라고 크게 쓰인 종이를 거느리고, 다른 작품보다 세 뼘쯤 더 높이. 초등학교에 다니는 아이들이라면 우러러볼 수밖에 없는 높이에. / 그런데, 그런데, 그런데, 그런데 그 그림은 내가 그린 그림이 아니었어. 풍경은 내가 그린 것과 비슷했지만 절대로, 절대로 내가 그린 그림이 아니야. 아버지가 사 준 내 오래된 크레파스에는 진작에 떨어지고 없는 회색이 히말라야시다 가지 끝 앞부분에 살짝 칠해져 있는 그림이었어. 나는 가슴이 후들후들 떨려서 두 손으로 가슴을 가렸어. 사방을 둘러봤지만 아무도 없었어. (중략)

내가 주 선생님을 찾아가서 말해야 했을까. 이건 내 그림이 아니라고. 다른 사람이 그린 그림이라고. 나는 그 사람만 한 재능이 없다고. 실수를 바로잡아 달라고. 나는 그렇게 하지 못했어.

– 성석제, 〈내가 그린 히말라야시다 그림〉

8 1의 '나'와 0의 '나'에 대한 이해로 적절하지 <u>않은</u> 것은?

① 1의 '나'는 어렸을 때부터 부족한 것 없이 부유하게 자랐다.

② 1의 '나'는 자신의 그림으로 0의 '나'가 상을 받은 것을 알고 있었다.

③ 1의 '나'는 한 번도 상을 받은 적은 없지만 단 한 번 상을 받은 뻔한 적은 있다.

④ 0의 '나'는 그림에 칠해진 회색을 보고 자신의 그림이 아닌 것을 알아차렸다.

⑤ 0의 '나'는 전시된 그림을 보기 전에 장원을 받은 그림이 자신의 것이 아님을 알고 있었다.

서술형 고난도

9 보기 는 (나)의 서술자가 겪은 사건을 서술자를 바꾸어 쓴 것이다. 보기 에서 달라진 점을 조건 에 맞게 쓰시오.

보기

백선규는 장원작이 다른 사람이 그린 그림이라는 사실을 알고 한동안 움직이지 못했다. 이후 교무실 앞에서 한참을 서성이는 폼이 주 선생님을 찾아간 듯했으나 결국은 말없이 고개를 숙인 채 학교를 빠져나갔다.

조건

• 서술자의 위치를 밝힐 것.
• 인물의 감정을 표현하고 있는지 아닌지를 밝힐 것.

주인공의 시점에서 서술하던 이야기를 등장인물 이외의 제삼자의 관점에서 전달할 때 등장인물의 심리가 어떻게 서술되는지 살펴봐.

적중 예상 전략 | 2회

[1~2] 다음 시를 읽고 물음에 답하시오.

(가) 내를 건너서 숲으로 / 고개를 넘어서 마을로

어제도 가고 오늘도 갈 / 나의 길 새로운 길

민들레가 피고 까치가 날고
아가씨가 지나고 바람이 일고

나의 길은 언제나 새로운 길 / 오늘도…… 내일도……

내를 건너서 숲으로 / 고개를 넘어서 마을로

– 윤동주, 〈새로운 길〉

(나) 씹던 껌을 아무 데나 퉤, 뱉지 못하고
종이에 싸서 쓰레기통으로 달려가는 / 너는 참 바보다.
개구멍으로 쏙 빠져나가면 금방일 것을
비잉 돌아 교문으로 다니는 / 너는 참 바보다.
얼굴에 검댕 칠을 한 연탄장수 아저씨한테
쓸데없이 꾸벅, 인사하는 / 너는 참 바보다.
호랑이 선생님이 전근 가신다고
계집애들도 흘리지 않는 눈물을 찔끔거리는
너는 참 바보다. / 그까짓 게 뭐 그리 대단하다고
민들레 앞에 쪼그리고 앉아 한참 바라보는 / 너는 참 바보다.
내가 아무리 거짓으로 허풍을 떨어도
눈을 동그랗게 뜨고 머리를 끄덕여 주는 / 너는 참 바보다.
바보라고 불러도 화내지 않고
씨익 웃어 버리고 마는 너는 / 정말 정말 바보다.

—그럼, 난 뭐냐? / 그런 네가 좋아서 그림자처럼
네 뒤를 졸졸 따라다니는 / 나는?

– 신형건, 〈넌 바보다〉

1 보기 를 (가)와 같이 바꾸었다고 할 때, 그 이유로 적절하지 않은 것은?

보기

나는 내와 고개를 건너서 숲과 마을로 향하고 있다. 나는 언제나 새로운 마음으로 다양한 것들을 만나며 나의 길을 갈 것이다.

① 주제를 인상적으로 전달하기 위해
② 운율을 통해 시로 아름답게 나타내기 위해
③ 화자의 정서를 함축적으로 표현하기 위해
④ 비슷한 문장 구조를 반복하여 내용을 강조하기 위해
⑤ 비슷한 대상을 활용해 '길'의 모습을 구체적으로 드러내기 위해

〈보기〉와 달리 (가)는 연과 행을 구분하고, 시어에서 함축성과 음악성을 느낄 수 있지.

2 다음을 참고할 때 (나)의 주제로 적절한 것은?

'너'의 모습	'나'의 태도
• 규칙을 잘 준수함. • 착하고 순수하며 정이 많음. • 세심하고 따뜻함.	'너'가 좋아서 '너'를 그림자처럼 따라다님.

① 헤어진 '너'에 대한 애틋한 그리움
② '너'를 힘들게 하는 세상에 대한 분노
③ 바르게 살아가는 '너'를 본받고 싶은 마음
④ '너'와 모습과 상반되는 자신에 대한 성찰
⑤ 융통성 없이 살아가는 '너'에 대한 안타까움

>> 정답과 해설 24쪽

[3~5] 다음 시를 읽고 물음에 답하시오.

가 먼 훗날 당신이 찾으시면
㉠그때에 내 말이 '잊었노라'

당신이 속으로 나무라면
'무척 그리다가 잊었노라'

그래도 당신이 나무라면
'믿기지 않아서 잊었노라'

오늘도 어제도 아니 잊고
먼 훗날 그때에 '잊었노라'

- 김소월, 〈먼 후일〉

나 ㉡길이 끝나는 곳에서도
길이 있다
길이 끝나는 곳에서도
길이 되는 사람이 있다
스스로 봄 길이 되어
끝없이 걸어가는 사람이 있다
강물은 흐르다가 멈추고
새들은 날아가 돌아오지 않고
하늘과 땅 사이의 모든 꽃잎은 흩어져도
보라
사랑이 끝난 곳에서도
사랑으로 남아 있는 사람이 있다
스스로 사랑이 되어
한없이 봄 길을 걸어가는 사람이 있다

- 정호승, 〈봄 길〉

3 (가)와 (나)의 표현에 나타난 공통점으로 적절한 것은?

① 반어 표현을 사용하여 대상의 특징을 강조하였다.
② 시구의 끝에 같은 시어를 반복하여 운율을 형성하였다.
③ 의태어를 사용하여 대상의 특징을 선명하게 전달하였다.
④ 계절감을 나타내는 시어를 사용하여 시의 분위기를 드러내었다.
⑤ 특정 상황을 가정하여 대상에 대한 화자의 그리움을 표현하였다.

4 (가)의 화자가 ㉠과 같이 말한 까닭으로 적절한 것은?

① 자신을 잊은 '당신'에 대한 원망을 나타내려고
② 속마음을 반대로 나타내어 '당신'에 대한 그리움을 강조하려고
③ '당신'에 대해 느낀 두 가지의 모순된 마음을 동시에 전하려고
④ 자신의 속마음을 감춤으로써 자신에 대한 '당신'의 마음을 확인하려고
⑤ '당신'에 대한 마음을 직접적으로 나타내어 '당신'의 마음을 바꾸려고

서술형

5 ㉡과 보기의 밑줄 친 부분에 공통으로 쓰인 표현 방법을 풀어 한 문장으로 쓰시오.

보기

나뭇잎이 벌레 먹어서 예쁘다
귀족의 손처럼 상처 하나 없이
매끈한 것은 / 어쩐지 베풀 줄 모르는
손 같아서 밉다

- 이생진, 〈벌레 먹은 나뭇잎〉에서

적중 예상 전략 | 2회

[6~7] 다음 글을 읽고 물음에 답하시오.

(가) 정선군에 어떤 양반이 살았다. 양반은 어질고 책 읽기를 좋아해서 고을에 군수가 새로 부임할 때마다 반드시 그 집에 찾아가 인사를 차렸다. 하지만 집이 가난해서 해마다 군(郡)에서 환곡을 빌려다가 먹었는데, 몇 해가 지나고 보니 빌린 곡식이 일천 섬에 이르렀다. / 관찰사가 각 고을을 순시하다가 환곡 장부를 살펴보고는 몹시 노하여 말했다.

"어떤 놈의 양반이 관아 곡식을 이처럼 축냈단 말이냐!"

관찰사는 양반을 옥에 가두도록 명했다. 군수는 양반이 가난해서 빌린 곡식을 갚을 길이 없는 형편임을 딱하게 여겨 차마 가두지 못했지만, 그렇다고 해서 달리 뾰족한 방법을 찾을 수도 없었다. 양반은 밤낮으로 울기만 할 뿐 아무런 대책이 없었다. 그러자 양반의 아내가 나무랐다.

"평생 당신은 책 읽기를 좋아하더니만 환곡 갚는 데는 아무 소용도 없구려. 쯧쯧, 양반! 양반은 한 푼어치도 안 되는구려!"

(나) 그러자 군수는 증서를 새로 만들었다. (중략)

> 벼슬을 아니 하고 시골에 묻혀 살더라도 모든 일을 제멋대로 할 수 있다. 강제로 이웃의 소를 끌어다 먼저 자신의 땅을 갈고, 마을의 일꾼을 잡아다 먼저 자기 논의 김을 맨들, 누가 감히 나에게 대들겠느냐? 네놈들 코에 잿물을 들이붓고, 머리끄덩이를 잡아 휘휘 돌리고, 귀밑 수염을 다 뽑아도 누가 감히 나를 원망하겠느냐?

부자는 증서 내용을 듣고 있다가 혀를 내둘렀다.

"그만두시오, 그만두시오. 참으로 맹랑하구먼. 나를 도둑놈으로 만들 작정입니까?"

부자는 머리를 흔들면서 떠나 버렸다. 그러고는 죽을 때까지 다시는 양반이 되고 싶다는 말을 입에 올리지 않았다.

– 박지원, 〈양반전〉

6 이 글에 쓰인 표현 방법으로 적절한 것은?

① 대상의 부정적인 면을 반대로 묘사하여 웃음을 자아내고 있다.
② 대상의 부정적인 면을 우스꽝스럽게 표현하여 비판하고 있다.
③ 대상을 비슷한 다른 사물에 빗대어 대상의 특징을 생생하게 전하고 있다.
④ 재치있는 말과 유머를 섞어 대상에 대한 긍정적인 반응을 이끌어 내고 있다.
⑤ 서로 다른 특성을 지닌 두 대상을 나란히 제시하여 말하고자 하는 바를 강조하고 있다.

고난도

7 이 글을 쓴 작가의 의도를 바르게 파악한 사람끼리 묶은 것은?

소영: 작가는 현실 문제에 대처하지 못하고 경제적으로 무능력한 양반을 비판하고 있네.

태유: 작가는 백성에게 곡식을 빌려 주는 제도의 문제점을 밝혀 이를 개선하고자 하네.

명준: 작가는 양반이 되려는 부자를 비판하여 인간은 모두 평등함을 말하려 하는군.

현아: 작가는 억울한 일을 당해도 적극적으로 해결하지 못하는 평민의 태도를 비꼬고 있네.

승원: 작가는 양반이라는 신분을 이용하여 평민을 괴롭히는 양반의 부당한 태도를 비꼬고 있어.

① 소영, 태유 ② 소영, 승원 ③ 태유, 현아
④ 명준, 현아 ⑤ 명준, 승원

작가가 양반의 모습이나 양반 아내의 말, 양반 매매 증서의 내용, 부자의 말을 통해서 비판하고자 하는 내용이 뭔지 생각해 봐.

[8~10] 다음 글을 읽고 물음에 답하시오.

(가) 그리하여 흑설 공주의 나라에는 아름답지 않은 사람이 하나도 없게 되었다.

이제 거울은 "거울아 거울아, 세상에서 가장 아름다운 사람이 누구지?" 하는 공주의 질문에 대답할 수 없게 되었다.

"모르겠어요. 다들 나름대로 아름다우니 누가 가장 아름다운지 도무지 알 수가 없어요."

흑설 공주는 그제야 미소를 지으며 대답했다.

"그래, 그게 정답이란다. 세상 사람들은 누구나 각각 다른 아름다움을 가지고 있거든. 장미는 장미대로 아름답고, 제비꽃은 제비꽃대로 아름답듯이 말이야!"

– 이경혜, 〈흑설 공주〉

(나) "여보, 이제 흥부네 가족이 찾아오면 절대 도와주지 마시오. 도와주는 것도 한두 번이지 자꾸 도와주니까 의지만 하고 스스로 일할 생각을 하지 않는 것 같구려."

"그러다 굶어 죽으면 어떡해요?"

"내게 다 생각이 있으니 당신은 절대 도와주면 안 돼요. 마음이 아파도 냉정하게 대하시오."

그때 흥부가 도움을 청하러 왔어요.

"형님, 좀 도와주십시오. 아내와 아이들이 굶고 있습니다."

"이제부터 네 가족은 네가 책임져라. 네가 열심히 벌어서 아이들을 먹이고 공부도 시키란 말이다."

"형님, 다시는 손 벌리지 않을 테니 한 번만 도와주세요."

"아버지로부터 물려받은 재산을 다 까먹고 또 내가 얼마나 도와주었느냐? 이제부터 너와 나는 형제도 아니니 썩 물러가거라."

놀부는 흥부를 계속 나무랐어요. 결국 흥부는 쌀 한 톨도 받지 못하고 놀부네 집에서 쫓겨났지요.

뒷부분 줄거리 흥부는 바가지를 만들어 팔게 되고 '흥부 표' 바가지가 유명해져서 흥부는 큰 돈을 벌게 된다. 흥부는 놀부의 배려를 뒤늦게 깨닫고 놀부에게 용서를 구한다.

– 류일윤, 〈놀부전〉

8 원작 〈백설 공주〉와 (가)의 다른 점으로 가장 적절한 것은?

① 스스로 사랑을 쟁취하는 흑설 공주에 대한 예찬
② 악한 행동을 저지른 왕비가 큰 벌을 받는다는 내용
③ 왕자와 공주가 결혼하여 행복하게 산다는 행복한 결말
④ 이 세상 사람들은 누구나 자신만의 아름다움을 갖고 있다는 주제
⑤ 백설 공주의 하얀 피부에서 흑설 공주의 검은 피부로 아름다움의 기준이 달라졌다는 사회적 배경

9 (나)에 대한 설명으로 적절하지 않은 것은?

① 고전 소설인 〈흥부전〉을 원작으로 하여 재구성하였다.
② 〈흥부전〉의 주요 인물인 '흥부'와 '놀부'가 그대로 등장하고 있다.
③ 〈흥부전〉과 마찬가지로 놀부의 부인이 도움을 청하러 온 흥부를 모질게 쫓아내고 있다.
④ 〈흥부전〉과 같이 놀부가 흥부를 내쫓지만 내쫓는 이유가 달라 사건이 다르게 전개되고 있다.
⑤ 〈흥부전〉에서 심술궂고 포악했던 놀부의 성격이 지혜롭고 동생을 생각하는 쪽으로 바뀌었다.

서술형 고난도

10 보기를 참고할 때 (나)에서 작가가 강조하고자 하는 삶의 모습을 조건에 맞게 쓰시오.

보기

조선 후기에는 소수의 지주만 놀부처럼 부자가 되고, 대부분의 소작농은 흥부처럼 열심히 일을 해도 가난해졌다. 이런 시대적 배경에서 가난한 흥부가 복을 받아 부자가 되는 이야기는 가난한 사람들에게 희망을 주었다. 하지만 현대를 살아가는 우리 아이들에게도 희망과 위로가 될 수 있을까?

조건

• 원작 〈흥부전〉의 결말과의 차이점을 바탕으로 할 것.
• 흥부가 바가지를 팔아 큰 부자가 되는 이야기가 의미하는 바를 포함할 것.

book.chunjae.co.kr

교재 내용 문의 ………………………… 교재 홈페이지 ▸ 중학 ▸ 교재상담
교재 내용 외 문의 …………………… 교재 홈페이지 ▸ 고객센터 ▸ 1:1문의
발간 후 발견되는 오류 ……………… 교재 홈페이지 ▸ 중학 ▸ 학습지원 ▸ 학습자료실

실력 향상 필수학습!
고득점을 예약하자!

국어전략

중학 2

BOOK 2

천재교육

국어전략

국어전략
중학 2
BOOK 2

이 책의 차례

BOOK 1

BOOK 2

이 개념들만 알면
국어 생활은
문제없지!

1주 문법

발음과 표기를 바르게 하는 방법은 무엇일까?

우리말의 달인을 찾아라!

언제나 내 곁을[겨츨] 지켜 주던 네!

들려 주는 문장을 잘 듣고 잘못 발음한 부분을 말하세요.

곁을[겨츨]을 곁을[겨틀]로 읽어야 합니다.

정답

딩동댕

네, 자음 받침을 그대로 이어서 발음해야 하죠.

□ 어렴풋이
□ 배개
□ 돌맹이

마지막 문제! 다음 단어의 표기가 바른 것을 고르세요.

딩동댕

어렴풋이

정답!

네, 배개는 베개로, 돌맹이는 돌멩이로 써야 하죠.

점수가 가장 높아 우승하셨습니다. 우리말 달인이 된 비결이 뭔가요?

항상 정확하게 발음하고 쓰려고 노력한답니다~

상품으로 우리말 달인을 평생 시청할 수 있는 시청권을 드립니다!

헉!

표준 발음법과 한글 맞춤법을 익히면
단어를 올바르게 발음하고 표기할 수 있어요.

공부할 내용

❶ 표준 발음법의 이해
❷ 한글 맞춤법의 이해
❸ 담화의 뜻과 특성
❹ 한글의 창제 원리

담화의 특성은 왜 알아야 할까?

담화의 특성을 알고 맥락을 고려하여 대화하면
원활하게 의사소통할 수 있어요.

개념 돌파 전략 ❶

개념 1 올바른 발음 1

모음 'ㅢ'의 발음: ❶ ______ 모음 [ㅢ]로 발음함을 원칙으로 함.

- '의'가 단어의 첫음절에 나올 때는 [ㅢ]로 발음함. 예 의리[의리]
- ❷ ______ 을 첫소리로 가지는 'ㅢ'는 [ㅣ]로 발음함. 예 희망[히망]
- 단어의 첫음절에 '의'가 나오지 않을 때는 [ㅢ](원칙) 또는 [ㅣ]로 발음함(허용). 예 주의[주의/주이]
- 조사 '의'는 [ㅢ](원칙) 또는 [ㅔ]로 발음함(허용). 예 우리의[우리의/우리에] (조사로 쓰임.)

❶ 이중 ❷ 자음

Quiz

모음 'ㅢ'에 대한 설명으로 맞으면 ○, 틀리면 X에 표시하시오.

모음 'ㅢ'는 이중 모음이지만, 항상 단모음 [ㅣ]로 발음함을 원칙으로 한다.

(○, X)

답 | X

개념 2 올바른 발음 2

받침의 발음: 받침소리로 'ㄱ, ㄴ, ㄷ, ㄹ, ㅁ, ㅂ, ㅇ'의 ❶ ______ 개 자음만 발음함.

홑받침, 쌍받침의 발음

하나의 자음으로 된 받침 (ㄱ) / 같은 자음자가 겹쳐서 된 받침(ㄲ)

- 받침 'ㄲ, ㅋ', 'ㅅ, ㅆ, ㅈ, ㅊ, ㅌ', 'ㅍ'은 어말 또는 ❷ ______ 앞에서 대표음 [ㄱ, ㄷ, ㅂ]으로 발음함. 예 밖[박], 낮[낟], 숲[숩]

모음으로 시작된 조사, 어미, 접미사와 결합할 때	→	받침은 제 소릿값대로 뒤 음절 첫소리로 옮겨 발음함. 예 꽃이[꼬치], 옷이[오시]
모음으로 시작된 실질 형태소와 결합할 때	→	받침은 대표음으로 바꾸어 뒤 음절 첫소리로 옮겨 발음함. 예 꽃 위[꼬뒤], 옷 안[오단]

겹받침의 발음

서로 다른 두 자음으로 구성된 받침(ㄳ)

- 어말 또는 자음 앞에서 겹받침 'ㄳ', 'ㄵ', 'ㄼ, ㄽ, ㄾ', 'ㅄ'은 [ㄱ, ㄴ, ㄹ, ㅂ]으로, 겹받침 'ㄺ, ㄻ, ㄿ'은 [ㄱ, ㅁ, ㅂ]으로 발음함. 예 값[갑], 닭[닥]

모음으로 시작된 조사, 어미, 접미사와 결합할 때	→	겹받침은 뒤엣것만을 뒤 음절 첫소리로 옮겨 발음함.('ㅅ'은 [ㅆ]으로 발음함.) 예 닭을[달글]

❶ 7 ❷ 자음

Quiz

빈칸에 들어갈 받침을 바르게 연결하시오.

(1) 받침소리는 'ㄱ, ㄴ, ㄷ, ㄹ, ㅁ, ㅂ, ( )'으로 발음함. • • ㉠ ㄴ

(2) 받침 'ㅅ, ㅆ, ㅈ, ㅊ, ㅌ'은 대표음 [ ]으로 발음함. • • ㉡ ㄷ

(3) 겹받침 'ㄳ', 'ㄵ'은 각각 [ㄱ], [ ]으로 발음함. • ㉢ ㅇ

답 | (1)㉢ (2)㉡ (3)㉠

개념 3 올바른 표기

'안/않', '되/돼'의 표기

안/않
- 형은 학교에 [않(×) → ❶ ______ (○)] 갔다.
- 형은 학교에 가지 [안았다(×) → 않았다(○)].

→ '아니'의 준말은 '안'으로 적고, '아니하-'의 준말은 '않'으로 적음.(※ '안'과 '않' 대신 '아니', '아니하-'를 넣어 보면 됨.)

되/돼
- 소식을 듣고 안심이 [됬다(×) → 됐다(○)]
- 소식을 듣고 안심이 [돼니(×) → ❷ ______ (○)]?

→ 되-+-어=되어→돼(※ '되어'로 풀 수 없으면 '되'로 쓰고, 풀 수 있으면 '돼'로 쓰면 됨.)

❶ 안 ❷ 되니

Quiz

바르게 표기한 단어를 고르시오.

(1) 아가야, 그러면 (안 , 않) 된다.

(2) 너희 집에 놀러 가도 (되니 , 돼니)?

답 | (1) 안 (2) 되니

1-1 빈칸에 들어갈 모음을 차례대로 연결한 것은?

- 이중 모음 'ㅢ'는 ( )로 발음함을 원칙으로 함.
- 자음을 첫소리로 가지는 'ㅢ'는 ( )로 발음함.
- 단어의 첫음절에 '의'가 오지 않을 때는 ( )로, 조사 '의'는 ( )로 발음함도 허용함.

① ㅣ, ㅣ, ㅔ, ㅢ
② ㅢ, ㅣ, ㅣ, ㅔ
③ ㅔ, ㅢ, ㅣ, ㅣ

정답 해설 | 모음 'ㅢ'는 이중 모음 'ㅢ'로 발음함을 원칙으로 하고, 자음을 첫소리로 가질 때는 'ㅣ'로 발음하며, 단어의 첫음절에 '의'가 나오지 않을 때는 'ㅣ'로 발음함도 허용하고, 조사로 쓰였을 때는 'ㅔ'로 발음함도 허용한다. **답** | ②

1-2 밑줄 친 'ㅢ'의 발음이 바르지 않은 것은?

2-1 ㉠~㉢에 들어갈 받침소리의 대표음을 쓰시오.

박, 닦(다), 부엌	ㄱ, ㄲ, ㅋ	→	[㉠]
곧, 낫, 샀(다), 낮, 낯, 낱	ㄷ, ㅅ, ㅆ, ㅈ, ㅊ, ㅌ	→	[㉡]
밥, 숲	ㅂ, ㅍ	→	[㉢]

정답 해설 | 표준 발음법 제8항을 따를 때, 받침소리로는 'ㄱ, ㄴ, ㄷ, ㄹ, ㅁ, ㅂ, ㅇ'의 7개 자음만 발음하고, 표준 발음법 제9항을 따를 때, 'ㄲ, ㅋ', 'ㅅ, ㅆ, ㅈ, ㅊ, ㅌ', 'ㅍ'은 각각 대표음 [ㄱ, ㄷ, ㅂ]으로 발음한다. **답** | ㉠: ㄱ ㉡: ㄷ ㉢: ㅂ

2-2 단어의 발음이 바르지 않은 것은?

3-1 밑줄 친 단어를 바르게 고쳐 쓰시오.

누구요? 지난번에 뵜던 분이요?

정답 해설 | '뵈-'가 '-었-'과 어울릴 때 '뵀'으로 줄어들므로 '뵀'으로 적어야 한다. **답** | 뵀던(뵈었던)

3-2 밑줄 친 단어의 표기가 바르지 않은 것은?

① 밥이 맛있게 돼서 좋다.
② 외국으로 유학을 가게 됬다.
③ 나는 커서 가수가 되고 싶어.

개념 4 담화의 개념과 특성

- **담화의 개념**: 말하는 이와 듣는 이가 주고받는 ❶ ☐ 의 연속체.
- **담화의 구성 요소**: 말하는 이, 듣는 이, 발화(내용), 맥락

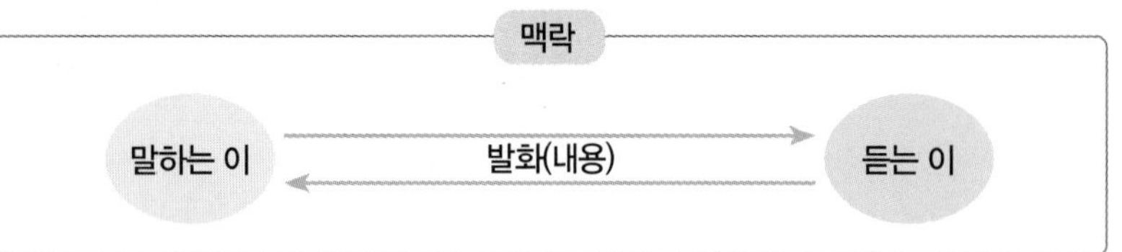

- **상황 맥락**: 말하는 이와 듣는 이의 관계, 시간과 ❷ ☐, 발화의 의도나 목적
- **사회·문화적 맥락**: 지역, 세대, 문화, 역사적·사회적 배경 등

❶ 발화 ❷ 장소

Quiz

( ) 안에 들어갈 알맞은 말을 고르시오.

(1) 담화의 해석에 영향을 미치는 여러 배경이나 환경을 (맥락 , 내용)이라고 한다.

(2) 담화의 (상황 , 사회·문화적) 맥락은 말하는 이와 듣는 이의 관계, 시간과 장소, 발화의 의도나 목적 등을 포함한다.

답 | (1) 맥락 (2) 상황

개념 5 한글의 창제 원리와 특성

- **자음자 17자의 제자 원리**
  - **상형**: 발음 기관의 모양을 본떠서 기본자를 만듦.
    모양을 본뜸.
  - **가획**: 소리가 세짐에 따라 기본자에 획을 더하여 나머지 자음자를 만듦.
    획을 더함.

기본자	ㄱ	ㄴ	ㅁ	ㅅ	ㅇ
가획자	ㅋ	ㄷ, ㅌ	ㅂ, ㅍ	ㅈ, ㅊ	ㆆ, ㅎ (여린히읗)
이체자		ㄹ		ㅿ (반치음)	ㆁ (옛이응)

→ 'ㄹ, ㅿ, ㆁ'은 획을 더하였으나 소리가 세지지는 않으므로 그 형상이 다르다고 하여 '이체자'라 함.

- **모음자 11자의 제자 원리**
  - **상형**: 하늘, 땅, ❶ ☐, 즉 천지인의 모양을 본떠서 기본자를 만듦.
  - **합성**: 기본자를 합하여 다른 모음자를 만듦.

기본자	→	초출자	→	재출자
·, ㅡ, ㅣ		ㅗ, ㅏ, ㅜ, ㅓ		ㅛ, ㅑ, ㅠ, ㅕ

'ㅡ'와 'ㅣ'에 '·'를 합함. 'ㅗ, ㅏ, ㅜ, ㅓ'에 '·'를 한 번 더 합함.

- **한글의 특성(우수성)**
  - 적은 수의 글자를 조합하여 많은 ❷ ☐ 를 나타낼 수 있음.
  - 하나의 글자가 하나의 소리로만 발음되어 읽기 쉬움.
  - 자음자와 모음자를 묶어서 음절 단위로 모아씀.
  - 컴퓨터 등 디지털 기기에 입력하기 효율적인 문자임.

❶ 사람 ❷ 소리

Quiz

빈칸에 들어갈 한글 자음의 기본자를 차례대로 쓰시오.

답 | ㄴ, ㅅ

4-1 다음은 담화의 구성 요소이다. ㉠, ㉡에 들어갈 알맞은 말을 쓰시오.

정답 해설 | ㉠에는 담화에 영향을 미치는 환경적 요소인 맥락이, ㉡에는 담화의 내용을 표현하는 사람이 들어가야 한다.

답 | ㉠: 맥락 ㉡: 말하는 이

4-2 담화에 대한 설명으로 적절하지 않은 것은?

① **담화의 개념**: 말을 하거나 글을 쓸 때 떠올린 생각을 말한다.

② **담화의 구성 요소**: 말하는 이, 듣는 이, 발화, 맥락으로 구성된다.

③ **담화의 특성**: 담화의 의미는 상황 맥락에 따라 달라질 수 있다.

5-1 한글의 기본자에 대한 설명으로 적절하지 않은 것은?

① 자음자의 기본자는 발음 기관의 모양을 본떠 만들었다.

② 모음자의 기본자는 하늘, 땅, 사람의 모양을 본떠 만들었다.

③ 자음자의 기본자는 'ㄱ, ㄴ, ㅁ, ㅅ, ㅇ'이고, 모음자의 기본자는 'ㅏ, ㅗ, ㅜ, ㅓ'이다.

정답 해설 | 자음자의 기본자는 발음 기관의 모양을 본떠 만들었다. 'ㄱ'은 혀뿌리가 목구멍을 막는 모양, 'ㄴ'은 혀끝이 윗잇몸에 붙는 모양, 'ㅁ'은 입의 모양, 'ㅅ'은 이의 모양, 'ㅇ'은 목구멍의 모양을 본떠 만들었다. 모음자의 기본자는 하늘, 땅, 사람 즉, 천지인을 본떠 만들었다. '·'는 하늘의 모양, 'ㅡ'는 땅의 모양, 'ㅣ'는 사람의 모양을 본떠 만들었다.

답 | ③

5-2 ㉠에 들어갈 한글의 특성을 네 글자로 쓰시오.

'ㅎㅏㄴㅡㄹ'은 풀어쓰기 방식이고, '하늘'은 (㉠) 방식이다. 한글은 자음자와 모음자를 모아써서 읽기 편하고 의미를 파악하기도 쉽다.

1주 1일 개념 돌파 전략 ❷

바탕 문제

'ㅢ'의 발음 원리를 생각하며 ㉠, ㉡에 들어갈 알맞은 모음을 쓰세요.

- 단어의 첫음절에 오는 '의'는 [㉠]로 발음한다.
- 조사 '의'는 [ㅢ] 또는 [㉡]로 발음한다.

답 | ㉠: ㅢ ㉡: ㅔ

1 모음 'ㅢ'의 발음에 대한 설명으로 적절하지 않은 것은?

① '흰머리'는 [힌머리]로 발음한다.
② '논의'는 [논의] 또는 [논이]로 발음한다.
③ '의약품'의 '의'는 이중 모음 [ㅢ]로 발음한다.
④ '우리의'는 [우리의] 또는 [우리에]로 발음한다.
⑤ '띄엄띄엄'은 [띠엄띠엄] 또는 [띄엄띄엄]으로 발음한다.

바탕 문제

( ) 안에 들어갈 수 없는 것을 | 보기 | 에서 한 개 고르세요.

| 보기 |
조사 어미 접미사 명사

홑받침, 쌍받침이 모음으로 시작되는 ( )와 결합되는 경우에는 제 음가대로 뒤 음절 첫소리로 옮겨 발음한다.

답 | 명사

2 | 보기 |의 표준 발음법을 이해한 내용이 적절하지 않은 것은?

| 보기 |
- 홑받침 또는 쌍받침이 모음으로 시작된 조사, 어미, 접미사와 결합할 경우 받침을 제 음가대로 뒤 음절 첫소리로 옮겨 발음한다.
- 겹받침이 모음으로 시작된 조사, 어미, 접미사와 결합할 경우 뒤엣것만을 뒤 음절 첫소리로 옮겨 발음한다. 이 경우, 'ㅅ'은 된소리로 발음한다.

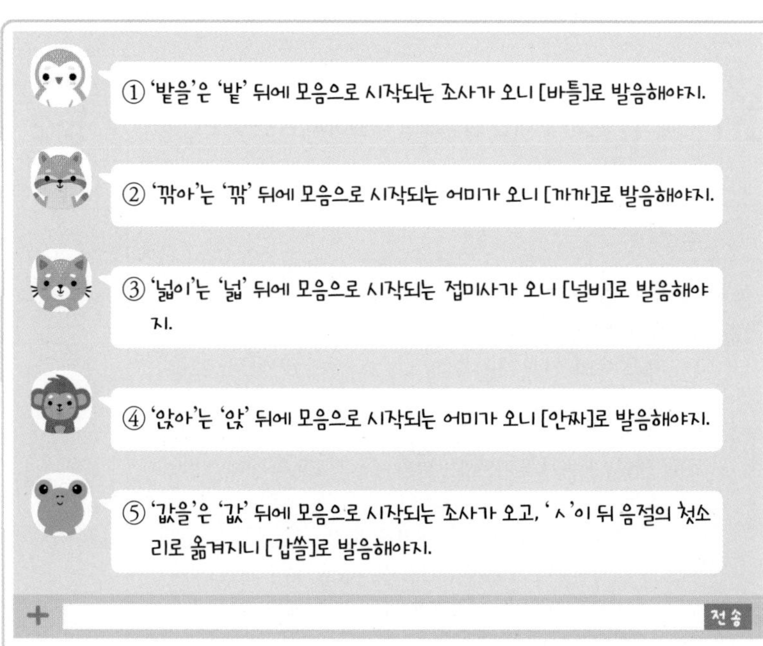

바탕 문제

담화의 상황 맥락 요소에 해당하지 않는 것은?

① 말하는 이의 발화 의도나 목적
② 담화가 이루어지는 시간과 장소
③ 담화 참여자가 속한 공동체의 사회적·언어적 관습

답 | ③

3 상황 맥락을 고려할 때 ㉠의 의미로 적절한 것은?

① 어제는 몇 시에 왔니?
② 우리 몇 시에 만날까?
③ 수업에 늦으면 안 되겠지?
④ 혹시 안 좋은 일이 있었니?
⑤ 시계 보는 법을 언제 배웠니?

바탕 문제

| 보기 |의 한글 자음 기본자와 모음 기본자를 만드는 데 공통으로 적용된 원리는?

| 보기 |
• 자음의 기본자: ㄱ, ㄴ, ㅁ, ㅅ, ㅇ
• 모음의 기본자: ·, ㅡ, ㅣ

① 상형: 모양을 본뜸.
② 가획: 획을 추가함.
③ 합성: 글자를 합함.

답 | ①

4 다음을 참고할 때 한글의 자음자와 모음자에 대한 설명으로 적절하지 않은 것은?

자음자를 만든 원리			모음자를 만든 원리			
기본자		가획자	기본자		초출자	재출자
발음 기관을 본뜸.	ㄱ	ㅋ	천지인을 본뜸.	· ㅡ ㅣ	ㅗ ㅏ ㅜ ㅓ	ㅛ ㅑ ㅠ ㅕ
	ㄴ	ㄷ, ㅌ				
	ㅁ	ㅂ, ㅍ				
	ㅅ	ㅈ, ㅊ				
	ㅇ	ㆆ, ㅎ				

① 기본자는 모두 상형의 원리로 만들었다.
② 자음의 기본자는 'ㄱ, ㄴ, ㅁ, ㅅ, ㅇ'이다.
③ 기본자 'ㄴ'은 가획자 'ㄷ, ㅌ'보다 소리가 세다.
④ 모음자의 기본자를 합하여 초출자 'ㅗ, ㅏ, ㅜ, ㅓ'를 만들었다.
⑤ 'ㅗ, ㅏ, ㅜ, ㅓ'에 '·'를 합하여 재출자 'ㅛ, ㅑ, ㅠ, ㅕ'를 만들었다.

바탕 문제

한글의 특성을 정리할 때 ㉠에 공통으로 들어갈 말을 | 보기 |에서 찾아 쓰세요.

• 한글은 하나의 글자가 하나의 (㉠)로 발음된다.
• 한글은 적은 수의 글자만으로 많은 (㉠)를 나타낼 수 있다.

| 보기 |
소리 원리 의미

답 | 소리

5 한글의 특성으로 적절하지 않은 것은?

① 하나의 글자가 하나의 소리로만 발음되어 읽기 쉽다.
② 발음 기관이나 천지인의 모양을 본떠 글자를 만들었다.
③ 적은 수의 글자를 조합하여 많은 소리를 나타낼 수 있다.
④ 자음자와 모음자를 가로세로로 묶어서 음절 단위로 모아쓴다.
⑤ 글자 하나하나가 의미를 가지고 있어 새로운 글자를 만들기 쉽다.

1주 2일 필수 체크 전략 ❶

전략 1 모음 'ㅢ'의 올바른 발음 파악하기

☑ **단어의 첫음절에 오는 'ㅢ'의 발음은?**
의자[의자]: [ㅢ]로 발음함.

☑ **자음을 첫소리로 가질 때 'ㅢ'의 발음은?**
흰[힌], 무늬[무니]: [❶]로 발음함.

☑ **단어의 첫음절 이외에 오는 'ㅢ'의 발음은?**
거의[거의/거이]: [ㅢ]나 [ㅣ]로 발음함.

☑ **조사 'ㅢ'의 발음은?**
나의[나의/나에]: [ㅢ]나 [❷]로 발음함.

❶ ㅣ ❷ ㅔ

필수 예제 1

밑줄 친 부분의 발음이 바르지 않은 것은?

① 의사가 제 병 못 고친다. → [의사]
② 저희 선생님은 참 자상하세요. → [저희]
③ 9시에 회의를 시작하였다. → [회의/회이]
④ 친구 사이에도 서로 예의를 지키자. → [예의/예이]
⑤ 나는 동생의 가방을 들어 주었다. → [동생의/동생에]

정답 해설 | 첫소리가 자음인 음절의 'ㅢ'는 [ㅣ]로만 발음하므로 '저희'는 [저히]로만 발음해야 한다. **답** | ②

오답 풀이 | ① '의'로 쓰인 단어 첫음절에 나오는 '의'는 [ㅢ]로 발음한다. 이때 단어의 첫음절에 오는 'ㅇ'은 소릿값이 없다.
③, ④ 단어의 둘째 음절과 그 뒤에 오는 '의'는 [ㅢ]로 발음하는 것이 원칙이지만, [ㅣ]로 발음하는 것도 허용한다.
⑤ 조사 '의'는 [ㅢ]로 발음하는 것이 원칙이지만, [ㅔ]로 발음하는 것도 허용한다.

확인 문제 1

|보기|의 표준 발음법을 따를 때 ㉠~㉢에 들어갈 발음을 바르게 연결한 것은?

> |보기|
> • 'ㅢ'는 이중 모음 [ㅢ]로 발음한다.
> • 다만, 자음을 첫소리로 가지고 있는 음절의 'ㅢ'는 [ㅣ]로 발음한다. 예 띄어쓰기[㉠]
> • 다만, 단어의 첫음절 이외의 '의'는 [ㅣ]로, 조사 '의'는 [ㅔ]로 발음함도 허용한다. 예 주의[㉡], 친구의[㉢]

	㉠	㉡	㉢
①	[띄어쓰기]	[주의]	[친구의]
②	[띄어쓰기]	[주의]	[친구에]
③	[띠어쓰기]	[주의]	[친구이]
④	[띠어쓰기]	[주이]	[친구이]
⑤	[띠어쓰기]	[주이]	[친구에]

>> 정답과 해설 27쪽

전략 2 받침의 올바른 발음 파악하기

○ 받침소리의 발음

받침소리	ㄱ	ㄴ	ㄷ	ㄹ	ㅁ	ㅂ	ㅇ
단어	박 밖 부엌	손 안	낟, 낫 낮, 낯 낱개 났다 히읗	말	감 마음	밥 삽 숲	강

○ 받침 뒤에 이어지는 말에 따른 받침의 발음

	이어지는 말	받침 'ㅅ'의 발음
옷 [옫]	이어지는 말 없이 받침으로 끝남.	ㄷ
옷차림 [옫차림]	자음으로 시작함.	ㄷ
옷 위 [오뒤]	모음으로 시작하면서 실질적인 의미가 있음.	ㄷ
옷이 [오시]	모음으로 시작하면서 실질적인 의미가 없음.	ㅅ

☑ **받침소리로 발음하는 7개의 자음은?**
ㄱ, ㄴ, ㄷ, ㄹ, ㅁ, ㅂ, ㅇ

☑ **받침 'ㅅ'이 단어 끝이나 자음 앞에서 발음되는 대표음은?**
옷[옫], 옷차림[옫차림]: [❶]

☑ **받침 뒤에 이어지는 말이 모음으로 실질적인 의미가 있을 때 받침의 발음은?**
옷 위[옫위 → 오뒤]: ❷ 으로 바꾸어 뒤 음절 첫소리로 옮겨 발음함.

☑ **받침 뒤에 이어지는 말이 모음으로 실질적인 의미가 없을 때 받침의 발음은?**
옷이[오시]: 제 음가대로 뒤 음절 첫소리로 옮겨 발음함.

개념+ 실질적인 의미
어떤 말이 구체적인 대상이나 상태, 동작 따위를 나타낼 때 실질적인 의미가 있다고 함.

❶ ㄷ ❷ 대표음

필수 예제 2

|보기|의 표준 발음법을 따를 때 단어의 받침소리가 <u>다른</u> 것은?

> 보기
> 받침 'ㄲ, ㅋ', 'ㅅ, ㅆ, ㅈ, ㅊ, ㅌ', 'ㅍ'은 대표음 [ㄱ, ㄷ, ㅂ]으로 발음한다.

① 꽂　　② 솥
③ 닦다　　④ 있다
⑤ 숲

정답 해설 | 받침 'ㄲ'은 대표음 [ㄱ]으로 발음하고, 받침 'ㅅ, ㅆ, ㅈ, ㅊ, ㅌ, ㅎ'은 대표음 [ㄷ]으로 발음한다. '닦다'는 [닥따]로 받침소리를 대표음 [ㄱ]으로 발음한다. 답 | ③

오답 풀이 | '꽂[꼳], 솥[솓], 있다[읻따], 숲[숩]'은 받침소리가 모두 대표음 [ㄷ]으로 발음된다.

확인 문제 2

|보기|의 표준 발음법을 따를 때 발음이 바르지 <u>않은</u> 것은?

> 보기
> • 홑받침이 모음으로 시작된 조사, 어미, 접미사와 결합할 경우 받침을 제 음가대로 뒤 음절 첫소리로 옮겨 발음한다.
> • 홑받침이 모음으로 시작된 실질 형태소와 결합할 경우 받침소리를 대표음으로 바꾸어 뒤 음절 첫소리로 옮겨 발음한다.

① 항구에 도착해 <u>닻을[다츨]</u> 내려라.
② 할머니는 <u>무릎이[무르비]</u> 아프시다.
③ 아기의 발 <u>밑에[미테]</u> 장난감이 있다.
④ 어머니는 지금 <u>부엌에[부어케]</u> 계신다.
⑤ 저 <u>밭 아래[바다래]</u>에 우리 집이 있다.

전략 3 겹받침의 올바른 발음 파악하기

○ 앞 자음이 소리 나는 겹받침과 뒤 자음이 소리 나는 겹받침

앞 자음이 소리 나는 겹받침		뒤 자음이 소리 나는 겹받침	
몫[목]	ㄳ → [ㄱ]	닭[닥]	ㄺ → [ㄱ]
앉다[안따]	ㄵ → [ㄴ]	삶[삼ː]	ㄻ → [ㅁ]
넓다[널따] 외곬[외골] 핥다[할따]	ㄼ, ㄽ, ㄾ → [ㄹ]	읊다[읍따]	ㄿ → [ㅂ]
없다[업ː따]	ㅄ → [ㅂ]		

○ 겹받침 뒤에 모음이 이어질 때의 발음

단어	발음	받침 뒤에 다른 말이 이어질 때	겹받침의 발음
닭이 앉아 넓이	[달기] [안자] [널비]	모음으로 시작하면서 조사, 어미, 접미사와 결합함.	뒤엣것만을 뒤 음절의 첫소리로 옮겨 발음함.
값이	[갑씨]	'ㅅ'은 된소리로 발음함.	

☑ **앞 자음이 대표음으로 소리 나는 겹받침은?**
ㄳ → [ㄱ], ㄵ → [ㄴ], ㄼ, ㄽ, ㄾ → [❶], ㅄ → [ㅂ]

☑ **뒤 자음이 대표음으로 소리 나는 겹받침은?**
ㄺ → [ㄱ], ㄻ → [ㅁ], ㄿ → [ㅂ]

☑ **겹받침 뒤에 모음으로 시작하면서 실질적인 의미가 없는 말이 올 때 발음은?**
닭이[❷], 앉아[안자], 넓이[널비]: 뒤엣것만을 뒤 음절 첫소리로 옮겨 발음함.

☑ **겹받침 중 뒤엣것 'ㅅ'을 뒤 음절 첫소리로 옮겨 발음할 때 'ㅅ'의 발음은?**
값이[갑씨]: 된소리 'ㅆ'으로 발음함.

개념+ 겹받침 발음의 예외
- '밟-'은 자음 앞에서 [밥ː]으로 발음함.
  예 밟다[밥ː따], 밟소[밥ː쏘]
- '넓-'은 '넓죽하다[넙쭈카다]'와 '넓둥글다[넙뚱글다]'의 경우에는 [넙]으로 발음함.
- 용언의 어간 끝 'ㄺ'은 'ㄱ' 앞에서 [ㄹ]로 발음함. 예 맑고[말꼬], 늙고[늘꼬]

❶ ㄹ ❷ 달기

필수 예제 3

〈보기〉의 표준 발음법에 따라 발음해야 하는 단어의 예로 제시할 수 있는 것은?

> 보기
> 겹받침 'ㄳ', 'ㄵ', 'ㄼ, ㄽ, ㄾ', 'ㅄ'은 어말 또는 자음 앞에서 각각 [ㄱ, ㄴ, ㄹ, ㅂ]으로 발음한다.

① 키읔[키윽] ② 닦다[닥따] ③ 앉다[안따]
④ 싫소[실쏘] ⑤ 흙은[흘근]

정답 해설 | '앉다'에서 '앉'의 겹받침 'ㄵ'은 자음 'ㄷ' 앞에서 [ㄴ]으로 발음하므로 〈보기〉의 표준 발음법 조항을 뒷받침할 수 있는 예이다. 답 | ③

오답 풀이 | ① '키읔'에서 '읔'의 받침 'ㅋ'은 홑받침으로 겹받침에 해당하지 않는다.
② '닦다'에서 '닦'의 받침 'ㄲ'은 쌍받침으로 겹받침에 해당하지 않는다.
④, ⑤ '싫소'에서 '싫'의 받침 'ㅀ'과 '흙은'에서 '흙'의 받침 'ㄺ'은 〈보기〉에 제시된 겹받침에 해당하지 않는다.

확인 문제 3

〈보기〉의 표준 발음법을 따를 때 겹받침의 발음이 바르지 않은 것은?

> 보기
> 겹받침이 모음으로 시작된 조사, 어미, 접미사와 결합할 경우 뒤엣것만을 뒤 음절 첫소리로 옮겨 발음한다. 이 경우, 'ㅅ'은 [ㅆ]으로 발음한다.

① 아침에 닭이[달기] 운다.
② 내 삶은[삼ː은] 나의 것이다.
③ 싼 값으로[갑쓰로] 물건을 샀다.
④ 교실의 넓이[널비]를 재어 보자.
⑤ 다리가 짧은[짤븐] 강아지가 간다.

>> 정답과 해설 27쪽

전략 4 단어의 올바른 표기 익히기

○ 단어의 원래 형태를 밝혀 적지 않는 경우

○ 준말을 잘못 쓰는 경우

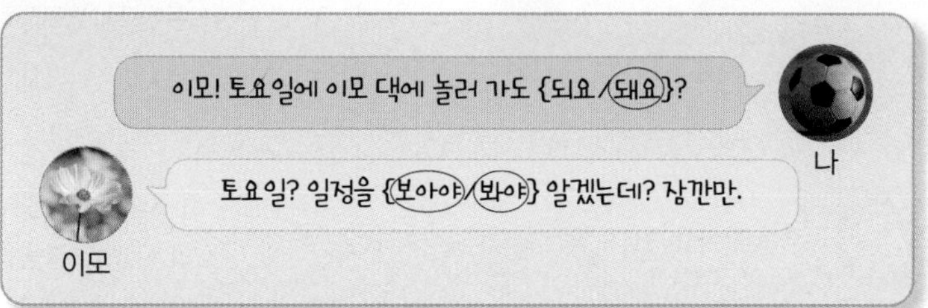

○ 발음이 같거나 비슷하여 잘못 쓰는 경우

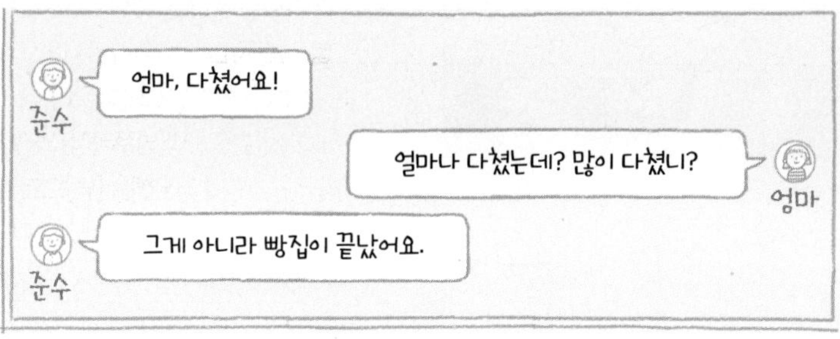

☑ 단어를 표기할 때의 맞춤법 원칙은?
만듬 → 만듦, 시퍼요 → 싶어요: 단어의 본래 형태를 밝히어 적음.

☑ '되요/돼요'의 올바른 표기는?
'되-' 뒤에 '-어'가 붙었을 때는 줄여서 '돼'로 쓰므로 '❶ ______'가 바른 표기임.

☑ 준말의 올바른 표기는?
모음 'ㅗ'로 끝난 어간에 '-아'가 어울려 'ㅘ'로 줄 적에는 준 대로 적으므로 '봐'로 적음.('봐'와 '보아' 둘 다 바른 표기임.)

☑ 문이 '닫히다'일까, '다치다'일까?
빵집 영업 시간이 끝났다는 의미를 전달할 때는 '❷ ______'로 써야 함.

개념+ 한글 맞춤법
우리말을 한글로 표기할 때의 원칙을 밝혀 놓은 것.

> **한글 맞춤법 제1항** 한글 맞춤법은 표준어를 소리대로 적되, 어법에 맞도록 함을 원칙으로 한다.

❶ 돼요 ❷ 닫히다

필수 예제 4

'되/돼'의 표기가 바르게 쓰인 것은?

① 어느새 아침이 돼었다.
② 찌개가 맛있게 되서 좋아.
③ 별일이 없다니 안심이 됬다.
④ 나는 자라서 요리사가 되고 싶어.
⑤ 음식을 쏟아 옷이 엉망이 되 버렸다.

정답 해설 | '돼'는 '되어'가 줄어든 말이다. '되-' 뒤에 '-어'가 붙었을 때만 줄여서 '돼'로 쓴다. '돼'는 '되어'가 줄어서 만들어진 말이라는 점을 기억한다. 즉, '되어'로 풀어 쓸 수 있는 경우에는 '돼'로 쓰면 된다. **답** | ④

오답 풀이 | ①의 '돼었다'의 바른 표기는 '되었다'이다.
②의 '되서'의 바른 표기는 '돼서'이다.
③의 '됬다'의 바른 표기는 '됐다'이다.
⑤의 '되'의 바른 표기는 '돼'이다. '돼'나 '되어'로 쓰면 된다.

확인 문제 4

바른 표기를 고른 것은?

① 꽃이 [시듬/시듦]. → 시듬
② 지난번에 [뵜던/뵈었던] 분이군. → 뵜던
③ 교복이 누렇게 [바라다/바래다]. → 바래다
④ 나는 학교에 가지 [않았다/안았다]. → 안았다
⑤ 그 말을 듣자 [왠지/웬지] 불길한 느낌이 들었다. → 웬지

1주 2일 필수 체크 전략 2

1 ㉠~㉤의 발음이 바르지 않은 것은?

① ㉠: [의자] ② ㉡: [힌] ③ ㉢: [무늬]
④ ㉣: [거의/거이] ⑤ ㉤: [나의/나에]

문제 해결 **전략**

모음 'ㅢ'에 대한 발음 규정을 파악하고, 발음을 정확히 알아 둔다. 'ㅢ'가 ❶ ____ 을 첫소리로 가질 때, 첫음절 이외에 올 때, ❷ ____ 로 쓰일 때 허용되는 발음을 기억해 둔다.

❶ 자음 ❷ 조사

2 다음을 참고할 때 밑줄 친 부분의 받침소리를 같은 것끼리 바르게 연결하지 않은 것은?

우리말에서는 받침소리로 7개 자음만 발음하고, 이 밖의 받침은 7개의 자음 중 하나로 바뀌는 거야. 받침 'ㄲ, ㅋ'은 [ㄱ]으로, 'ㅅ, ㅆ, ㅈ, ㅊ, ㅌ, ㅎ'은 [ㄷ]으로, 'ㅍ'은 [ㅂ]으로, 'ㄼ, ㄽ, ㄾ'은 [ㄹ]로 발음해.

① 솥 — 숲 ② 닭다 — 키읔
③ 히읗 — 있다 ④ 짧다 — 외곬
⑤ 말다 — 핥다

문제 해결 **전략**

받침소리로 발음되는 'ㄱ, ㄴ, ㄷ, ❶ ____, ㅁ, ㅂ, ㅇ'의 7개 자음을 먼저 정리하고, 단어의 받침들이 어떤 ❷ ____ 으로 발음되는지 파악해 본다.

❶ ㄹ ❷ 대표음

>> 정답과 해설 27쪽

3 다음 발음이 바르지 않은 것은?

어느 일요일이었습니다. ①창밖을[창바끌] 내다보던 막내 돼지가 말했습니다.

"날씨가 아주 좋아. 우리 소풍 가자."

아기 돼지 삼 형제는 ②옷을[오슬] 예쁘게 차려입고 집을 나섰습니다. 들판에는 ③꽃이[꼬치] 활짝 피어 있었습니다.

도시락을 먹고 나서 삼 형제는 흙장난을 시작했습니다. ④흙은[흘근] 부드러웠고 햇볕을 받아 따뜻했습니다. 첫째와 둘째는 흙을 파며 놀았고, 막내는 ⑤겉옷을[거도들] 벗고 놀았습니다.

문제 해결 전략

뒤에 이어지는 말이 ❶ ______ 으로 시작될 경우, 형식 형태소나 ❷ ______ 형태소냐에 따라 발음이 달라짐을 안다.

❶ 모음 ❷ 실질

4 한글 맞춤법에 대한 답변이 적절하지 않은 것은?

질문 '보고 싶어요'를 '보고 시퍼요'로 쓰면 안 되나요?

↳ ① 표준어는 소리 나는 대로 적으니 '보고 시퍼요'로 써도 됩니다.

질문 '중심을 잃고 쓰러지다.'에서 '쓰러지다'에 적용된 원리는 무엇인가요?

↳ ② 표준어를 소리 나는 대로 적는다는 원리가 적용되었어요.

질문 '선생님이 됬다.'는 틀린 표기인가요?

↳ ③ '되-' 뒤에 '-어'가 붙여 줄여 쓸 때는 '돼'로 써야 하니 '선생님이 됐다.'가 바른 표현입니다.

질문 '안 먹었어.'와 '않 먹었어.' 중에서 맞는 표기는 어느 것인가요?

↳ ④ '아니'를 줄여서 쓴 말은 '안'이고, '아니하-'를 줄여서 쓴 말은 '않-'이니 '안'으로 써야 해요.

질문 '왠지, 웬지'와 '왠일인지, 웬일인지'는 어떻게 구분하나요?

↳ ⑤ '왠'은 하나의 단어가 아니라 그 자체로는 의미가 없고 '왜인지'가 줄어든 '왠지'가 맞는 표기이고, '웬'은 하나의 단어로 '어찌 된, 어떠한'이라는 뜻으로 '웬일인지'가 맞는 표기입니다.

문제 해결 전략

일상생활에서 단어의 표기를 틀리는 경우를 원래 ❶ ______ 를 밝히어 적지 않은 경우, ❷ ______ 이 같아서 잘못 표기하는 경우, '되/돼'나 '안/않'과 같은 준말을 잘못 표기한 경우 등으로 나누어 알아 둔다.

❶ 형태 ❷ 발음

1주 3일 필수 체크 전략 ❶

전략 1 담화의 개념과 구성 요소 파악하기

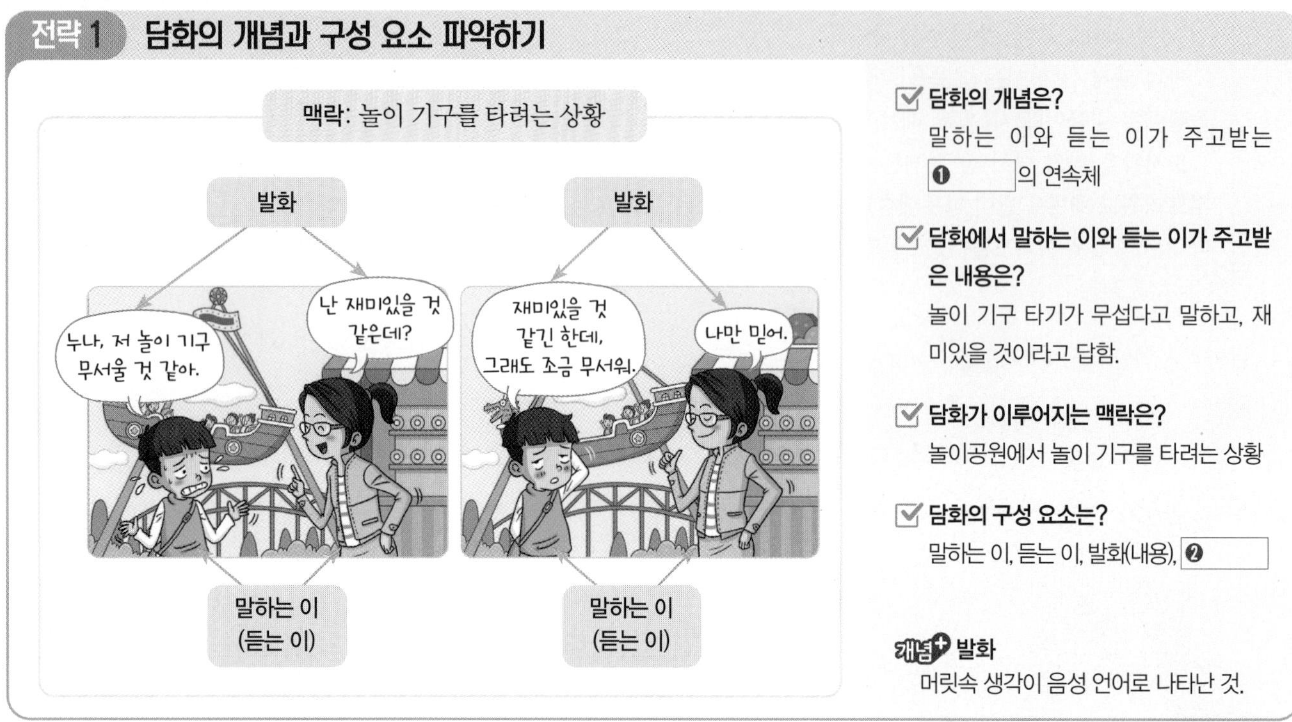

☑ **담화의 개념은?**
말하는 이와 듣는 이가 주고받는 ❶ [ ]의 연속체

☑ **담화에서 말하는 이와 듣는 이가 주고받은 내용은?**
놀이 기구 타기가 무섭다고 말하고, 재미있을 것이라고 답함.

☑ **담화가 이루어지는 맥락은?**
놀이공원에서 놀이 기구를 타려는 상황

☑ **담화의 구성 요소는?**
말하는 이, 듣는 이, 발화(내용), ❷ [ ]

개념+ 발화
머릿속 생각이 음성 언어로 나타난 것.

❶ 발화 ❷ 맥락

필수 예제 1

㉠에 들어갈 담화의 구성 요소에 해당하지 않는 것은?

> 머릿속 생각이 음성 언어로 나타난 것을 발화라 하고, 말하는 이와 듣는 이가 주고받는 발화의 연속체를 담화라 한다. 하나의 완전한 담화가 이루어지기 위해서는 (㉠) 이/가 있어야 한다.

① 듣는 이
② 말하는 이
③ 담화를 지켜보는 이
④ 전달하고자 하는 내용
⑤ 담화가 이루어지는 상황

정답 해설 | 담화는 발화의 연속체로, 말하는 이, 듣는 이, 발화(내용), 맥락을 구성 요소로 한다. 답 | ③

확인 문제 1

다음 담화에 대한 설명으로 적절하지 않은 것은?

① 동생과 누나가 한 말을 각각을 발화라고 한다.
② 동생과 누나가 나눈 대화 전체를 담화라고 한다.
③ 동생과 누나가 각자 자신의 생각을 말하고 있다.
④ 말하는 이는 누나, 듣는 이는 동생으로 고정되어 있다.
⑤ 동생과 누나가 놀이 기구를 타려고 하는 상황이 나타나 있다.

>> 정답과 해설 27쪽

전략 2 담화의 맥락 파악하기

○ 담화의 상황 맥락

가

지각하기 5분 전, 학교 정문 앞.

나

수업 시작하기 5분 전, 교실 안.

○ 담화의 사회·문화적 맥락

다

세대 차이로 의사소통에 문제가 발생함.

라

문화와 언어적 관습의 차이로 의사소통에 문제가 발생함.

☑ **가와 나에서 '5분 남았는걸.'의 뜻은?**
- (가): 괜찮아.
- (나): 나가지 말자.

→ 담화가 이루어진 ❶ ____, 장소와 관련된 구체적 상황, 즉 상황 맥락이 다르기 때문에 다르게 해석됨.

☑ **담화의 상황 맥락의 요소는?**
말하는 이와 듣는 이의 관계, 시간과 장소, 말하는 의도나 목적

☑ **다와 라에서 의사소통에 어려움을 느낀 까닭은?**
담화가 이루어지는 사회·문화적 배경과 관련된 맥락, 즉 사회·문화적 맥락의 차이 때문에

☑ **담화의 사회·문화적 맥락의 요소는?**
❷ ____, 문화, 지역, 역사적·사회적 배경, 공동체의 가치 등

❶ 시간 ❷ 세대

필수 예제 2

(가)와 (나)의 상황 맥락을 고려하여 '5분 남았는걸.'의 의미를 바르게 파악한 것은?

가

나

	(가)	(나)
①	지각할지도 모르겠어.	나도 탁구 치고 싶어.
②	지각할지도 모르겠어.	시간이 부족하니 나가지 말자.
③	지각이 아니니 괜찮아.	시간이 부족하니 나가지 말자.
④	지각이 아니니 괜찮아.	5분이면 탁구 칠 수 있겠다.
⑤	5분 남았으니 서두르자.	5분이면 탁구 칠 수 있겠다.

정답 해설 | (가), (나)는 담화가 이루어진 시간과 장소, 즉 상황 맥락이 다르기 때문에 같은 발화인 '5분 남았는걸.'이 (가)에서는 늦지 않았다는 뜻으로, (나)에서는 시간이 부족하다는 뜻으로 쓰인다. **답** | ③

확인 문제 2

다음 담화의 해석에 영향을 미치는 담화의 구성 요소로 적절한 것은?

> 외국인 손님을 초대한 자리에서 음식이 가득 차려진 상을 가리키며
>
> **주인**: 차린 것은 없지만 많이 드세요.
> **외국인 손님**: (당황하며) 이렇게 먹을 게 많은데 차린 게 없다고요?

① 말하는 이와 듣는 이의 관계
② 말하는 이와 듣는 이의 세대 차이
③ 담화가 이루어지는 시간이나 장소
④ 말하는 이와 듣는 이가 속한 공동체 문화
⑤ 말하는 이와 듣는 이가 속한 역사적 배경

전략 3 한글의 창제 원리 이해하기

자음자를 만든 원리

발음 기관의 모양을 본뜸.	상형 → 기본자	가획 → 가획자	
혀뿌리가 목구멍을 막는 모양	ㄱ	ㅋ	
혀끝이 윗잇몸에 붙는 모양	ㄴ	ㄷ	ㅌ
입의 모양	ㅁ	ㅂ	ㅍ
이의 모양	ㅅ	ㅈ	ㅊ
목구멍의 모양	ㅇ	ㆆ	ㅎ

모음자를 만든 원리

천지인을 본뜸.	상형 → 기본자	합성 → 초출자	합성 → 재출자
하늘의 둥근 모양	·	·+ㅡ=ㅗ ㅡ+·=ㅜ ㅣ+·=ㅏ ·+ㅣ=ㅓ	ㅗ+·=ㅛ ㅜ+·=ㅠ ㅏ+·=ㅑ ㅓ+·=ㅕ
땅의 평평한 모양	ㅡ		
사람이 서 있는 모양	ㅣ		

☑ **자음의 기본자를 만든 원리는?**
'ㄱ, ㄴ, ㅁ, ㅅ, ㅇ': 발음 기관의 모양을 본떠 만듦.

☑ **자음 기본자와 가획자의 연관성은?**
가획자는 그 기본자와 모양이 비슷하고 소리 나는 위치가 같으며 ❶ [ ]을 추가하여 그 기본자보다 더 센 소리임을 나타냄.

☑ **모음의 기본자를 만든 원리는?**
'·, ㅡ, ㅣ': ❷ [ ], 땅, 사람을 본떠 만듦.

☑ **모음의 초출자와 재출자를 만든 원리는?**
초출자는 'ㅡ'와 'ㅣ'에 '·'를 합하고, 재출자는 'ㅗ, ㅏ, ㅜ, ㅓ'에 '·'를 한 번 더 합함.

개념+ 병서
'ㄱ, ㄷ, ㅂ, ㅅ, ㅈ, ㅎ' 등을 가로로 나란히 써서 'ㄲ, ㄸ, ㅃ, ㅆ, ㅉ, ㆅ'과 같이 나타내는 것.

❶ 획 ❷ 하늘

필수 예제 3

한글의 자음자와 모음자에 대한 설명으로 적절하지 않은 것은?

〈자음자〉
- 기본자는 발음 기관의 모양을 본떠 만들었으며 'ㄱ, ㄴ, ㅁ, ㅅ, ㅇ'으로 5개임. ········ ①
- 가획자는 기본자에 획을 더해 소리의 세기를 반영함. ②
- 가획자에는 'ㅋ, ㄷ, ㅌ, ㅂ, ㅍ, ㅈ, ㅊ, ㆆ, ㅎ'이 있음. ③

〈모음자〉
- 기본자는 기본자끼리 가획한 '·, ㅡ, ㅣ'로 3개임. ··· ④
- 초출자에는 'ㅗ, ㅜ, ㅏ, ㅓ', 재출자에는 'ㅛ, ㅑ, ㅕ, ㅠ'가 있음. ········ ⑤

정답 해설 | 모음 기본자는 하늘, 땅, 사람을 본떠 '·, ㅡ, ㅣ'를 만들었다.

답 | ④

오답 풀이 | 한글의 자음자는 상형, 가획의 원리로 만들었고, 한글의 모음자는 상형, 합성의 원리로 만들었다.

확인 문제 3

한글의 제자 원리에 대한 설명으로 적절하지 않은 것은?

① 자음 기본자는 발음 기관의 모양을 본떠 만들었다.
② 'ㅂ, ㅍ'은 기본자인 'ㅅ'에 획을 추가하여 만들었다.
③ 'ㄴ'은 'ㄷ'보다, 'ㄷ'은 'ㅌ'보다 더 센 소리로 이를 반영해 획을 추가하여 만들었다.
④ '·'는 하늘을, 'ㅡ'는 땅을, 'ㅣ'는 사람을 본떠 만들었다.
⑤ '·, ㅡ, ㅣ'는 상형의 원리로, 나머지 모음자는 합성의 원리로 만들었다.

>> 정답과 해설 27쪽

전략 4 한글의 특성(우수성) 이해하기

○ 다른 문자와 비교했을 때 한글의 특성

ㅏ	a
사과[사과] 나이[나이] 차[차]	apple[애플] age[에이지] car[카ː]

→ 한글은 하나의 글자가 하나의 소릿값을 가짐.

한글	영어 알파벳
ㄱ-ㅋ ㄴ-ㄷ-ㅌ ㅁ-ㅂ-ㅍ	g-k n-d-t m-b-p

→ 한글은 같은 위치에서 소리 나는 글자의 모양이 비슷함.

○ 한글 표기 방식의 특성

풀어쓴 문장

ㄴㅏㅅ ㄴㅗㅎㄱㅗ ㄱㅣㅇㅕㄱ ㅈㅏㄷㅗ ㅁㅗㄹㅡㄴㄷㅏ.

→ 영어 알파벳의 표기 방식

모아쓴 문장

낫 놓고 기역 자도 모른다.

→ 한글의 표기 방식

☑ **한글 'ㅏ'와 알파벳 'a'의 차이점은?**
한글 'ㅏ'는 항상 [❶   ]로 발음하는데, 알파벳 'a'는 단어에 따라 다르게 발음함.

☑ **한글과 영어 알파벳의 차이점은?**
한글은 같은 위치에서 소리 나는 글자들의 모양이 비슷함.

☑ **한글의 표기 방식은?**
한글은 자음자와 모음자를 가로세로로 묶어서 음절 단위로 ❷   .

☑ **모아쓰기의 장점은?**
읽기도 편하고 의미도 쉽게 파악할 수 있음.

❶ 아 ❷ 모아씀

필수 예제 4

| 보기 |에서 알 수 있는 한글의 특성으로 적절한 것은?

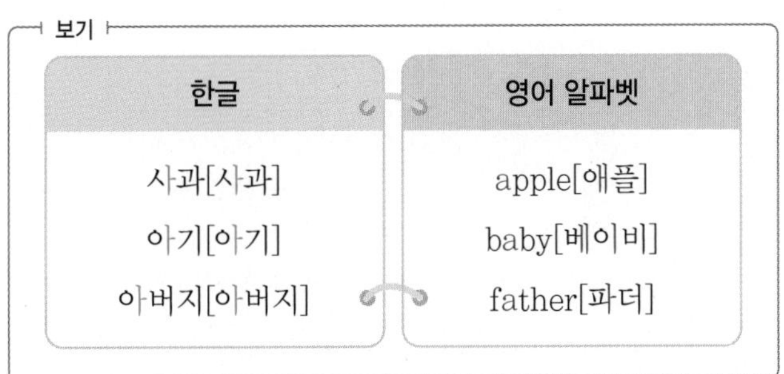

한글	영어 알파벳
사과[사과] 아기[아기] 아버지[아버지]	apple[애플] baby[베이비] father[파더]

① 글자 하나가 여러 가지로 소리 난다.
② 글자 하나하나가 의미를 가지고 있다.
③ 하나의 글자가 하나의 소릿값을 가진다.
④ 자음자와 모음자를 음절 단위로 풀어쓴다.
⑤ 글자 수가 많아 수많은 의미를 표현할 수 있다.

정답 해설 | 한글은 하나의 글자가 하나의 소릿값을 지니지만, 영어 알파벳은 그렇지 않다. 따라서 영어 알파벳보다 쉽게 읽을 수 있다. **답** | ③

오답 풀이 | ① 한글은 자음자와 모음자가 묶여 하나의 음절을 이룬다. ② 한자에 대한 설명이다. ④ 한글은 모아쓰기 방식으로 표기한다. ⑤ 한글은 적은 수의 글자로 수많은 소리를 표현할 수 있다.

확인 문제 4

(가), (나) 중 한글을 표기하는 방식과 그 효과를 바르게 연결한 것은?

(가) 한글의 우수성
(나) ㅎㅏㄴㄱㅡㄹㅇㅢㅇㅜㅅㅜㅅㅓㅇ

① (가) – 누구나 배우기 쉬움.
② (가) – 글자를 적는 시간을 많이 들임.
③ (가) – 읽기도 편하고 의미를 쉽게 이해할 수 있음.
④ (나) – 적은 수로 많은 글자를 적을 수 있음.
⑤ (나) – 디지털 기기에 빠르게 입력할 수 있음.

필수 체크 전략 ❷

1 (가), (나)에 대한 설명으로 적절하지 않은 것은?

① (가)의 듣는 이는 손님, (나)의 듣는 이는 환자이다.
② (가)와 (나)의 말하는 이의 발화 의도는 서로 다르다.
③ (가)는 미용실에서, (나)는 병원에서 이루어진 담화이다.
④ (가)와 (나)의 "어떠세요?"의 의미 해석에 사회·문화적 맥락이 영향을 미치고 있다.
⑤ "어떠세요?"가 (가)에서는 "머리가 마음에 드세요?", (나)에서는 "치료 부위가 아프세요?"로 해석된다.

문제 해결 전략

담화가 이루어지는 시간과 장소, 말하는 이와 듣는 이가 처한 ❶ [ ], 발화 의도와 목적 등 담화의 맥락을 먼저 살펴보고 상황 맥락에 따라 달라지는 발화의 ❷ [ ]를 파악해 본다.

❶ 상황 ❷ 의미

2 담화의 사회·문화적 맥락을 고려할 때 ㉠에 들어갈 말로 적절한 것은?

① 상황과 관련 없는 말을 하여 재미를 주려는 문화가 있어.
② 손님에게 음식을 대접할 때 겸손하게 표현하는 문화가 있어.
③ 실제로 준비한 음식이 없을 때 솔직하게 말하는 습관이 있어.
④ 손님에게 음식을 많이 대접하여 자신을 과시하는 풍습이 있어.
⑤ 손님을 편하게 대하려고 실제와 반대로 말하는 사람들이 있어.

문제 해결 전략

대화 참여자인 파블로가 우리나라와 ❶ [ ]가 다른 환경에서 자란 사람임을 알고 '차린 건 없지만 많이 먹으렴.'이라는 말을 사회·문화적 ❷ [ ]의 요소와 관련지어 생각해 본다.

❶ 문화 ❷ 맥락

>> 정답과 해설 28쪽

3 모음의 창제 원리에 대한 설명으로 적절하지 않은 것은?

① ·: 하늘의 둥근 모양을 본떠 만들었다.
② ㅡ: 땅의 평평한 모양을 본떠 만들었다.
③ ㅣ: 사람이 서 있는 모양을 본떠 만들었다.
④ ㅗ, ㅜ, ㅏ, ㅓ: 'ㅡ', 'ㅣ'에 '·'를 한 번 합하여 만들었다.
⑤ ㅛ, ㅠ, ㅑ, ㅕ: '·'에 'ㅣ'와 'ㅡ'를 번갈아 합하여 만들었다.

문제 해결 전략

한글 모음자의 ❶ [ ] 를 만든 원리를 먼저 이해하고, 기본자 이외의 ❷ [ ] 와 재출자를 만든 원리를 파악해 본다.

❶ 기본자 ❷ 초출자

4 한글의 기본 자음자를 만든 원리로 적절하지 않은 것은?

기본자	ㄱ	ㄴ	ㅁ	ㅅ	ㅇ
본뜬 모양					

① ㄱ: 혀뿌리가 목구멍을 막는 모양을 본떠 만들었다.
② ㄴ: 혀가 윗잇몸에 붙는 모양을 본떠 만들었다.
③ ㅁ: 입의 모양을 본떠 만들었다.
④ ㅅ: 이의 모양을 본떠 만든 후 획을 더하였다.
⑤ ㅇ: 목구멍의 모양을 본떠 만들었다.

문제 해결 전략

한글 ❶ [ ] 의 기본자는 발음 기관의 ❷ [ ] 을 본떠 만들었음을 이해하고, 기본자 'ㄱ, ㄴ, ㅁ, ㅅ, ㅇ'을 발음 기관을 그린 그림과 연결 지어 알아둔다.

❶ 자음 ❷ 모양

5 |보기|에 대한 반응으로 적절하지 않은 것은?

|보기|

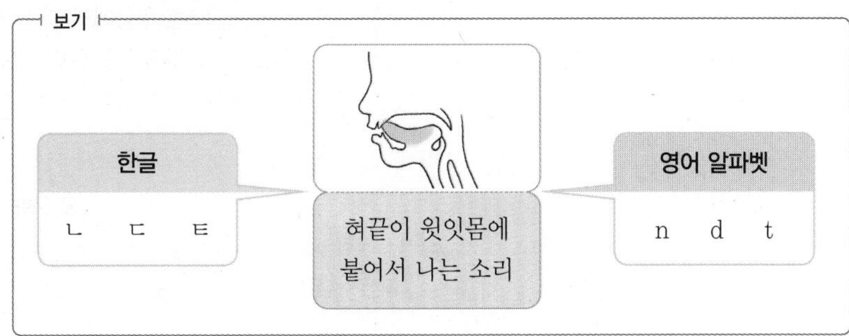

① 'ㄴ, ㄷ, ㅌ'과 'n, d, t'는 같은 위치에서 소리 나네.
② 한글은 같은 위치에서 소리 나는 글자의 모양이 서로 비슷해.
③ 영어 알파벳은 같은 위치에서 소리 나는 글자의 모양이 다르네.
④ 적은 수의 글자로 수많은 음절을 표현할 수 있는 한글의 특성이 나타나네.
⑤ 한글은 소리가 비슷한 글자끼리 모양이 비슷해서 글자의 모양을 보고 글자의 관계를 짐작할 수 있네.

문제 해결 전략

한글과 영어 알파벳의 ❶ [ ] 과 소리 나는 ❷ [ ] 를 비교해 보고, 영어 알파벳에 비해 한글이 갖는 장점을 생각해 본다.

❶ 모양 ❷ 위치

교과서 대표 전략 ❶

대표 예제 1

다음 단어의 발음과 표기에 대한 설명으로 적절한 것은?

> 길을 걷다가 본 하얀 꽃의 이름이 궁금했다.

① '길을', '걷다가'는 표기와 소리가 일치한다.
② '본', '하얀'은 표기와 소리가 일치하지 않는다.
③ 표준 발음법에 따라 '길을'은 [길을]로 발음한다.
④ 한글 맞춤법에 따라 '이름이'는 '이르미'로 표기한다.
⑤ '길을', '꽃의'를 소리 나는 대로 적으면 의사소통에 방해가 될 수 있다.

유형 해결 전략

정확한 발음과 표기의 원리를 파악하는 문제이다. ❶ ____ 나는 대로만 적을 경우 정확한 ❷ ____ 을 파악할 수 없어 어법에 맞도록 써야 한다는 한글 맞춤법의 원칙을 되새겨 본다.

❶ 소리 ❷ 뜻

대표 예제 2

| 보기 |의 표준 발음법을 따를 때 ㉠, ㉡에 들어갈 바른 발음을 쓰시오.

| 보기 |

'ㅢ'는 이중 모음 [ㅢ]로 발음한다.
다만, 자음을 첫소리로 가지고 있는 음절의 'ㅢ'는 [ㅣ]로 발음한다.

(1) 청소년은 우리의 희망[㉠]이다. → ( )
(2) 저희[㉡] 선생님은 자상하세요. → ( )

유형 해결 전략

모음 'ㅢ'의 발음 원리를 파악하는 문제이다. 표준 발음법 규정을 바탕으로 ❶ ____ 을 ❷ ____ 로 가지고 있을 때와 그렇지 않을 때 모음 'ㅢ'를 어떻게 발음해야 하는지 알아 둔다.

❶ 자음 ❷ 첫소리

대표 예제 3

| 보기 |의 예가 바르게 짝지어진 것은?

| 보기 |

우리말에서 받침소리는 'ㄱ, ㄴ, ㄷ, ㄹ, ㅁ, ㅂ, ㅇ'의 7개 자음만 발음한다. 즉 7개 자음 이외의 자음이 받침으로 쓰일 때에는 7개의 대표음 중 하나로 발음된다.

① 박[박] – 꽃[꽃]
② 안[안] – 숲[숲]
③ 잎[입] – 밭[받]
④ 낮[낫] – 히읗[히읃]
⑤ 달[달] – 부엌[부억]

유형 해결 전략

받침소리의 발음 원리를 파악하는 문제이다. 받침으로 발음하는 자음의 대표음이 ❶ ____ 개임을 알고, 단어들을 소리 내어 읽으면서 발음되는 ❷ ____ 을 쓰고 비교해 본다.

❶ 7 ❷ 받침

대표 예제 4

| 보기 |의 표준 발음법을 따를 때 발음이 적절하지 <u>않은</u> 것은?

| 보기 |

• 겹받침 'ㄳ', 'ㄵ', 'ㄼ, ㄽ, ㄾ', 'ㅄ'은 어말 또는 자음 앞에서 각각 [ㄱ, ㄴ, ㄹ, ㅂ]으로 발음한다.
• 겹받침 'ㄺ, ㄻ, ㄿ'은 어말 또는 자음 앞에서 각각 [ㄱ, ㅁ, ㅂ]으로 발음한다.
다만, 용언의 어간 말음 'ㄺ'은 'ㄱ' 앞에서 [ㄹ]로 발음한다.

① 넋[넉]
② 흙[흑]
③ 곬[골]
④ 앉다[안따]
⑤ 묽고[묵꼬]

유형 해결 전략

겹받침의 발음 원리를 파악하는 문제이다. 첫 번째와 ❶ ____ 번째 받침의 대표음으로 발음되는 겹받침을 구분한다. '❷ ____ '은 자음 앞과 단어의 끝에 올 때 발음이 달라지므로 주의한다.

❶ 두 ❷ ㄺ

>> 정답과 해설 28쪽

대표 예제 5

밑줄 친 부분의 발음이 바른 것은?

① 요즘 과일 값이 너무 비싸다. → [갑씨]
② 넷에 넷을 더하면 여덟이다. → [여덥이다]
③ 동생은 책을 읽다가 잠이 들었다. → [일따가]
④ 그가 무거운 짐을 짊어지고 간다. → [짐어지고]
⑤ 엄마가 칡으로 몸에 좋은 즙을 만드셨다. → [칙으로]

유형 해결 전략

겹받침의 발음 원리를 파악하는 문제이다. 단어 끝이나 ❶ [ ] 앞에서의 겹받침의 발음, 겹받침이 ❷ [ ]과 만날 때의 발음을 표준 발음법 규정과 관련지어 파악해 본다.

❶ 자음 ❷ 모음

대표 예제 7

밑줄 친 부분의 표기를 바르게 고치지 않은 것은?

① 물이 얼음이 됬다. → 됐다
② 책을 읽지 안았다. → 않았다
③ 다음 일요일에 뵈어요. → 뵈요
④ 오늘은 웬지 기분이 좋다. → 왠지
⑤ 마음이 살 늘어나요. → 드러나요

유형 해결 전략

단어의 올바른 표기를 파악하는 문제이다. '❶ [ ]'는 '왜인지'의 준말이므로 '웬지'는 틀린 표기이고, '❷ [ ]'는 '되어'의 준말임을 기억해 둔다.

❶ 왠지 ❷ 돼

대표 예제 6

|보기|의 표준 발음법을 따를 때 발음이 바르지 않은 것은?

|보기|

받침 뒤에 'ㅏ, ㅓ, ㅗ, ㅜ, ㅟ'들로 시작되는 실질 형태소가 연결되는 경우에는, 대표음으로 바꾸어서 뒤 음절 첫소리로 옮겨 발음한다. 겹받침의 경우에는 그중 하나만을 옮겨 발음한다.

① 사과가 맛없다[마덥따].
② 밭 아래[바다래]로 내려가 보자.
③ 부엌 안[부어칸] 좀 잘 찾아보렴.
④ 웃어른[운어른]의 말씀은 잘 새겨들어야 해.
⑤ 위험하니 닭 앞에[다가페] 가까이 가지 마라.

유형 해결 전략

홑받침과 겹받침의 발음 원리를 파악하는 문제이다. 뒤에 이어지는 말이 ❶ [ ]으로 시작될 경우, ❷ [ ], 어미, 접미사를 제외한 실질적인 의미를 지니고 있는지 구분해 본다.

❶ 모음 ❷ 조사

대표 예제 8

다음 차림표의 메뉴 가운데 표기가 잘못된 것을 두 개 골라 바르게 고쳐 쓰시오.

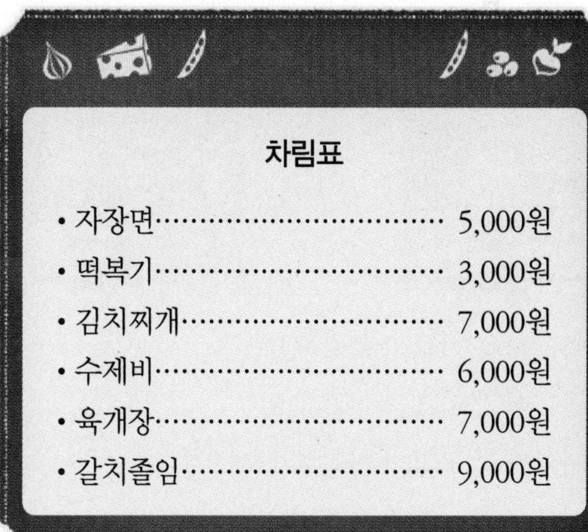

유형 해결 전략

단어의 올바른 표기를 파악하는 문제이다. 일상생활에서 흔히 쓰는 단어의 정확한 표기를 확인하여 익히고 ❶ [ ] 나는 대로 쓰거나 ❷ [ ]이 같아서 혼동하여 쓰지 않도록 주의한다.

❶ 소리 ❷ 발음

교과서 대표 전략 ❶

대표 예제 9

담화에 대한 설명으로 적절하지 않은 것은?

① 담화는 말하는 이와 듣는 이가 주고받는 발화의 연속체이다.

② 담화의 구성 요소에는 말하는 이, 듣는 이, 발화(내용), 맥락이 있다.

③ 담화의 의미는 담화가 이루어지는 맥락과 상관없이 항상 고정적이다.

④ 상황 맥락은 말하는 이와 듣는 이의 관계, 시간과 장소, 의도와 목적 등과 관련된다.

⑤ 사회·문화적 맥락은 역사적·사회적 배경, 공동체의 가치나 신념 등과 관련된다.

유형 해결 전략

담화의 전반적인 특징을 파악하는 문제이다. ❶ ☐ 의 개념, 담화의 구성 요소, 담화의 ❷ ☐ 등을 구분해 본다.

❶ 담화 ❷ 맥락

대표 예제 10

(가), (나)의 상황 맥락을 고려할 때 "어떠세요?"의 뜻이 적절한 것은?

① (가): 오늘 기분이 좋으세요?

② (가): 아직도 조금 아픈가요?

③ (가): 머리 모양이 마음에 드세요?

④ (나): 팔을 다쳐서 오셨나요?

⑤ (나): 병원에 처음 오셨나요?

유형 해결 전략

담화의 상황 맥락을 파악하는 문제이다. 담화의 상황 맥락에 따라 같은 ❶ ☐ 라도 다르게 해석됨을 이해하고, 담화가 이루어지는 ❷ ☐ 과 장소, 말하는 이와 듣는 이의 관계 등을 파악해 본다.

❶ 발화 ❷ 시간

대표 예제 11

줄리엣이 손님이 "괜찮아요."라고 한 말의 의미를 제대로 이해하지 못한 까닭으로 적절한 것은?

보기

영국에서 온 줄리엣은 한국어를 잘하는 편이지만 가끔 말뜻을 알아차리기 어렵다는 생각이 들 때가 있다. 얼마 전 낮에 혼자 집에 있는데 시어머니의 친구분이 잠깐 물건을 전하러 오신 적이 있었다.

줄리엣: 차 한잔 드릴까요?
손님: 괜찮아요.
줄리엣: 아, 네.
손님: …….

저녁에 시어머니가 돌아온 뒤

줄리엣: 낮에 어머니 친구분께서 잠깐 오셔서 이것을 주고 가셨어요.
시어머니: 응, 친구에게 들었다. 그런데 마실 것도 안 주었다고 친구가 조금 서운해하더라.
줄리엣: 손님이 괜찮다고 하셨는데요?
시어머니: 아, 그랬구나. 그런데 손님이 괜찮다고 말해도 한 번 더 권하는 게 좋단다.

① 손님의 나이를 몰랐기 때문에

② 우리나라의 문화를 잘 몰랐기 때문에

③ '괜찮다'의 사전적 의미를 몰랐기 때문에

④ 담화가 이루어지는 장소를 고려하지 않았기 때문에

⑤ 담화가 이루어지는 시간을 고려하지 않았기 때문에

유형 해결 전략

담화의 사회·문화적 맥락을 파악하는 문제이다. 원활하게 의미를 공유하려면 담화의 사회·❶ ☐ 맥락을 고려해야 함을 이해하고, 손님이 줄리엣에게 한 말인 '❷ ☐'의 의미를 생각해 본다.

❶ 문화적 ❷ 괜찮아요

대표 예제 12

다음을 참고할 때 한글 자음자를 만든 원리에 대한 설명으로 적절하지 <u>않은</u> 것은?

본뜬 모양	기본자		획을 더하여 만든 글자		
혀뿌리가 목구멍을 막는 모양	ㄱ	→	ㅋ		
혀끝이 윗잇몸에 붙는 모양	ㄴ	→	ㄷ	→	ㅌ
입의 모양	ㅁ	→	ㅂ	→	ㅍ
이의 모양	ㅅ	→	ㅈ	→	ㅊ
목구멍의 모양	ㅇ	→	ㆆ	→	ㅎ

① 기본자는 발음 기관을 본떠 만들었다.
② 자음자 'ㄱ'은 이의 모양을 본떠 만들었다.
③ 기본자에 획을 더하여 나머지 자음자를 만들었다.
④ 기본자보다 소리가 세짐에 따라 획을 더하여 나머지 자음자를 만들었다.
⑤ 기본자와 가획된 자음자는 발음할 때 소리 나는 위치가 같다.

유형 해결 전략

한글 자음자를 만든 원리를 파악하는 문제이다. 자음 ❶ [　　] 를 만든 원리와 나머지 자음자를 만든 원리를 이해한다. 또한 기본자 ❷ [　　] 개의 본뜬 모양을 정확히 알아 둔다.

❶ 기본자 ❷ 5

대표 예제 13

다음을 참고할 때 한글 모음자를 만든 원리에 대한 설명으로 적절하지 <u>않은</u> 것은?

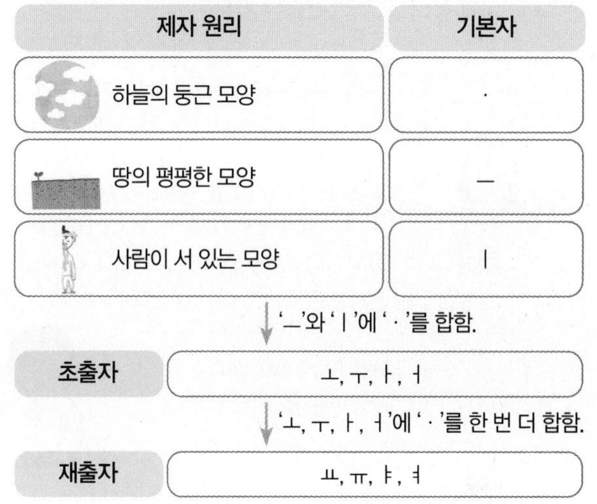

① 기본자는 하늘, 땅, 사람의 모양을 본떠 만들었다.
② 기본자 외 모음자는 기본자를 합하여 만들었다.
③ '·'와 'ㅡ, ㅣ'를 합하여 초출자를 만들었다.
④ 초출자에 '·'를 한 번 더 합하여 재출자를 만들었다.
⑤ 기본자에 'ㅣ'를 추가해 초출자와 재출자를 만들었다.

유형 해결 전략

한글 모음자를 만든 원리를 파악하는 문제이다. 모음 기본자를 ❶ [　　] 의 원리로 만든 후 ❷ [　　] 를 이용하여 나머지 모음자를 만든 원리를 이해한다.

❶ 상형 ❷ 기본자

1주 4일 교과서 대표 전략 ❷

1 다음 ㉠에 들어갈 말로 적절한 것은?

① [민주주이의 이이] ② [민주주의이 의이]
③ [민주주이이 의의] ④ [민주주의에 이의]
⑤ [민주주의의 의이]

도움말
'민주주의의 의의'는 'ㅢ'가 단어의 첫음절로 올 때, 첫음절에 오지 않을 때, ❶ ___ 을 첫소리로 가질 때, ❷ ___ 로 쓰일 때로 나누어 모두 8가지로 발음함을 기억해 두자.

❶ 자음 ❷ 조사

2 보기 의 표준 발음법에 따를 때 ㉠, ㉡에 들어갈 알맞은 발음을 쓰시오.

보기
겹받침 'ㄳ', 'ㄵ', 'ㄼ, ㄽ, ㄾ', 'ㅄ'은 어말 또는 자음 앞에서 각각 [ㄱ, ㄴ, ㄹ, ㅂ]으로 발음한다.

(1) 오리의 다리가 짧다[㉠].
(2) 나는 그 말을 믿을 수 없다[㉡].

도움말
'ㄼ' 받침은 자음 앞에서 ❶ ___ 로 소리 나고, 'ㅂ' 받침 뒤에 연결되는 'ㄷ'도 된소리로 소리 나므로 소리대로 적는다. '[ ]'는 ❷ ___ 을 뜻하고, ':' 표시는 긴소리를 뜻하므로 알고 표기하자.

❶ 된소리 ❷ 발음

3 밑줄 친 부분의 발음이 바르지 않은 것은?

① 2cm 안팎의[안파끠] 눈이 쌓였다.
② 부엌 안[부어칸]으로 들어오면 덥다.
③ 남학생은 많고[만코] 여학생은 적다.
④ 시골 하늘이 정말 맑고[말꼬] 푸르다.
⑤ 앞으로[아프로] 날씨가 추워질 것이다.

도움말
'ㅎ(ㄶ, ㅀ)'은 뒤에 '❶ ___, ㄷ, ㅈ'이 결합되는 경우에는 뒤 음절 첫소리와 합쳐서 '놓고[노코], 않던[안턴], 닳지[달치]'와 같이 [❷ ___, ㅌ, ㅊ]으로 발음되는 원리를 알아 두자.

❶ ㄱ ❷ ㅋ

4 밑줄 친 말의 쓰임이 적절하지 않은 것은?

① ┌ 나는 밤보다 냉면이 낫다.
　└ 오빠, 감기 빨리 낳으세요.
② ┌ 그녀는 옷매무새를 반듯이 하였다.
　└ 반드시 시간에 맞추어 오너라.
③ ┌ 급한 일을 먼저 마치었다.
　└ 한 문제만 틀리고 모두 맞히었다.
④ ┌ 세게 분 바람에 방문이 닫혔다.
　└ 운동을 하다가 오른팔을 다쳤다.
⑤ ┌ 급하게 짐을 외국으로 부쳤다.
　└ 상처에 피가 나서 반창고를 붙였다.

도움말
발음은 같거나 비슷하지만 다른 ❶ ___ 을 지닌 단어와 헷갈려 잘못 표기하는 경우가 많다. 이때에 단어의 뜻을 정확하게 파악하기 위해 ❷ ___ 와 함께 익혀 보자.

❶ 뜻 ❷ 예

5 (가), (나)의 담화를 바르게 분석하지 못한 것은?

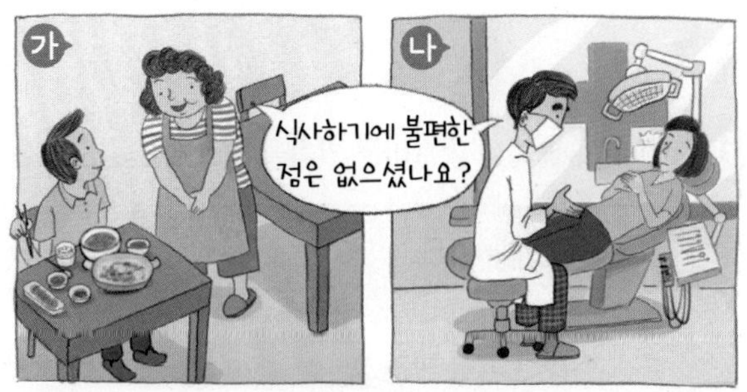

① (가)는 식당, (나)는 치과에서 이루어진 담화이다.
② (가)는 말하는 이와 듣는 이가 주인과 손님의 관계, (나)는 의사와 환자의 관계이다.
③ (나)와 달리 (가)는 듣는 이의 대답을 요구하는 발화이다.
④ (가)의 발화에는 식당 음식의 맛이나 접대 태도에 만족했는지에 대한 의도가 담겨 있다.
⑤ (나)의 발화에는 식사할 때 이 상태가 괜찮은지에 대한 의도가 담겨 있다.

도움말
담화의 ❶ [ ]는 고정된 것이 아니라 말하는 이와 듣는 이의 관계, 시간과 장소, 의도나 목적 등 ❷ [ ] 맥락에 따라 달라질 수 있음을 알아 두자.
❶ 의미 ❷ 상황

6 다음 상황을 사회·문화적 맥락과 관련지어 이해할 때 ㉠에 들어갈 알맞은 말을 한 단어로 쓰시오.

저는 한국에 온 지 네 달째인 다니엘입니다. 오늘 친구인 민석이, 재현이와 같이 길을 가다가 우연히 한 아주머니를 만났는데 재현이가 그분을 보고 반가워하며 "다니엘, 우리 엄마야."라고 말하더라고요. 그래서 제가 깜짝 놀라서 "너희 형제였어?"라고 물었더니 친구들이 웃기만 하더라고요.
같은 말도 (㉠) 차이 때문에 다르게 해석되어 의사소통에 문제가 생길 수 있다는 것을 알게 되었어요.

7 다음은 자음을 정리한 표이다. ㉠~㉢에 들어갈 자음을 쓰시오.

소리	기본자	가획자	
어금닛소리	ㄱ	(㉠)	
혓소리	ㄴ	ㄷ	ㅌ
입술소리	ㅁ	ㅂ	(㉡)
잇소리	(㉢)	ㅈ	ㅊ
목구멍소리	ㅇ	ㆆ	ㅎ

도움말
한글의 자음자의 경우, 가획자는 그 기본자와 ❶ [ ]이 비슷하고, 발음할 때 ❷ [ ] 나는 위치가 같음을 알아 두자.
❶ 모양 ❷ 소리

8 다음 모음자에 대한 설명으로 적절한 것은?

ㆍ, ㅡ, ㅣ

① 천지인을 본떠 만든 기본 모음자이다.
② 합성의 원리로 만든 기본 모음자이다.
③ 발음 기관을 본떠 만든 기본 모음자이다.
④ 기본 모음자에 획을 더하여 만든 모음자이다.
⑤ 한자의 모양을 변형하여 만든 기본자 외 모음이다.

9 보기에서 알 수 있는 한글의 특성으로 적절한 것은?

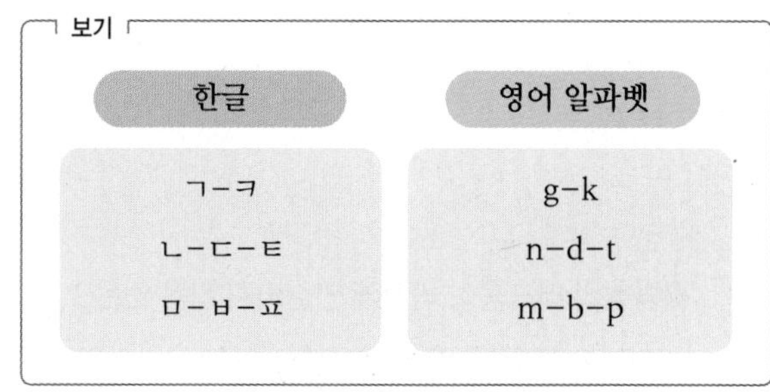

① 글자 하나하나가 의미를 가지고 있다.
② 하나의 글자가 하나의 소릿값을 가지고 있다.
③ 적은 수의 글자로 많은 소리를 나타낼 수 있다.
④ 자음자와 모음자를 가로세로로 묶어서 모아쓴다.
⑤ 발음과 소리의 세기를 고려하여 글자를 만들었다.

1주 누구나 합격 전략

1 |보기|는 (가)와 (나)를 비교한 내용이다. ㉠, ㉡에 들어갈 알맞은 말을 쓰시오.

> (가) 꼬치 매우 아름다워서 꼰만 보게 되고 꼳꽈 함께 있고 싶어.
> (나) 꽃이 매우 아름다워서 꽃만 보게 되고 꽃과 함께 있고 싶어.

|보기|

(가)는 (㉠) 나는 대로 표기한 것이고, (나)는 단어의 원래 (㉡)을/를 밝혀서 표기한 것이다. 단어의 의미를 보다 쉽게 파악하려면 (나)처럼 어법에 맞게 써야 한다.

2 밑줄 친 부분의 'ㅢ'의 발음을 [ㅢ]로만 해야 하는 것은?

① 고쳐쓰기할 때 띄어쓰기도 보거라.
② 사랑의 씨앗이라는 노래를 들었다.
③ 새옷에 알록달록 무늬가 새겨 있다.
④ 이 일은 협의를 거쳐 진행해야 한다.
⑤ 청소년은 꿈을 향한 의지를 가져야 한다.

3 겹받침의 대표음이 바르게 연결되지 않은 것은?

	단어	겹받침		대표음
①	몫	ㄳ	→	[ㅅ]
②	얹(다)	ㄵ	→	[ㄴ]
③	여덟, 곬, 핥(다)	ㄼ, ㄽ, ㄾ	→	[ㄹ]
④	값	ㅄ	→	[ㅂ]
⑤	젊(다)	ㄻ	→	[ㅁ]

4 ㉠~㉢에 들어갈 올바른 발음을 바르게 연결한 것은?

> 욕심이 생겼다
> 너와 함께 살고 늙어[㉠]가
> 주름진 손을 맞잡고
> 내 삶은[㉡] 따뜻했었다고
> 단 한 번 축복
> 그 짧은[㉢] 마주침이 지나
> 빗물처럼 너는 울었다

	㉠	㉡	㉢
①	늑어	삼:은	짤븐
②	늑어	삼:은	짤은
③	늘어	살:은	짤은
④	늘거	살:믄	짤븐
⑤	늘거	살:믄	짭븐

5 질문과 답변을 참고하여 밑줄 친 부분을 바르게 고쳐 쓰시오.

• '안 되', '안 돼' 어떤 것이 맞는 표기인가요?

ㄴ '되-'가 문장을 끝맺는 역할을 할 때에는 '되어'로 써야 하고 그것의 줄임말이 '돼'이므로 '안 돼'가 맞는 표기입니다.

• '웬지, 왠지', '웬일, 왠일'을 구별하기가 너무 어려워요. 도와주세요.

ㄴ '왠지'는 '왜인지'가 줄어든 말이고, '웬일'은 '어찌 된 일'이라는 뜻을 나타내는 말입니다. '웬지', '왠일'은 잘못된 표기입니다.

(1) 동물원 우리 안에 들어가서 호랑이를 봐도 되요?
( )

(2) 오늘따라 그가 웬지 멋있어 보인다.
( )

>> 정답과 해설 30쪽

6 다음 담화의 의미를 정확히 알 수 없는 이유가 아닌 것은?

> 가: 이번엔 잘 맞을까요?
> 나: 잘 맞을 것 같은데요.
> 가: 안 맞으면 어떡하죠?
> 나: 제가 볼 땐 잘 맞을 것 같아요.

① 담화가 이루어진 시간을 알 수 없어서
② 담화가 이루어진 장소를 알 수 없어서
③ 말하는 이와 듣는 이 간의 관계를 알 수 없어서
④ 말하는 이와 듣는 이가 처한 상황을 알지 못해서
⑤ 말하는 이가 말하는 단어의 사전적 의미를 알지 못해서

7 담화의 상황 맥락을 분석할 때, ㉠, ㉡에 들어갈 알맞은 말을 쓰시오.

시간	오전 9시 30분
(㉠)	수업 중인 교실
말하는 이와 듣는 이	(㉡)
상황	학생이 수업에 늦은 상황

• ㉠: (   )
• ㉡: (   )

8 (가), (나)의 담화에 영향을 미친 사회·문화적 맥락의 요소를 바르게 연결한 것은?

> (가) **고모**: 너 주려고 쌀을 사서 푸짐하게 차렸어.
> **주연**: 쌀을 새로 사실 필요까지는 없었는데요.
> **고모**: 여기 농촌에서는 쌀을 팔아 돈을 마련하는 것을 쌀을 산다고 한단다.
> (나) **지수**: 이번에 공구로 산 옷인데 어때요?
> **할머니**: 집에 있는 공구를 팔아서 샀다는 거니?

	(가)	(나)		(가)	(나)
①	지역	세대	②	세대	가치
③	관념	문화	④	문화	관념
⑤	가치	지역			

9 한글에 대한 설명으로 적절하지 않은 것은?

① 자음자 17자와 모음자 11자로 만들었다.
② 자음자와 모음자의 기본자는 모두 상형의 원리로 만들었다.
③ 자음자는 하늘, 땅, 사람을, 모음자는 발음 기관을 본떠 만들었다.
④ 자음자의 가획자는 기본자에 획을 더하여 소리가 세지는 성질을 나타내었다.
⑤ 모음자 가운데 기본자 외의 다른 모음자는 기본자를 합하여 만들었다.

10 한글의 특성으로 적절하지 않은 것은?

① 한글은 배우기 쉽고 쓰기 편한 문자이다.
② 한글은 하나의 글자가 하나의 의미를 나타낸다.
③ 한글은 컴퓨터나 휴대 전화에 쉽고 빠르게 글자를 입력할 수 있다.
④ 한글은 자음자와 모음자를 가로세로로 결합하여 하나의 음절로 모아쓴다.
⑤ 한글은 'ㄱ, ㅋ, ㄲ'처럼 비슷한 소리를 내는 글자는 비슷한 모양으로 쓴다.

1주 창의·융합·코딩 전략 ❶

1 일기 예보의 원고를 읽을 때, 밑줄 친 단어를 잘못 발음한 것은?

오늘의 날씨를 말씀드리겠습니다. 흰 구름을 볼 수 있을 정도로 하늘이 맑겠습니다. 하지만 오후에는 강풍이 불 것으로 예상되니 주의해 주시기 바랍니다. 바다의 물결은 제주 해상 최고 2.5미터까지 비교적 높게 일겠습니다.

오늘도 의미 있는 하루가 되시길 바랍니다.

① 오늘의[오늘에]　　② 흰[흰]
③ 주의[주의]　　④ 바다의[바다의]
⑤ 의미[의미]

2 다음은 과학 교과서의 일부분이다. 밑줄 친 단어 첫 글자의 받침 발음과 같은 발음으로 소리 나는 것은?

간이 스피커 만들기

1. 에나멜선을 여러 번 감아 만든 코일과 네오디뮴 자석을 종이컵 바닥에 붙인다.
2. 에나멜선과 이어폰 잭 양 끝의 피복을 모두 벗긴 후, 그림과 같이 피복을 벗긴 부분끼리 연결한다.
3. 이어폰 잭을 스마트폰이나 컴퓨터에 연결하여 음악 파일을 재생한 후 종이컵을 귀에 대면 종이컵 안에서 발생하는 소리를 들을 수 있다.

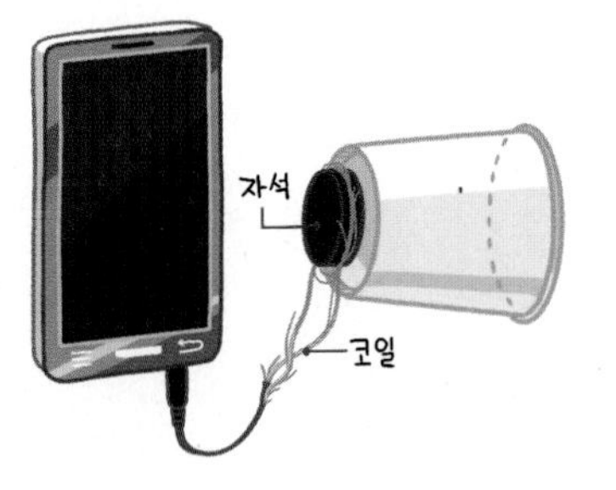

① 닻　　② 밖　　③ 안
④ 앞　　⑤ 집

도움말

모음 'ㅢ'는 ❶ [　　] 모음으로 발음하는 것이 원칙이며, 첫소리로 자음을 가지고 있을 때는 [❷ [　　]]로 발음해야 한다. 단어의 첫음절 이외에서는 [ㅣ]로, 조사일 때는 [ㅔ]로 발음이 허용됨을 알아 두자.

❶ 이중 ❷ ㅣ

도움말

받침소리로는 'ㄱ, ㄴ, ❶ [　　], ㄹ, ㅁ, ❷ [　　], ㅇ'의 7개 자음만 발음하고, 받침 'ㄲ, ㅋ', 'ㅅ, ㅆ, ㅈ, ㅊ, ㅌ', 'ㅍ'은 어말 또는 자음 앞에서 각각 대표음 [ㄱ, ㄷ, ㅂ]으로 발음함을 기억해 두자.

❶ ㄷ ❷ ㅂ

>> 정답과 해설 31쪽

3 받침의 발음을 찾는 과정이다. ㉠에 들어갈 알맞은 단어를 | 보기 |에서 고르고 그 발음도 함께 쓰시오.

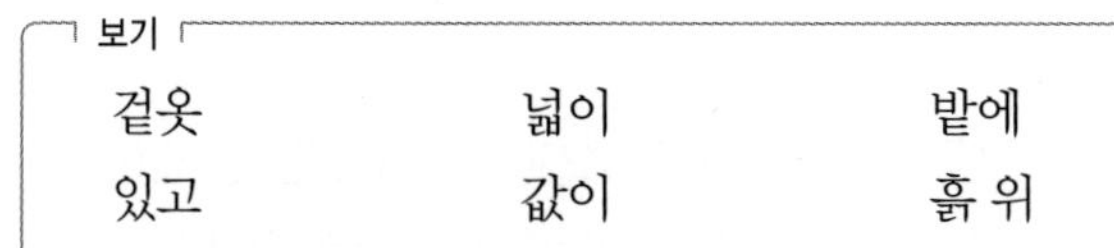

| 보기 |
겉옷　　넓이　　밭에
있고　　값이　　흙 위

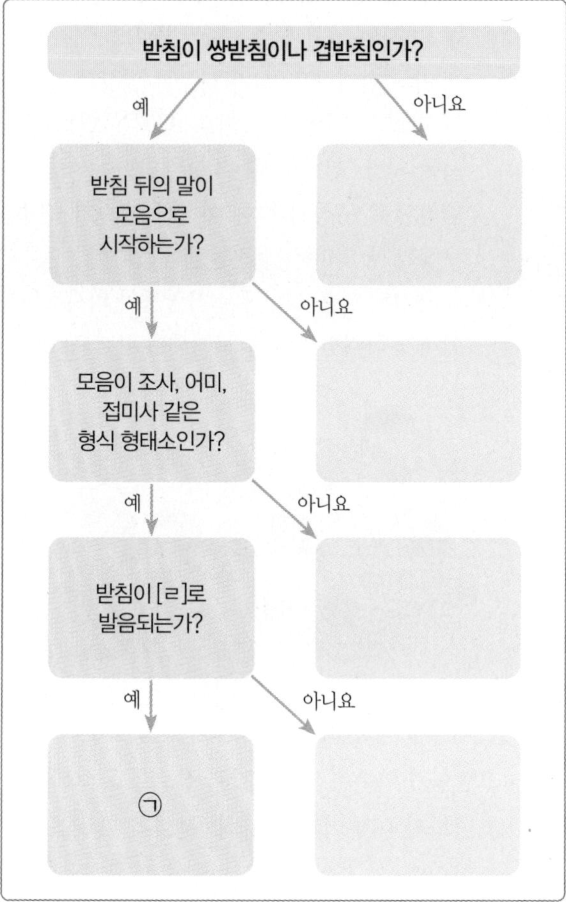

도움말
우리말에서 받침소리는 7개의 ❶ [　　] 으로만 발음되며, 받침 뒤에 ❷ [　　] 으로 시작되는 말이 오는 경우 형식 형태소이냐 실질 형태소이냐에 따라 발음이 달라짐을 알아 두자.
❶ 대표음 ❷ 모음

4 담화의 상황 맥락을 고려할 때 ㉠~㉤ 중 표기가 바르지 않은 것은?

① ㉠　　② ㉡　　③ ㉢
④ ㉣　　⑤ ㉤

도움말
한글 맞춤법의 ❶ [　　] 를 소리대로 적되, ❷ [　　] 에 맞도록 함의 원칙을 알고, 말하고 듣거나 글을 읽고 쓸 때 단어를 잘못 발음하거나 표기하지 않도록 유의하자.
❶ 표준어 ❷ 어법

1주 창의·융합·코딩 전략 ❷

5 보기 의 상황 맥락의 의미를 참고하여 '양심을 지켜 주세요.'의 의미를 해석할 때 적절하지 않은 것은?

> 보기
>
> 담화의 의미는 고정되어 있지 않으며 담화가 이루어지는 맥락 속에서 결정된다. 따라서 담화는 말하는 이와 듣는 이의 관계, 시간과 장소, 의도나 목적 등에 따라 다르게 해석될 수 있다. 이와 같이 담화의 해석에 영향을 미치는, 장면 자체와 관련된 맥락을 상황 맥락이라고 한다.

	상황 맥락	발화: 양심을 지켜 주세요.
①	▲ 학교 도서관	책에 낙서하거나 찢지 말아 주세요.
②	▲ 지하철 승강장	차례를 지켜 주세요.
③	▲ 횡단보도	무단 횡단을 하지 말아 주세요.
④	▲ 해수욕장	바다에서 너무 멀리까지 수영하지 마세요.
⑤	▲ 시험장	부정행위를 하지 마세요.

도움말

담화를 해석할 때에는 ❶ [ ] 을 고려해야 한다. '양심을 지켜 주세요.'라는 말이 ❷ [ ] 에 따라 의미가 어떻게 달라지는지 파악해 보자.

❶ 맥락 ❷ 장소

6 ㉠에 대한 학생의 대답으로 적절한 것은?

> **선생님:** 이번 시간에는 담화에 대해 알아보겠습니다. 화자와 청자가 주고받는 발화의 연속체를 '담화'라고 합니다. 우리가 나누는 일상의 대화 전체를 담화라고 할 수 있지요. 담화는 말하는 사람, 듣는 사람, 전달하려는 내용, 담화가 이루어지는 맥락으로 구성됩니다. 이러한 요소가 긴밀하게 구성될 때 의미를 잘 전달할 수 있지요.
>
> ㉠<u>그럼 다음 그림에서 사람들이 의사소통을 원활하게 하려면 무엇을 고려해야 할까요?</u>

① 내용을 더 간결하게 구성해야 합니다.
② 담화가 이루어지는 시간과 장소를 고려해야 합니다.
③ 담화가 이루어지는 사회·문화적 맥락을 고려해야 합니다.
④ 듣는 사람이 자신이 이해한 내용이 맞는지 확인해야 합니다.
⑤ 말하는 사람이 자신의 발화 의도를 정확하게 밝혀야 합니다.

도움말

제시된 두 그림에서 ❶ [ ] 의 해석에 영향을 준 요소를 찾아보고, 어떤 점을 고려하지 않아 ❷ [ ] 이 원활하지 않았는지 파악해 보자.

❶ 발화 ❷ 의사소통

7 한글의 제자 원리에 따라 분류하려고 한다. ⓐ~ⓓ에 들어갈 글자를 바르게 연결한 것은?

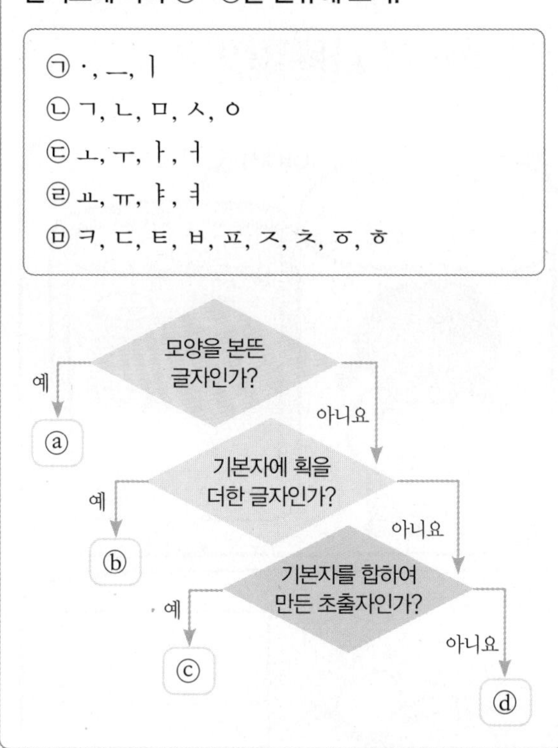

	ⓐ	ⓑ	ⓒ	ⓓ
①	㉠	㉢	㉡	㉣, ㉤
②	㉠, ㉡	㉤	㉢	㉣
③	㉢	㉠, ㉡	㉤	㉣
④	㉤	㉣	㉠	㉡, ㉢
⑤	㉡	㉣	㉢, ㉤	㉠

도움말

한글은 ❶ ______, 가획, ❷ ______의 원리로 만들었다. 자음자는 상형과 가획의 원리로 만들었고, 모음자는 상형과 합성의 원리로 만들었다. 또한 기본 자음자는 발음 기관을, 기본 모음자는 천지인(天地人)을 본떠 만들었음을 기억하자.

❶ 상형 ❷ 합성

8 다음은 한글의 특성을 탐구한 과정이다. ㉠에 들어갈 질문으로 적절한 것은?

탐구 과제	영어의 알파벳과 다른 한글 자음자의 특성은 무엇일까?	
수집한 자료	ㄴ – ㄷ – ㅌ	n - d – t
탐구 결과	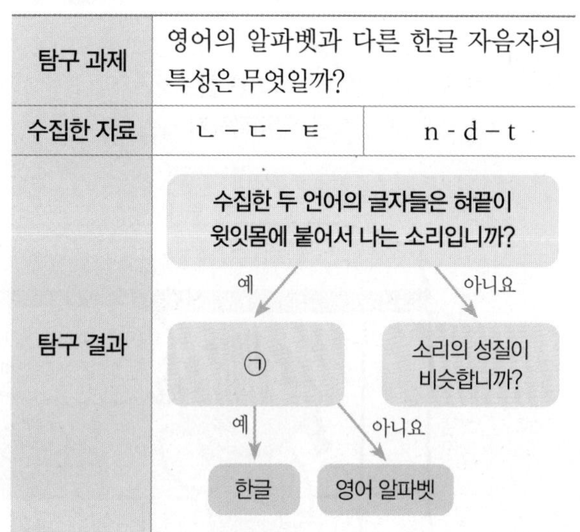	

① 글자를 풀어씁니까?
② 자음의 소리 세기가 비슷합니까?
③ 자음자는 단어의 종성에만 씁니까?
④ 하나의 글자가 여러 소리로 발음됩니까?
⑤ 소리 나는 위치와 글자 모양이 관련 있습니까?

도움말

한글 자음의 ❶ ______와 그 외 자음자를 만든 원리를 먼저 이해한 후, 한글 자음자의 ❷ ______을 통해 글자들 간의 관계나 소리 나는 방법의 특징을 파악해 보자.

❶ 기본자 ❷ 모양

읽기/쓰기/듣기·말하기

설명 방법과 매체를 왜 사용할까?

달콤한 마카롱 향기~. 한 개만 사 먹을까?

한 개밖에 살 돈이 없는데. 사진을 보니 자몽맛도 먹고 싶고, 흑임자 맛도 먹고 싶네.

매체

₩3,500 ₩4,000

자몽 흑임자

자몽 마카롱은 자몽 향이 강하고 흑임자 마카롱에 비해 단맛이 강하지요.

자몽

흑임자

흑임자 마카롱은 국내산 흑임자로 만들었어요. 그래서 자몽 마카롱보다 오백 원이 비싸지요.

비교와 대조의 방법으로 설명해 줄게요.

+500

흠... 흑임자 마카롱이 오백 원 더 비싸군.

자몽

그래! 비교와 대조하여 자몽 마카롱으로 결정했어!

대상을 설명할 때 설명 방법이나 매체를 활용하면 이해하기 쉬워요.

공부할 내용

❶ 설명 방법의 종류와 특징
❷ 매체의 표현 방법과 의도
❸ 고쳐쓰기의 목적과 방법
❹ 공감하며 대화하기의 뜻과 방법

듣기와 말하기, 쓰기를 잘하려면 어떻게 해야 할까?

공감하며 대화하면 대화의 분위기를 좋게 유지할 수 있어요.
그리고 고쳐쓰기를 통해 글을 점검하면 의미가 잘 전달되는 글을 완성할 수 있어요.

2주 1일 개념 돌파 전략 ❶

개념 1 정의, 예시, 인과

정의: 대상의 뜻을 밝혀 풀이하는 설명 방법으로, 독자의 ❶ ______를 돕고자 할 때 사용함. 주로 '무엇은 무엇이다.', '무엇은 무엇을 뜻한다.'와 같이 표현함.

예 삼각형은 세 개의 선분으로 둘러싸인 평면 도형이다.
(삼각형은: 설명 대상 / 세 개의 선분으로 둘러싸인 평면 도형: 삼각형의 뜻)

예시: 대상과 관련된 구체적인 ❷ ______를 들어 설명하는 방법. 주로 '예를 들어', '예컨대', '가령'과 같은 말을 함께 사용함.

예 사람보다 오래 사는 나무들이 있다. 예를 들어 은행나무는 수명이 천 년 이상이다.
(사람보다 오래 사는 나무들: 설명 대상 / 은행나무는: 사람보다 오래 사는 나무의 예)

인과: 대상을 원인과 결과의 관계로 설명하는 방법. 특정한 현상이나 상황, 사건 등을 설명하는 데 사용함.

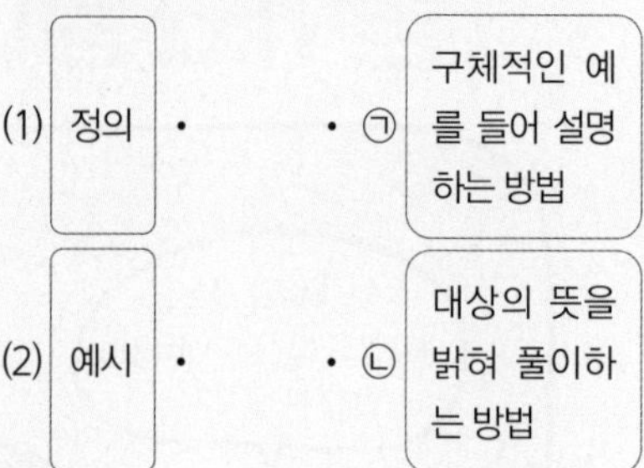

예 오늘 아침에 늦잠을 자서 학교에 지각을 했다.
(아침에 늦잠을 자서: 원인 / 학교에 지각을 했다: 결과)

❶ 이해 ❷ 예(사례)

Quiz

설명 방법과 그 뜻을 바르게 연결하시오.

(1) 정의 • • ㉠ 구체적인 예를 들어 설명하는 방법

(2) 예시 • • ㉡ 대상의 뜻을 밝혀 풀이하는 방법

(3) 인과 • • ㉢ 원인과 결과의 관계로 설명하는 방법

답 | (1)㉡ (2)㉠ (3)㉢

개념 2 비교와 대조, 분류와 구분, 분석

비교와 대조: 둘 이상의 대상을 견주어 서로 간의 공통점이나 차이점을 밝히는 설명 방법.

예 고래와 고릴라는 모두 포유류이지만, 고래는 바다에 살고 고릴라는 육지에 사는 차이점이 있다.
(모두 포유류이지만: 비교 / 고래는 바다에 살고 고릴라는 육지에 사는: 대조)

분류와 구분: 대상을 일정한 ❶ ______에 따라 종류별로 묶거나 나누어서 설명하는 방법.

예 자동차는 크기에 따라 경차, 소형차, 중형차, 대형차로 나눌 수 있다.
(크기: 기준 / 경차, 소형차, 중형차, 대형차: 자동차의 종류)

분석: 대상을 구성하는 요소나 ❷ ______으로 나누어 설명하는 방법. 연관이 있는 여러 부분으로 이루어진 하나의 대상을 설명할 때 주로 쓰임.

예 자동차는 지붕, 바퀴, 문, 범퍼, 보닛 등으로 이루어져 있다.
(지붕, 바퀴, 문, 범퍼, 보닛: 자동차의 구성 요소)

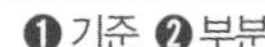

❶ 기준 ❷ 부분

Quiz

다음 설명이 맞으면 ○, 틀리면 X에 표시하시오.

(1) 비교와 대조는 둘 이상의 대상을 견주어 서로 간의 공통점이나 차이점을 밝혀 설명하는 방법이다. (○, X)

(2) 분류와 구분은 대상을 일정한 기준 없이 묶거나 나누어 설명하는 방법이다. (○, X)

(3) 분석은 대상을 구성하는 요소나 부분으로 나누어 설명하는 방법이다. (○, X)

답 | (1)O (2)X (3)O

1-1 설명 방법에 대해 바르게 이해하지 못한 사람은?

① **미영**: '정의'는 대상의 뜻을 밝혀 풀이하는 설명 방법이야.

② **정준**: '예시'는 대개 '무엇은 무엇이다.'의 형태로 대상을 설명하지.

③ **승하**: '인과'는 대상을 원인과 결과의 관계를 중심으로 설명하는 방법이야.

정답 해설 | 예시는 구체적인 예를 들어 설명하는 방법으로 주로 '예를 들어', '예컨대'의 형태로 표현된다. 정의는 대상의 뜻을 밝혀 풀이하는 방법으로 주로 '무엇은 무엇이다.'의 형태로 표현된다. 인과는 대상을 원인과 결과의 관계로 설명하는 방법이다.

답 | ②

1-2 ㉠에 들어갈 알맞은 설명 방법을 쓰시오.

(㉠)은/는 대상의 뜻을 명확히 밝혀, '무엇은 무엇이다.'의 형태로 설명하는 방법이다.

2-1 설명 방법에 대해 학습한 내용을 메모한 것으로 적절하지 않은 것은?

- **분석**: 대상을 구성하는 요소나 부분으로 나누어 설명하는 방법 ············ ①
- **분류와 구분**: 대상을 일정한 기준에 따라 종류별로 묶거나 나누어 설명하는 방법 ············ ②
- **비교와 대조**: 연관이 있는 여러 부분으로 이루어진 하나의 대상을 설명할 때 주로 쓰는 방법 ············ ③

정답 해설 | 비교와 대조는 둘 이상의 대상을 견주어 공통된 특성이나 반대되거나 대립되는 특성에 주목하여 설명하는 방법이다. ③은 연관이 있는 여러 부분으로 이루어진 하나의 대상을 설명할 때 주로 쓰는 분석에 대한 설명이다.

답 | ③

2-2 다음 밑줄 친 문장에 쓰인 설명 방법으로 적절한 것은?

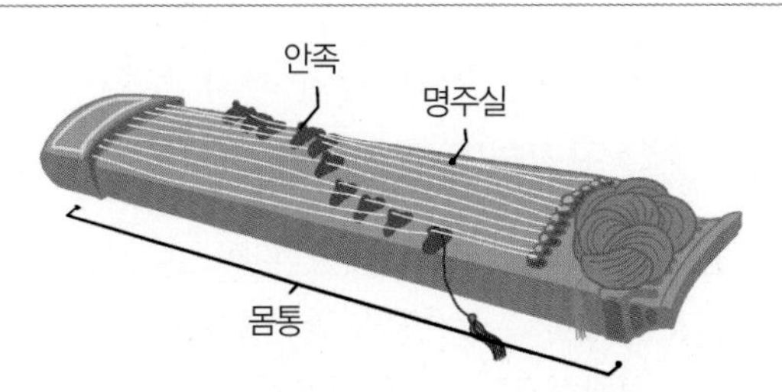

<u>가야금은 긴 몸통과 열두 개의 줄, 안족으로 구성되어 있다.</u> 가야금의 몸통은 소리가 울리게 하고 열두 개의 줄은 각기 다른 높낮이의 소리를 낸다. 안족은 줄을 지탱하는 동시에 소리의 높낮이를 조절한다.

① 대상을 구성하는 요소나 부분으로 나눔.

② 대상을 일정한 기준에 따라 종류별로 묶거나 나눔.

③ 둘 이상의 대상을 견주어 공통점이나 차이점을 밝힘.

개념 3 매체의 표현 방법과 의도, 효과

○ **매체**: 사람들의 생각이나 느낌을 ❶ ______ 하고 공유하는 수단을 말하며, 전하고자 하는 내용을 효과적으로 전달하기 위해 사용함.

○ **매체의 표현 방법과 효과**

어휘나 문장	어휘나 문장 표현을 기록한 자막 등
시각 자료	그림, 사진, 도표(그래프) 등
청각 자료	소리, 음악 등
시청각 자료	동영상, 애니메이션 등

→

- 독자의 관심과 흥미를 유발함.
- 독자가 내용을 쉽게 ❷ ______ 하도록 도움.
- 독자가 내용을 오래 기억할 수 있게 함.

❶ 전달 ❷ 이해

Quiz

'이것'에 해당하는 말을 쓰시오.

> '이것'은 어휘나 문장, 시각 자료, 청각 자료, 시청각 자료로 나눌 수 있으며, '이것'을 사용하여 정보를 전달하면 흥미를 일으키고 이해를 돕는 등의 효과가 있다.

답 | 매체

개념 4 고쳐쓰기의 목적과 방법

○ **고쳐쓰기의 목적**: 고쳐쓰기는 글의 잘못된 부분을 바로잡아서 다시 쓰는 일로, 독자가 ❶ ______ 하기 쉽게 글을 개선하기 위한 것임.

○ **고쳐쓰기의 방법**

글 수준	글의 ❷ ______ , 글의 주제, 글의 흐름
문단 수준	문장의 연결, 문단의 길이, 문단의 구성
문장 수준	문장의 길이, 문장의 뜻
단어 수준	띄어쓰기나 맞춤법, 단어의 적절한 사용

❶ 이해 ❷ 제목

Quiz

고쳐쓰기에 대한 설명으로 맞으면 ○, 틀리면 X에 표시하시오.

(1) 고쳐쓰기의 목적은 단지 글에서 잘못된 점을 찾는 것이다. (○, X)

(2) 글 전체 수준에서 고쳐쓰기를 할 때는 단어가 문장의 호응에 어긋나게 쓰이지 않았는지 살펴보아야 한다. (○, X)

답 | (1) X (2) X

개념 5 공감하며 대화하기

○ **공감하며 대화하기**: 상대방의 ❶ ______ 을 깊이 있게 이해하고 상대방의 관점에서 문제를 바라보며 협력적으로 소통하기 위한 대화하는 것.

○ **공감하며 듣기의 방법**

소극적 들어 주기	상대방이 계속 말할 수 있게 지속적으로 관심을 표현하는 것 예 상대방의 말에 집중하기, '정말?', '그랬구나.' 등 상대방의 말에 맞장구치기, 상대방과 눈 맞추기 등
적극적 들어 주기	상대방이 한 말을 요약하거나 의미를 재구성해서 말하는 것

○ **공감하며 대화하기의 효과**: 다른 사람과의 갈등이나 공동체의 문제를 ❷ ______ 하는 데 도움이 됨.

❶ 감정 ❷ 해결

Quiz

다음 설명에 해당하는 것은?

> 상대방의 감정을 깊이 있게 이해하고 상대방의 관점에서 문제를 바라보며 협력적으로 소통하기 위한 대화

① 공감하며 대화하기
② 문제 해결의 대화하기
③ 다양한 관점의 대화하기

답 | ①

3-1 매체 자료를 사용할 때의 효과로 적절하지 않은 것은?

① 독자의 흥미와 호기심을 자극한다.

② 전달하려는 내용 외에 다른 내용을 강조한다.

③ 어려운 내용을 쉽게 이해할 수 있도록 돕는다.

정답 해설 | 매체 자료는 전하고자 하는 내용을 효과적으로 전달하기 위해 사용한다. 전하고자 하는 내용과 관련 없는 매체 자료는 사용하지 않아야 한다. **답** | ②

3-2 매체 자료의 효과를 평가하는 방법으로 적절하지 않은 것은?

① 내용을 이해하는 데 도움이 되었는가?

② 전달하는 내용과 관련이 되도록 적은가?

③ 내용에 대한 관심과 흥미를 불러일으켰는가?

4-1 글을 고쳐 쓸 때 고려할 점으로 적절하지 않은 것은?

① 글의 흐름이 자연스러운지 살펴본다.

② 문단의 중심 내용에서 벗어난 내용은 없는지 살펴본다.

③ 쉬운 단어는 독자의 수준보다 어려운 단어로 바꾸어 쓴다.

정답 해설 | 독자의 수준보다 어려운 단어는 쉬운 단어로 바꿔 써야 한다. 글을 고쳐 쓸 때 글 전체 수준, 문단 수준, 문장 수준, 단어 수준에서 살펴본다. 고쳐쓰기할 때는 글의 흐름이 자연스러운지, 그 내용이 하나의 중심 내용으로 모아져 통일성 있게 썼는지를 중심으로 살펴본다. **답** | ③

4-2 고쳐쓰기할 때 고쳐쓰기의 수준에 맞게 고려할 점이 바르게 연결된 것은?

ㄱ. **글 수준**: 주제에서 벗어난 내용은 없는가?
ㄴ. **문단 수준**: 앞뒤 문장이 자연스럽게 이어지는가?
ㄷ. **문장 수준**: 뜻이 정확한 단어를 사용하였는가?
ㄹ. **단어 수준**: 문단의 중심 내용과 뒷받침하는 내용이 긴밀하게 연결되었는가?

① ㄱ, ㄴ　② ㄱ, ㄷ　③ ㄴ, ㄷ

5-1 공감하며 대화하는 방법으로 적절하지 않은 것은?

① 상대방의 말에 고개를 끄덕이기

② 상대방을 향해 앉아 상대방의 눈을 바라보기

③ 상대방이 편하게 말할 수 있도록 관심 없는 표정 짓기

정답 해설 | 공감하며 대화하려면 '그래?', '맞아.'와 같은 말로 반응하며 상대방이 마음을 열고 이야기를 이어 갈 수 있도록 도와야 한다. 또한 상대방이 이야기를 이어 갈 수 있도록 관심 있는 표정을 짓고 집중해서 들어야 한다. **답** | ③

5-2 공감하며 대화하기에 대한 설명으로 적절하지 않은 것은?

①	개념	상대방의 감정을 깊이 있게 이해하고 상대방의 관점에서 문제를 바라보며 협력적으로 소통하는 대화임.
②	방법	상대방의 말을 듣기만 하거나 시선을 맞추지 않음.
③	효과	상대방이 자신의 말을 들어 주는 사람임을 신뢰하게 되고 친밀감을 갖게 됨.

개념 돌파 전략 ❷

바탕 문제

다음과 같은 형태로 주로 표현되는 설명 방법을 고르세요.

(1) '●은/는 ■(이)다.', '●은/는 ■을/를 뜻한다.'
(정의 , 예시)

(2) '예를 들어…', '예컨대…', '~의 예를 들 수 있다.'
(정의 , 예시)

(3) '…그래서…', '…따라서…'
(예시 , 인과)

답 | (1) 정의 (2) 예시 (3) 인과

1 ㉠~㉢에 쓰인 설명 방법을 바르게 연결한 것은?

	㉠	㉡	㉢
①	정의	분석	예시
②	정의	예시	인과
③	예시	인과	정의
④	예시	비교와 대조	정의
⑤	인과	분류와 구분	예시

바탕 문제

다음과 같이 나타낼 수 있는 설명 방법을 고르세요.

(1) 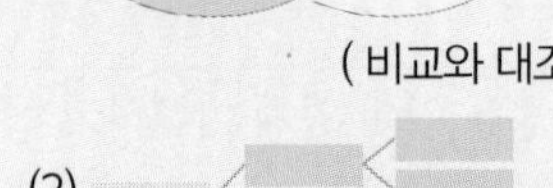
(비교와 대조 , 분석)

(2)
(분석 , 분류와 구분)

(3) 
(분류와 구분 , 분석)

답 | (1) 비교와 대조 (2) 분류와 구분 (3) 분석

2 ㉠~㉢에 쓰인 설명 방법을 각각 쓰시오.

㉠ 진달래와 철쭉은 분홍색 꽃이 피는 것이 비슷하지만, 진달래는 꽃이 피고 난 뒤에 잎이 나오는 반면 철쭉은 잎과 꽃이 함께 나온다는 점이 다르다.

㉡ 자동차는 크기에 따라서 경차, 소형차, 중형차, 대형차로 나눌 수 있다.

㉢ 곤충의 몸은 머리, 몸통, 배로 이루어져 있다.

>> 정답과 해설 32쪽

바탕 문제

다음에서 설명하는 매체 자료를 |보기| 에서 고르세요.

글만으로는 이해하기 어려운 대상의 사실적 모습을 확인할 수 있다.

보기
자막 도표 사진 음악

답 | 사진

3

매체 자료 가운데 사진 자료의 효과로 적절하지 않은 것은?

① 독자의 관심과 흥미를 불러일으킨다.
② 설명 내용과 관련 있는 상황을 실감 나게 보여 준다.
③ 설문 조사와 관련된 구체적 수치를 한눈에 파악할 수 있게 한다.
④ 설명 대상의 실제 모습을 보여 주어 발표 내용에 집중하게 한다.
⑤ 설명 내용을 구체적이고 시각적으로 보여 주어 독자의 이해를 돕는다.

바탕 문제

문단 수준의 고쳐쓰기에 해당하는 것을 고르세요.

ㄱ. 문맥에 어울리는 단어인가?
ㄴ. 앞뒤 문장이 자연스럽게 연결되는가?
ㄷ. 독자의 흥미를 끌 수 있는 제목인가?

답 | ㄴ

4

다음에 나타난 고쳐쓰기는 어떤 수준에서 이루어지는 고쳐쓰기인가?

수영은 물속에서 온몸을 사용하는 운동이기 때문에 심장이나 폐의 기능을 향상할 뿐만 아니라 근력, 지구력, 유연성 등을 길러 주어 신체를 균형 있게 발달시키는 데 도움을 준다. ~~그러나~~ 또한 물에 대한 공포심을 없애 주고 대담성과 침착성을 기르는 데 도움을 준다.

① 글 수준의 고쳐쓰기
② 어절 수준의 고쳐쓰기
③ 문단 수준의 고쳐쓰기
④ 단어 수준의 고쳐쓰기
⑤ 문장 수준의 고쳐쓰기

바탕 문제

공감하며 듣기의 방법을 바르게 연결하세요.

(1) 소극적 들어 주기 • • ㉠ 상대방의 말을 요약하거나 재구성해서 말하는 것
(2) 적극적 들어 주기 • • ㉡ 상대방이 계속 말할 수 있게 지속적으로 관심을 표현하는 것

답 | (1) ㉡ (2) ㉠

5

|보기|는 ㉠, ㉡을 통해 드러나는 적극적 들어 주기 방법을 정리한 것이다. ⓐ, ⓑ에 들어갈 알맞은 말을 각각 한 단어로 쓰시오.

보기
찬우는 ㉠과 같이 은미가 한 말을 (ⓐ)해서 말하거나, ㉡과 같이 은미의 말의 의미를 자신의 말로 (ⓑ)해서 말하여 은미의 감정에 공감하고 있음을 보여 주고 있다.

2주 2일 필수 체크 전략 ❶

전략 1 설명 방법(정의, 예시) 파악하기

겨울만 되면 정전기가 기승을 부린다. ㉠자동차 문의 손잡이를 잡을 때 짜릿하기도 하고, 스웨터를 벗을 때 '찌지직' 소리와 함께 머리가 폭탄 맞은 것처럼 변하기도 한다. 심지어 친구의 손을 잡을 때 정전기가 튀어 깜짝 놀라는 경우도 있다. 우리를 놀라게 하는 정전기. 도대체 이런 정전기는 왜 생기는 것일까?

(정전기: 중심 화제, 설명 대상 / ㉠: 일상생활에서 정전기가 발생하는 예)

㉡정전기란 전하가 정지 상태로 있어 그 분포가 시간적으로 변화하지 않는 전기 및 그로 인한 전기 현상을 말한다. 쉽게 설명하면 흐르지 않고 그냥 머물러 있는 전기라고 해서 "움직이지 아니하여 조용하다."는 뜻을 가진 한자 '정(靜)'을 써 정전기라고 부르는 것이다. 우리가 실생활에서 쓰는 전기가 흐르는 물이라면, 정전기는 높은 곳에 고여 있는 물이다. 정전기의 전압은 수만 볼트(V)에 달하지만, 우리가 실생활에서 쓰는 전기와는 다르게 전류는 거의 없어 위험하지는 않다. 어마어마하게 높은 곳에 고여 있는 물이지만 떨어지는 것은 한두 방울뿐이라 별 피해가 없다고나 할까. (중략)

(전하: 물체가 띠고 있는 정전기의 양. 이것이 이동하는 현상이 전류임. / ㉡: 정전기의 뜻)

생활하면서 주변의 물체와 접촉하면 마찰이 일어나기 마련인데, 그때마다 우리 몸과 물체가 전자를 주고받으며 몸과 물체에 조금씩 전기가 저장된다. 한도 이상의 전기가 쌓였을 때 전기가 잘 통하는 물체에 닿으면 그동안 쌓였던 전기가 순식간에 불꽃을 튀기며 이동하면서 발생하는 것이다.

(한도: 일정한 정도. 또는 한정된 정도.)

– 김정훈, 〈정전기가 겨울로 간 까닭은?〉

☑ **이 글의 설명 대상과 글을 쓴 목적은?**
- 설명 대상: 정전기
- 글을 쓴 목적: 정전기에 관한 여러 정보를 전달하기 위해

☑ **일상생활에서 경험하는 정전기를 설명하기 위해 쓰인 설명 방법은?**

자동차 문의 손잡이를 잡을 때 ~ 깜짝 놀라는 경우도 있다. ➡ ❶ ______

☑ **정전기의 뜻을 설명하기 위해 쓰인 설명 방법은?**

정전기란 전하가 정지 상태로 ~ 전기 현상을 말한다. ➡ ❷ ______

❶ 예시 ❷ 정의

필수 예제 1

㉠, ㉡에 쓰인 설명 방법으로 적절한 것은?

① ㉠: 구체적인 예를 들어 설명하였다.
② ㉠: 대상의 뜻을 분명하게 밝혀 설명하였다.
③ ㉠: 대상을 구성 요소로 나누어 설명하였다.
④ ㉡: 두 대상의 공통점과 차이점을 견주어 설명하였다.
⑤ ㉡: 여러 대상을 일정한 기준에 따라 묶거나 나누어 설명하였다.

정답 해설 | ㉠은 일상생활에서 정전기가 발생하는 예를 들어 정전기를 설명하였고, ㉡은 정전기의 사전적 의미를 밝혀 뜻을 명확히 설명하였다.

답 | ①

오답 풀이 | ②는 정의, ③은 분석, ④는 비교와 대조, ⑤는 분류와 구분에 대한 설명이다.

확인 문제 1

이 글에 쓰인 설명 방법에 대한 평가로 바른 것끼리 묶은 것은?

ㄱ. 유명인의 말을 인용하여 설득력을 높였군.
ㄴ. 정전기의 사전적 의미를 밝혀 뜻을 명확히 제시했군.
ㄷ. 정전기를 종류별로 나누어 특징을 자세히 알게 했군.
ㄹ. 정전기를 구성하는 요소를 하나하나 모두 밝혀 쉽게 설명했군.
ㅁ. 정전기가 발생하는 구체적인 사례를 들어 독자의 이해를 돕고 있군.

① ㄱ, ㄴ ② ㄴ, ㄹ ③ ㄴ, ㅁ
④ ㄷ, ㄹ ⑤ ㄹ, ㅁ

전략 2 설명 방법(비교와 대조, 인과) 파악하기

한중일 삼국은 물론 베트남, 태국 등 일부 동남아시아 국가에서도 젓가락을 사용한다. 포크가 어느 나라에서 쓰이든 사용법, 재질, 크기에 큰 차이가 없는 것과는 달리 젓가락은 사용하는 나라에 따라 길이와 모양 등에 차이가 있다. 각 나라의 식사 문화에 따라 다른 양상으로 발전해 왔기 때문이다.

포크와 젓가락의 차이점

나라마다 사용하는 젓가락이 다른 이유

[ ]: 중국, 일본 한국의 식사 문화와 젓가락의 차이

[중국인은 온 식구가 커다란 식탁에 둘러앉아 식사를 한다. 또 기름기가 많은 음식을 즐겨 먹는다. 그래서 멀리 놓은 음식을 집기 편하도록 젓가락의 길이를 길게 했고, 기름기가 많은 음식이 미끄러지는 것을 막으려고 젓가락 끝을 뭉툭하게 만들었다.

일본인은 밥을 먹을 때에 한 손으로 밥그릇을 들고 젓가락을 사용하여 먹는다. 게다가 독상에 음식을 차려 먹으므로 젓가락이 길 필요가 없는 것이다. 일본인은 생선구이, 생선회, 야채 절임 등을 즐겨 먹기 때문에 이런 음식들을 집기 편하도록 젓가락 끝이 뾰족하다.

한국인은 가족이 함께 먹긴 해도 밥상을 따로 차려 먹었기 때문에 중국처럼 젓가락이 길지 않았다. 또 기름기가 많은 음식이나 해산물을 많이 먹지 않았으므로 젓가락 끝 모양이 중국처럼 뭉툭하거나 일본처럼 뾰족하지 않았다. 대신 김치, 깻잎, 콩자반과 같이 굵기와 크기가 다양한 음식을 두루 집기 편하도록 끝을 납작하게 만들었다.]

– 김경은, 〈한중일 삼국의 젓가락〉

☑ 이 글의 설명 대상과 글을 쓴 목적은?

- 설명 대상: 한중일 삼국의 젓가락
- 글을 쓴 목적: 한중일 삼국의 식사 문화와 젓가락의 차이를 설명하기 위해

☑ 한중일 삼국의 식사 문화와 젓가락의 차이를 설명하기 위해 쓰인 설명 방법은?

중국, 일본, 한국의 식사 문화와 젓가락의 차이 ➡ ❶

☑ 한중일 삼국의 젓가락 모양이 달라진 이유를 설명하기 위해 쓰인 설명 방법은?

삼국의 식사 문화 때문에 젓가락 모양이 서로 다름. ➡ ❷

❶ 비교와 대조 ❷ 인과

필수 예제 2

이 글에 주로 쓰인 설명 방법을 보기 에서 모두 고른 것은?

보기
ㄱ. 대상의 뜻을 명확히 밝힌다.
ㄴ. 대상을 구성 요소로 나누어 설명한다.
ㄷ. 대상의 종류를 묶거나 나누어 설명한다.
ㄹ. 어떤 일을 원인과 결과의 관계로 설명한다.
ㅁ. 둘 이상의 대상의 공통점과 차이점을 설명한다.

① ㄱ, ㄴ ② ㄱ, ㄹ ③ ㄴ, ㄷ
④ ㄷ, ㄹ ⑤ ㄹ, ㅁ

정답 해설 | 이 글에서는 비교와 대조를 써서 한국, 중국, 일본의 식사 문화와 젓가락의 차이점을 설명하였고, 삼국의 식사 문화 때문에 젓가락의 모양이 서로 달라졌음을 인과를 써서 설명하였다. 답 | ⑤

오답 풀이 | ㄱ은 정의, ㄴ은 분석, ㄷ은 분류와 구분에 대한 설명이다.

확인 문제 2

이 글의 설명 대상과 주로 쓰인 설명 방법으로 적절한 것은?

① 식사 문화와 젓가락의 뜻을 밝힌 후 예를 들어 설명하였다.
② 한중일의 식사 문화를 구성하는 요소를 분석하여 설명하였다.
③ 한중일의 식사 문화와 젓가락의 차이점을 인과의 방법으로 설명하였다.
④ 한중일의 식사 문화와 젓가락의 공통점을 시간의 변화에 따라 설명하였다.
⑤ 한중일을 식사 문화와 젓가락의 모양을 기준으로 분류·구분하여 설명하였다.

필수 체크 전략 ❶

전략 3 설명 방법(분류와 구분, 분석) 파악하기

머리카락이란 머리에 난 털의 낱개를 말한다. ㉠머리카락은 모양에 따라 직모, 파상모, 축모로 나눌 수 있다.(머리카락의 종류) 직모는 곧은 모양의 머리카락이다. 머리카락이 나는 곳인 모낭이 일직선으로 되어 있어 머리카락이 곧게 나는 것이다. 파상모는 물결 모양의 머리카락이다. 모낭(털집. 내피 안에서 털뿌리를 싸고 털의 영양을 맡아보는 주머니.)이 비스듬히 누워 있어 머리카락이 휘면서 자라는 것이다. 축모는 고불고불하게 말려 있는 모양의 머리카락으로, 흔히 곱슬머리라고 부른다. 모낭이 안쪽으로 오목하게 휘어 있어서 털이 고불고불한 모양으로 자라는 것이다. 이처럼 모낭의 모양에 따라 머리카락의 모양이 달라진다.

㉡머리카락은 크게 모수질, 모피질, 모표피의 세 개의 층으로 구성되어 있다.(머리카락의 구조) 모수질은 머리카락의 중심에 있는 빈 공기층을 말한다. 모피질은 머리카락의 중간층으로 모수질을 감싸고 있다. 모피질에는 멜라닌(동물의 조직에 있는 검은색이나 흑갈색 색소.) 색소가 들어 있는데, 그 양에 따라서 머리카락의 색깔이 결정된다. 모표피는 머리카락의 바깥층으로 외부 자극으로부터 머리카락 내부를 보호해 준다. 흔히 머리카락이 상했다고 하는 것은 이 층이 손상되었음을 의미한다.

머리카락은 우리 몸에서 다양한 기능을 수행한다. 먼저 머리카락은 각종 노폐물을 배출한다.

– 〈머리카락, 얼마나 알고 있니?〉

☑ 이 글의 설명 대상과 글을 쓴 목적은?

- 설명 대상: 머리카락
- 글을 쓴 목적: 머리카락에 관한 여러 정보를 전달하기 위해

☑ 머리카락의 종류를 설명하기 위해 쓰인 설명 방법은?

머리카락은 모양에 따라 직모, 파상모, 축모로 나눌 수 있다. ➡ ❶ [ ]

☑ 머리카락의 구조를 설명하기 위해 쓰인 설명 방법은?

머리카락은 크게 모수질, 모피질, 모표피의 세 개의 층으로 구성되어 있다. ➡ ❷ [ ]

❶ 분류와 구분 ❷ 분석

필수 예제 3

㉠, ㉡에 쓰인 설명 방법을 바르게 연결한 것은?

	㉠	㉡
①	대상의 뜻을 밝힘.	구체적인 예를 제시함.
②	구체적인 예를 제시함.	대상의 뜻을 밝힘.
③	구체적인 예를 제시함.	일정한 기준에 따라 대상을 묶음.
④	대상을 원인과 결과로 설명함.	대상을 견주어 공통점이나 차이점을 밝힘.
⑤	여러 대상을 기준에 따라 묶거나 나누어 설명함.	대상을 그 구성 요소나 부분으로 나누어 설명함.

정답 해설 | ㉠은 분류와 구분의 설명 방법으로 머리카락의 종류를 설명하였고, ㉡은 분석의 설명 방법으로 머리카락의 구조를 설명하였다. 답 | ⑤

오답 풀이 |
- 대상의 뜻을 밝힘. → 정의
- 구체적인 예를 제시함. → 예시
- 대상을 원인과 결과로 설명함. → 인과
- 대상을 견주어 공통점이나 차이점을 밝힘. → 비교와 대조

확인 문제 3

㉠, ㉡의 설명 대상과 설명 방법을 나타낼 때, ⓐ, ⓑ에 들어갈 적절한 설명 방법을 쓰시오.

	설명 대상	설명 방법	
㉠	머리카락의 종류	여러 대상을 기준에 따라 묶거나 나누어 설명함. 모낭 ▲ 직모 ▲ 파상모 ▲ 축모	(ⓐ)
㉡	머리카락의 구조	대상을 그 구성 요소나 부분으로 나누어 설명함. 모표피 모피질 모표피 모수질	(ⓑ)

전략 4 설명 방법 종합적으로 파악하기

가 소리를 들으면 모양이나 색깔을 보는 사람들이 있어요. 바로 공감각자들이지요. ㉠공감각이란 어떤 하나의 감각이 다른 영역의 감각을 일으키는 것을 말해요.

나 ㉡영국 화가 데이비드 호크니의 그림 〈풍덩〉을 감상하면 공감각을 이해할 수 있습니다. 호크니는 수영장에서 다이빙할 때 들리는 '풍덩' 소리를 그림에 표현했거든요. ㉢호크니는 수영장에서 다이빙할 때 들리는 '풍덩' 소리를 어떻게 눈으로 보게 했을까요? 색채와 기법, 구도 등 여러 요소로 조화를 이루어 그것을 가능하게 했지요.

다 ㉣〈먼저 색채를 살펴볼까요? 수영장의 파란색 물과 다이빙 보드의 노란색이 무척 선명하게 보이는군요. 유화 물감 대신 아크릴 물감을 사용했기 때문이지요. 아크릴 물감은 유화 물감보다 빨리 마르고 색채도 더 선명하고 강렬합니다.

다음은 기법입니다. 물보라가 일어나는 부분만 붓으로 흰색을 거칠게 칠하고 다른 부분은 롤러를 사용해 파란색으로 매끈하게 칠했네요. 선명한 아크릴 물감, 거칠고 매끈한 붓질의 대비가 다이빙할 때의 '풍덩' 소리와 물보라를 강조하고 있지요.〉

라 ㉤〈왜 다이빙하는 사람을 그리지 않았을까요? 만일 물에 뛰어드는 사람을 그렸다면 그 멋진 모습에 눈길을 빼앗기면서 '풍덩' 소리를 듣는 데 방해를 받았겠지요. 즉, '풍덩' 소리에만 모든 감각이 집중되도록 사람을 그리지 않았던 것입니다.〉

– 이명옥, 〈그림에서 들려오는 소리〉

☑ 이 글의 설명 대상과 글을 쓴 목적은?

- 설명 대상: 공감각이 드러난 그림
- 글을 쓴 목적: 그림을 활용하여 공감각을 설명하기 위해

☑ 이 글의 설명 내용과 쓰인 설명 방법은?

- 공감각의 ❶ [　　] 을 설명함.
- 공감각을 설명하기 위해 공감각이 드러난 그림 〈풍덩〉을 ❷ [　　] 로 듦.
- 〈풍덩〉에서 공감각을 표현한 요소를 나누어 설명함.
- 〈풍덩〉에서 사람을 그리지 않은 이유를 원인과 결과를 밝혀 설명함.

❶ 뜻 ❷ 예

필수 예제 4

㉠~㉤에 쓰인 설명 방법으로 적절하지 않은 것은?

① ㉠: 대상의 뜻을 밝혀 풀이하는 방법
② ㉡: 구체적인 예를 보여 주는 방법
③ ㉢: 대상을 기준에 따라 묶거나 나누어 설명하는 방법
④ ㉣: 대상을 그 구성 요소나 부분으로 나누어 설명하는 방법
⑤ ㉤: 대상을 원인과 결과를 중심으로 설명하는 방법

정답 해설 | ㉢은 호크니가 어떻게 소리를 눈으로 볼 수 있게 그림을 그렸는지를 질문하고 있을 뿐, 설명 방법은 쓰이지 않았다. **답** | ③

오답 풀이 | ① ㉠은 공감각의 뜻을 정의로 설명하였다.
② ㉡은 공감각이 나타난 그림의 예를 예시로 설명하였다.
④ ㉣은 〈풍덩〉의 구성 요소를 분석으로 설명하였다.
⑤ ㉤은 〈풍덩〉에 사람을 그리지 않은 이유를 인과로 설명하였다.

확인 문제 4

이 글에 쓰인 설명 방법이 사용되지 않은 것은?

① 착시는 대상이 실제와 매우 다르게 보이는 것을 뜻한다.
② 자전거는 안장, 바퀴, 핸들, 페달, 브레이크로 구성되어 있다.
③ 올해 사과 농사가 잘되지 않은 이유는 비가 많이 왔기 때문이다.
④ 여름에 많이 볼 수 있는 과일의 예로 포도, 복숭아 등을 들 수 있다.
⑤ 문은 여닫는 방법에 따라 크게 옆으로 밀어 여닫는 미닫이문과 안팎으로 여닫는 여닫이문이 있다.

2주 2일 필수 체크 전략 ②

[1~2] 다음 글을 읽고 물음에 답하시오.

㉠견디기 어렵게 간지러운 느낌은 두 가지로 나누어 볼 수 있습니다. 하나는 '외부 자극에 의한 가려움[Knismesis]'이고, 또 다른 하나는 '웃음이 나는 간지럼[Gargalesis]'입니다. 이 둘은 어떻게 다를까요? / 먼저 외부 자극에 의한 가려움을 살펴보겠습니다. 벌레가 팔 위를 누비는 상황을 생각하시면 됩니다. 굉장히 성가신 가려움이지요. 몸 전체의 피부에서 나타나는데 특징은 아주 약한 움직임으로 발생한다는 것입니다. 이것이 느껴지면 '벅벅' 긁거나 문지르고 싶어지지요.

가려움은 연구가 많이 진행됐습니다. 아토피 피부염, 두드러기 등 가려움과 관련된 피부 질환이 많고, 하나같이 견디기 어렵기 때문이지요. 과거에는 가려움을 통각(痛覺)의 일종으로 여겼습니다. 통각의 세기가 약하면 가려움이 발생한다고 생각해 왔지요. 하지만 최근 통각이 약하다고 해서 가려움을 느끼는 것이 아니라 가려움을 느끼는 신경이 따로 있다는 사실이 드러났습니다.

통각(痛覺): 고통스러운 감정이 따르는 감각. 피부의 자극이나 신체 내부의 자극에 의해 일어남.

이번에는 '웃음이 나는 간지럼'을 살펴보겠습니다. 이것은 신체의 특정 부위에서 잘 일어나며, 가려움보다는 더 강한 촉감 때문에 생긴다는 특징이 있습니다. 간지럼도 가려움과 마찬가지로 이전에는 통각으로 여겼습니다. (중략) 현재는 간지럼을 주로 촉각과 통각의 혼합으로 보며, 압각(壓覺)과 진동각(振動覺) 등 여러 감각과의 연관성이 제시되고 있습니다.

진동각(振動覺): 흔들려 움직이는 자극을 받아들이는 감각.

압각(壓覺): 피부나 그 밖의 신체 일부가 눌렸을 때 생기는 감각.

– 서동준, 〈우리는 왜 간지럼을 느낄까〉

설명 대상
가려움과 간지럼

글을 쓴 목적
간지럼의 특성과 간지럼을 타는 까닭을 설명하기 위해

내용 전개 방법
간지럼을 가려움과 비교·대조하여, 각각의 특성을 명료하게 제시함.

1 이 글에 쓰인 설명 방법으로 적절하지 않은 것은?

① 간지럼을 설명하기 위해 간지럼의 뜻을 밝혔다.
② 가려움과 관련된 피부 질환을 예를 들어 설명하였다.
③ 간지러운 느낌을 가려움과 간지럼으로 나누어 설명하였다.
④ 가려움에 관한 연구가 많이 진행된 까닭을 원인과 결과로 제시하였다.
⑤ 가려움과 간지럼의 차이를 보여 주기 위해 비교와 대조를 사용하였다.

문제 해결 전략

글의 설명 ❶ [ ]을 찾고 중심 내용을 정리하면서 그 부분에 쓰인 ❷ [ ] 방법을 파악해 본다. 쓰인 설명 방법의 효과와 적절성도 함께 생각해 본다.

❶ 대상 ❷ 설명

2 ㉠에 사용된 설명 방법이 쓰인 것은?

① 머리카락이란 머리에 난 털의 낱개를 말한다.
② 발효 식품의 예로 요구르트, 된장, 치즈 등이 있다.
③ 세금은 누가 거두어들이느냐에 따라 크게 국세와 지방세로 나뉜다.
④ 온돌은 아궁이, 고래, 구들장, 바람막이, 개자리, 굴뚝 등으로 구성된다.
⑤ 일식이 일어나면 하늘이 깜깜해지는 것은 달이 태양 일부나 전부를 가려 태양 빛이 지구까지 도달하지 못하기 때문이다.

문제 해결 전략

㉠에서 설명 대상을 설명하기 위해 쓰인 ❶ [ ] 방법을 파악한다. 선택지에 쓰인 설명 방법을 각각 파악하고 대상을 ❷ [ ]에 따라 나누거나 묶어 설명한 문장을 찾아본다.

❶ 설명 ❷ 기준

[3~4] 다음 글을 읽고 물음에 답하시오.

여드름은 주로 사춘기에 얼굴 등에 도톨도톨하게 나는 검붉은 작은 종기로, 모공에 쌓인 피지에 세균이 증식하여 발생한다. 피지는 피부에 있는 피지샘에서 나오는 분비 물질로, 피부를 먼지나 때로부터 보호하며 피부를 촉촉하게 유지해 주는 역할을 한다.

[A] 여드름은 이 피지 분비와 밀접한 관계가 있다. 보통 사춘기가 되면 호르몬의 분비가 활발해지면서 피지가 많이 분비된다. 과도하게 분비된 피지는 피부 밖으로 배출되지 못하고 먼지나 때 등과 함께 굳어서 모공 안에 쌓인다. 이렇게 쌓인 피지에 세균이 쉽게 증식하여 여드름이 생기는 것이다.

그렇다면 여드름을 예방하기 위해서는 어떻게 해야 할까? 여드름 예방을 위해 가장 중요한 것은 꼼꼼한 세안으로 피지와 노폐물을 제거하는 것이다. 또한 ㉠버터, 치즈 등의 유제품이나 빵, 피자, 라면, 과자, 튀김 등의 고탄수화물 식품을 피하는 것이 좋다. 이 외에도 잠을 충분히 자서 피로를 해소하고 스트레스가 쌓이지 않도록 해야 한다.

– 〈여드름은 왜 생길까?〉

설명 대상
여드름

글을 쓴 목적
여드름의 뜻, 여드름이 생기는 까닭, 여드름의 예방 방법에 대한 정보를 알려 주기 위해

내용 전개 방법
여드름과 피지의 뜻, 여드름이 생기는 까닭, 여드름을 예방하는 방법 등을 설명함.

3 [A]와 보기 에 공통으로 쓰인 설명 방법으로 적절한 것은?

보기
온실 효과로 지구의 기온이 상승하면 남극과 북극의 빙하가 녹게 되어 해수면이 상승한다.

① 정의 ② 예시 ③ 인과
④ 분석 ⑤ 비교와 대조

문제 해결 전략
[A]에서 말하고자 하는 ❶ [ ] 내용을 정리해 보고 이를 설명하기 위해 쓰인 ❷ [ ] 방법을 파악해 본다. 그리고 〈보기〉에 쓰인 설명 방법과 비교해 본다.

❶ 중심 ❷ 설명

4 ㉠과 보기 를 비교한 내용으로 적절한 것은?

보기
유제품이나 고탄수화물 식품을 피하는 것이 좋다.

① ㉠은 〈보기〉와 달리 구체적인 예를 보여 주어 내용을 이해하기 쉬웠어.
② ㉠은 〈보기〉와 달리 유제품과 고탄수화물 식품의 뜻을 밝혀 내용을 쉽게 설명했어.
③ ㉠은 〈보기〉와 달리 유제품과 고탄수화물 식품의 특성을 비교와 대조하여 내용을 강조했어.
④ ㉠과 〈보기〉는 모두 유제품과 고탄수화물 식품을 피해야 하는 이유를 근거를 밝혀 설명했어.
⑤ ㉠과 〈보기〉는 모두 유제품과 고탄수화물 식품을 영양소를 기준으로 분류와 구분하여 내용을 구조화했어.

문제 해결 전략
㉠과 〈보기〉에 쓰인 ❶ [ ] 방법을 중심으로 비교해 본다. 그리고 설명 방법을 이용했을 때의 ❷ [ ]를 살펴본다.

❶ 설명 ❷ 효과

2주 3일 필수 체크 전략 ❶

전략 1 매체 자료의 표현 방법과 의도 파악하기

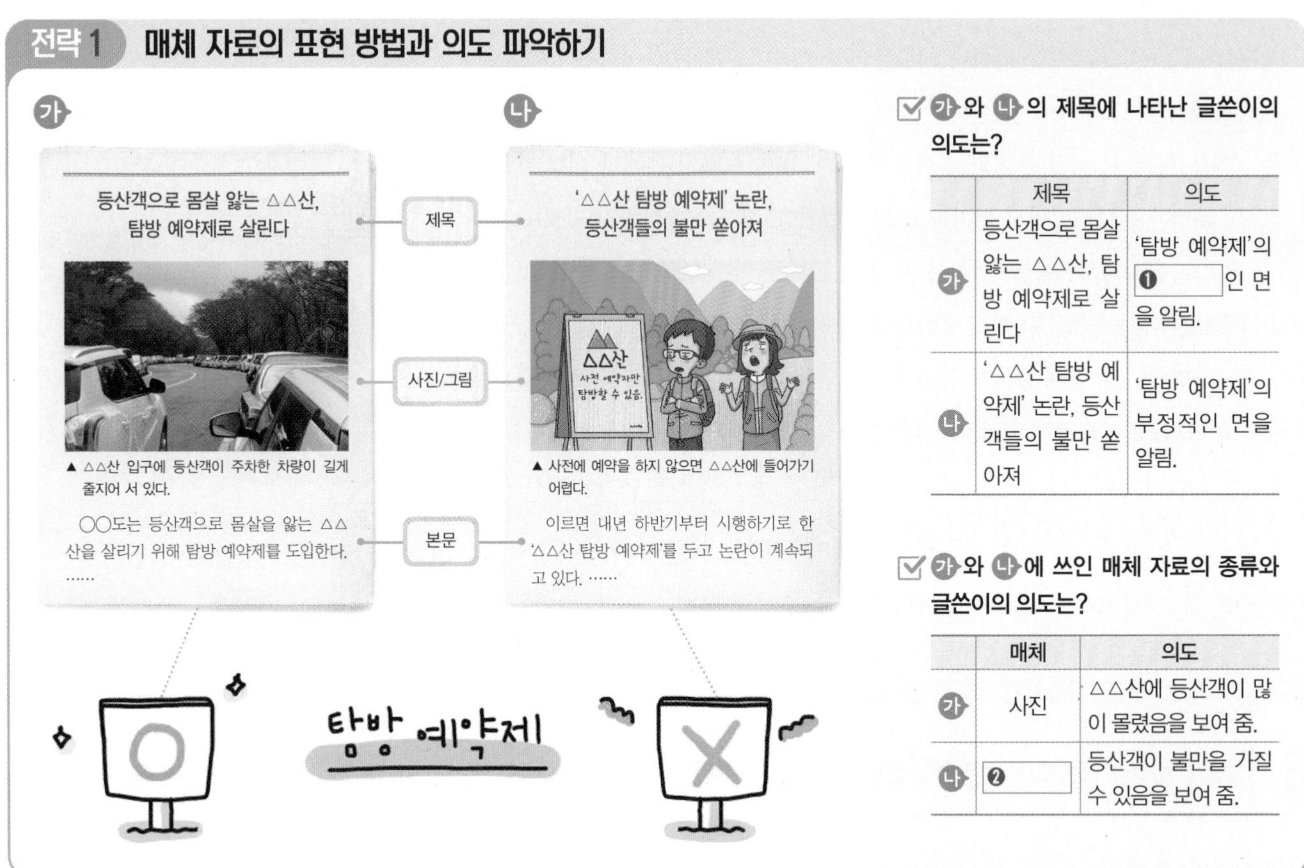

☑ 가와 나의 제목에 나타난 글쓴이의 의도는?

	제목	의도
가	등산객으로 몸살 앓는 △△산, 탐방 예약제로 살린다	'탐방 예약제'의 ❶ ______인 면을 알림.
나	'△△산 탐방 예약제' 논란, 등산객들의 불만 쏟아져	'탐방 예약제'의 부정적인 면을 알림.

☑ 가와 나에 쓰인 매체 자료의 종류와 글쓴이의 의도는?

	매체	의도
가	사진	△△산에 등산객이 많이 몰렸음을 보여 줌.
나	❷ ______	등산객이 불만을 가질 수 있음을 보여 줌.

❶ 긍정적 ❷ 그림

필수 예제 1

(가), (나)에서 글쓴이의 의도를 전달하기 위해 사용한 표현 방법을 골라 묶은 것은?

ㄱ. 제목
ㄴ. 애니메이션
ㄷ. 사진이나 그림
ㄹ. 음성과 효과음
ㅁ. 본문에 쓰인 어휘나 문장 표현

① ㄱ, ㄴ, ㄷ ② ㄱ, ㄷ, ㅁ
③ ㄴ, ㄷ, ㄹ ④ ㄴ, ㄹ, ㅁ
⑤ ㄷ, ㄹ, ㅁ

정답 해설 | (가)와 (나)는 '△△산 탐방 예약제 시행'에 관해 쓴 기사문이다. 두 글의 글쓴이는 글의 제목, 본문에 쓰인 어휘나 문장 표현, 사진이나 그림을 통해 글을 쓴 의도를 드러내고 있다. 답 | ②

오답 풀이 | (가)와 (나)에는 애니메이션, 음성, 효과음이 쓰이지 않았다.

확인 문제 1

(가), (나)의 신문 기사를 비교한 내용으로 적절하지 않은 것은?

① (가)와 (나)는 모두 '△△산 탐방 예약제' 시행을 화제로 다루고 있다.
② (가)는 사진을 통해, (나)는 그림을 통해 글쓴이의 의견을 뒷받침하고 있다.
③ (가)는 '몸살'이라는 단어를 제시하여 탐방 예약제 시행에 대해 부정적인 입장을 드러내고 있다.
④ (나)는 '논란', '불만'이라는 단어를 통해 관광객들이 탐방 예약제에 불만을 가질 수 있음을 보여 주고 있다.
⑤ (가)와 (나)에 쓰인 표현과 매체 자료는 기사를 쓴 의도를 효과적으로 드러내고 있다.

전략 2 매체 자료의 표현 방법과 효과 파악하기

가 2년 전 방류한 양식 '어린 명태', 속초 앞바다에서 잡혀

명태 살리기 연구 과제의 하나로 2년 전 방류한 인공 1세대 어린 명태가 속초 앞바다에서 잡혀 명태 살리기 연구 과제의 성공을 알린 것이다.

해양 수산부는 지난해 동해안에서 잡힌 명태 600여 마리 가운데 디엔에이(DNA) 분석이 가능한 67마리를 대상으로 유전자 분석을 한 결과 이 가운데 2마리의 유전 정보가 2015년에 방류한 인공 1세대 명태와 일치한다고 밝혔다.

▲ 명태 치어 방류 행사(2015년 12월 강원도 대진항) → 매체 자료: 사진

나 2008년 이후 우리 바다에서 명태 자취 감춰

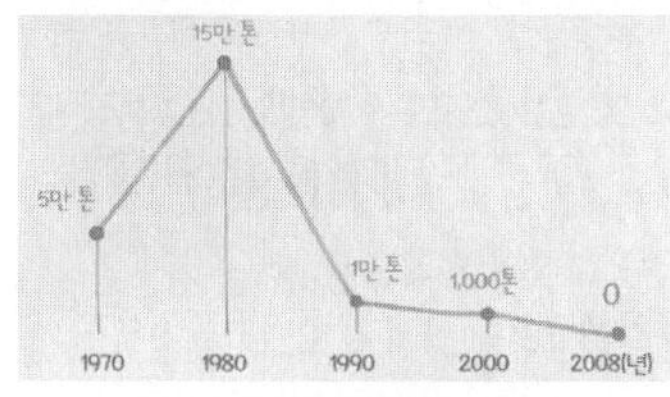

▲ 한국의 명태 어획량 추이 → 매체 자료: 도표

명태는 단일 어종으로 세계에서 어획량이 가장 많은 어류이다. 1980년대 중반 전 세계 명태 어획량은 600만 톤을 넘었으나 근래에는 400만 톤 수준에 머물고 있다. / 한국의 명태는 동해에서 생산량이 가장 많았던 어종으로 1970년대 중반에 5만 톤 정도 잡혔던 것이 1980년대 초반에는 15만 톤까지 잡혀 최고치를 기록했다. 이후 1990년대에는 1만여 톤으로 급감했고 2000년대에는 1천 톤을 넘지 못하다가 급기야 2008년에는 공식적으로 어획량이 '0'으로 보고되었다.

– 케이비에스(KBS) 인터넷 뉴스, 2017년 1월 24일 자

☑ **가와 나에 제시된 소제목의 효과는?**
주요 내용을 압축하여 제시하여 그 중심 내용을 예측하게 함.

☑ **가에 제시된 시각 자료의 종류와 효과는?**
- 매체 자료: ❶
- 효과: 대상의 사실적인 모습을 확인할 수 있음. 글의 내용을 좀 더 쉽게 이해할 수 있음.

☑ **나에 제시된 시각 자료의 종류와 효과는?**
- 매체 자료: ❷
- 효과: 구체적인 수치와 그 변화 모습에 대한 정보를 한눈에 파악할 수 있음. 글의 내용을 쉽고 빠르게 이해할 수 있음.

❶ 사진 ❷ 도표(그래프)

필수 예제 2

이 글에 사용된 시각 자료의 효과로 적절하지 않은 것은?

① 독자의 관심과 흥미를 끌 수 있다.
② 내용에 대한 독자의 이해를 높일 수 있다.
③ 내용을 좀 더 쉽고 빠르게 전달할 수 있다.
④ 글의 처음에 제시하여 중심 내용을 예측하게 한다.
⑤ 도표의 경우 수치와 변화 양상을 한눈에 파악할 수 있다.

정답 해설 | 시각 자료에는 사진이나 그림, 도표가 속한다. (가)에는 사진, (나)에는 도표가 제시되었다. ④는 소제목과 같은 어휘 표현의 효과에 해당하는 설명이다. 답 | ④

오답 풀이 | ① 시각 자료는 독자의 관심을 끌고 주의를 집중시킨다.
② 사진이나 도표는 독자의 이해를 돕는다.
③, ⑤ 도표는 상황을 한눈에 파악할 수 있어 독자가 내용을 쉽고 빠르게 이해할 수 있다.

확인 문제 2

이 글에 사용된 매체 자료의 평가로 적절하지 않은 것은?

① 사진은 명태 치어 방류 행사를 사실적으로 전달하고 있어.
② 소제목, 사진, 도표는 모두 독자가 글의 내용을 이해하기 쉽게 돕고 있어.
③ 소제목은 문단의 주요 내용을 압축하여 제시해 그 중심 내용을 예측하게 해.
④ 도표는 구체적 수치와 함께 한국의 명태 어획량 변화를 한눈에 파악할 수 있게 해.
⑤ 사진은 글의 주제를 다양하게 해석할 수 있도록 하여 독자의 관심을 이끌고 있어.

전략 3 고쳐쓰기의 방법 파악하기

(가) 머리카락이 상한다는 것은 이 모표피가 벌어지거나 떨어져서 손상된 것을 의미한다. 머리카락은 추위나 더위, 물리적 충격 등과 같은 다양한 외부 자극으로부터 머리를 보호해 준다. ㉠ 글 전체의 중심 내용과 관련 없군.

(나) 머리카락이 상하는 것을 막고 건강한 머릿결을 유지하기 위해서는 어떻게 해야 할까? 머릿결에 좋은 음식을 먹는 것이 도움이 된다. 머리카락을 튼튼하게 하거나 머리카락이 자라는 데 도움이 되는 음식에는 시금치, 굴, 달걀, 호두 등이 있다. 평소 머리카락을 잘 처리하는 습관을 지니는 것도 중요하다. ㉡ 문맥에 어울리지 않는 단어이니 적절한 단어로 바꿔야지. 예를 들어 머리를 감고 나서 머리카락이 젖은 채로 자는 것을 피하고, 머리카락을 말릴 때에는 수건으로 눌러서 물기를 제거하도록 한다. 따라서 머리카락을 자극하는 파마나 염색은 자주 하지 않는 것이 좋다. ㉢ 문장이 자연스럽게 연결되지 않는군.

글의 논리적인 흐름을 고려하여 ㈏와 ㈐의 순서를 바꿔야겠어.

(다) 그렇다면 머릿결이 나빠지는 이유는 무엇일까? 머리카락은 케라틴이라는 단백질로 이루어져 있는데 단백질은 열에 약하다. 그런데 뜨거운 물이나 바람 등과 자주 접촉하면 머리카락이 상하여 머릿결이 나빠진다. ㉣ 문장이 매끄럽게 연결되지 않는군. 또 영양 상태가 좋지 않은 것도 머릿결에 나쁜 영향을 줄 수 있다. [이 밖에도 머리카락을 비벼서 말리면 머리카락끼리 마찰하여 머릿결이 나빠지고, 머리카락이 젖어 있을 때 빗질을 하면 머리카락이 약해진 상태이기 때문에 머릿결에 나쁜 영향을 준다.] ㉤ 문장이 너무 길어서 의미가 명확하지 않아.

☑ (가)에서 고쳐 쓰려는 부분과 그 이유는?

'머리카락은 추위나 ~ 보호해 준다.'는 글의 전체 내용과 관련이 없으므로 ❶ ______ 함.

☑ (나)에서 고쳐 쓰려는 부분과 그 이유는?

- 글의 전체 흐름에 맞게 (나)와 (다)의 문단 순서를 바꿈.
- 문맥에 어울리지 않는 단어를 적절한 단어로 바꿈.
- 문장이 자연스럽게 연결되도록 접속어를 고침.

☑ (다)에서 고쳐 쓰려는 부분과 그 이유는?

- 앞뒤 ❷ ______ 이 자연스럽게 연결되도록 접속어를 고침.
- 문장이 너무 길어서 의미가 명확하지 않으므로 문장을 명확하게 고치거나 문장을 나눔.

❶ 삭제 ❷ 문장

필수 예제 3

이 글을 고쳐쓰기 위해 점검한 사항으로 적절하지 않은 것은?

① 띄어쓰기는 올바른가?
② 문장의 길이는 적절한가?
③ 앞뒤 문장이 자연스럽게 이어지는가?
④ 글이 논리적 흐름에 맞게 구성되어 있는가?
⑤ 문단의 중심 내용에서 벗어난 내용은 없는가?

정답 해설 | 띄어쓰기가 잘못된 것에 대한 점검 사항은 나타나지 않았다.

답 | ①

오답 풀이 | ② (다)에서 문장의 길이가 적절한지 점검했다.
③ (나)와 (다)에서 문장이 자연스럽게 이어지는지 점검했다.
④ (나)와 (다)에서 글의 논리적 흐름에 맞게 문단 순서를 조정하려 했다.
⑤ (가)에서 문단의 중심 내용과 관련이 있는지를 점검했다.

확인 문제 3

㉠~㉤을 고쳐쓰기 위한 계획으로 적절하지 않은 것은?

① ㉠: 문단의 중심 내용과 관련이 없으니 삭제해야겠다.
② ㉡: 문맥에 어울리지 않는 단어이니 '관리하는'으로 바꾸어야지.
③ ㉢: 앞 문장에 이어 뒤 문장에서도 건강한 머릿결을 유지하는 방법이 이어지고 있으므로 '또, 그리고'와 같은 단어로 바꿔 써야겠어.
④ ㉣: 앞 문장이 이어지는 문장의 원인에 해당하므로 '따라서, 그러므로, 그래서'와 같은 단어로 고쳐 써야겠어.
⑤ ㉤: 너무 긴 문장은 읽는 이를 지루하게 하므로 삭제해야겠어.

» 정답과 해설 34쪽

전략 4 공감하며 대화하는 방법 파악하기

효진: (준호의 눈을 바라보며) 준호야, 표정이 왜 그래? 무슨 일 있어?
공감하는 태도

준호: 너도 알잖아. 학급 회의에서 학급 티셔츠 디자인에 반대해서 친구들이랑 서먹해진 거.

효진: (안타까운 표정을 지으며) 아, 그 일 때문에 기분이 안 좋구나.
공감하는 태도

준호: 학급 회의에서 내 의견을 말한 것뿐인데……. 나 때문에 티셔츠를 못 만들게 된 것처럼 말하잖아.

효진: 그래? 의견을 말한 것뿐인데 친구들이 너 때문에 티셔츠를 못 만들게 된 것처럼 말했구나.
준호가 한 말을 요약함.

준호: 응, 의견이 다를 수도 있잖아? 그래서 회의를 하는 거고. 다음 회의에서 디자인을 결정하기로 했는데도 왜 그러는지 모르겠어.

효진: 정말? 회의에서 자유롭게 의견을 말했을 뿐이고, 더구나 티셔츠 디자인은 다음 회의에서 결정하기로 했는데도 친구들이 너 때문에 티셔츠를 못 만들게 된 것처럼 말하니까 답답하겠다.
준호가 한 말의 의미를 재구성함.

준호: 맞아. 이제 의견을 말하기도 조금 겁이 나.

효진: 친구들과 더 서먹해질까 봐 의견을 말하는 것이 겁이 나는구나. 어떤 마음인지 이해돼.
준호가 한 말을 요약함.

준호: 그래도 너랑 이야기하니까 마음이 좀 편해졌어.
공감하며 대화하기의 효과

☑ 대화를 참고할 때 '소극적 들어 주기'의 방법은?

- 상대방의 눈을 맞추면서 고개 끄덕이기, 대화의 맥락에 맞는 ❶ ___ 짓기 등
- 상대의 말에 '그래?', '정말?'과 같이 맞장구치고 대화 이어 가게 하기

☑ 효진이의 듣기 태도에 나타난 '적극적 들어 주기'의 방법은?

- "의견을 말한 ~ 말했구나."와 같이 상대방의 말을 ❷ ___ 하기
- "회의에서 자유롭게 ~ 답답하겠다."와 같이 상대방의 감정이나 의도를 헤아려 상대방이 한 말의 의미를 재구성하기

❶ 표정 ❷ 요약

필수 예제 4

이 대화에 나타난 효진이의 태도로 적절한 것은?

① 상대방의 힘든 마음을 알아주고 공감해 주고 있다.
② 상대방의 관점보다 자신의 관점에서 이야기하고 있다.
③ 상대방의 말에 집중하지 않고 무관심하게 말하고 있다.
④ 상대방의 문제점을 분석하고 해결 방안을 제시하고 있다.
⑤ 상대방의 상황을 정리해 주기보다 자기중심적으로 이야기하고 있다.

정답 해설 | 공감하며 대화하는 것은 상대방의 생각이나 감정에 자신도 그렇다고 느끼는 것을 의미한다. 효진이는 기분이 상한 준호의 말을 듣고 준호의 생각과 감정에 공감하며 대화하고 있다. **답** | ①

오답 풀이 | ②, ⑤ 효진이는 준호의 감정이나 의도를 헤아리며 준호의 관점에서 준호의 말을 듣고 있다.
③ 효진이는 준호의 눈을 바라보거나 대화의 흐름에 맞는 표정을 지으며, 준호의 말을 주의 깊게 듣고 있다.
④ 효진이는 준호가 고민을 털어놓을 수 있게 도와주고 있을 뿐 문제의 해결 방안을 제시하고 있지는 않다.

확인 문제 4

이 대화를 참고할 때 공감하며 대화하기에 대한 설명으로 적절하지 않은 것은?

① 공감하며 대화하면 상대방과 정서적 유대감을 형성할 수 있다.
② 공감하며 대화하려면 먼저 상대방에게 조언할 마음의 준비를 해야 한다.
③ 공감하며 대화하려면 상대방의 관점에서 문제를 바라보는 태도를 지녀야 한다.
④ 공감하며 대화하는 방법에는 상대와 눈을 맞추는 등의 소극적 들어 주기가 있다.
⑤ 공감하며 대화하는 방법에는 상대방의 말을 요약하거나 의미를 재구성하는 적극적 들어 주기가 있다.

필수 체크 전략 ②

1 다음 인터넷 기사의 제목에 드러난 표현 의도로 가장 적절한 것은?

뿌연 하늘…… 불청객 미세 먼지의 습격

서울권 가시거리 3킬로미터로 줄어들어
전국 11개 권역에 주의보 발령

미세 먼지가 한반도를 뒤덮으니 봄 황사 철처럼 하늘이 뿌옜다. 겨울로 접어들어 날씨가 건조해지고 난방 기구 사용이 늘면서 '불청객' 미세 먼지의 습격이 잦아지고 있다. 〈중략〉 날씨가 추워져 난방을 해 화력 발전소 가동률이 높아지는 데다가 중국발 스모그가 계절풍을 타고 우리나라로 더 쉽게 유입되기 때문이다. 〈후략〉

– 《세계일보》(2016. 12. 5.)

① '뿌연 하늘'과 사진을 연관 지어 날씨의 변화를 예고한다.
② '뿌연 하늘'과 미세 먼지와는 관련이 없다는 것을 강조한다.
③ '불청객'이라는 부정적 단어를 사용하여 도시의 단점을 알린다.
④ '습격'이라는 단어를 사용하여 미세 먼지를 없앨 방법을 알린다.
⑤ 미세 먼지를 '불청객'에 비유하여 겨울철 미세 먼지가 심각함을 알린다.

> **문제 해결 전략**
> 기사를 쓴 기자의 의도는 ❶ [　　　]과 본문에 쓰인 어휘나 문구, 사진이나 그림을 통해 드러남을 이해하고, 기사를 쓴 ❷ [　　　]가 무엇인지 파악해 본다.
>
> ❶ 제목 ❷ 의도

2 다음 글에서 ㉠을 제시한 까닭으로 가장 적절한 것은?

사탕, 초콜릿, 과자가 옹기종기 늘어서 있다. 메모지에 쓴 손 편지도 보인다. '힘내세요.', '행복하게 지내세요.' 같은 응원의 글도 있고, 감사 인사가 적힌 쪽지도 있다.

㉠
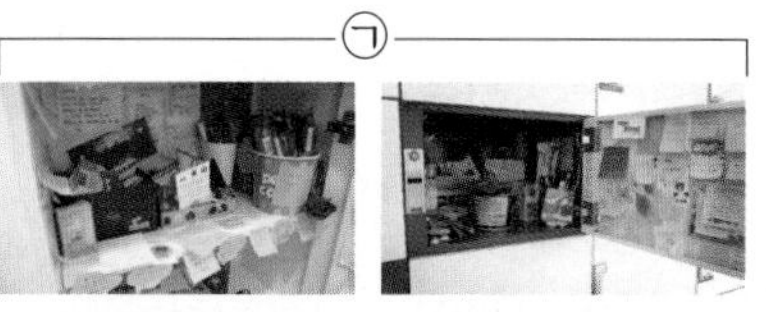
▲ 달콤 창고가 된 지하철의 물품 보관함

이러한 풍경을 볼 수 있는 곳은 뜻밖에도 지하철의 한 물품 보관함. 수많은 사람이 잠시 물건을 보관하는 용도로 사용하는 물품 보관함이 특별한 공간으로 변신한 것은 2015년의 일이다. 한 사회 관계망 서비스의 사용자가 서울 지하철의 2호선 강남역의 물품 보관함에 초콜릿을 넣어 두었으니 누구든 꺼내 먹으라는 글을 올리면서부터였다. / 이 소소한 나눔에 감동한 사람들이 동참했고, 달콤한 간식을 먹고 힘내라는 의미에서 '달콤 창고'라는 이름이 붙었다.

– 〈명견만리〉 제작진, 〈착한 소비, 내 지갑 속의 투표용지〉

① '달콤 창고'가 생긴 원인을 분석하려고
② '달콤 창고'의 위치를 정확히 보여 주려고
③ '달콤 창고'가 시작된 정확한 연도를 제시하려고
④ '달콤 창고'에 대해 비판하는 시각을 갖게 하려고
⑤ '달콤 창고'의 실제 모습을 통해 내용을 생생하게 전달하려고

> **문제 해결 전략**
> 제시된 매체 자료의 ❶ [　　　]를 살펴보고 그러한 매체 자료가 ❷ [　　　]에게 어떤 영향을 줄지 생각해 본다.
>
> ❶ 종류 ❷ 독자

>> 정답과 해설 35쪽

3 다음과 같이 고쳐 쓴 이유를 바르게 파악하지 못한 것은?

> 그렇다면 (수영을 하면) 어떤 점이 좋을까? ~~난 초등학교 때까지 수영을 좋아했다~~. 수영은 물속에서 온몸을 사용하는 운동이기 때문에 심장이나 폐의 기능을 향상할 뿐만 아니라 근력, 지구력, 유연성 등을 길러 주어 신체를 균형 있게 발달시키는 데 도움을 준다. ~~그러나~~ (또한) 물에 대한 공포심을 없애 주고 대담성과 침착성을 기르는데 도움을 준다.

① 띄어쓰기를 바르게 수정하였다.
② 잘못 쓰거나 빠뜨린 글자가 있어서 수정하였다.
③ 문단의 중심 내용에서 벗어난 내용을 삭제하였다.
④ 문장의 뜻이 분명하게 드러나도록 내용을 추가하였다.
⑤ 앞뒤 문장이 자연스럽게 연결되도록 이어 주는 말을 수정하였다.

문제 해결 전략

고쳐쓰기는 ❶ [ ] 전체, 문단, 문장, ❷ [ ] 등 다양한 수준과 방법으로 내용이나 표현이 어색한 부분을 수정하고, 부족한 내용을 보완하는 과정임을 이해한다.

❶ 글 ❷ 단어

4 다음 대화에서 광수가 보여 준 소극적 들어 주기 방법이 아닌 것은?

① 은미의 말에 고개를 끄덕였다.
② 은미를 향해 앉아 은미의 눈을 바라보았다.
③ 대화의 흐름에 맞게 안타까운 표정을 지었다.
④ 은미가 문제를 해결할 수 있는 방안을 말하였다.
⑤ 은미가 계속 말할 수 있도록 '그랬구나.', '정말?'이라고 반응하였다.

문제 해결 전략

공감하며 듣는 방법에는 ❶ [ ] 들어 주기와 적극적 들어 주기가 있음을 알고, 소극적 들어 주기의 방법을 광수의 몸짓이나 ❷ [ ], 언어적 반응과 연결지어 본다.

❶ 소극적 ❷ 표정

2주 4일 교과서 대표 전략 ①

대표 예제 1

(가)~(마)에 쓰인 설명 방법으로 적절하지 않은 것은?

(가) 식물은 원산지를 기준으로 원산지가 우리 땅인 식물과 다른 나라에서 들어온 식물로 나눌 수 있다.

(나) 외래 식물 가운데 이 땅에 완전하게 정착하여 스스로 씨를 퍼트리며 살아가는 식물을 '귀화 식물'이라고 한다.

(다) 귀화 식물은 우리 주변에서 쉽게 볼 수 있다. 대표적인 귀화 식물이 망초와 개망초이다.

(라) 서양민들레는 토종 민들레와 비슷해 보이지만 토종 민들레보다 꽃들을 싸고 있는 총포가 뒤로 젖혀져서 구별하기 쉽다.

(마) 오리새나 큰김의털은 도로 공사 때 땅을 깎아 만든 비탈면에 심으려고 들여왔던 것들인데, 이것들이 퍼져 나가 우리나라에 정착하였다.

– 이유미, 〈다시 보는 귀화 식물〉

① (가): 식물을 원산지를 기준으로 '분류와 구분'하여 설명하였다.
② (나): 귀화 식물의 뜻을 '정의'로 설명하였다.
③ (다): 주변에서 쉽게 볼 수 있는 귀화 식물을 '예시'로 설명하였다.
④ (라): 서양민들레와 토종 민들레의 차이점을 '비교와 대조'로 설명하였다.
⑤ (마): 오리새나 큰김의털이 우리나라에 정착하게 된 경로를 '분석'으로 설명하였다.

유형 해결 전략

문단에 쓰인 설명 방법을 파악하는 문제이다. 각 문단의 ❶ [ ] 내용을 정리하고, 그 내용을 설명하기 위해 사용한 ❷ [ ] 방법을 파악해 본다.

❶ 중심 ❷ 설명

대표 예제 2

보기 의 ㉠에 들어갈 알맞은 설명 방법을 쓰시오.

내향적인 사람은 어떤 특성을 보일까. 일반적으로 생각하는 것처럼 조용하고 부끄러움이 많고 혼자 있기를 좋아한다는 점이 내향성의 본질은 아니다. 내향적이라는 것은 말을 내뱉기 전 심사숙고(深思熟考)하고 행동하기 전 충분히 생각하고 실천으로 옮긴다는 것을 의미한다.

심사숙고(深思熟考): 깊이 잘 생각함.

반면 외향적인 사람은 다른 사람과 대화를 나누는 과정에서 자기 생각을 정리하고 사고를 형성해 나간다. 머릿속으로 깊이 사고하는 시간이 짧기 때문에 결론에 도달하는 시간이 짧고 그만큼 충동적인 경향을 보이기도 한다. (중략)

따라서 외향적인 사람이 내향적인 사람보다 강하다는 표현은 적절하지 않다. 각기 다른 강점이 있을 뿐이다.

– 문세영, 〈외향적인 사람이 강하다?〉

보기

이 글은 내향적인 사람과 외향적인 사람의 특성을 (㉠)의 설명 방법을 써서 전개하여 외향적인 사람이 내향적인 사람보다 강하다는 표현은 적절하지 않음을 말하고 있다.

유형 해결 전략

글에 사용된 설명 방법을 파악하는 문제이다. 글에 쓰인 ❶ [ ] 방법을 중심으로 글의 ❷ [ ] 를 파악해 보며 글쓴이가 말하고자 하는 바를 생각해 본다.

❶ 설명 ❷ 구조

>> 정답과 해설 35쪽

대표 예제 3

(가)~(마)에 쓰인 설명 방법이 쓰이지 않은 것은?

> 가 세금이란 국가가 나라 살림을 잘 꾸려 나갈 수 있도록 국민이 법에 따라 내는 돈을 말한다.
>
> 나 그럼 국민이 내는 세금은 주로 어디에 쓰일까? 먼저 쉽게 볼 수 있는 것이 도로를 건설하거나 여러 공공시설을 짓는 일이다.
>
> 다 세금은 국가가 국민에게 세금을 걷는 방식에 따라 일반적으로 직접세와 간접세로 나눌 수 있다.
>
> 라 직접세는 국민의 소득이나 재산을 일일이 조사해야 매길 수 있어서 정부가 세금을 걷는 게 무척 복잡하다. 반면에 간접세는 소비자들이 물건을 살 때마다 자동으로 내게 되니 정부로서는 편하다.
>
> 마 그런데 세금이 잘 걷힌다고 효율적으로 생각하는 것은 섣부른 판단이다. 간접세 비중이 높으면 직접세로 얻을 수 있는 소득 격차를 줄이는 효과가 약해질 수 있기 때문이다.
>
> – 조준현, 〈세금, 얼마나 알고 있나요〉

① (가): 구름이란 공기 중의 수분이 엉겨서 미세한 물방울이나 얼음 결정의 덩어리가 되어 공중에 떠 있는 것을 말한다.

② (나): 시계는 태엽, 초침, 분침, 시침 등으로 구성되어 있다.

③ (다): 문화재는 형태의 유무에 따라 유형 문화재와 무형 문화재로 나뉜다.

④ (라): 거문고와 가야금은 우리나라 고유의 전통 악기라는 공통점이 있지만 거문고는 줄이 6개인데 반해, 가야금은 12개이다.

⑤ (마): 비가 와서 운동장에서 축구를 하지 못했다.

유형 해결 전략

문단에 쓰인 설명 방법을 파악하는 문제이다. 각 문단의 ❶ [ ] 내용과 쓰인 설명 방법을 정리하고, 선택지에 쓰인 ❷ [ ] 방법과 비교해 본다.

❶ 중심 ❷ 설명

대표 예제 4

다음 글에 쓰인 설명 방법의 평가로 적절한 것은?

> 구들의 구조는 크게 불을 때는 곳인 아궁이, 열기가 지나가는 통로인 고래, 그리고 연기가 밖으로 배출되는 굴뚝으로 나뉜다. 아궁이에 불을 지피면 열기를 머금은 연기는 경사면을 타고 올라가 부넘기라는 턱에 맞닥뜨린다. 부넘기에 부딪혀 위로 솟구친 연기는 긴 통로를 지나가게 되는데, 이 길이 고래이다. 이때 연기는 그 열기를 한껏 머금고 고래 위에 덮어 놓은 구들장을 데우며 지나간다. 고래의 끝자락에 있는 웅덩이가 개자리이다. 개자리는 고래보다 깊이 파여 있어 찬 기운이 감돌기 때문에 불길에 딸려 온 그을음이나 티끌이 이곳에 떨어진다. 개자리에서 머물던 연기는 그만큼 가벼워져서 연도를 통해 굴뚝으로 빠져나가게 된다.

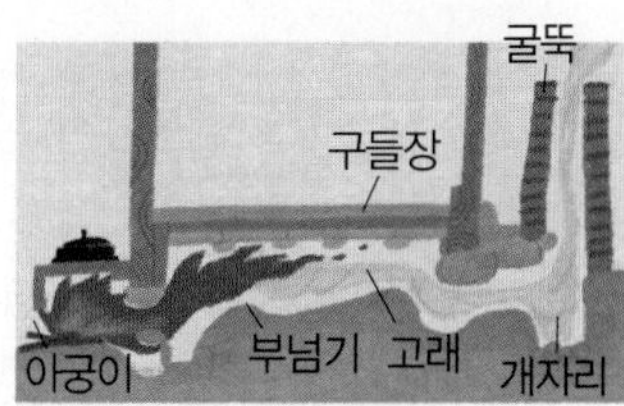

▲ 재래식 구들의 구조도

① 정의의 방법으로 구들의 뜻을 밝혀 대상을 쉽게 소개했어.

② 분석의 방법으로 구들을 구성하는 요소를 제시한 후 순서대로 설명했어.

③ 예시의 방법으로 구들이 사용되는 예를 보여 주어 독자의 이해를 돕고 있어.

④ 비교와 대조의 방법으로 한옥과 서양 집의 차이점을 보여 주며 내용을 전개했어.

⑤ 인과의 방법으로 우리나라 사람들이 구들을 사랑하게 된 이유를 효과적으로 제시했어.

유형 해결 전략

글에 사용된 설명 방법의 효과를 파악하는 문제이다. 설명 대상이 한옥의 ❶ [ ] 임을 알고 한옥의 구들의 ❷ [ ] 를 설명한 방법을 파악해 본다.

❶ 구들 ❷ 구조

대표 예제 5

(가), (나)에 쓰인 매체의 표현 방법과 의도를 평가한 내용으로 적절하지 않은 것은?

가

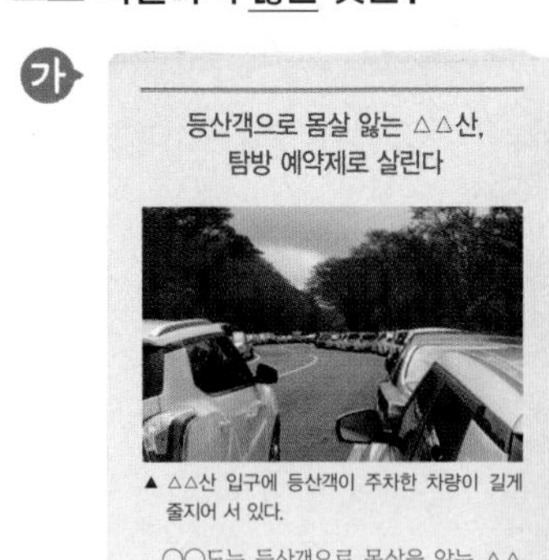

등산객으로 몸살 앓는 △△산, 탐방 예약제로 살린다

▲ △△산 입구에 등산객이 주차한 차량이 길게 줄지어 서 있다.

○○도는 등산객으로 몸살을 앓는 △△산을 살리기 위해 탐방 예약제를 도입한다. ……

나

'△△산 탐방 예약제' 논란, 등산객들의 불만 쏟아져

▲ 사전에 예약을 하지 않으면 △△산에 들어가기 어렵다.

이르면 내년 하반기부터 시행하기로 한 '△△산 탐방 예약제'를 두고 논란이 계속되고 있다. ……

① (가): '몸살'이라는 부정적 표현을 제목에 넣어 탐방 예약제가 필요하지 않음을 강조했군.
② (가): '살린다'라는 표현으로 탐방 예약제에 대한 긍정적인 입장을 드러냈군.
③ (가): 등산객이 많이 몰린 사진을 제시해 탐방 예약제가 필요함을 뒷받침했군.
④ (나): '논란', '불만'이라는 표현으로 탐방 예약제에 대한 부정적인 입장을 드러냈군.
⑤ (나): 탐방 예약제에 불만이 있는 등산객을 그린 그림을 제시해 탐방 예약제의 문제점을 드러냈군.

유형 해결 전략

기사문에 쓰인 표현 방법을 통해 기사를 쓴 ❶ [　　] 를 파악하는 문제이다. 기사의 제목과 본문에 쓰인 어휘나 문장 표현, 사진이나 ❷ [　　] 을 통해 기사를 쓴 의도를 파악해 본다.

❶ 의도 ❷ 그림

대표 예제 6

㉠과 보기 를 비교한 내용으로 적절하지 않은 것은?

다음은 우리 반 학생들의 식사 시간을 조사한 결과입니다. 조사 결과에 따르면 70퍼센트의 학생들이 5분에서 15분 사이에 식사를 마치는 것을 확인할 수 있었습니다. 심지어 5분 이내에 먹는다는 학생도 20퍼센트나 되었습니다. 반면에 15분 이상 식사를 하는 학생은 10퍼센트에 지나지 않았습니다.

㉠

식사 시간	비율(%)
3분 미만	5
3~5분	15
5~10분	40
10~15분	30
15분 이상	10

▲ 우리 반 학생들의 식사 시간

보기

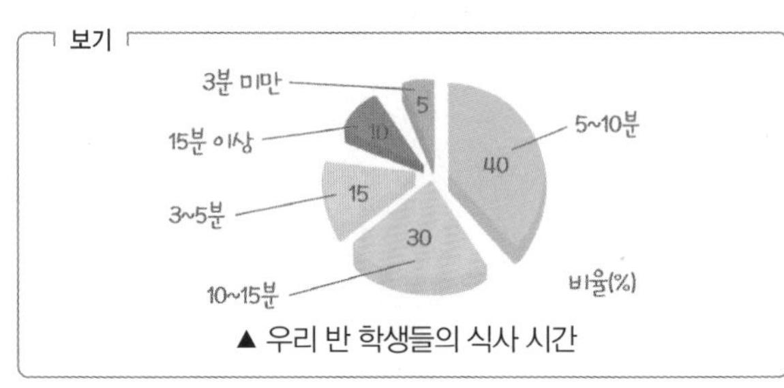

▲ 우리 반 학생들의 식사 시간

① ㉠은 표로, 〈보기〉는 도표로 학생들의 식사 시간을 제시하였다.
② ㉠과 〈보기〉는 모두 식사 시간에 대한 학생들의 생각을 알 수 있다.
③ ㉠은 식사 시간별 학생의 비율을 정확한 수치로 알 수 있다.
④ 〈보기〉는 식사 시간별 학생의 비율을 한눈에 알 수 있다.
⑤ 〈보기〉는 학생들이 가장 많이 한 응답을 쉽게 파악할 수 있다.

유형 해결 전략

매체 자료의 효과를 파악하는 문제이다. ❶ [　　] 자료의 종류를 파악해 보고, 같은 내용을 다른 매체로 제시했을 때 그 ❷ [　　] 의 차이를 비교해 본다.

❶ 시각 ❷ 효과

대표 예제 7

(가)~(마)에서 고쳐 쓸 부분을 점검한 내용으로 적절하지 않은 것은?

> **가** 머리카락의 비밀
>
> **나** 머리카락은 모표피, 모피질, 모수질이라는 3개의 층으로 이루어져 있다. (중략) 머리카락이 상한다는 것은 이 모표피가 벌어지거나 떨어져서 손상된 것을 의미한다.
>
> **다** 머리카락이 상하는 것을 막고 건강한 머릿결을 유지하기 위해서는 어떻게 해야 할까? 머릿결에 좋은 음식을 먹는 것이 도움이 된다.
>
> **라** 그렇다면 머릿결이 나빠지는 이유는 무엇일까? 머리카락은 케라틴이라는 단백질로 이루어져 있는데 단백질은 열에 약하다. 그래서 뜨거운 물이나 바람 등과 자주 접촉하면 머리카락이 상하여 머릿결이 나빠진다.
>
> **마** 결국 머릿결은 우리의 일상생활과 밀접한 관련이 있다. 건강한 머릿결을 원한다면 생활 습관을 바꿔야 한다. 올바른 생활 습관을 통해 머릿결을 건강하게 유지해 나가기를 바란다.

① (가): 글의 중심 내용을 잘 드러내고 흥미를 끌도록 '건강한 머릿결을 갖고 싶어요!'로 고쳐야겠어.
② (나): 글의 내용을 좀 더 쉽게 이해할 수 있도록 머리카락의 구조를 나타낸 그림을 추가해야겠어.
③ (다): 글의 논리적인 흐름을 고려하여 (라)와 순서를 바꾸어야겠어.
④ (라): 주제에서 벗어난 내용이므로 삭제해야겠어.
⑤ (마): 글의 끝부분이므로 지금까지 설명한 내용을 정리하는 문장을 추가해야겠어.

유형 해결 전략

설명하는 글을 쓴 후 적절하게 ❶ [　　] 을 하는 방법을 파악하는 문제이다. 설명 대상과 글의 주제를 파악한 후, 글 전체 수준, 문단 수준, 문장 수준, ❷ [　　] 수준으로 고쳐쓰기를 점검해 본다.

❶ 고쳐쓰기 ❷ 단어

대표 예제 8

㉠~㉤에서 효진이가 공감하며 대화한 방법에 대한 설명으로 적절하지 않은 것은?

> **효진**: 무슨 고민 있어? 편하게 말해 봐.
>
> **지애**: 사실은 친구랑 조금 다퉜어.
>
> 
>
> **효진**: ㉠친구랑 다퉈서 고민이구나. ㉡좀 더 자세히 이야기해 볼래?
>
> **지애**: 내가 휴대 전화가 없어져서 걱정하고 있었거든. 그런데 친구는 같이 걱정해 주기는커녕 내가 물건을 잘 잃어버린다고 타박만 하지 뭐야. 그래서 나도 모르게 친구에게 심한 말을 해 버렸어.
>
> **효진**: ㉢(고개를 끄덕이며) ㉣저런, 친구가 네 마음을 알아주지 않아서 속상했겠네. 그렇지만 친구에게 상처를 주는 말을 한 것은 후회되겠다.
>
> **지애**: 속상하기도 하고, 친구와 멀어지게 된 것 같아 괴로워. 사과하고 싶은데 어떻게 해야 할지 모르겠어.
>
> 
>
> **효진**: ㉤(부드럽게 눈을 맞추며) 그래, 답답하겠다.

① ㉠: 지애의 말을 반복해 지애를 이해하고 있음을 표현함.
② ㉡: 질문을 하여 지애가 말을 편하게 이어 갈 수 있게 함.
③ ㉢: 지애의 감정을 이해하고 있음을 드러냄.
④ ㉣: 지애의 말을 정리하며 지애가 잘못한 점을 타이름.
⑤ ㉤: 지애의 말에 집중하고 있음을 드러냄.

유형 해결 전략

상대의 감정에 공감하며 대화하는 방법을 파악하는 문제이다. 지애를 대하는 효진이의 ❶ [　　] 이나 시선을 살펴보고, 효진이가 지애의 ❷ [　　] 에 공감하여 대화한 방법을 살펴본다.

❶ 몸짓 ❷ 감정

2주 4일 교과서 대표 전략 ❷

1 다음 글에 주로 쓰인 설명 방법으로 적절한 것은?

> 국악기는 연주 방법에 따라 관악기, 현악기, 타악기로 나눌 수 있다. 관악기는 공기를 진동시켜서, 현악기는 줄을 문지르거나 퉁겨서, 타악기는 두드려서 소리를 내는 악기이다. 가야금은 현악기에 속한다.

① 정의　② 예시　③ 분석
④ 인과　⑤ 분류와 구분

도움말
제시된 글에서는 ❶ ____의 종류를 설명하고 있다. 설명 방법의 종류에는 '정의, 예시, 인과, 비교와 대조, 분류와 구분, 분석' 등이 있음을 알고, 제시된 글에서 설명 대상을 효과적으로 설명하기 위해 쓰인 ❷ ____ 방법을 찾아보자.

❶ 국악기 ❷ 설명

2 다음 글에 쓰인 설명 방법을 활용하여 설명하기에 적절한 대상은?

> 미생물이 유기물에 작용하여 물질의 성질을 바꾸어 놓는다는 점에서 발효는 부패와 비슷하다. 하지만 발효는 우리에게 유용한 물질을 만드는 반면에, 부패는 우리에게 해로운 물질을 만들어 낸다는 점에서 차이가 있다.

① 빙산의 개념
② 소음의 종류
③ 스마트폰의 기능
④ 소금물의 끓는점이 높은 이유
⑤ 진달래와 철쭉의 공통점과 차이점

도움말
제시된 글에서는 '❶ ____와 부패'를 설명하고 있다. 이를 설명하기 위해 사용한 설명 방법을 파악하고 선택지에 제시된 대상의 ❷ ____에 맞는 설명 방법이 무엇인지 생각해 보자.

❶ 발효 ❷ 특성

3 ㉠에 쓰인 설명 방법으로 적절한 것은?

> 셜록 홈스는 영국의 추리 소설 작가인 아서 코난 도일의 작품에 등장하는 탐정으로, 독특한 매력과 개성을 지니고 있다. 먼저 홈스는 뛰어난 관찰력과 추리력으로 사람들을 놀라게 한다. ㉠<u>의뢰인의 겉모습만 보고 직업을 알아내거나 길에서 주운 모자만으로 모자 주인의 처지, 성격을 정확하게 추리해 낸 일 등은 홈스의 이러한 면모를 잘 드러내는 예이다</u>.

① **정의**: 대상의 뜻을 밝혀 풀이함.
② **예시**: 구체적인 예를 들어 설명함.
③ **인과**: 대상을 원인과 결과의 관계로 설명함.
④ **분류와 구분**: 대상을 일정한 기준에 따라 종류별로 묶거나 나눔.
⑤ **비교와 대조**: 둘 이상의 대상을 견주어 공통점이나 차이점을 밝힘.

4 '경복궁의 구조'를 설명하려고 할 때 가장 적절한 설명 방법을 조건 에 맞게 쓰시오.

▲ 경복궁

조건
• 설명 방법과 설명 방법의 개념을 각각 한 문장으로 쓸 것.

5 다음 글에 제시된 매체 자료와 글쓴이의 의도를 바르게 연결한 것은?

> 한 달에 5만 원인 물품 보관함 대여료를 기꺼이 내는 사람들과 가벼운 주머니를 털어 얼굴도 모르는 타인을 위해 간식을 넣어 두는 사람들 덕분에 달콤 창고는 전국 지하철역을 중심으로 퍼져 나갔고, 불과 몇 달 만에 백여 곳으로 늘어났다.
>
> 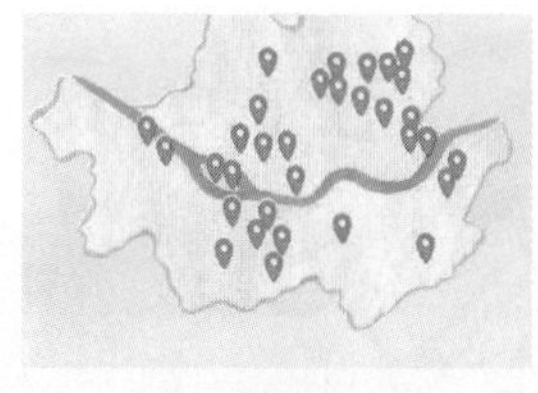
> 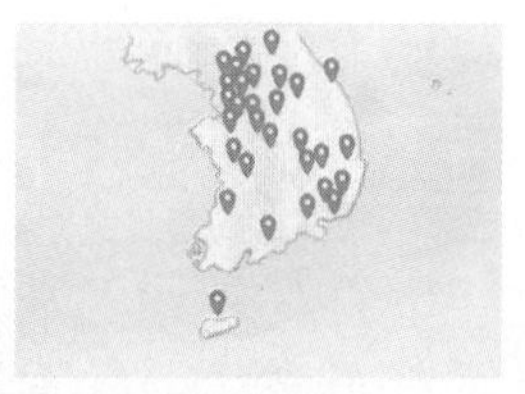

① **인터뷰 영상**–글의 내용에 신뢰성을 더해 주려고
② **문구**–대상의 변화를 구체적으로 보여 주려고
③ **도표**–글의 주제를 쉽게 파악하게 하려고
④ **지도**–글의 내용을 한눈에 나타내어 효과적으로 이해하게 하려고
⑤ **사진**–실제 모습을 보여 주어 생생한 현장감을 느끼게 하려고

6 다음에 제시한 매체 자료의 효과로 가장 적절한 것은?

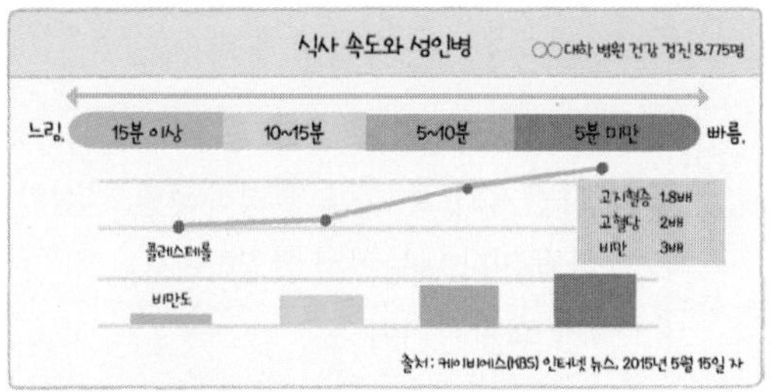

① 대상의 움직임을 간략하게 보여 준다.
② 소리를 활용하여 독자의 감성을 자극한다.
③ 대상에 대한 정보를 한눈에 파악하게 한다.
④ 내용을 압축하여 이어질 내용을 예측하게 한다.
⑤ 선명한 색채를 통해 내용을 생생하게 전달한다.

도움말
대상에 대한 정보, 특징, 상황 등을 바르게 전달하기 위해 사용한 매체의 ❶ ______ 를 파악해 보고, 일반적인 줄글과 비교하여 ❷ ______ 를 파악해 보자.

❶ 종류 ❷ 효과

7 ㉠~㉤을 고쳐쓰기 위한 계획으로 적절하지 <u>않은</u> 것은?

> 이 글에서는 수영하는 방법과 수영의 효과에 대해 알아보고자 한다. (중략)
> ㉠<u>그렇다면 어떤 점이 좋을까?</u> ㉡<u>난 초등학교 때까지 수영을 좋아했다.</u> 수영은 물속에서 온몸을 사용하는 운동이기 때문에 심장이나 폐의 기능을 향상할 뿐만 아니라 근력, 지구력, 유연성 등을 길러 주어 신체를 균형 있게 발달시키는 데 도움을 준다. ㉢<u>그러나</u> 물에 대한 공포심을 없애 주고 대담성과 침착성을 ㉣<u>기르는데</u> 도움을 준다.
> ㉤<u>달리기 또한 건강을 지키는 손쉬운 운동이다.</u>

① ㉠: '그렇다면' 다음에 '수영을 하면'을 넣어 문장의 뜻을 분명하게 하기
② ㉡: 문단의 중심 내용과 관련 없으므로 삭제하기
③ ㉢: '또한'으로 바꾸어 문장을 자연스럽게 연결하기
④ ㉣: '기르는 데'로 띄어쓰기 바르게 하기
⑤ ㉤: 앞 문단과 관련 있으므로 앞 문단에 연결하기

8 상대방의 말을 요약하며 공감하는 태도로 대화를 이어 갈 때 ㉠에 들어갈 말로 가장 적절한 것은?

> **효진:** 준호야, 표정이 왜 그래? 무슨 일 있어?
> **준호:** 너도 알잖아. 학급 회의에서 학급 티셔츠 디자인에 반대해서 친구들이랑 서먹해진 거.
> **효진:** 아, 그 일 때문에 기분이 안 좋구나.
> **준호:** 학급 회의에서 내 의견을 말한 것뿐인데……. 나 때문에 티셔츠를 못 만들게 된 것처럼 말하잖아.
> **효진:** (　　　　　㉠　　　　　)

① 너 예전 회의에서도 그랬지?
② 나도 티셔츠를 못 만들지도 모른다고 생각해.
③ 친구들도 심하긴 했어. 그렇지만 너도 친구들을 이해하려고 노력해 봐.
④ 의견을 말했을 뿐인데 친구들이 너 때문에 티셔츠를 못 만들게 된 것처럼 말했구나.
⑤ 네 말투가 공격적이어서 친구들이 티셔츠를 만들지 말자고 하는 것으로 받아들였나 봐.

2주 누구나 합격 전략

1 (가)와 (나)에 공통으로 쓰인 설명 방법으로 적절한 것은?

> **가** 견디기 어렵게 간지러운 느낌은 두 가지로 나누어 볼 수 있습니다. 하나는 '외부 자극에 의한 가려움[Knismesis]'이고, 또 다른 하나는 '웃음이 나는 간지럼[Gargalesis]'입니다.
>
> **나** 세금에는 여러 가지 종류가 있다. 먼저 세금은 누가 거두어들이느냐에 따라 크게 국세와 지방세로 나뉜다. 국세는 중앙 정부 기관인 국세청과 관세청에서 걷는 세금이고, 지방세는 지방 자치 단체에서 걷는 세금이다.
>
> 또한, 세금은 국가가 국민에게 세금을 걷는 방식에 따라 일반적으로 직접세와 간접세로 나눌 수 있다.

① 구체적인 예를 들어 설명하는 방법
② 대상의 뜻을 분명하게 밝히는 설명 방법
③ 대상을 원인과 결과의 관계로 설명하는 방법
④ 여러 대상을 기준에 따라 묶거나 나누어 설명하는 방법
⑤ 둘 이상의 대상을 견주어 공통점이나 차이점을 설명하는 방법

2 설명 방법과 그 예가 바르게 연결되지 않은 것은?

① **정의**: 여드름은 주로 사춘기에 얼굴 등에 도톨도톨하게 나는 검붉은 작은 종기이다.
② **분석**: 물질의 기본적 구성단위인 원자는 원자핵과 전자로 이루어져 있다.
③ **분류와 구분**: 머리카락은 모양에 따라 직모, 파상모, 축모로 나눌 수 있다.
④ **예시**: 백색 소음에는 비 오는 소리, 폭포수 소리, 파도 소리 등이 있다.
⑤ **인과**: 마술이란 재빠른 손놀림이나 여러 장치 등을 써서 불가사의한 일을 해 보는 것을 말한다.

3 '자전거'에 대해 설명하는 글을 쓰려고 한다. 다음 대상을 설명하기에 적절한 설명 방법을 보기에서 골라 쓰시오.

> 보기
>
> 정의　　예시　　비교와 대조
> 인과　　분류와 구분　　분석

(1) '자전거의 뜻'을 설명하려면 대상의 뜻을 밝혀 대상에 관한 독자의 이해를 돕는 '(　　　　)'을/를 사용하는 것이 효과적이다.

(2) '자전거의 종류'를 설명하려면 일정한 기준에 따라 묶거나 나누어서 설명하는 '(　　　　)'이/가 효과적이다.

(3) '자전거와 자동차의 공통점과 차이점'을 설명하려면 둘 이상의 대상을 견주어서 공통점과 차이점을 설명하는 '(　　　　)'을/를 사용하는 것이 효과적이다.

(4) '자전거의 구조'를 설명하려면 연관이 있는 여러 부분으로 이루어진 하나의 대상을 설명할 때 쓰이는 '(　　　　)'을/를 사용하는 것이 효과적이다.

>> 정답과 해설 36쪽

4 다음 신문 기사에서 제목이 하는 역할로 적절한 것은?

등산객으로 몸살 앓는 △△산, 탐방 예약제로 살린다

▲ △△산 입구에 등산객이 주차한 차량이 길게 줄지어 서 있다.

○○도는 등산객으로 몸살을 앓는 △△산을 살리기 위해 탐방 예약제를 도입한다. ……

① 복잡한 수치를 간단하게 제시한다.
② 상황의 움직임을 실감 나게 보여 준다.
③ 기사의 주요 내용을 압축하여 보여 준다.
④ 특정 기간의 상황 변화를 효과적으로 보여 준다.
⑤ 기사의 주요 내용을 구조화하여 한눈에 보여 준다.

5 다음 글의 내용을 가장 잘 전달할 수 있는 매체 자료는?

> 한국의 명태는 1970년대 중반에 5만 톤 정도 잡혔던 것이 1980년대 초반에는 15만 톤까지 잡혀 최고치를 기록했다. 이후 1990년대에는 1만여 톤으로 급감했고 2000년대에는 1천 톤을 넘지 못하다가 급기야 2008년에는 공식적으로 어획량이 '0'으로 보고되었다.

① 한국의 명태 어획량 변화를 그린 도표
② 명태 알이 명태가 되기까지의 과정을 담은 애니메이션
③ 삼면의 바다에서 많이 잡히는 어종을 그린 우리나라 지도
④ 동해에서 명태를 잡는 우리나라 어부들의 모습이 담긴 사진
⑤ 명태의 어획량이 줄어든 이유를 설명하는 전문가의 인터뷰 영상

6 밑줄 친 부분을 고쳐 쓰려는 이유에 맞게 바르게 고친 것은?

> 지금까지 머리카락 손상의 의미와 머릿결이 나빠지는 이유, 건강한 머릿결을 유지하는 방법을 살펴보았다. 결국 머릿결은 우리의 일상생활과 밀접한 관련이 있다. 건강한 머릿결을 원한다면 생활 습관을 바꿔야 한다. 올바른 생활 습관을 통해 머릿결을 건강하게 <u>지지해</u> 나가기를 바란다.

① 변형돼
② 유지해
③ 전달해
④ 제거해
⑤ 해결해

7 다음 대화에 나타난 공감하며 듣기의 방법이 <u>아닌</u> 것은?

① 상대방이 한 말을 요약하기
② 상대방을 부드럽게 바라보기
③ 대화의 맥락에 맞는 표정 짓기
④ 상대방에게 자신의 비슷한 경험을 이야기하기
⑤ 상대방의 말에 '그랬구나.'와 같이 맞장구치기

1 ㉠~㉤을 설명 방법과 연결하여 이해한 내용으로 적절하지 <u>않은</u> 것은?

① ㉠: 정전기의 개념을 정의의 방법으로 설명하고 있다.

② ㉡: 일상생활에서 경험하는 정전기의 사례를 예시의 방법으로 설명하고 있다.

③ ㉢: 선생님이 인과의 방법으로 설명해 줄 것임을 짐작할 수 있다.

④ ㉣: 여름보다 겨울에 정전기가 잘 생기는 이유를 인과의 방법으로 설명하고 있다.

⑤ ㉤: 합성 섬유와 천연 섬유의 차이점을 비교와 대조하여 설명하고 있다.

도움말

질문하고 답하는 과정에 쓰인 ❶ [ ] 방법을 파악해 보자. ❷ [ ] 의 뜻, 겨울에 정전기가 잘 생기는 이유, 정전기를 줄이는 방법에 맞게 쓰인 설명 방법을 관련지어 보자.

❶ 설명 ❷ 정전기

2 보기 는 ㉠을 그림으로 나타낸 것이다. 이를 참고하여 ㉠에 사용된 설명 방법을 조건 에 맞게 쓰시오.

> 사람에게 가장 위험한 동물은 따로 있다. ㉠<u>날씬한 몸매에 투명한 날개와 털이 덥수룩한 다리, 털이 보송보송한 한 쌍의 더듬이, 한 쌍의 겹눈, 바늘처럼 기다란 주둥이가 특징인 이것</u>. 몸무게는 기껏해야 2밀리그램. 우리 머리카락 네 가닥 무게쯤 된다. 너무도 작고 연약하여 안쓰러울 정도다. 하지만 이 동물의 이름을 듣는 순간, '아! 정말 싫다.'라는 생각이 절로 든다. 그의 이름은 모기. 그렇다. 사람에게 가장 위험한 동물은 '모기'다. 무려 72만 5,000명이 매년 모기 때문에 죽는다.

보기

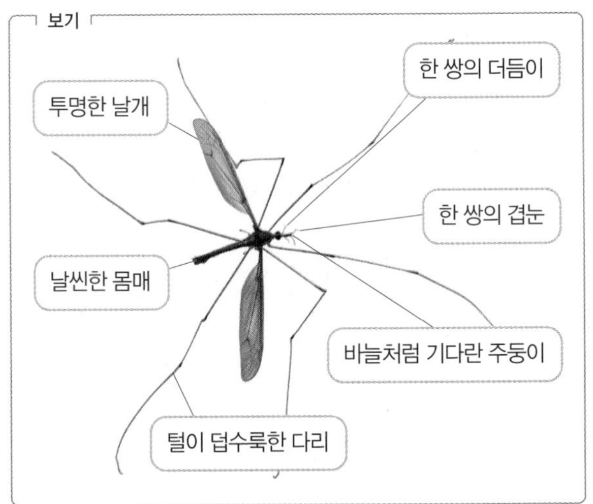

조건

• ㉠에 사용된 설명 방법을 쓰고, 그렇게 생각한 이유를 쓸 것.

도움말

〈보기〉의 그림이 설명 대상인 모기의 몸 ❶ [ ] 를 나타내고 있음을 확인하고, ㉠에서 모기를 각각의 ❷ [ ] 요소로 나누어 설명하고 있음을 파악해 보자.

❶ 구조 ❷ 구성

>> 정답과 해설 36쪽

3 |보기|는 다음 글에 주로 쓰인 설명 방법을 파악하는 과정이다. ㉠에 들어갈 적절한 설명 방법을 쓰시오.

'외부 자극에 의한 가려움'을 살펴보겠습니다. 벌레가 팔 위를 누비는 상황을 생각하시면 됩니다. 굉장히 성가신 가려움이지요. 몸 전체의 피부에서 나타나는데 특징은 아주 약한 움직임으로 발생한다는 것입니다. 이것이 느껴지면 '벅벅' 긁거나 문지르고 싶어지지요. (중략)

'웃음이 나는 간지럼'을 살펴보겠습니다. 이것은 신체의 특정 부위에서 잘 일어나며, 가려움보다는 더 강한 촉감 때문에 생긴다는 특징이 있습니다. 간지럼도 가려움과 마찬가지로 이전에는 통각으로 여겨졌습니다.

보기

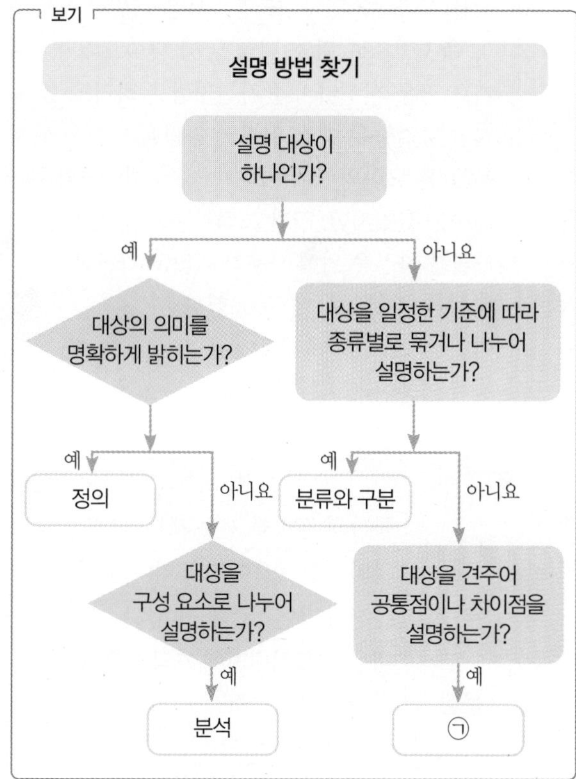

도움말

설명 내용을 ❶ [ ] 로 정리해 보면 대상을 어떻게 설명했는지 알 수 있다. 〈보기〉의 과정에 따라 제시된 글에 사용된 ❷ [ ] 방법을 찾아보자.

❶ 구조도 ❷ 설명

4 |보기|의 자료 가운데 다음 글에 추가할 수 있는 내용과 사용할 설명 방법을 바르게 연결한 것은?

꿀에는 무기질과 비타민이 들어 있어 꿀은 피로를 푸는 데 좋다. 그러나 1킬로그램의 꿀을 만들기 위해서는 꿀벌이 무려 560만 개의 꽃을 찾아다녀야 하기 때문에 꿀은 수요에 비해 생산량이 적다.

조청은 탄수화물, 단백질, 무기질 등 다양한 영양 성분을 함유하고 있다. 또한 일상에서 쉽게 구할 수 있는 재료로 만들어서 많은 양을 생산할 수 있다.

이처럼 꿀과 조청은 다양한 영양 성분이 들어 있는 천연 감미료라는 공통점이 있다. 반면 꿀은 수요에 비해 생산량이 적지만, 조청은 많은 양을 생산할 수 있다는 차이점이 있다.

보기

구분	꿀	조청
매체		
뜻	꽃의 꿀샘에서 분비된 액체를 채집하고 이것을 벌집으로 운반하여 숙성시킨 천연 감미료	곡식에 엿기름을 넣고 오래 조려 만든 천연 감미료
공통점	다양한 영양 성분이 들어 있는 천연 감미료	
차이점	수요에 비해 생산량이 적음.	일상에서 쉽게 구할 수 있는 재료로 만들어서 많은 양을 생산할 수 있음.

	내용	설명 방법
①	꿀과 조청의 뜻	정의
②	꿀과 조청의 구조	분석
③	꿀과 조청의 활용 사례	예시
④	꿀과 조청의 논리적 관계	인과
⑤	꿀과 조청의 여러 종류	분류와 구분

도움말

제시된 글의 ❶ [ ] 내용을 파악하고, 중심 내용에 맞게 추가할 수 있는 내용을 〈보기〉에서 찾아 그 내용을 전달하는 데 적절한 ❷ [ ] 방법을 생각해 보자.

❶ 중심 ❷ 설명

5 다음 글을 뒷받침하기 위해 | 보기 |의 ㉠, ㉡을 제시했을 때의 효과를 각각 쓰시오.

> 의미 있는 소비를 하려는 사람들의 열망을 보여 주는 사례가 있다. 서울에 있는 한 사진관은 고객이 사진을 찍을 때마다 소외 계층의 사람들에게 촬영권을 준다.
>
> 일대일 기부 방식을 도입하자 손님도 늘어났다. 같은 가격에 좋은 일까지 할 수 있다는 사실이 사람들을 움직였다. 심지어 추가로 돈을 기부하면서 소외된 이웃을 위한 사진을 더 많이 찍어 달라고 부탁하는 사람들도 꽤 있다. 이 사진관과 같은 일대일 기부를 포함해, 정기적으로 기부에 참여하는 가게가 매년 급격하게 늘어나고 있다.

보기

㉠

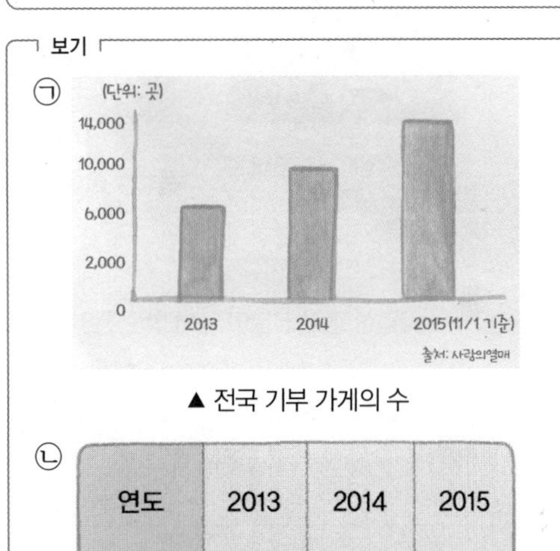

▲ 전국 기부 가게의 수

㉡

연도	2013	2014	2015
가게 수	6,917	9,008	14,139

▲ 전국 기부 가게의 수

도움말

같은 내용을 도표(막대그래프)와 ❶ [ ]로 제시할 때의 효과와 그 ❷ [ ]를 비교해 보자.

❶ 표 ❷ 차이

6 다음 글을 고쳐쓰기 위해 점검한 결과를 보고, 밑줄 친 부분 중 단어 수준에서 고쳐야 할 부분을 바르게 고쳐 쓰시오.

> **진정한 영웅, 홍길동**
>
> 우리나라 최초의 한글 소설 〈홍길동전〉의 주인공인 홍길동은 우리 사회가 바라는 영웅이라고 할 수 있다. 홍길동의 영웅적인 면모를 구체적으로 살펴보면 먼저 홍길동은 당시의 모순된 현실에 저항했다. 서자를 차별하는 현실에서 벗어나고자 집을 나가고, 탐관오리를 벌하는 등의 행동에서 이러한 특징을 잘 알 수 있다. <u>또 홍길동은 비범한 능력을 지녀 축지법으로 먼 거리를 금세 다녀오거나 지푸라기로 만든 허수아비를 자신처럼 부리기도 했다. 하지만</u> 홍길동은 이런 뛰어난 능력을 백성을 위해 사용했다. 도적의 우두머리가 되어 해인사와 관가의 재물을 훔쳤지만, 일반 도적과는 달리 훔친 재물을 자신을 위해 사용하지 않고 가난한 백성을 <u>구제하는데</u> 사용했다. 이런 점으로 볼 때 홍길동은 진정한 영웅이라고 할 수 있다.

점검 수준	점검 사항	점검 결과
글 전체	독자의 흥미를 끄는 제목인가?	○
	글의 중심 내용이 잘 드러나는가?	○
문단	문장이 자연스럽게 이어지는가?	×
문장	내용을 드러내기에 효과적인 표현을 사용했는가?	○
	문장의 길이는 적절한가?	×
단어	띄어쓰기는 올바른가?	×

도움말

글 전체 수준, 문단 수준, ❶ [ ] 수준, 단어 수준에서 점검 사항을 연결하여 글을 점검해 보고, ❷ [ ]가 바르지 않은 부분을 의존 명사의 쓰임에서 찾아본다.

❶ 주제 ❷ 띄어쓰기

7 | 보기 |는 효진이가 공감하며 대화한 방법을 파악한 과정이다. ㉠에 들어갈 알맞은 말을 찾아 쓰시오.

> **효진:** 친구랑 다퉈서 고민이구나. 좀 더 자세히 이야기해 볼래?
> **지애:** 내가 휴대 전화가 없어져서 걱정하고 있었거든. 그런데 친구는 같이 걱정해 주기는커녕 내가 물건을 잘 잃어버린다고 타박만 하지 뭐야. 그래서 나도 모르게 친구에게 심한 말을 해 버렸어.
> **효진:** (고개를 끄덕이며) 저런, 친구가 네 마음을 알아주지 않아서 속상했겠네. 그렇지만 친구에게 상처를 주는 말을 한 것은 후회되겠다.
> **지애:** 속상하기도 하고, 친구와 멀어지게 된 것 같아 괴로워. 사과하고 싶은데 어떻게 해야 할지 모르겠어.
> **효진:** (부드럽게 눈을 맞추며) 그래, 답답하겠다.

보기

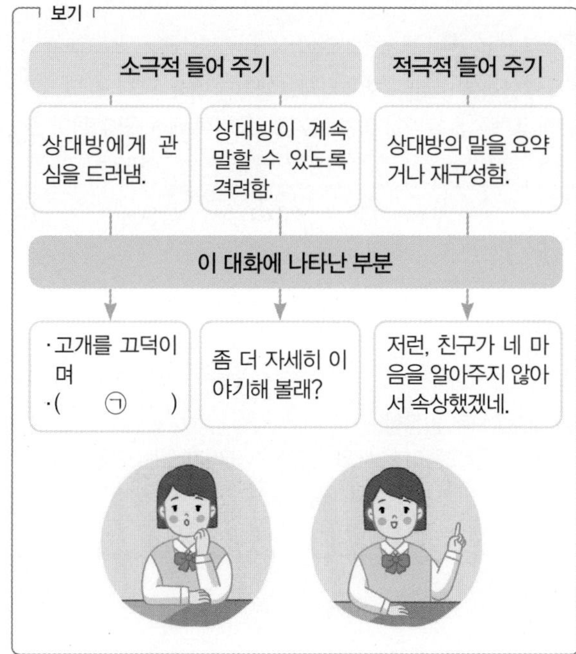

소극적 들어 주기		적극적 들어 주기
상대방에게 관심을 드러냄.	상대방이 계속 말할 수 있도록 격려함.	상대방의 말을 요약거나 재구성함.
이 대화에 나타난 부분		
·고개를 끄덕이며 ·(　　㉠　　)	좀 더 자세히 이야기해 볼래?	저런, 친구가 네 마음을 알아주지 않아서 속상했겠네.

도움말

〈보기〉에서 ❶ ______ 하며 대화하는 방법을 확인하고 효진이가 지애의 ❷ ______ 에 공감하며 대화하기 위해 사용한 방법을 파악해 보자.

❶ 공감 ❷ 감정

8 | 보기 |를 참고하여 주연이가 한 말을 | 조건 |에 맞게 고쳐 쓰시오.

보기

'공감'의 뜻을 사전에서 찾아보면 '남의 감정, 의견, 주장 따위에 대하여 자기도 그렇다고 느낌 또는 그렇게 느끼는 기분'이라는 것을 알 수 있다. 공감하며 대화한다는 것은 상대방의 생각에 자신도 그렇다고 느끼면서 대화하는 것이다. 공감하며 대화할 때는 상대방의 처지에서 상대방의 생각과 감정을 이해하려고 노력해야 한다.

조건

- 상대방의 처지에서 공감하는 말을 포함할 것.
- 상대방의 관점에서 문제를 해결할 수 있는 말을 포함할 것.

도움말

〈보기〉를 참고하여 ❶ ______ 하며 대화하기에 대해 이해한 후, ❷ ______ 들어 주기의 방법으로 주연이의 말을 고쳐 보자. 카메라가 잘 작동이 되지 않을 때의 지혁이의 심정을 표현할 말을 생각해 보고, 지혁이의 상황을 자신의 말로 새롭게 구성해 보자.

❶ 공감 ❷ 적극적

시험 대비 마무리 전략

문법

한글

자음자	상형	발음 기관을 본떠 기본자 'ㄱ, ㄴ, ㅁ, ㅅ, ㅇ'을 만듦.
	가획	기본자에 획을 더해 가획자 'ㅋ, ㄷ, ㅌ, ㅂ, ㅍ, ㅈ, ㅊ, ㆆ, ㅎ'을 만듦.
모음자	상형	천지인을 본떠 기본자 'ㆍ, ㅡ, ㅣ'를 만듦.
	합성	기본자를 합해 초출자 'ㅗ, ㅜ, ㅏ, ㅓ'를 만들고 초출자에 'ㆍ'를 한 번 더 합해 재출자 'ㅛ, ㅠ, ㅑ, ㅕ'를 만듦.

담화

뜻	담화가 모여 이루어진 발화의 연속체
구성 요소	말하는 이, 듣는 이, 주고받는 내용, ❶ ____
맥락	• 상황 맥락: 담화의 해석에 영향을 미치는, 장면 자체와 관련된 맥락 • 사회·문화적 맥락: 담화의 해석에 영향을 미치는, 사회·문화적 배경, 관습 등과 관련된 맥락

발음

'ㅢ' 발음	'ㅢ, ㅣ, ㅔ' 세 가지로 발음함.
받침 발음	'ㄱ, ㄴ, ㄷ, ㄹ, ㅁ, ㅂ, ❷ ____'의 7개
겹받침 발음	• 앞 자음이나 뒤 자음을 대표음으로 발음함. • 받침 뒤에 실질적인 의미가 없는 모음이 올 때와 실질적인 의미가 있는 모음이 올 때 차이가 있음.

❶ 맥락 ❷ ㅇ

읽기

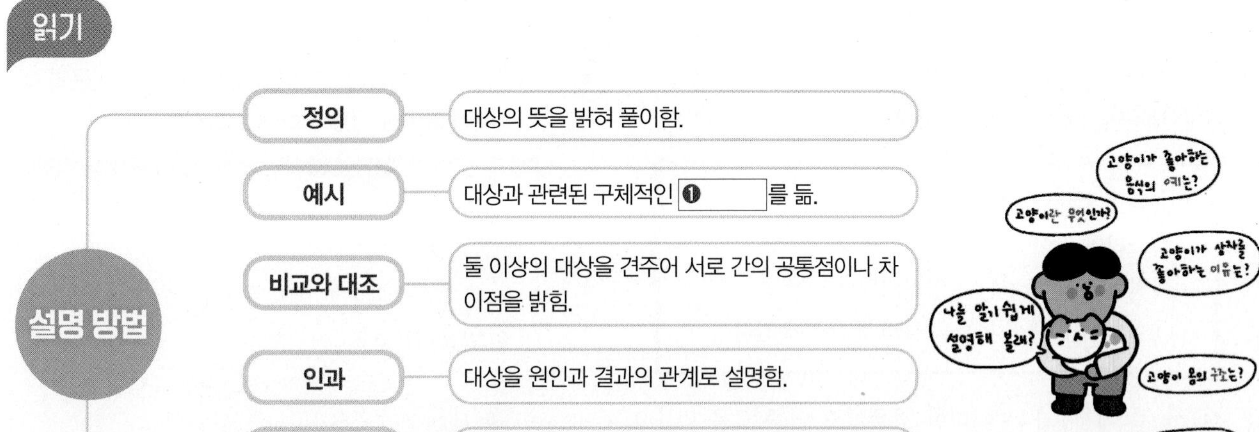

설명 방법

- **정의**: 대상의 뜻을 밝혀 풀이함.
- **예시**: 대상과 관련된 구체적인 ❶ [　　　] 를 듦.
- **비교와 대조**: 둘 이상의 대상을 견주어 서로 간의 공통점이나 차이점을 밝힘.
- **인과**: 대상을 원인과 결과의 관계로 설명함.
- **분류와 구분**: 대상을 일정한 기준에 따라 종류별로 묶거나 나눔.
- **분석**: 대상을 구성 요소나 부분으로 나누어 설명함.

매체 자료

종류	시각 자료(사진, 그림, 도표), 청각 자료(소리, 음악), 시청각 자료(동영상, 애니메이션)
효과	• 그림은 상황을 한눈에 보여 주고, 사진은 실제 모습을 보여 주어 이해를 도움. • 도표는 대상의 변화 과정을 한눈에 보여 주어 이해를 도움. • 동영상은 상황이나 대상의 움직임을 실감 나게 보여 줌.

쓰기

고쳐쓰기

뜻	글의 잘못된 부분을 바로잡아서 다시 쓰는 일
방법	글 전체 수준, 문단 수준, 문장 수준, 단어 수준에서 점검함.

듣기·말하기

공감하며 대화하기

뜻	상대방의 감정을 이해하고 협력적으로 소통하기 위한 대화
방법	• 소극적 들어 주기(상대와 눈 맞추기, 고개 끄덕이기 등) • ❷ [　　　] 들어 주기(요약하기, 재구성하기)

❶ 예 ❷ 적극적

신유형·신경향·서술형 전략

1 모음 'ㅢ'의 발음의 원리를 바탕으로 ㉠~㉣의 발음을 탐구한 내용이 적절하지 않은 것은?

> • ㉠의미 있는 일을 해 보고 싶다.
> • 목소리가 작아 ㉡희미하게 들린다
> • 이번 ㉢논의한 결론은 이것입니다.
> • ㉣할머니의 생신 선물을 사러 백화점에 갔다.

① ㉠~㉣에서 'ㅢ'는 어떠한 경우에도 이중 모음 [ㅢ]로 발음한다.
② ㉠에서 '의'는 단어 첫 글자에 나오므로 [의]로 발음한다.
③ ㉡에서 '희'는 첫소리가 자음이므로 [히]로 발음한다.
④ ㉢에서 '의'는 단어 첫 글자로 나오지 않으므로 [이]로도 발음한다.
⑤ ㉣에서 '의'는 조사 '의'이므로 [에]로도 발음한다.

2 받침소리가 보기 와 같이 바뀌는 부분을 ㉠~㉢에서 찾아 소리 나는 대로 쓰시오.

> 보기
> • 앉지 마세요. → [안찌]
> • 오리는 다리가 짧다. → [짤따]
> • 동생은 책을 읽다가 잠이 들었다. → [익따가]

> ㉠ 더 이상 얹지 마세요.→ [   ]
> ㉡ 팔 더하기 팔은 여덟. → [   ]
> ㉢ 감자알이 굵지가 않다. → [   ]

• ㉠: (   )
• ㉡: (   )
• ㉢: (   )

3 다음은 표준 발음에 대한 인터넷 게시판의 질문과 대답이다. [A]에 들어갈 내용으로 적절한 것은?

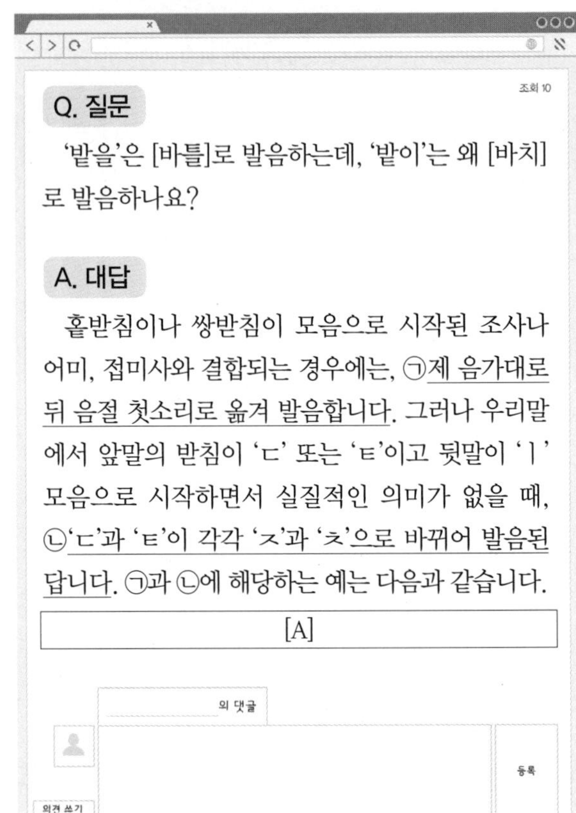
조회 10

Q. 질문

'밭을'은 [바틀]로 발음하는데, '밭이'는 왜 [바치]로 발음하나요?

A. 대답

홑받침이나 쌍받침이 모음으로 시작된 조사나 어미, 접미사와 결합되는 경우에는, ㉠제 음가대로 뒤 음절 첫소리로 옮겨 발음합니다. 그러나 우리말에서 앞말의 받침이 'ㄷ' 또는 'ㅌ'이고 뒷말이 'ㅣ' 모음으로 시작하면서 실질적인 의미가 없을 때, ㉡'ㄷ'과 'ㅌ'이 각각 'ㅈ'과 'ㅊ'으로 바뀌어 발음된답니다. ㉠과 ㉡에 해당하는 예는 다음과 같습니다.

[A]

① '꽃 위'와 '꽃이'는 모두 ㉠에 해당합니다.
② '미닫이'와 '해돋이'는 모두 ㉠에 해당합니다.
③ '꽃을'은 ㉠에, '꽃이'는 ㉡에 해당합니다.
④ '팥을'은 ㉠에, '팥이'는 ㉡에 해당합니다.
⑤ '덮이다'와 '깎으니'는 모두 ㉡에 해당합니다.

> 도움말
> 홑받침이나 쌍받침이 모음으로 시작된 ❶ [   ] 형태소와 만나면 제 음가대로 뒤 음절 첫소리로 옮겨 발음하지만 받침이 'ㄷ' 또는 'ㅌ'이고 뒷말이 '❷ [   ]' 모음으로 시작하면서 실질적인 의미가 없을 때만 받침 'ㄷ'과 'ㅌ'이 'ㅣ' 모음의 영향으로 'ㅈ'과 'ㅊ'으로 바뀌어 소리 난다는 규칙을 알아 두자.
> ❶ 형식 ❷ ㅣ

서술형

4 선생님이 다음과 같이 말한 까닭을 보기 를 참고하여 한 문장으로 쓰시오.

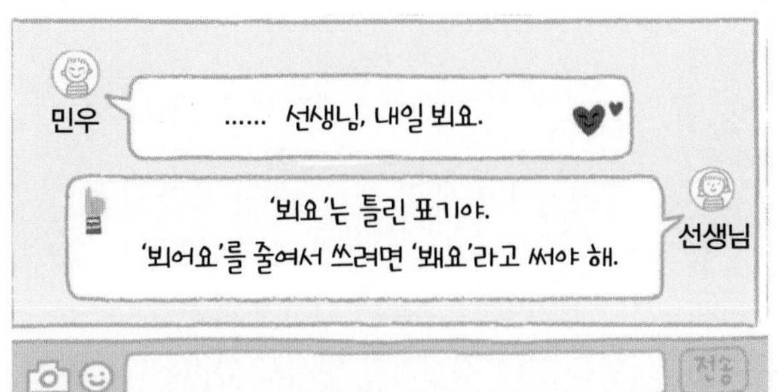

보기

한글 맞춤법 제35항 모음 'ㅗ, ㅜ'로 끝난 어간에 '-아/-어, -았-/-었-'이 어울려 'ㅘ/ㅝ, ㅘㅆ/ㅝㅆ'으로 될 적에는 준 대로 적는다.

[붙임 2] 'ㅚ' 뒤에 '-어, -었-'이 어울려 'ㅙ, ㅙㅆ'으로 될 적에도 준 대로 적는다.

5 (가), (나)의 상황 맥락에 맞는 대답을 바르게 연결한 것은?

① (가): 음식이 너무 짰어요.
   (나): 종업원이 무척 친절했어요.
② (가): 이가 좀 시리고 아팠어요.
   (나): 음식이 너무 맛있었어요.
③ (가): 음식이 너무 맛있었어요.
   (나): 통증이 심하지는 않았어요.
④ (가): 이가 좀 시리고 아팠어요.
   (나): 음식이 너무 짰어요.
⑤ (가): 종업원이 무척 친절했어요.
   (나): 음식이 너무 짰어요.

서술형

6 보기 는 ㉠, ㉡의 의도를 설명한 것이다. ⓐ, ⓑ에 들어갈 알맞은 말을 쓰시오.

(가) **엄마**:(저녁 식사를 하면서) 김치찌개 좀 더 줄까?
딸: ㉠괜찮아요.

(나) **연경**: (옷 가게에서 옷을 걸쳐 보며) 이 옷 어때?
주연: ㉡괜찮아.

보기

㉠은 식사 시간에 (ⓐ)(이)라는 의도로 말한 것이고, ㉡은 옷 가게에서 옷을 고르는 상황에서 (ⓑ)(이)라는 의도로 말한 것이다.

도움말

같은 ❶ ______ 라도 구체적인 상황 맥락에 따라 ❷ ______ 가 달라질 수 있음을 알고, 대화가 이루어지는 상황을 비교해 보자.

❶ 발화 ❷ 의미

7 (가), (나)의 휴대 전화 자판에 글자를 입력할 때 적용되는 한글 창제의 원리로 적절한 것은?

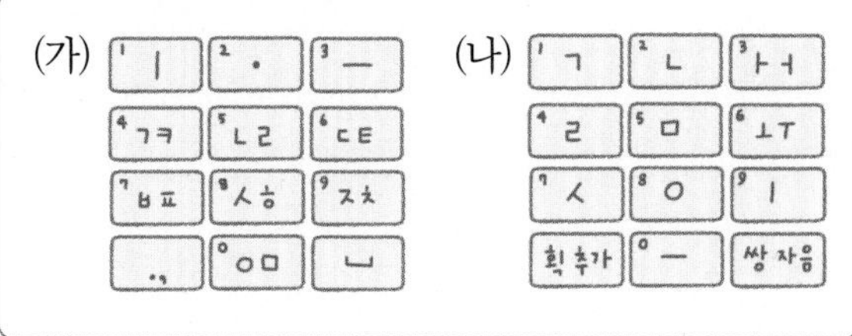

① (가): ㅣ + · → ㅏ → 상형
② (가): · + ㅡ → ㅗ → 가획
③ (나): ㄱ + 획 추가 → ㅋ → 상형
④ (나): ㅁ + 획 추가 → ㅂ → 가획
⑤ (나): ㅅ + 쌍자음 → ㅆ → 가획

도움말

한글의 자음자와 모음자의 창제 원리를 떠올려 보고, 휴대 전화 자판에서 ❶ ______ 와 자음자를 입력할 때 적용된 한글의 창제 ❷ ______ 와 연결 지어 생각해 본다.

❶ 모음자 ❷ 원리

8 다음 글을 내용에 맞게 구조화하여 정리할 때 적절한 것은?

식물은 원산지를 기준으로 원산지가 우리 땅인 식물과 다른 나라에서 들어온 식물로 나눌 수 있다. 원산지가 우리 땅인 식물을 '자생 식물'이라 하고, 다른 나라에서 들어온 식물을 '외래 식물'이라고 한다. 외래 식물 가운데 이 땅에 완전하게 정착하여 스스로 씨를 퍼트리며 살아가는 식물을 '귀화 식물'이라고 한다. 귀화 식물이 늘어난다는 것은 우리나라에 분포하는 식물 종의 수가 늘어난다는 것을 뜻한다.

⑤ 식물 / 자생 식물 / 외래 식물 / 귀화 식물

도움말
제시된 글에서 사용한 설명 방법을 살펴본다. ❶ ______을 ❷ ______에 따라 나누어 설명하고 있으므로 이를 잘 표현할 수 있는 도식의 모양을 생각해 보자.

❶ 식물 ❷ 원산지

서술형

9 ㉠에 대한 답을 조건에 맞게 쓰시오.

㉠왜 정전기로 고생하는 정도가 사람마다 다른 것일까?

정전기가 언제 잘 생기는지를 보면 답을 알 수 있다. 우선 정전기는 건조할 때 잘 생긴다. 습도가 높으면 공기 중의 수분이 전하가 흘러갈 수 있는 도체 역할을 하여 정전기가 수시로 방전된다. 따라서 습도가 높으면 정전기도 잘 생기지 않는다. 여름보다 겨울에 정전기가 기승을 부리는 것은 이런 까닭에서이다.

땀을 많이 흘리는 사람보다는 적게 흘리는 사람에게, 지성 피부를 지닌 사람보다는 건성 피부를 지닌 사람에게 정전기가 많이 생기는 것도 같은 까닭에서이다. 정전기는 주로 물체의 표면에 존재하기 때문에 그 사람의 피부 상태에 따라 정전기의 발생 정도가 달라진다.

조건
- 인과의 설명 방법을 활용할 것.
- '~ 이유는 ~ 때문이다.'의 형식으로 쓸 것.

10 다음 내용을 설명할 방법으로 가장 적절한 것은?

머리카락의 종류는 어떻게 될까?

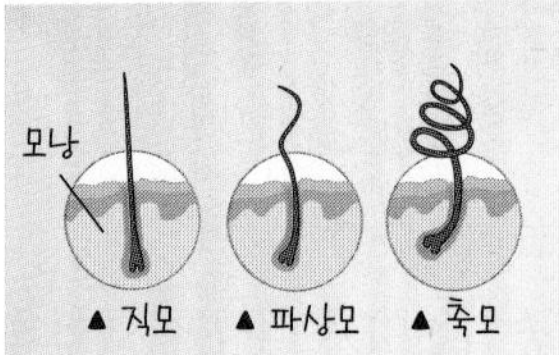

① 대상의 의미를 명확히 밝혀 설명하는 방법
② 대상을 원인과 결과를 중심으로 설명하는 방법
③ 대상에 대한 구체적 예를 제시하여 설명하는 방법
④ 대상의 구성 요소나 부분으로 나누어 설명하는 방법
⑤ 여러 대상을 기준에 따라 묶거나 나누어 설명하는 방법

>> 정답과 해설 37쪽

서술형

11 ㉠~㉢을 | 조건 |에 맞게 바르게 고쳐 쓰시오.

그렇다면 머릿결이 나빠지는 이유는 무엇일까? 머리카락은 케라틴이라는 단백질로 이루어져 있는데 단백질은 열에 약하다. ㉠그런데 뜨거운 물이나 바람 등과 자주 접촉하면 머리카락이 상하여 머릿결이 나빠진다. 또 영양 상태가 좋지 않은 것도 머릿결에 나쁜 영향을 줄 수 있다. ㉡이 밖에도 머리카락을 비벼서 말리면 머리카락끼리 마찰하여 머릿결이 나빠지고, 머리카락이 젖어 있을 때 빗질을 하면 머리카락이 약해진 상태이기 때문에 머릿결에 나쁜 영향을 준다.

머리카락이 상하는 것을 막고 건강한 머릿결을 유지하기 위해서는 어떻게 해야 할까? 머릿결에 좋은 음식을 먹는 것이 도움이 된다. 머리카락을 튼튼하게 하거나 머리카락이 자라는 데 도움이 되는 음식에는 시금치, 굴, 달걀, 호두 등이 있다. 평소 머리카락을 잘 ㉢처리하는 습관을 지니는 것도 중요하다. 예를 들어 머리를 감고 나서 머리카락이 젖은 채로 자는 것을 피하고, 머리카락을 말릴 때에는 수건으로 눌러서 물기를 제거하도록 한다. 또 머리카락을 자극하는 파마나 염색은 자주 하지 않는 것이 좋다.

지금까지 머리카락 손상의 의미와 머릿결이 나빠지는 이유, 건강한 머릿결을 유지하는 방법을 살펴보았다. 결국 머릿결은 우리의 일상생활과 밀접한 관련이 있다.

조건
- ㉠은 문장이 매끄럽게 연결되도록 고칠 것.
- ㉡은 두 문장으로 나누어 의미가 명확해지도록 고칠 것.
- ㉢은 문맥에 어울리는 단어로 고칠 것.

도움말
고쳐 써야 하는 부분과 이유를 〈조건〉을 보며 파악해 본다. 제시된 글이 머리카락이나 ❶ [ ]과 관련된 정보를 제공하는 글임을 알고 그 ❷ [ ] 내용에 맞게 고쳐쓰기해 보자.

❶ 머릿결 ❷ 중심

12 다음 대화 상황으로 보아 재영이에게 해 줄 조언으로 적절한 것은?

① 상대방과 대화할 때는 턱을 괴지 말고 고개를 돌려야 해.
② 상대방과 대화할 때는 상대방의 말을 끝내기 전에 몸을 돌려야 해.
③ 상대방과 대화할 때는 상대방의 눈을 맞추며 집중해서 들어야 해.
④ 상대방과 대화할 때는 자신의 감정이 드러나지 않도록 무표정한 얼굴로 있어야 돼.
⑤ 상대방과 대화할 때는 상대방의 말을 듣는 것보다 자신이 할 말을 하는 게 중요해.

도움말
대화 상황에서 재영이의 ❶ [ ] 태도가 바람직하지 않은 이유를 생각해 보고, 상대방의 기분이 상하지 않고 상대방과 ❷ [ ]하며 대화하는 방법을 생각해 보자.

❶ 듣기 ❷ 공감

적중 예상 전략 | 1회

1 |보기|의 발음으로 바르지 <u>않은</u> 것은?

보기

민주주의의 의의

① [민주주의에 이의] ② [민주주의의 의의]
③ [민주주의에 의의] ④ [민주주이의 의이]
⑤ [민주주이에 의이]

모음 'ㅢ'는 [ㅢ], [ㅣ], [ㅔ] 세 가지로 발음하는 것을 기억해 두자.

고난도

2 다음 단어들의 발음에 대한 설명으로 적절한 것은?

빚 숲 솥 넋 맑다 짧다 핥다

① '빚'의 받침 'ㅊ'의 대표음은 [ㅂ]이다.
② '넋'과 '맑다'의 겹받침의 대표음은 [ㄹ]이다.
③ '숲', '솥'의 받침은 어말에서 같은 소리로 발음된다.
④ '짧다', '핥다'의 받침은 어말에서 같은 소리로 발음된다.
⑤ '맑다', '핥다'의 겹받침 소리는 ㄱ을 제외한 자음 앞에서 같은 대표음으로 바뀐다.

3 |보기|의 표준 발음법을 따를 때, 밑줄 친 단어의 발음이 바르지 <u>않은</u> 것은?

보기

겹받침 'ㄺ, ㄻ, ㄿ'은 어말 또는 자음 앞에서 각각 [ㄱ, ㅁ, ㅂ]으로 발음한다.
다만, 용언의 어간 말음 'ㄺ'은 'ㄱ' 앞에서 [ㄹ]로 발음한다.

① 오빠 목소리가 <u>굵지</u>? → [국ː찌]
② 오늘 하늘이 <u>맑고</u> 파랗다. → [막꼬]
③ 정재는 참 <u>밝고</u> 명랑하다. → [발꼬]
④ 노을이 <u>붉게</u> 물들었다. → [불께]
⑤ 동생은 책을 <u>읽고</u> 싶어 한다. → [일꼬]

서술형

4 ㉠의 발음이 바르지 않은 까닭을 표준 발음법과 관련지어 쓰시오.

>> 정답과 해설 38쪽

5 **받침이 발음되는 과정이 바르지 않은 것은?**

① 여덟이다 → [여덜비다]
② 값을 → [갑슬] → [갑쓸]
③ 꽃 위 → [꼳위] → [꼬뒤]
④ 칡으로 → [칙으로] → [치그로]
⑤ 웃어른 → [욷어른] → [우더른]

받침의 발음은 뒤에 이어지는 말에 따라 달라지지. 받침이 있는 말에 실질적인 뜻을 지닌 형태소가 오는 경우와 문법적 의미만 지닌 형식 형태소가 오는 경우로 나누어 발음의 변화를 살펴봐.

고난도

6 **㉠, ㉡에 적용된 표준 발음 원리가 아닌 것은?**

> • 날씨가 더우니 ㉠겉옷을[거도슬] 벗어라.
> • 그가 만든 음식은 정말 ㉡맛없다[마덥따].

① 겹받침 'ㅄ'은 어말 또는 자음 앞에서 [ㅂ]으로 발음된다.
② 홑받침 'ㅌ'은 어말 또는 자음 앞에서 대표음 [ㄷ]으로 발음된다.
③ 홑받침이 모음으로 시작된 조사와 결합할 경우 받침을 제 소리값대로 뒤 음절 첫소리로 옮겨 발음한다.
④ 홑받침이 모음으로 시작된 실질 형태소와 결합할 경우 받침은 대표음으로 바꾸어 뒤 음절 첫 소리로 옮겨 발음한다.
⑤ 겹받침이 모음으로 시작된 조사와 결합할 경우 뒤엣것만을 뒤 음절 첫소리로 옮겨 발음한다.

7 **㉠, ㉡에 들어갈 올바른 발음을 쓰시오.**

> 선생님, '숲에'는 [수페], '숲 안'은 [수반]이라고 발음되는데요?
>
> 둘 다 맞게 발음했어. 뒤에 오는 말에 따라 받침의 발음이 달라지는 거야. 그럼, '옷이 예쁘다.'와 '웃옷이 없다.'에서 '옷이[㉠]'와 '웃옷[㉡]'은 어떻게 발음하면 좋을까?
>
> 전송

• ㉠: (   )
• ㉡: (   )

8 **밑줄 친 부분의 준말을 바르게 표기하지 않은 것은?**

① 저녁에 죽을 쑤어 먹었다. → 쒀
② 바람이라도 쏘이러 가자. → 쐬러
③ 이번 주에 만나도 되어요? → 되요
④ 지난주에 할머니를 뵈었다. → 뵀다
⑤ 옷을 옷걸이에 걸어 두었다. → 뒀다

9 **밑줄 친 단어의 사용이 바르지 않은 것은?**

① 친구에게 선물을 택배로 부쳤다.
② 친구와 한 약속은 반드시 지켜라.
③ 할머니께서는 갈치조림을 좋아하신다.
④ 학교 앞에 새로운 떡볶이 가게가 생겼다.
⑤ 지금까지 그 문제의 정답을 맞춘 사람은 없다.

10 담화에 대한 설명으로 가장 적절한 것은?

① 말하는 이와 듣는 이는 항상 고정되어 있다.
② 발화는 담화의 맥락과 관계없이 하나의 의미로만 해석된다.
③ 의사소통 과정에서 머릿속 생각이 음성 언어로 나타난 것을 담화라고 한다.
④ 담화의 의미는 말하는 이와 듣는 이, 시간과 장소 등 다양한 맥락들이 작용하여 결정된다.
⑤ 상황 맥락은 담화의 해석에 영향을 미치는 지역, 세대, 문화, 언어적 관습 등을 의미한다.

11 | 보기 |는 ㉠, ㉡의 의도를 설명한 것이다. ⓐ, ⓑ에 들어갈 알맞은 말을 각각 한 단어를 쓰시오.

| 보기 |

㉠은 시간적 여유가 있어서 (ⓐ)하지 않는다는 의도로 말한 것이고, ㉡은 시간이 (ⓑ)해서 탁구를 치러 나가기 어렵다는 의미로 말한 것이다.

• ⓐ: (   )
• ⓑ: (   )

고난도

12 의사소통이 원활하게 이루어진 까닭으로 적절한 것은?

① 담화가 이루어진 시간과 장소가 같아서
② 말하는 이와 듣는 이의 세대의 차이가 없어서
③ 사회·문화적 배경과 풍습을 공유하고 있어서
④ 말하는 이가 한자어와 외래어를 적절히 섞어 사용해서
⑤ 말하는 이가 다른 문화에 속하는 듣는 이를 고려하여 내용을 이해해서

우리나라의 추석 풍습에 대해 생각해 보고, 임진각이 어떤 의미를 지닌 장소인지 생각해 보자.

서술형

13 다음 담화의 의미가 잘 이해되지 않는 까닭을 | 조건 |에 맞게 쓰시오. (단, '~때문이다.'로 끝맺을 것)

가: 그냥 나랑 같이 쓸까?
나: 그래. 같이 써도 괜찮을 거야.
가: 같이 쓰려면 조금 작을 수도 있겠다.
나: 불편하기는 하겠네.

| 조건 |

• 말하는 이와 듣는 이, 시간과 장소, 목적과 의도 등 담화의 상황 맥락과 관련지어 쓸 것.

14 한글의 자음 기본자를 본뜬 모양을 바르게 연결한 것은?

	기본자	본뜬 모양
①	ㄱ	이의 모양
②	ㄴ	혀끝이 윗잇몸에 붙는 모양
③	ㅁ	목구멍의 모양
④	ㅅ	혀뿌리가 목구멍을 막는 모양
⑤	ㅇ	입의 모양

세종 대왕이 한글을 만들 때 기본으로 삼았던 5개의 자음자를 기본 자음자라고 해. 기본 자음자의 창제 원리는 상형의 원리야.

15 |보기|로 보아 모음자를 만든 원리로 적절한 것은?

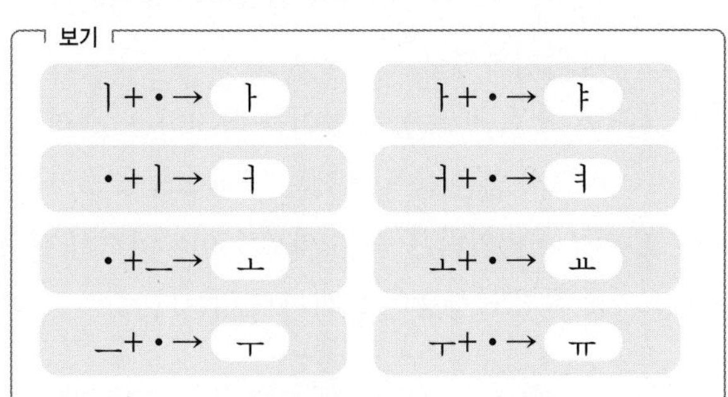

보기

ㅣ+ · → ㅏ	ㅏ+ · → ㅑ
· +ㅣ→ ㅓ	ㅓ+ · → ㅕ
· +ㅡ→ ㅗ	ㅗ+ · → ㅛ
ㅡ+ · → ㅜ	ㅜ+ · → ㅠ

① 상형 ② 가획 ③ 합성
④ 병서 ⑤ 이체

16 한글 'ㅏ'와 알파벳 'a'를 바르게 비교한 것은?

한글	영어 알파벳
사과[사과]	apple[애플]
아기[아기]	baby[베이비]
아버지[아버지]	father[파더]

① 'ㅏ'와 'a'는 모두 [아]로만 소리 나네.
② 'ㅏ'와 'a'는 글자만 보고는 발음을 알 수 없어.
③ 'ㅏ'와 'a'는 발음 기관의 모양을 본떠 만들었어.
④ 'ㅏ'는 하나의 소리로 발음되지만, 'a'는 여러 개의 소리로 발음돼.
⑤ 'ㅏ'는 하나의 글자가 하나의 소릿값만 가지고 있어서 'a'보다 읽기가 어려워.

서술형

17 다음을 참고하여 |보기| 문장을 모아쓰고, 영어로 쓴 글을 읽을 때에 비해 한글로 쓴 글을 읽을 때의 장점을 쓰시오.

한글은 초성과 중성, 종성을 합쳐서 음절 단위로 모아쓴다. 영어 알파벳은 'cloud'라고 풀어쓰지만, 한글은 'ㄱㅜㄹㅡㅁ'이라고 풀어쓰지 않고 '구름'이라고 모아쓴다. 사람이 한눈에 파악할 수 있는 글자 수는 제한적이어서 자음자와 모음자를 풀어쓸 때보다 음절 단위로 모아쓸 때 한번에 더 많은 정보를 인식할 수 있다.

보기

ㄴㅏㅅ ㄴㅗㅎㄱㅗ ㄱㅣㅇㅕㄱ ㅈㅏㄷㅗ ㅁㅗㄹㅡㄴㄷㅏ.

적중 예상 전략 | 2회

[1~3] 다음 글을 읽고 물음에 답하시오.

가 겨울만 되면 정전기가 기승을 부린다. 자동차 문의 손잡이를 잡을 때 찌릿하기도 하고, 스웨터를 벗을 때 '찌지직' 소리와 함께 머리가 폭탄 맞은 것처럼 변하기도 한다.

나 ㉠정전기란 전하가 정지 상태로 있어 그 분포가 시간적으로 변화하지 않는 전기 및 그로 인한 전기 현상을 말한다. (중략) ㉡우리가 실생활에서 쓰는 전기가 흐르는 물이라면, 정전기는 높은 곳에 고여 있는 물이다. 정전기의 전압은 수만 볼트(V)에 달하지만, 우리가 실생활에서 쓰는 전기와는 다르게 전류는 거의 없어 위험하지는 않다.

다 ㉢정전기가 생기는 것은 마찰 때문이다. ㉣물질의 기본적 구성단위인 원자는 원자핵과 전자로 이루어져 있다. 전자는 작고 가벼워서 마찰을 통해 다른 물체로 쉽게 이동하기도 한다. 생활하면서 주변의 물체와 접촉하면 마찰이 일어나기 마련인데, 그때마다 우리 몸과 물체가 전자를 주고받으며 몸과 물체에 조금씩 전기가 저장된다. 한도 이상의 전기가 쌓였을 때 전기가 잘 통하는 물체에 닿으면 그동안 쌓였던 전기가 순식간에 불꽃을 튀기며 이동하면서 정전기가 발생하는 것이다.

라 둘째로 정전기는 전자를 쉽게 주고받을 수 있는 마찰에 의해 잘 생긴다. 마찰할 때 전자를 쉽게 잃는 물체가 있고, 전자를 쉽게 얻는 물체가 있다. 예를 들면, 털가죽 종류는 전자를 쉽게 잃고, 플라스틱 종류는 전자를 쉽게 얻는다.

마 플라스틱 제품을 사용할 때에는 특히 주의해야 한다. ㉤합성 섬유 소재의 옷은 섬유 유연제를 넣어 헹구면 정전기가 많이 줄어든다. 섬유 유연제는 양전기를 띠어 음전기를 띤 합성 섬유에 붙어 전기를 중화하기 때문이다.

1 글쓴이가 이 글을 쓴 목적으로 적절한 것은?

① 정전기가 발견된 과정을 설명하기 위해
② 정전기에 관한 여러 가지 정보를 전달하기 위해
③ 정전기를 피해 겨울을 맞이하자고 설득하기 위해
④ 정전기를 실생활에 활용하는 법을 알려 주기 위해
⑤ 정전기가 우리 몸에 이롭다는 것을 알려 주기 위해

2 (가)~(마) 중 | 보기 |에 쓰인 설명 방법이 쓰인 문단끼리 묶은 것은?

> 보기
> 여드름 예방을 위해 가장 중요한 것은 꼼꼼한 세안으로 피지와 노폐물을 제거하는 것이다. 또한 버터, 치즈 등의 유제품이나 빵, 피자, 라면, 과자, 튀김 등의 고탄수화물 식품을 피하는 것이 좋다.

① (가), (나) ② (가), (라) ③ (나), (다)
④ (나), (라) ⑤ (다), (마)

3 ㉠~㉤에 쓰인 설명 방법이 쓰이지 않은 것은?

① ㉠: 축구는 주로 발로 공을 차서 상대편의 골에 공을 많이 넣는 것으로 승부를 겨루는 경기이다.
② ㉡: 서양의 종은 종 위쪽이 좁고 아래쪽은 벌어져 있는 반면 우리나라 종은 몸통 선이 부드럽게 내려오다가 아랫부분이 약간 안쪽으로 오므라져 있다.
③ ㉢: 철기를 사용하기 시작하면서 농업 생산량이 많이 증가하였다.
④ ㉣: 소음은 특정 음높이를 유지하는 '컬러 소음'과 비교적 넓은 음폭을 갖는 '백색 소음'으로 나뉜다.
⑤ ㉤: 머리카락은 죽은 세포로 이루어져서 머리카락을 잘라도 통증이 느껴지지 않는다.

분류와 구분은 어떤 대상을 공통 성질에 따라 종류를 모으거나 가르는 방법이고, 분석은 대상을 이루는 요소를 분해하는 방법이지.

[4~5] 다음 글을 읽고 물음에 답하시오.

(가) 한 나라 국민이 겪는 경제적 고통의 정도를 보여 주는 지표가 있다. 실업률과 물가 상승률을 바탕으로 산출되는(계산되어 나오는.) '체감 경제 고통 지수'가 그것인데, 지수가 높을수록 경제적 고통이 심하다는 뜻이다. / 우리나라의 체감 경제 고통 지수는 2006년 약 13포인트에서 점점 올라 2015년에는 22포인트까지 치솟았다. 국민이 느끼는 경제적 고통이 해가 갈수록 큰 폭으로 증가했다는 증거이다. 생활이 넉넉해지기는커녕 점점 더 어려워지는데, 강자만이 살아남는 정글 속에서 사람들은 왜 자신이 가진 것을 남과 나누려고 할까?

(나) 경제가 나빠질 때 착한 소비의 모습이 어떻게 변하는지를 분명하게 보여 주는 그래프가 있다. 세계 공정 무역(서로 혜택이 같은 가운데 이루어지는 무역.) 매출액은 지난 2004년 이래 꾸준히 증가해 왔는데, 특히 2008년 이후 금융 위기의 여파로 세계 경제 성장률이 마이너스로 돌아섰을 때에도 공정 무역 매출액은 증가 추세를 보였다.

[A]

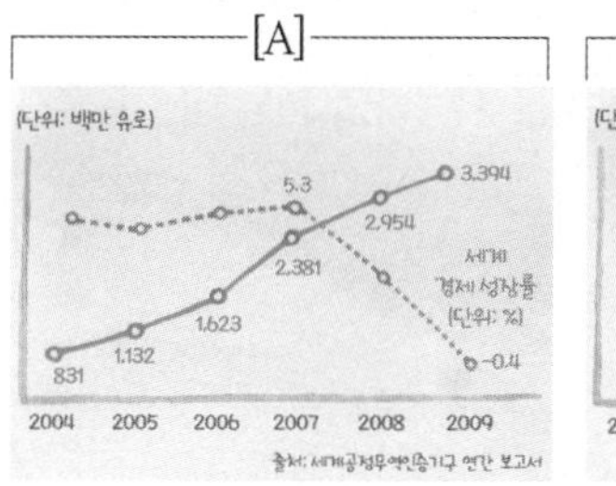

▲ 세계 공정 무역 매출액

[B]

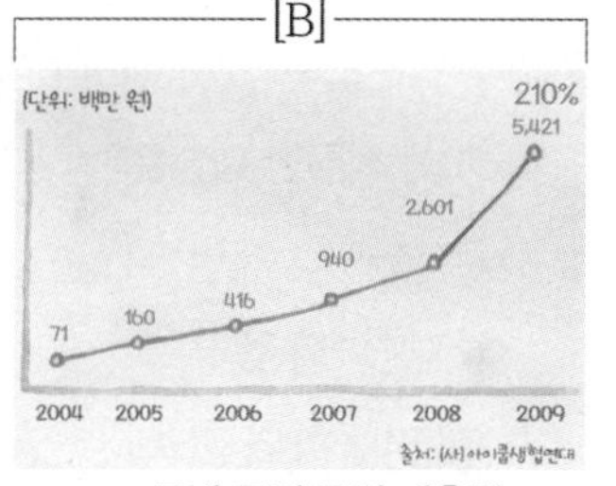

▲ 국내 공정 무역 매출액

우리나라의 상황도 이와 다르지 않다. 우리나라의 공정 무역 매출액은 2008년에서 2009년까지 1년 사이에 무려 210퍼센트나 증가했다. 경제가 안 좋을 때 타인을 생각하는 착한 소비가 오히려 늘어나는 이상한 현상이 벌어진 것이다.

(다) 경제학에서 이제껏 인간의 이기적 본성을 부각해 왔던 것은 모두가 자기 위치에서 자기 이익을 추구하면 그것이 건강한 경쟁을 통해 모든 사람에게 행복을 가져다줄 것이라고 믿었기 때문이다. 하지만 이기심을 바탕으로 한 경쟁은 기대와 달리 환경 파괴, 물질 숭배, 지나친 경쟁, 인간성 상실 등 온갖 문제를 발생시켰다. / 지금 세계 곳곳에서 나타나는 착한 소비의 움직임은 그동안의 이기적 선택에 대한 반성과 함께 이타심이라는 인간의 본성이 발현된 것이라고 할 수 있다.

4 이 글의 내용과 일치하지 않는 것은?

① 체감 경제 고통 지수가 상승하면 착한 소비는 줄어들게 된다.
② 세계 공정 무역 매출액은 2004년 이후 지속적인 상승세를 보였다.
③ 금융 위기는 세계 경제 성장률을 마이너스로 만드는 데 영향을 끼쳤다.
④ 우리나라 국민이 경제적 고통은 2006년에 비해 2015년에 더 심해졌다.
⑤ 이기심을 바탕으로 한 경쟁은 환경 파괴, 물질 숭배, 지나친 경쟁 등 온갖 문제를 발생시킨다.

글쓴이가 '이상한 현상'이라고 말하는 것이 무엇인지 잘 살펴봐.

고난도

5 다음과 같이 이 글에 제시된 매체 자료를 정리할 때 ㉠에 들어갈 내용으로 적절한 것은?

	[A]	[B]
제시 내용	2004년~2009년까지의 세계 공정 무역 매출액과 세계 경제 성장률	2004년~2009년까지의 우리나라의 공정 무역 매출액
제시 방법	도표(그래프)	도표(그래프)
제시 의도	㉠	매출액 급증 사실을 한눈에 볼 수 있게 하기 위해서

① 세계 경제 성장률 하락에 따른 세계 공정 무역의 매출액 감소를 강조하기 위해서
② 두 수치를 대조하여 착한 소비에 대한 사람들의 인식 개선 현상을 드러내기 위해서
③ 두 수치를 비교하여 세계 경제 성장률 하락에도 착한 소비가 증가한 현상을 나타내기 위해서
④ 세계 공정 무역 매출액 증가에 따른 세계 경제 성장률 하락을 구체적으로 보여 주기 위해서
⑤ 세계 경제 성장률에서 세계 공정 무역 매출액이 차지하는 비중을 시각적으로 나타내기 위해서

[6~8] 다음 글을 읽고 물음에 답하시오.

(가) 머리카락의 비밀

윤기가 흐르는 건강한 머릿결은 남녀를 가리지 않고 누구나 바라는 것이다. 하지만 거울을 볼 때마다 상하고 푸석푸석한 머리카락 때문에 고민하는 사람이 많은 것이 현실! 이 고민을 해결하기 위해서는 어떻게 해야 할까?

(나) 머리카락이 상한다는 것은 어떤 의미일까? 머리카락은 모표피, 모피질, 모수질이라는 3개의 층으로 이루어져 있다. 이 중 가장 바깥층인 모표피는 세포가 물고기 비늘 모양으로 겹쳐 있는 층이다. 머리카락이 상한다는 것은 이 모표피가 벌어지거나 떨어져서 손상된 것을 의미한다. 머리카락은 추위나 더위, 물리적 충격 등과 같은 다양한 외부 자극으로부터 머리를 보호해 준다.

(다) 그렇다면 머릿결이 나빠지는 이유는 무엇일까? 머리카락은 케라틴이라는 단백질로 이루어져 있는데 단백질은 열에 약하다. 그래서 뜨거운 물이나 바람 등과 자주 접촉하면 머리카락이 상하여 머릿결이 나빠진다. 또 영양 상태가 좋지 않은 것도 머릿결에 나쁜 영향을 줄 수 있다. 이 밖에도 머리카락을 비벼서 말리면 머리카락끼리 마찰하여 머릿결이 나빠지고, 머리카락이 젖어 있을 때 빗질을 하면 머리카락이 약해진 상태이기 때문에 머릿결에 나쁜 영향을 준다.

(라) 머리카락이 상하는 것을 막고 건강한 머릿결을 유지하기 위해서는 어떻게 해야 할까? 머릿결에 좋은 음식을 먹는 것이 도움이 된다. 머리카락을 튼튼하게 하거나 머리카락이 자라는 데 도움이 되는 음식에는 시금치, 굴, 달걀, 호두 등이 있다. 평소 머리카락을 잘 관리하는 습관을 지니는 것도 중요하다.

(마) 지금까지 머리카락 손상의 의미와 머릿결이 나빠지는 이유, 건강한 머릿결을 유지하는 방법을 살펴보았다. 결국 머릿결은 우리의 일상생활과 밀접한 관련이 있다. 건강한 머릿결을 원한다면 생활 습관을 바꿔야 한다. 올바른 생활 습관을 통해 머릿결을 건강하게 지지해 나가기를 바란다.

6 (가)~(마)를 점검하고 고쳐쓰기를 계획한 내용으로 적절하지 않은 것은?

① (가): 글의 내용을 잘 드러낼 수 있도록 제목을 '건강한 머릿결의 비밀'로 바꾸자.
② (나): 문단의 주제에 어울리지 않는 문장을 삭제하자.
③ (다): 너무 길어 의미가 명확하지 않은 문장의 내용을 다듬자.
④ (라): '머릿결에 좋은 음식'에는 무엇이 있는지 예를 넣자.
⑤ (마): 문맥에 어울리지 않는 단어를 고치자.

7 (다)에 주로 쓰인 설명 방법을 사용하여 설명하는 글을 쓰기에 적절한 대상은?

① 소설의 개념
② 김치의 종류
③ 자동차의 구조
④ 지구 온난화의 원인
⑤ 연극과 영화의 차이

서술형

8 (가)~(마) 중 보기 를 제시하기에 적절한 문단을 쓰고, 자료를 제시했을 때의 효과를 쓰시오.

보기

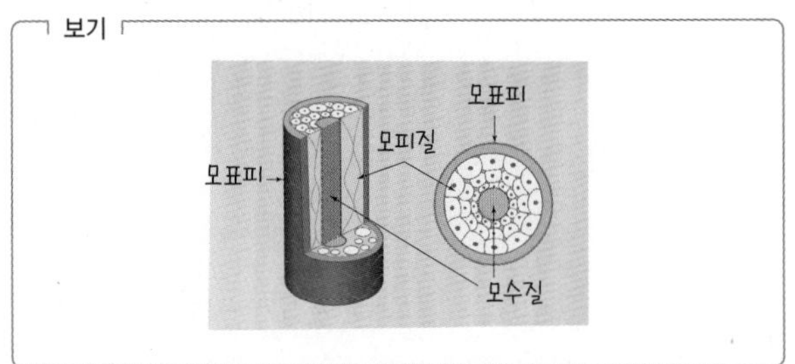

>> 정답과 해설 40쪽

[9~11] 다음 대화를 읽고 물음에 답하시오.

(가) **준희**: 내일 국어 모둠 회의 때 자료를 찾아 가야 하는데, 오늘 도서관이 문을 닫았어. 이번 주까지 국어 수행 평가 과제를 제출해야 하는데 어떻게 하지?

한솔: 국어 수행 평가 과제는 다음 주까지잖아.

준희: 그런가? 그래도 내일 모둠 회의 전까지 자료를 찾아야 하는데. / **한솔**: 사회 수행 평가는 이번 주까지인데, 국어 수행 평가는 다음 주까지가 맞을 거야.

준희: 제출 기한에 여유가 있는 건 다행이지만 내일 모둠 회의가 잘 진행되려면 자료를 찾아야 할 것 같아. 자료 검색은 다 했고 도서관에서 책만 빌리면 되는데 무슨 방법이 없을까?

한솔: 검색을 다 했으니까 지금 도서관에서 책을 빌리면 되잖아. / **준희**: 오늘 도서관 쉬는 날이라니까.

(나) **효진**: (준호의 눈을 바라보며) 준호야, 표정이 왜 그래? 무슨 일 있어? / **준호**: 너도 알잖아. 학급 회의에서 학급 티셔츠 디자인에 반대해서 친구들이랑 서먹해진 거.

효진: (안타까운 표정을 지으며) 아, 그 일 때문에 기분이 안 좋구나. / **준호**: 학급 회의에서 내 의견을 말한 것뿐인데……. 나 때문에 티셔츠를 못 만들게 된 것처럼 말하잖아.

효진: (　　　　　㉠　　　　　)

준호: 응, 의견이 다를 수도 있잖아? 그래서 회의를 하는 거고. 다음 회의에서 디자인을 결정하기로 했는데도 왜 그러는지 모르겠어. / **효진**: 정말? 회의에서 자유롭게 의견을 말했을 뿐이고, 더구나 티셔츠 디자인은 다음 회의에서 결정하기로 했는데도 친구들이 너 때문에 티셔츠를 못 만들게 된 것처럼 말하니까 답답하겠다. (중략)

준호: 그래도 너랑 이야기하니까 마음이 좀 편해졌어.

9 (가), (나)를 바탕으로 할 때 공감하며 대화하기에 대한 설명으로 적절하지 <u>않은</u> 것은?

① 공감하며 대화하면 대화하는 사람들 사이에 신뢰와 친밀감을 높일 수 있다.
② 공감하며 대화하면 상대방이 걱정이나 고민을 해결할 실마리를 찾을 수 있다.
③ 공감하며 대화하려면 상대방의 처지에서 상대방의 생각과 감정을 진심으로 이해하려고 노력해야 한다.
④ 공감하며 대화하려면 자신의 생각을 끝까지 주장하여 상대방이 문제를 해결하도록 도움을 주어야 한다.
⑤ 공감하며 대화하기는 상대방의 감정을 깊이 있게 이해하고 상대방의 관점에서 문제를 바라보며 협력적으로 소통하기 위한 대화이다.

10 (가)의 대화에 나타난 문제점으로 적절한 것은?

① 준희가 자신의 잘못을 인정하지 않았다.
② 준희가 한솔이의 탓을 하며 문제를 지적하였다.
③ 한솔이가 준희의 말을 정리해서 말해 주었으나 준희가 듣지 않았다.
④ 한솔이가 준희의 관점에서 상황을 바라보지 않고 근거 없는 추측을 하였다.
⑤ 한솔이가 준희의 말을 주의 깊게 듣지 않아 준희의 상황을 제대로 이해하지 못하였다.

준희와 한솔이의 대화가 제대로 이루어지지 않은 이유를 한솔이의 듣기 태도에서 찾아보고 바람직한 듣기 태도를 생각해 봐.

서술형

11 ㉠에 들어갈 알맞은 말을 조건 에 맞게 쓰시오.

조건
- 상대방이 한 말을 요약하며 반응할 것.
- 대화의 흐름에 맞게 한 문장으로 쓸 것.

기초부터 다지는 중학 국어 공부력!

국어 실력이 쑥쑥!

함께해 볼까?

중학

기초 바탕

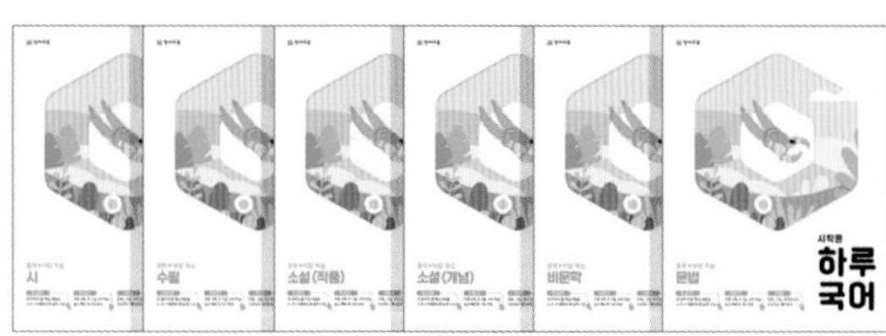

시작은 하루 국어

중1~3 (시/소설(개념)/소설(작품)/문법/비문학/수필)

★⯪☆☆☆

1일 6쪽, 4주 완성으로 국어를 쉽고 재밌게!

내신 기초

7일 끝 국어

중2~3 (천재 박영목 / 천재 노미숙, 학기별)

★★☆☆☆

7일이면 끝나는 중간·기말 대비서

내신 심화

중학 국어전략

중1~중3 (학년별)

★★★☆☆

9종 교과서 대비 내신 공통서

중학 일등전략 국어

중1~3 (문학①, ②, ③, 문법①, ②, ③)

★★★★☆

영역별 심화 학습이 가능한 내신서

공부력 향상

문학 DNA 깨우기

예비중~중3 (기본 개념 / 감상 원리 / 기출 유형)

★★★⯪☆

교과서 작품을 활용한 문학 독해서

비문학 독해 DNA 깨우기

예비중~중3 (독해 기초 / 독해 원리 / 독해 기술 / 기출 유형)

★★★⯪☆

기초부터 심화까지 단계별 독해 원리

어휘 DNA 깨우기

중1~3 (기본편 / 실력편)

★★⯪☆☆

퀴즈로 익히는 1,347개 중학 필수 어휘

문법 완성

문법 DNA 깨우기

중1~3 (1권)

★★★☆☆

중학 교과서 필수 문법 총정리

재미있는 국어문법

중1~고1 (단행본)

★★★⯪☆

중고등 국어 문법이 한 권에 쏙!

book.chunjae.co.kr

교재 내용 문의 ························· 교재 홈페이지 ▸ 중학 ▸ 교재상담
교재 내용 외 문의 ····················· 교재 홈페이지 ▸ 고객센터 ▸ 1:1문의
발간 후 발견되는 오류 ·············· 교재 홈페이지 ▸ 중학 ▸ 학습지원 ▸ 학습자료실

실력 향상 필수학습!
고득점을 예약하자!

국어전략
중학 2

BOOK 3 정답과 해설

천재교육

국어전략

국어전략

중학 2

BOOK 3

정답과 해설

국어전략 **정답과 해설**

정답과 해설 이렇게 봐요~

- 표 안에 있는 정답을 빠르게 확인해요!
- 틀린 답은 그 이유를 확실하게 짚어 봐요!
- 서술형은 평가 기준을 확인하며 스스로 점검해 봐요!
- 책에 실린 작품들은 작품 설명에서 한눈에 살펴봐요!

정답과 해설 BOOK 1

1주 문학 (1)

1일 개념 돌파 전략 ❶ 9, 11쪽

1-2 ② **2-2** ② **3-2** ② **4-2** ㉠: 1인칭 관찰자 시점 ㉡: 3인칭 전지적 시점

1-2 시에서 시인을 대신하여 말하는 이를 화자라고 한다. 시인은 화자를 통해 시에 대한 정보를 전달한다.

오답 풀이

① 화자는 사람일 수도 있고, 동물이나 사물일 수도 있다.
③ 화자는 시에 등장하기도 하고 등장하지 않기도 하며, 시인과 일치할 수도 일치하지 않을 수도 있다.

2-2 제시된 시구에는 '그립다', '그리워', '그리워하는'으로 화자의 정서가 시어로 직접 드러나고 있다.

3-2 서술자는 작가를 대신하여 이야기를 전달하는 이(ㄴ)로, 이야기 안 인물의 행동과 심리, 사건 등을 전달한다(ㄷ).

오답 풀이

ㄱ. 서술자는 이야기 안에 등장하는 인물일 수도 있고, 이야기 밖에 있는 존재일 수도 있다.
ㄹ. 서술자의 관점에 따라 이야기의 분위기는 달라질 수 있다.

4-2 시점은 크게 1인칭 시점과 3인칭 시점으로 나뉜다. 서술자가 이야기 안에 등장하여 주인공을 관찰하는 시점은 1인칭 관찰자 시점이며, 서술자가 이야기에 등장하지 않고 주인공을 포함한 모든 등장인물의 심리를 서술하는 시점은 3인칭 전지적 시점이다.

1일 개념 돌파 전략 ❷ 12~13쪽

1 ② **2** ③ **3** ① **4** ④ **5** ㄷ, ㄹ

1 시 〈그림자〉의 1행에서 '난'이라고 화자가 직접적으로 등장하고 있다. '나'는 꼬마도 될 수 있고, 거인도 될 수 있으며 언제나 너를 따라 함께 논다는 정보를 통해 '나'가 그림자임을 알 수 있다. 따라서 화자는 시인과 일치하지 않는다.

오답 풀이

① '난 꼬마도 될 수 있고'에서 화자 '나'가 겉으로 드러나고 있다.
③, ⑤ 화자인 '나'는 꼬마도 될 수 있고, 거인도 될 수 있으며 언제나 너를 따라 함께 논다는 것으로 보아 '나'가 그림자임을 알 수 있다.
④ 화자인 '나'는 시구의 내용을 통해 자신이 그림자라는 정보를 전달하고 있다.

2 시 〈무지개〉에서 진이는 전학을 가면서 슬퍼하고 있고, 화자는 그런 진이가 전학을 가는 장면을 바라보고 있다.

3 소설 〈동백꽃〉의 서술자는 '나'로 이야기의 주인공이다. 따라서 이 글은 1인칭 주인공 시점의 소설이다.

4 소설 〈사랑손님과 어머니〉의 서술자는 이야기 안에 등장하는 '나'로 이야기 안 등장인물인 외삼촌을 관찰하여 서술하고 있다. 또한 외삼촌의 심리를 추측하여 전달하고 있다.

5 소설 〈홍길동전〉은 3인칭 전지적 시점의 소설이다. 3인칭 전지적 시점은 서술자가 이야기 밖에서 사건과 등장인물의 속마음을 모두 전해 주며, 인물의 행동이나 사건을 해설하거나 평가하기도 한다.

2일 필수 체크 전략 ❶ 14~17쪽

1 ①　2 ③　3 ③　4 ③

1 이 시의 화자는 어린 시절을 회상하는 '나'로, 시장에 간 엄마를 기다리며 혼자 집에서 밤늦게까지 숙제를 했던 어린 시절을 떠올리며 슬픔을 느끼고 있다.

작품 설명 기형도, 〈엄마 걱정〉

갈래	현대시, 자유시
제재	어린 시절의 기억
주제	시장에 간 엄마를 기다리던 어린 시절을 떠올리며 느끼는 슬픔
특징	① 어른이 된 화자가 자신의 어린 시절을 떠올림. ② 비슷한 시구를 반복하여 운율을 형성하고 외로운 분위기를 조성함.

2 이 시의 화자는 경제적 형편이 어려운 자신을 위해 가방에 몰래 붕어빵을 넣어 준 친구의 따뜻한 마음에 감동을 받고 있다.

작품 설명 복효근, 〈세상에서 가장 따뜻했던 저녁〉

갈래	현대시, 자유시
제재	붕어빵
주제	친구의 따뜻한 마음과 거기에서 받은 감동
특징	① 어둡고 차가운 분위기에서 밝고 따뜻한 분위기로 바뀜. ② 화자를 열여섯 살의 학생으로도 볼 수 있고 자신의 지난 경험을 이야기하고 있는 어른으로도 볼 수 있음.

3 매미는 여름에 높은 가지 위에서 노래하고 있고, 화자인 귀뚜라미는 지하도 콘크리트 벽 좁은 틈에서 울고 있다. 귀뚜라미의 울음은 매미 소리에 묻혀 누군가에게 잘 전해지지 않고 있기 때문에 귀뚜라미는 가을이 되어 자신의 울음이 누군가에게 감동을 주는 노래가 되기를 바라고 있다.

작품 설명 나희덕, 〈귀뚜라미〉

갈래	현대시, 자유시
제재	귀뚜라미
주제	자신의 노래가 감동을 줄 수 있기를 소망함.
특징	① 귀뚜라미를 사람처럼 표현하여 주제를 강조함. ② 매미와 귀뚜라미를 대조하여 귀뚜라미의 처지와 소망을 드러냄. ③ 비슷한 문장 구조를 반복하여 운율을 형성함.

4 '풀'에 대해 화자는 '잡초'라고 표현하였고 민지는 '꽃'이라고 표현하였다. '풀'이라는 같은 대상을 바라보는 두 사람의 관점이 대조적으로 드러나면서 민지의 순수한 성격이 드러난다. 이를 통해 독자의 성찰을 이끌어 내고 있다.

오답 풀이

① 13~16행의 '내 말은 때가 묻어 ~ 흔들어 깨우는 것이었다.'에서 화자가 민지의 말을 듣고 자신을 성찰했음을 알 수 있다.

② 화자는 '질경이, 나싱개, 토끼풀, 억새'를 풀이나 잡초로 여기며 사소한 것이라고 생각하는데, 이런 것들을 민지가 꽃이라고 말하는 모습을 통해 민지의 순수하고 맑은 성격을 강조하고 있다.

④ 민지를 바라보는 화자의 따뜻한 시선이 시의 분위기를 따뜻하게 만든다.

⑤ 민지가 "꽃이야"라고 한 말을 듣고 "그건 잡초야"라고 말하지 않는 화자의 모습에서, 독자의 성찰을 이끌어 내고 있다.

작품 설명 정희성, 〈민지의 꽃〉

갈래	현대시, 자유시
제재	풀, 산골에 사는 민지
주제	순수한 민지를 통한 삶의 성찰
특징	① 민지를 만난 일상적 경험을 통한 깨달음을 전함. ② 민지와 화자의 대화를 그대로 제시하여 생동감을 줌.

2일 필수 체크 전략 ❷ 18~19쪽

1 ③ 2 ④ 3 ⑤ 4 ①

1 이 시의 화자는 '나'로, 자신을 '나룻배'에 비유하고 있다. 화자는 시적 대상인 '당신'을 '행인'에 비유하여 '당신'을 향한 자신의 헌신적인 사랑과 절대적 믿음을 강조하고 있다.

2 8행의 '그러나 당신이 언제든지 오실 줄만은 알아요.'에서 '당신'을 향한 화자의 절대적인 믿음이 담긴 태도를 알 수 있다.

오답 풀이

① ㉠에는 '당신'을 '행인'에 빗댄 표현이 드러난다.

②, ③ ㉡, ㉢에는 '나'를 대하는 '당신'의 무정하고 무심한 태도가 드러난다.

⑤ ㉤에는 '당신'을 대하는 '나'의 태도가 드러나기는 하지만, '당신'이 반드시 올 것이라는 절대적인 믿음은 잘 드러나지 않는다.

작품 설명 한용운, 〈나룻배와 행인〉

갈래	현대시, 자유시
제재	나룻배, 행인
주제	희생과 믿음을 통한 진정한 사랑의 실천 의지
특징	① 화자는 자신을 '나룻배'에 비유하여 '당신'에 대한 자신의 마음을 드러내고 있음. ② 1연과 4연을 반복하여 운율을 형성하고 '나'와 '당신'의 관계를 강조함.

3 '나는 아버지로 섬기는 이라 한즉'에서 화자는 자신과 아무개 씨의 관계를 의원에게 말하고 있다.

오답 풀이

① 1행의 '나는 북관(北關)에 혼자 앓어누워서'에서 화자는 혼자 앓아누워 있음을 알 수 있다.

② 3~4행에서 화자는 신선 같아 보이는 어느 의원을 만나고 있음을 알 수 있다.

③ 7행의 '문득 물어 고향이 어데냐 한다'에서 의원이 화자에게 고향을 묻고 있음을 알 수 있다.

④ 8~12행에서 화자가 자신은 평안도 정주가 고향이라고 하자, 의원이 그곳은 아무개 씨 고향이라고 말하고, 다시 화자가 아무개 씨를 아냐고 묻자, 의원은 자신과 아무개 씨가 막역지간이라고 말하고 있다.

4 이 시의 화자는 의원의 손길을 따뜻하게 느끼며 의원의 손길에 고향도 아버지도 아버지의 친구도 다 있다고 말하고 있다. 이는 화자가 고향이 아니라 타향에서 의원의 손길을 통해 고향에 와 있는 것 같은 따스함을 느끼고 있음을 의미한다.

작품 설명 백석, 〈고향〉

갈래	현대시, 자유시
제재	고향
주제	고향과 가족을 향한 그리움
특징	① 화자와 의원의 대화 형식으로 시의 상황을 드러냄. ② 인물, 사건, 배경이 제시되어 한 편의 짧은 이야기를 읽는 듯한 느낌을 줌.

3일 필수 체크 전략 ❶ 20~23쪽

1 ④ 2 ② 3 ① 4 ③

1 이 글의 서술자는 '나'로 자신의 속마음만 나타내고 있으며, 다른 인물인 점순이의 속마음은 정확히 파악하지 못하고 있다.

✎ 작품 설명 김유정, 〈동백꽃〉

갈래	현대 소설
제재	동백꽃
주제	농촌 남녀의 순박한 사랑
특징	① 현재와 과거가 교차되어 이야기가 전개됨. ② 어리숙한 성격의 '나'를 주인공으로 설정하여 글의 해학성을 높임.

2 소설 〈사랑손님과 어머니〉의 서술자는 ㉠에서 아저씨와 어머니가 성이 났다고 말하고 있다. 하지만 아저씨와 어머니는 성이 난 것이 아니라 부끄러움을 느낀 것이며, '나'가 어린아이라서 이들의 심리를 제대로 파악하지 못한 것이다. 즉 어린아이인 서술자의 한계가 나타난다.

오답 풀이

① 아저씨와 어머니는 서로 부끄러워서 얼굴이 붉어진 것이지 화가 나서 붉어진 게 아니므로 서술자인 '나'는 인물의 심리를 정확하게 전하지 못하고 있다.

③ 서술자 '나'는 이야기 안에서 등장인물을 관찰하며 등장인물의 이야기를 들려 주고 있다.

④ 서술자 '나'는 어린아이로 어른들의 심리를 정확하게 파악하지 못하고 있으며 앞으로 일어날 일을 예측하고 있지 않다.

⑤ 서술자 '나'는 자신이 본 대로 추측하여 이야기를 전달하고 있다.

✎ 작품 설명 주요섭, 〈사랑손님과 어머니〉

갈래	현대 소설
제재	어머니와 사랑손님의 사랑
주제	어머니와 사랑손님의 사랑과 이별
특징	① 어린아이의 시선으로 어른들의 사랑을 순수하게 그려 냄. ② '달걀', '손수건', '꽃', '풍금' 등의 소재를 활용하여 인물들의 심리를 효과적으로 드러냄.

3 서술자는 '길동은 모두 예견하고 있었다.'에서 길동이라는 인물의 심리를 전하고 있다. 또한 '말을 아무리 채찍질한들 축지법을 써서 달아나는 길동을 어찌 잡을 수 있겠는가?'에서 군사들이 길동을 잡을 수 없는 이유를 설명하고 있다.

✎ 작품 설명 허균, 〈홍길동전〉

갈래	고전 소설, 한글 소설
제재	홍길동의 영웅적 활약상
주제	불합리한 신분 제도와 사회 현실에 대한 비판, 율도국에서의 이상 실현
특징	① 길동의 활약을 이야기 밖의 서술자가 전달함. ② 길동의 비범한 능력에서 영웅적인 모습이 드러남.

4 이 글은 1과 0 두 서술자가 번갈아 가며 자신의 이야기를 서술하고 있다. 두 서술자가 같은 상황을 다르게 보여 주기 때문에 소설에서 진행되는 사건을 다양한 시각으로 이해할 수 있다.

✎ 작품 설명 성석제, 〈내가 그린 히말라야시다 그림〉

갈래	현대 소설
제재	사생 대회에서 그림이 뒤바뀐 일
주제	어린 시절의 선택이 삶에 미치는 영향
특징	① '0'과 '1'의 두 서술자의 시점이 교차되면서 사건이 전개됨. ② 같은 사건에 대한 두 인물의 서로 다른 시각이 대조되어 드러남.

3일 필수 체크 전략 ② 25쪽

1 ② 2 ① 3 ⑤

1 이 글의 서술자는 '나'로 이야기 속에 등장하고 있으며, 부모님이 싸우는 원인과 그들의 속마음을 나름대로 추측하고 있다.

오답 풀이

ㄴ. 이 글의 서술자인 '나'는 부모님의 싸움에 대한 자신의 내면을 솔직하게 드러내고 있다.

ㄹ. 이 글의 서술자인 '나'는 부모님의 싸움의 밑바닥에는 아저씨의 존재가 있다면서 부모님의 마음을 추측하여 나타내고 있다.

2 서술자가 이야기 밖에 있고 신과 같이 모든 것을 알고 있는 시점은 3인칭 전지적 시점이다. 3인칭 전지적 시점은 서술자가 인물의 행동과 심리를 모두 꿰뚫어 본다.

3 이 글의 작가는 청소년인 '나'를 서술자로 설정하여 '나'가 사건을 전달함으로써 현대 사회를 간접적으로 비판하고 있다. 아울러 '나'가 열일곱 살이 되었을 때 정신적으로 성장한 모습을 보여 줌으로써 가족 이기주의의 극복 가능성도 제시하고 있다.

작품 설명 공선옥, 〈일가〉

갈래	현대 소설
제재	일가 아저씨
주제	일가 친척의 의미가 점점 사라져 가는 현대 사회에 대한 비판과 반성
특징	① 청소년 서술자인 '나'가 주인공이 되어 주변 인물들 간에 벌어지는 사건을 관찰하고 전달함. ② 청소년 서술자인 '나'의 시각에서 가족 이기주의를 비판함.

4일 교과서 대표 전략 ① 26~29쪽

1 ③ 2 ⑤ 3 ④ 4 ⑤ 5 ②
6 ③ 7 ⑤ 8 ②

1 이 시의 화자는 어른이 된 '나'로 시에 드러나 있다.

오답 풀이

① '나는 찬밥처럼 방에 담겨'에서 화자가 '나'로 드러나고 있다.

②, ④ '아주 먼 옛날 / 지금도 내 눈시울을 뜨겁게 하는'에서 어른이 된 지금, '나'가 어린 시절을 떠올리며 슬퍼하고 있음을 알 수 있다.

⑤ '나는 찬밥처럼 방에 담겨'에서 화자가 어린 시절에 혼자 빈방에서 엄마를 기다리며 외로움을 느꼈음을 알 수 있고, '어둡고 무서워'에서 '무서워'라고 직접 마음을 드러내고 있다.

2 화자는 엄마를 기다리며 외롭고 무서워했던 어린 시절을 떠올리면서 눈시울이 뜨거워지고 슬픔을 느끼고 있다. 자신의 어렵고 힘들었던 어린 시절을 방바닥의 차가운 부분을 의미하는 '윗목'에 비유하여 안타까움과 서글픔을 표현하였다.

3 이 시의 화자는 동물인 '귀뚜라미'이다. '지하도 콘크리트 벽 좁은 틈에서 / 숨 막힐 듯, 그러나 나 여기 살아 있다'에서 귀뚜라미가 열악한 환경에서 살고 있음을 알 수 있다. ④는 3연에 나타난 화자의 소망으로 아직 이루어지지는 않았다.

오답 풀이

① '발길에 눌려 우는 내 울음도'를 통해 화자가 누군가의 발길에 눌려 고통을 겪고 있음을 알 수 있다.

②, ③, ⑤ '높은 가지를 흔드는 매미 소리에 묻혀 / 내 울음 아직은 노래 아니다.', '지하도 콘크리트 벽 좁은 틈에서 / 숨 막힐 듯, 그러나 나 여기 살아 있다 / 귀뚜르르 뚜르르 보내는 타전 소리가'에서 등 화자인 귀뚜라미의 상황이 나타난다.

4 이 시를 쓴 시인은 인간이 아닌 동물인 귀뚜라미를 화자로 설정하고 있다. 귀뚜라미를 사람처럼 표현하여 고통을 이겨 내고 누군가에게 감동을 줄 수 있기를 소망하는 주제를 강조하고 있다.

5 이 글의 서술자인 '나'는 순진하고 어리숙하여 점순이의 애정을 눈치채지 못한다. '나'가 점순이의 애정 표현을 전혀 모르고 엉뚱하게 행동하여 해학적인 분위기가 나타난다.

오답 풀이

① '나'의 말과 행동으로 보아, '나'는 눈치 없고 순진한 성격임을 알 수 있다.
③ 애정 표현에 서투른 사람은 점순이이지만 청소년기의 혼란스러운 마음 상태를 전달하는 것이 이 글의 주목적은 아니다.
④ 점순이의 의도를 파악하지 못하는 '나'를 통해 읽는 재미를 주고 두 사람의 사랑을 순수하게 느끼게 한다.
⑤ '나'의 무뚝뚝한 성격을 통해 해학적 분위기를 만들고 순수함을 느끼게 한다.

6 이 글은 '나'를 서술자로 한 1인칭 주인공 시점의 소설이다. 〈보기〉는 서술자가 이야기 밖에서 인물의 심리까지 모두 파악하고 있으므로 3인칭 전지적 시점이다. [A]에서 점순이의 마음을 모르고 행동한 '나' 때문에 재미를 느꼈다면 〈보기〉에서는 그러한 효과가 사라지게 된다.

7 이 글은 같은 사건을 겪은 두 인물을 서술자로 설정하였다. 두 서술자는 모두 이야기 안에 등장하는 주인공으로 같은 사건에 대한 자신의 심리를 회상하며 이야기하고 있다.

8 0과 1의 서술자가 교차해 서술하는 형식이 아니라, 한쪽의 입장에서만 전달하면 한 인물의 관점만 독자에게 전달되며 한 명의 서술자의 심리만 드러나게 되기 때문에 객관적인 관점에서 사건을 파악할 수 없게 된다.

4일 교과서 대표 전략 ❷ 30~31쪽

1 ⑤ 2 ③ 3 ① 4 ⑤

1 이 시는 어둡고 차가운 분위기에서 밝고 따뜻한 분위기로 바뀌고 있다. '어둠이 한기처럼 스며들고', '아무도 없는 집 썰렁한 내 방'에서는 차가움, 외로움, 어두움의 분위기가 드러나고, '온기가 식지 않은 종이봉투', '가장 따뜻했던 저녁'에서는 따뜻함의 분위기가 드러나고 있다.

2 (나)의 화자인 '나'는 다섯 살 민지가 '잡초'를 보고 '꽃'이라고 말하자, 자신의 말은 때가 묻었고, 민지의 말은 천지와 귀신을 감동시킨다고 말하고 있다. 화자는 순수한 시각을 가진 어린아이인 민지의 눈을 통해, 대상을 있는 그대로 바라보지 못하는 자신의 때 묻은 삶의 모습을 성찰하고 있다.

3 이 글은 1인칭 관찰자 시점으로, 어린아이인 '나'가 이야기에 등장하여 주인공인 아저씨와 어머니를 관찰하고 있다.

4 (나)에서 서술자인 '나'는 어른들의 말과 행동에 담긴 의미를 제대로 파악하지 못하는 어린아이의 순수한 관점으로 어른들의 세계를 전달하고 있다. 이러한 어린 서술자를 통해 어머니와 아저씨의 사랑이 순수하고 아름답게 느껴지게 된다.

누구나 합격 전략 32~33쪽

1 ④ 2 붕어빵 3 ⑤ 4 ⑤ 5 1인칭 주인공 시점 6 ⑤ 7 ② 8 나도 지금은 막히지 않고 줄줄 외는 주기도문을 글쎄 어머니가 막히다니 참으로 우스운 일이었습니다.

1 시 〈엄마 걱정〉의 화자는 아주 먼 옛날의 자신의 유년을 '윗목'이라고 말하면서 힘들었던 어린 시절을 회상하고 있다.

2 시 〈세상에서 가장 따뜻했던 저녁〉의 화자는 친구가 몰래 넣어 준 붕어빵을 떠올리며 세상에서 가장 따뜻했던 저녁이라고 말하고 있다.

3 시 〈민지의 꽃〉의 화자는 민지의 말을 듣고 자신의 말은 때가 묻었다면서 자신을 성찰하고 있다.

4 시 〈귀뚜라미〉의 화자는 '나'이며, '나'는 사람이 아닌 귀뚜라미이다. 귀뚜라미는 힘들고 어려운 처지에 있으면서도 자신의 울음이 노래가 되어 누군가에게 감동을 주고 싶다는 소망을 노래하고 있다.

5 소설 〈동백꽃〉은 눈치 없고 어수룩한 '나'를 통해 사건이 전달되면서 '나'와 점순이 사이의 순박하고 풋풋한 사랑이라는 주제를 효과적으로 나타내고 있다. 또한 점순이의 마음을 '나'가 모르는 채로 사건을 전하면서 해학적인 분위기가 형성된다.

6 이 글의 서술자를 '점순이'로 바꾸게 되면, 서술자인 점순이가 자신의 속마음을 드러내게 될 것이므로 점순이의 행동 속에 담긴 의도를 정확하게 나타낼 수 있다.

7 소설 〈사랑손님과 어머니〉는 어린 서술자인 '나'의 시선으로 어른들의 세계를 관찰하여 전달하는 1인칭 관찰자 시점의 소설이다. 어린아이인 '나'는 어머니의 미묘한 감정 변화를 알지 못한 채 눈에 보이는 대로만 이야기하여 독자의 웃음을 일으키고 어른들의 사랑을 순수하게 전달한다.

8 어머니는 아저씨를 향한 감정 때문에 혼란스럽고 힘들어서 자신의 마음을 추스르는 과정에서 주기도문의 같은 부분을 반복하고 있다. 이런 어머니의 속마음을 모르는 어린 서술자인 '나'는 어머니의 행동을 참으로 우스운 일이라고 생각했다.

창의 · 융합 · 코딩 전략 ❶ (34~35쪽)

1 슬픔과 안타까움을 느끼고 있음. **2** ④ **3** ④ **4** ③

1 1연에는 늦게까지 돌아오지 않는 엄마를 홀로 기다리며 외로움과 무서움을 느끼고 있는 화자의 상황이 드러나고 있다. 2연에서는 1연에 나타난 어린 시절을 떠올리며 슬픔에 눈물을 흘리는 화자의 상황이 나타나 있다.
특히 2연에 쓰인 '온돌방에서 아궁이로부터 먼 쪽의 땅바닥. 불길이 잘 닿지 않아 아랫목보다 상대적으로 차가운 쪽'을 뜻하는 '윗목'이라는 시어를 통해 화자는 어린 시절을 차갑고 서러운 시절로 기억하고 있음을 알 수 있다.

평가 기준	확인 ☑
'슬픔, 안타까움, 서글픔, 서러움' 등을 넣어 정서나 태도를 씀.	
한 문장으로 씀.	

2 ㉠은 귀뚜라미가 자신의 노래가 누군가의 가슴에 감동을 주었으면 좋겠다는 소망을 보여 주고 있다. 카드 내용에서는 귀뚜라미의 울음소리가 인간의 심리적 안정에 도움이 된다는 연구 결과를 말하고 있으므로, 이와 서로 관련지을 수 있다.

3 제시된 시조 〈훈민가〉를 들을 대상은 농민이다. 양반이 열심히 일하라고 명령하면 거부감이 들겠지만, 자신과 처지가 같은 농민이 함께 일하자고 이야기하면 이를 친숙하고 거부감 없이 받아들일 수 있으므로 화자를 농민으로 설정하였다고 볼 수 있다.

작품 설명 정철, 〈훈민가〉

갈래	평시조, 연시조(16수 중 13수)
제재	농사일
주제	부지런히 일하고 서로 도와가며 살자.
특징	① '-자'를 활용해 상대방에게 권유하는 말투를 사용하여 설득력을 높임. ② 농민을 화자로 내세워 말하고자 하는 바를 효과적으로 전달함.

자료실 시조의 형식

시조의 일반적인 형식에 해당하는 평시조는 3·4조, 4음보를 바탕으로 하여 3장 6구 45자 내외로 이루어진다. 이때 시조의 첫 번째 행을 초장, 두 번째 행을 중장, 세 번째 행을 종장이라고 한다. 각 장이 두 개의 구로 구성되어 있어서 시조 전체는 6구가 되며, 종장의 첫 구는 3음절로 시작하여야 한다는 규칙을 반드시 지켜야 한다. 또 두 개 이상의 평시조가 하나의 제목으로 엮어져 있는 시조를 연시조라 한다.

4 북어의 아버지는 북어한테 사람한테 잡혀갔을 때 살아남는 방법을 조언하였다. 따라서 화자인 북어는 황태가 되고자 하는 바람 때문이 아니라, 살아남고자 하는 바람 때문에 아버지의 조언대로 행동하였다.

오답 풀이

① 카드 내용으로 보아, 북어가 살아 있을 때는 명태라고 부르므로, 사람에게 잡혔을 때는 명태이다.
② 시의 제목인 '북어'와 시의 화자가 자신은 사람들에게 잡혀가는 존재라고 말하는 것으로 보아 화자가 '북어'임을 알 수 있다.
④ '입을 크게 벌리고', '눈을 크게 부라리고', '눈을 크게 똑바로 뜨고'로 보아 북어는 입을 벌리고 있고, 눈이 크고 눈을 뜨고 있음을 알 수 있다.
⑤ 카드 내용으로 보아 '북어'는 명태를 잡아 건조한 것을 이르는 말이다. '내가 무섭지요 벌벌 떨리지요?'에서 죽은 북어가 애처롭고 우스꽝스럽게 허세를 부리는 모습이 드러난다.

작품 설명 배우식, 〈북어〉

갈래	현대시, 산문시
제재	북어
주제	부질없는 위협으로 허세를 부리는 태도 비판
특징	① 사물인 '북어'가 화자로 등장함. ② 북어의 심정을 직접적으로 드러냄.

창의 · 융합 · 코딩 전략 ❷ 36~37쪽

5 1인칭 주인공 시점 – 서술자인 '나'가 이야기 안에 등장하여 미옥이에게서 온 편지로 어머니와 갈등하는 중심인물이기 때문이다. **6** 그 위엄은 하늘을 찌를 듯하고 그 형세는 더 이상 거칠 것이 없었다. **7** ③ **8** 주호

5 〈일가〉의 서술자인 '나'는 이야기 안에 등장하여 여학생(미옥이)에게서 온 편지 문제로 어머니와 다투고 있는 중심인물이다. 따라서 이 글의 시점은 '1인칭 주인공 시점'이다.

평가 기준	확인 ☑
1인칭 주인공 시점임을 씀.	
'나'가 주인공으로 사건을 진행하고 있음을 씀.	

6 '영상 제작 계획서'를 보면 서술자가 인물이나 사건에 대한 평가를 나타낸 부분에 자막 효과를 사용하겠다고 계획하고 있다. 따라서 ㉠에 들어갈 내용은 서술자가 길동이 이끄는 군대의 위엄과 형세를 평가한 부분이다.

7 〈내가 그린 히말라야시다 그림〉은 1인칭 주인공 시점의 소설로, 서술자가 이야기 안에 등장하여 자신의 이야기를 직접 서술한다. 하지만 다른 사람의 심리는 정확히 파악하지는 못한다.

8 옥희 어머니는 기차를 타고 떠나는 사랑손님을 마지막으로 배웅하기 위해서 옥희에게 뒷동산에 올라가자고 하였다. 〈보기〉에서는 서술자인 외삼촌을 통해 이러한 이유가 더 상세하게 나타나고 있을 뿐, 그 이유가 달라지지는 않았다.

오답 풀이

이 글에서 서술자인 '나'는 옥희였지만, 〈보기〉의 서술자인 '나'는 외삼촌이다. 집을 보고 있으라고 외삼촌에게 일렀다는 내용이 〈보기〉에서 누님이 내게 말했다는 데서 이를 알 수 있다.

보라: 서술자가 외삼촌으로 바뀌면 어린아이인 옥희의 순수한 시선이 나타나지 않게 되고, 〈보기〉에서 외삼촌이 비교적 상황을 합리적으로 추측하는 것을 볼 때 보라가 말한 읽는 재미는 줄어든다고 볼 수 있다.

찬우: 이 글은 뒷동산에 올라가려는 어머니의 의도를 알지 못한 채 아저씨가 준 인형을 챙기는 '나'의 모습을 통해 천진난만한 분위기를 나타냈지만, 〈보기〉는 누님의 모습이 왠지 쓸쓸하게 느껴졌다는 표현을 통해 쓸쓸한 분위기가 강조되고 있다.

연경: 이 글에서는 옥희 어머니의 심리가 나타나지 않지만, 〈보기〉에서는 누님이 뒷동산에 올라간 이유가 사랑손님을 마지막으로 배웅하고 싶은 것이라며 옥희 어머니의 심리를 추측하여 독자에게 알려 주고 있다.

2주 문학 (2)

1일 개념 돌파 전략 ❶ 41, 43쪽

1-2 ㄷ　2-2 ③　3-2 역설　4-2 ②　5-2 ①

1-2 시에서 각 행을 세 마디씩 끊어 읽음으로써, 즉 3음보를 반복하면 운율이 형성된다.

2-2 반어를 사용하면 대상을 비판하거나 특정한 내용을 강조할 수 있다. 차가 막히는 상황을 빨리도 간다고 표현하여 차가 막히는 상황을 비꼬거나 강조하고 있다.

3-2 역설은 겉보기에는 모순이지만 그 속에 진실을 담고 있는 표현이다. '지는 것이 이기는 것이다.'는 '지는 것'과 '이기는 것'이 서로 모순이지만, 너그럽게 양보하는 것이 도덕적으로 승리하는 것이라는 진실을 담고 있는 역설이 사용되었다.

4-2 풍자는 부정적 인물이나 사회의 모습을 비판하는 경우에 활용할 수 있는 표현 방법이다. ②는 반어에 대한 설명이다.

5-2 문학 작품의 재구성은 원작의 내용과 표현, 형식, 맥락, 매체 등을 바꾸어 쓰는 것이다.

1일 개념 돌파 전략 ❷ 44~45쪽

1 ④　2 ④　3 ③　4 ④
5 갈래(형식)

1 제시된 시 〈실비〉에서는 각 행이 7자로 반복되며, 같은 위치에서 비슷한 소리가 반복되고, '실비'라는 시어가 반복된다. 또한 '~에 ~내려라.'로 같은 문장 구조가 반복되어 운율이 잘 느껴진다.

2 제시된 노래 〈비와 당신〉의 4행 '비가 오면 눈물이 나요.'로 보아 화자는 여전히 '당신'을 사랑함을 알 수 있다. 따라서 ㉠은 '당신'을 사랑하고 그리워하는 마음을 반대로 나타내어 강조한 표현이다.

3 제시된 시 〈벌레 먹은 나뭇잎〉의 1행 '나뭇잎이 벌레 먹어서 예쁘다'는 벌레 먹은 것을 예쁘다고 하여 언어 표현 그 자체에서 의미가 서로 어긋나는 역설을 사용하였다. 이를 통해 벌레에게 자신이 가진 것을 베풀 줄 아는 나뭇잎이 아름답고 가치 있는 존재라는 의미를 전달하고 있다.

4 제시된 시 〈우리말 사랑 1〉에서는 '달리기를 하면 발목 삘까 봐', '찬물로 씻으면 피부병 걸릴까 봐'와 같이 표현하여 우리말인 '달리기', '찬물', '씻다'를 사용하지 않고 외래어나 한자어인 '조깅', '냉수', '샤워'를 사용하는 사람을 간접적으로 비판하고 있다.

5 원작 (가)는 백석의 시 〈박각시 오는 저녁〉으로 시인이 대상을 운율을 살려 압축적으로 표현한 갈래인데, (나)는 인물, 사건, 배경을 중심으로 내용을 전개하는 동화 〈박각시와 주락시〉로 바꾸었으므로, 갈래(형식)를 바꾸어 재구성하였다.

작품 설명 (가) 백석, 〈박각시 오는 저녁〉

갈래	현대시, 자유시
제재	시골의 여름 저녁 모습
주제	시골의 아름다운 여름 저녁 풍경, 인간과 자연이 조화를 이루며 살아가는 모습
특징	① 시골의 여름 저녁 모습을 아름답고 섬세하게 묘사함. ② 토속적 소재를 사용하여 계절감과 향토적 정서를 표현함.

작품 설명 (나) 김기정, 〈박각시와 주락시〉

갈래	동화
제재	할머니 집을 파는 일
주제	소중한 것을 잊고 사는 현대 사회의 각박한 삶에 관한 성찰과 안타까움
특징	① 백석의 시 〈박각시 오는 저녁〉을 이야기로 재구성한 작품임. ② 인물들의 대조되는 가치관으로 주제를 드러냄. ③ '현실-환상-현실'의 구조로 사건이 전개됨.

2일 필수 체크 전략 ❶ 46~48쪽

1 ①　　2 ⑤　　3 ⑤

1 이 시에서는 같거나 비슷한 시어, 시구, 문장 구조를 반복하여 운율을 형성하고 주제를 강조하고 있다.

오답 풀이

② '곳에서도', '멈추고', '않고', '있다'로 보아 모든 행의 끝부분을 명사형으로 끝맺고 있지 않다.
③ 사람이나 사물의 소리를 흉내 낸 말인 의성어는 나타나지 않는다.
④ 이 시는 1연 14행으로 구성되어 있다.
⑤ 명령하는 말투인 '보라'는 10행에 한 번만 나타난다.

작품 설명 정호승, 〈봄 길〉

갈래	현대시, 자유시
제재	봄 길
주제	절망적인 상황에서도 희망을 잃지 않는 삶의 태도
특징	① '~ 곳에서도 ~이 있다', '스스로 ~이 되어 ~ 걸어가는 사람이 있다'라는 문장 구조를 반복하여 운율이 느껴짐. ② '길이 끝나는 곳에서도 길이 있다'는 역설 표현을 통해 절망적인 상황에도 희망이 있다는 의미를 강조함.

2 이 시에서 화자는 줄곧 '당신'을 잊지 못하고 그리워하는 자신의 속마음과 반대로 '잊었노라'라고 표현하고 있을 뿐, 뜻이 모순되고 이치에 맞지 않는 말을 사용하고 있지는 않다.

작품 설명 김소월, 〈먼 후일〉

갈래	현대시, 자유시
제재	이별
주제	떠난 임을 잊을 수 없는 마음
특징	① 임을 잊지 못하는 화자의 마음을 '잊었노라'라고 반어로 표현하여 강조함. ② 같은 시어, 비슷한 문장 구조, 3음보를 반복하여 운율을 형성하고 주제를 강조함.

3 ㉠에는 겉보기에는 모순이지만 그 속에 어떤 진실을 담고 있는 표현인 역설이 사용되었다. ㉠에서 '독한'과 '아름답다'는 논리적으로 맞지 않다. 하지만 그 속에는 친구의 독한 마음이 자식을 사랑하는 마음에서 나온 것이라는 진실이 담겨 있다.

작품 설명 함민복, 〈독(毒)은 아름답다〉

갈래	현대시, 자유시
제재	은행나무 열매, 밤송이, 복어알, 친구
주제	자식에 대한 부모의 사랑은 가치 있고 아름다움.
특징	① 대상의 부정적인 특성에서 발견한 가치를 역설을 써서 드러냄. ② 일상에서 접할 수 있는 소재를 활용하여 주제를 드러냄.

2일 필수 체크 전략 ❷ 49~51쪽

1 ④ 2 ② 3 ② 4 반어 5 ②
6 결별이 이룩하는 축복

1 이 시에서 '걸음걸음'이라는 표현이 나타나기는 하지만, 의성어와 의태어가 일정하게 되풀이되지는 않는다.

오답 풀이

① 1연에서 '드리우리다', 2연에서 '뿌리우리다', 4연에서 '흘리우리다'로 '-우리다'를 반복하여 운율이 느껴진다.

② 1연과 4연이 '나 보기가 / 역겨워 / 가실 때에는 / ~리다'로 비슷한 형태가 반복되어 형태적 안정감을 준다.

③ '나 보기가 ∨ 역겨워 ∨ / 가실 때에는 ∨ / 말없이 ∨ 고이 보내 ∨ 드리우리다 ∨'로 세 마디씩 끊어 읽게 되어 운율이 느껴진다.

⑤ '나 보기가 역겨워(7자) / 가실 때에는(5자) / 말없이 고이 보내(7자) 드리우리다(5자)'와 같이 글자 수를 일정하게 반복하여 운율이 느껴진다.

2 ㉠은 눈물을 흘리지 않겠다고 표현하지만 임이 떠나면 많은 눈물을 흘리겠다는 화자의 속마음이 담겨 있다. 이처럼 자신의 속마음과 반대로 표현하는 반어를 사용하여 임을 떠나보내는 슬픔을 강조하고 있다.

작품 설명 김소월, 〈진달래꽃〉

갈래	현대시, 자유시
제재	임과의 이별
주제	임을 향한 사랑, 이별의 한과 슬픔의 극복
특징	① 임이 떠나지 않기를 바라는 속마음과는 달리 임을 보내 드리겠다고 반어를 사용하여 소망을 강조함. ② 7자, 5자의 글자 수, 3음보, 1연과 4연에서 비슷한 내용을 반복하여 운율이 느껴짐.

3 이 시에서는 '정말', '너는 참 바보다.'와 같은 시어나 시구를 반복하여 운율을 형성하고 있다.

4 이 시에서 화자는 착하고 바르게 살아가는 '너'의 긍정적인 모습을 강조하기 위해 속마음과는 반대로 '너는 참 바보다.'라고 표현하였다.

작품 설명 신형건, 〈넌 바보다〉

갈래	현대시, 자유시
제재	바보 같은 '너'
주제	바르게 살아가는 '너'를 본받고 싶은 마음
특징	① '너는 참 바보다.'를 반복하여 운율이 느껴짐. ② '너'의 모든 모습을 좋아하고 닮고 싶어 하는 '나'의 마음을 반어로 표현하여 '너'의 바른 행동을 강조함. ③ 1연에서 바르게 생활하는 '너'의 행동을 열거한 뒤에 2연에서 이를 긍정적으로 생각하는 '나'의 마음을 드러냄('너는 참 바보다'가 반어 표현임이 드러남.).

5 이 시의 화자는 꽃이 피고 진 후 열매를 맺는 자연 현상을 인간의 삶과 연관 지어 화자의 깨달음을 나타내고 있다. 꽃이 피는 것은 인간의 사랑에, 꽃이 지는 것은 인간의 이별에 빗대고 있다. 또한 꽃이 진 후 열매를 맺는 것을 이별 후의 성숙에 빗대고 있다.

6 '결별이 이룩하는 축복'에는 '결별'과 '축복'이라는 서로 어울리지 않는 말이 결합되어 삶의 진실을 드러내는 역설이 사용되었다. 역설을 사용하여 참신한 느낌을 주고, 전달하고자 하는 의미를 더욱 강조하고 있다.

작품 설명 이형기, 〈낙화〉

갈래	현대시, 자유시
제재	꽃이 지는 현상(낙화)
주제	슬프고 고통스러운 이별을 통해 영혼의 성숙을 이룰 수 있음.
특징	① 꽃이 피고 지는 것이 열매의 결과로 이어지는 자연 현상을, 사랑하고 이별하는 것이 영혼의 성숙을 이룰 수 있다는 인간의 삶과 연관 짓고 있음. ② '결별'과 '축복'이라는 서로 어울리지 않는 말을 결합한 역설을 사용하여 화자의 깨달음을 전함.

3일 필수 체크 전략 ❶ 52~55쪽

1 ①　2 ④　3 ⑤　4 ⑤

1 작가는 ㉠에서 양반의 아내의 말을 빌려 자신이 진 빚조차 해결하지 못하는 양반의 무능하고 나약한 모습을 비판하고 있다.

작품 설명 박지원, 〈양반전〉

갈래	고전 소설, 한문 소설, 풍자 소설
제재	양반 신분의 매매
주제	양반들의 무능과 허례허식에 대한 비판
특징	① 조선 후기의 사회적 상황이 잘 드러남. ② 양반의 신분을 사고파는 사건을 통해 양반의 모습을 풍자함.

2 종장의 '두꺼비'가 잘난 척하는 모습을 통해 '두꺼비'의 허세를 비판하고 있다.

오답 풀이

① '두꺼비'는 '파리'를 괴롭히고 있으므로 탐관오리이고, '두꺼비'에게 당하고 있는 '파리'는 백성에 해당한다. 또한 '두꺼비'가 '백송골'을 보고 깜짝 놀라 피하고 있으므로 '백송골'은 더 힘이 있는 권력자를 의미한다.

② '두꺼비'와 '파리'는 각각 탐관오리와 백성을 의미하므로, '두꺼비'가 '파리'를 물고 있는 모습은 탐관오리가 백성들을 착취하는 모습에 해당한다.

③ '두꺼비'가 두엄 아래 자빠지는 모습을 통해 '두꺼비'를 우스꽝스럽게 나타냄으로써 백성을 착취하는 '두꺼비'를 풍자하고 있다.

⑤ 작가는 '두꺼비'의 모습을 우스꽝스럽게 나타내어 당시 탐관오리들의 모습을 돌려서 비판하고 있다.

작품 설명 작자 미상, 〈두꺼비 파리를 물고〉

갈래	사설시조
제재	두꺼비
주제	탐관오리의 이중성 비판
특징	① '파리', '두꺼비', '백송골'의 세 계층을 통해 사회 계층 구조와 비리를 풍자함. ② 탐관오리를 우스꽝스럽게 표현하여 풍자함.

자료실 〈두꺼비 파리를 물고〉 현대어 풀이

두꺼비가 파리를 물고 거름 위에 뛰어 올라가 앉아
건너편 산을 바라보니 흰 매가 떠 있는 것을 보고 무서워서 거름에서 뛰어내리다가 거름 아래로 자빠졌구나.
마침 날랜 나였기에 망정이지 하마터면 피멍 들 뻔했구나.

3 (가)는 서술자가 인물 간의 대화를 제시해 사건을 전개하고 있다. (나)는 서술자 없이 지시문과 인물의 대사를 통해 이야기를 전개하고 있다.

오답 풀이

① (가)와 (나)는 둘 다 문학 작품이므로 작가가 상상하여 창작해 낸 이야기이다.

② (가)는 소설, (나)는 드라마 대본으로 둘 다 인물, 사건, 배경을 중심으로 한다.

③ 작품의 갈래가 (가)는 소설이며, (나)는 드라마를 촬영하기 위한 대본이다.

④ (가)는 소설로 촬영이나 편집과 관련된 용어가 나타나지 않지만, (나)는 촬영을 하기 위한 장면 번호(S#) 등의 용어가 나타난다.

작품 설명 (가) 황순원, 〈소나기〉

갈래	현대 소설
제재	소나기
주제	소년과 소녀의 순수한 사랑
특징	① 시간의 흐름에 따라 내용이 전개됨. ② 등장인물의 심리가 주로 행동을 통해 간접적으로 드러남.

작품 설명 (나) 염일호 각본, 〈소나기〉

갈래	드라마 대본
제재	소나기
주제	소년과 소녀의 순수한 사랑
특징	① 원작 소설 〈소나기〉를 재구성한 작품임. ② 원작에 없는 다양한 인물과 사건이 추가됨. ③ 소녀의 죽음 이후의 이야기가 그려짐.

자료실 드라마 대본 용어

- S#: 장면 번호
- 대사: 등장인물이 하는 말
- 지시문: 등장인물의 행동을 지시하거나 상황을 설명하는 말

4 〈흑설 공주〉를 쓴 작가는 〈백설 공주〉를 〈흑설 공주〉로 재구성함으로써 아름다움에 대한 자신의 다른 관점을 보여 주고 있다.

작품 설명 이경혜, 〈흑설 공주〉

갈래	현대 소설, 개작 동화
제재	흑설 공주
주제	인간은 모두 자신만의 아름다움을 가지고 있음.
특징	① 동화 〈백설 공주〉를 재구성한 작품임. ② 아름다움에 대한 작가의 생각이 드러남.

자료실 원작과 재구성된 작품 비교

- 원작과 재구성된 작품을 비교 감상하는 방법
  - 갈래, 주제, 표현, 형식, 맥락, 매체 등에서 달라진 점을 비교함.
  - 원작을 재구성하는 데 바탕이 된 작가의 관점을 파악함.
  - 재구성된 작품이 담고 있는 가치를 생각함.
- 원작과 재구성된 작품을 비교 감상할 때의 효과
  - 새로운 상상과 가치를 발견하는 즐거움을 느낄 수 있음.
  - 다양한 관점과 가치를 이해하고 존중하는 태도를 기를 수 있음.

3일 필수 체크 전략 ❷

56~57쪽

1 ⑤ **2** ④ **3** ② **4** ⑤

1 이 글의 서술자인 '나'는 주인공인 박 선생님을 관찰하고 있다. '나'는 박 선생님의 외모를 뼘생, 뼘박, 대갈장군 등으로 우스꽝스럽게 묘사하고 있다. 목소리는 쇠꼬챙이로 찌르는 것처럼 쨍쨍하다고 표현하였다.

2 ㉠은 대상의 모습을 우스꽝스럽게 나타냄으로써 대상을 비판하는 풍자가 사용되었다. ④는 자신의 속마음과 반대로 표현하여 의미를 강조하는 반어에 대한 설명이다.

작품 설명 채만식, 〈이상한 선생님〉

갈래	현대 소설
제재	기회주의적으로 행동하는 박 선생님
주제	광복 전후의 혼란한 상황 속에서 기회주의적으로 행동하는 인물 비판
특징	① 어린아이인 '나'를 서술자로 설정하여 주인공인 박 선생님을 관찰함. ② 인물의 외모와 행동을 과장하고 우스꽝스럽게 표현함.

풍자는 과장, 왜곡, 비꼬기 등의 방식으로 대상을 우스꽝스럽게 그려요. 현실을 비판하여 부정적인 현실을 고치고자 할 때 효과적이에요.

3 (나)에도 '사르르', '활짝'과 같은 시어가 사용되었으므로, 의성어나 의태어 표현은 그대로 유지하는 것으로 고려했음을 알 수 있다.

오답 풀이

① (가)의 2연 18행의 형식이 (나)에도 그대로 나타난다.
③ (가)에 사용된 '~를 들으면 / 내 입에서 나온 ~ 아니더라도'의 문장 구조가 (나)에도 그대로 나타난다.
④ (가)는 마음을 아프게 하는 '모진 소리'를 소재로 하고 있지만 (나)는 '마음을 따뜻하게 하는 말'로 소재가 바뀌고 있다.
⑤ (가)에서는 말이 타인의 마음을 아프게 하는 모습이 '정을 치는 모습'으로 나타나는데, (나)에서는 말이 타인의 마음을 따뜻하게 하는 모습이 '꽃을 피우는 모습'으로 나타나고 있다.

4 (가)에서는 모진 소리가 타인의 마음을 아프게 하는 모습이 나타나고, (나)에서는 따뜻한 말이 타인의 마음을 행복하게 하는 모습이 나타난다. 따라서 말이 타인에게 주는 영향을 고려하여 말을 해야 함을 느낄 수 있다.

작품 설명 (가) 황인숙, 〈모진 소리〉

갈래	현대시, 자유시
제재	모진 소리
주제	모진 소리는 나와 타인과 세상을 아프게 함.
특징	① 모진 소리가 마음에 상처를 주는 것을 청각적, 촉각적으로 표현함. ② '쿡쿡', '쩡'과 같은 말을 사용하여 모진 소리에 상처받는 마음을 인상적으로 표현함.

작품 설명 (나) 〈따뜻한 말〉

갈래	현대시, 자유시
제재	따뜻한 말
주제	따뜻한 말은 나와 타인과 세상을 행복하게 함.
특징	① 원작 〈모진 소리〉를 모방한 작품임. ② '사르르', '활짝' 같은 말을 사용하여 따뜻한 말 덕분에 마음이 행복해지는 것을 인상적으로 표현함.

자료실 (가)를 (나)로 재구성한 과정

질문	내용
어떤 갈래로 쓸 것인가?	원작처럼 시로 쓰자.
어떤 주제를 담을 것인가?	따뜻한 말을 들으면 세상이 따뜻해진다는 점을 전하자.
어떻게 표현할 것인가?	'쩌어엉'을 '화알짝'으로 바꾸자.
어떤 형식으로 쓸 것인가?	원작의 구조를 유지하자.

4일 교과서 대표 전략 ❶ 58~61쪽

1 ①	2 ①	3 ②	4 ⑤	5 ④
6 ⑤	7 ⑤	8 ④		

1 이 글의 제목 '운수 좋은 날'은 겉으로는 돈을 많이 번 날을 의미하지만, 실은 아내가 죽은 가장 불행하고도 운수 나쁜 날을 의미하는 반어 표현이다. 이러한 제목을 통해 아내의 죽음이 지니는 비극성을 강조하고 하층민의 비참한 삶을 강조하고 있다.

2 이 글은 아내가 죽는 비극적 결말로 끝이 난다. 김 첨지는 하루 동안 운수 좋은 날을 보냈지만, 집에 돌아와 아내의 죽음이라는 가장 비극적인 순간을 맞이하고 있다. 따라서 ㉠은 김 첨지가 가장 불행한 날을 맞이했음을 반어로 표현하여 결말의 비극성을 강조하고 있다.

작품 설명 현진건, 〈운수 좋은 날〉

갈래	현대 소설
제재	김 첨지의 하루
주제	일제 강점기 도시 하층민의 가난하고 비참한 삶
특징	① 일제 강점기의 하층민의 삶을 사실적으로 표현함. ② 반어 표현이 쓰인 제목을 사용하여 비극성을 강조함.

3 글쓴이는 처음에는 인디언들이 침묵하여 자신에게 반응하지 않는다고 생각했지만, 침묵이 말보다 상대방을 더 잘 느낄 수 있는 방법임을 깨닫게 되었다.

4 '모국어'와 '침묵'의 사전적 의미로 보아 '모국어'라는 말과 '침묵'이라는 말은 서로 모순됨을 알 수 있다. ㉠에는 겉보기에는 모순이지만 그 속에 어떤 진실을 담고 있는

역설을 사용하여 전하고자 하는 바를 인상적으로 나타내고 있다.

작품 설명 류시화, 〈나의 모국어는 침묵〉

갈래	현대 수필, 경수필
제재	침묵, 언어
주제	침묵의 진정한 의미
특징	① 글쓴이가 겪은 경험을 바탕으로 깨달음을 전함. ② 역설 표현이 드러난 인디언의 말을 인용하여 글쓴이가 전하고자 하는 바를 인상 깊게 전달함.

5 두 번째 양반 매매 증서에는 양반이 부당한 특권을 누리면서 평민들에게 횡포를 일삼는 모습이 드러나고 있다. 작가는 이러한 양반의 부정적인 모습을 풍자를 사용하여 간접적으로 비판하고 있다.

6 ㉠에서 부자는 부당한 특권을 누리며 횡포를 일삼는 부도덕한 양반의 모습이 도둑과 다를 바 없다고 생각하여 '도둑놈'이라고 표현하였다.

7 (가)의 놀부는 도움을 청하는 흥부에게 모진 소리를 하며 몽둥이로 때리는 것으로 보아, 재물에 욕심이 많음을 알 수 있다. (나)의 놀부는 동생이 스스로 자립하기를 바라는 마음에서 일부러 모진 소리를 하고 있다.

8 (나)에서는 놀부가 흥부를 위해 일부러 모진 소리를 하고 있는데, 그 이유는 흥부가 자꾸 타인에게 의지만 하고 스스로 일할 생각을 하지 않기 때문이다. 이는 (가)와 달라진 내용으로 (나)의 특징을 나타낸다. 즉 (나)의 작가는 놀부의 모습을 통해 남에게 의지하지 않고 스스로 개척하는 삶의 가치를 강조하고 있다.

작품 설명 (가) 작자 미상, 〈흥부전〉

갈래	고전 소설
제재	흥부, 놀부
주제	형제간의 우애, 권선징악
특징	① 흥부가 착한 마음씨를 가져 복을 받는 인물로 그림. ② 착한 사람은 복을 받고 악한 사람은 벌을 받게 된다는 권선징악의 주제를 담음.

작품 설명 (나) 류일윤, 〈놀부전〉

갈래	현대 소설, 개작 동화
제재	흥부, 놀부
주제	형제간의 우애
특징	① 고전 소설인 〈흥부전〉을 재구성한 작품임. ② 흥부를 의존적이고 무능한 인물로, 놀부를 합리적이고 배려심이 많은 인물로 그림. ③ 흥부의 자립을 돕는 놀부의 모습을 통해 형제간의 우애를 전달함.

자료실 원작 〈흥부전〉과 재구성된 작품 〈놀부전〉 비교

	〈흥부전〉	〈놀부전〉
인물의 성격	흥부는 놀부에게 의지하고, 놀부는 욕심이 많음.	흥부는 놀부에게 의지하고, 놀부는 동생이 스스로 돈을 벌 수 있게 하려고 함.
표현의 특징	문장이 길고 운율이 느껴짐.	문장이 짧고 운율이 느껴지지 않음.

4일 교과서 대표 전략 ❷

62~63쪽

1 ⑤ 2 ① 3 ⑤ 4 ④ 5 ①

1 시를 읽을 때 운율이 느껴지면 읽는 재미가 있고 화자의 정서나 주제를 강조하고, 형태적으로 안정감을 주는 효과가 있다.

오답 풀이

① 운율은 리듬을 나타내는 것이므로 음악을 듣는 듯한 느낌을 준다.

② 운율을 통해 임과의 이별이라는 슬픈 분위기를 만들고 있다.

③ 첫 연과 마지막 연을 유사하게 반복하는 수미상관을 사용함으로써 시에 구조적인 안정감을 주고 있다.

④ 시의 반복적인 리듬감을 통해 임을 떠나보내는 화자의 슬픔을 효과적으로 드러내고 있다.

2 ㉠에는 속마음과는 반대되게 표현한 반어를 사용하여 '나'의 슬프고 안타까운 마음을 강조하고 있다.

3 ㉡은 슬픔이나 절망에 처하지 않은 사람들은 희망이나 꿈을 찾지 않기 때문에 암담하다는 의미이다. 이러한 의미를 '대낮'과 '어둡다'라는 서로 어울리지 않는 말을 결합한 역설을 사용하여 강조하고 있다.

작품 설명 정진규, 〈별〉

갈래	현대시, 자유시
제재	별
주제	힘겨운 삶 속에서 볼 수 있는 희망과 꿈의 가치
특징	① 같은 시어, 비슷한 문장 구조를 반복하여 운율이 생김. ② 상징을 사용하여 희망과 꿈의 의미를 강조함. ③ 역설 표현을 사용하여 주제를 강조함.

4 원작 (가)는 소설로, 서술자가 인물의 행동을 서술하고, 인물의 대화로 이야기가 전개된다. 재구성된 작품 (나)는 드라마 대본으로 장면 번호, 지시문, 대사로 구성되며, 소설에서의 인물의 대화가 대사로 제시된다.

5 (가)에는 소녀의 죽음을 알게 된 소년의 태도가 나타나 있지 않지만, (나)에는 '불안정하게 돌아가는 눈동자'나 '숨이 제대로 쉬어지지 않는다.'를 통해 소년의 불안감과 충격의 감정을 나타내고 있다.

〈소나기〉

소설

재구성 →

드라마

누구나 합격 전략

64~65쪽

1 ㄱ 2 반어 3 ⑤ 4 ㉠: 양반 ㉡: 풍자
5 ① 6 아름다움 7 ㄴ

1 (가)와 (나)는 모두 각 행을 세 마디로 끊어 읽는 것이 자연스럽게 느껴진다. 한 행이 세 마디로 끊어 읽히므로 3음보가 반복된다.

2 제시된 시에서는 '너'가 좋은 아이임을 '너는 참 바보다.', '너는 / 정말 정말 바보다.'라고 반대로 표현하였다. 이와 같이 표현하고자 하는 내용을 반대로 나타내어 강조하는 표현 방법은 반어이다.

3 ㉠~㉢에는 겉으로 모순되지만 실제로는 그 안에 삶의 진실을 담고 있는 역설이 사용되었다.

4 〈양반전〉의 풍자 대상은 양반으로, 양반의 부정적인 모습을 과장하고 우스꽝스럽게 그려 비판함으로써 작가가 말하고자 하는 바를 강조하는 효과가 있다.

5 제시된 사설시조에서 파리를 물고 있던 두꺼비가 백송골을 보고 무서워서 도망치다 두엄 아래에 자빠지는 모습과 허세를 부리는 모습을 통해 두꺼비를 풍자한다. 이때 '파리'는 힘없는 백성을, '두꺼비'는 탐관오리를, '백송골'은 더 힘이 있는 권력자를 상징한다.

6 '흑설 공주'는 세상 사람들은 누구나 각각 아름다움을 갖고 있다고 말하고 있다. 따라서 작가는 원작과는 다른 아름다움에 대한 관점을 보여 주기 위해 결말을 바꾸었음을 알 수 있다.

7 제시된 글은 소설 〈소나기〉를 드라마 대본으로 재구성한 작품이다. 드라마 대본에서는 기본 단위인 장면 번호로 장면을 구분하고, 서술자 없이 대사와 행동(지시문)으로 이야기를 전개한다.

창의·융합·코딩 전략 ❶ 66~67쪽

1 ⑤ **2** ㉠: '당신'을 잊을 수 없다. ㉡: 표현하려고 하는 내용을 실제 의미와는 반대되게 표현한다. **3** ④
4 역설 – 아홉은 미래의 꿈과 가능성의 수이기 때문에 열보다 더 크다.

1 시 〈새로운 길〉에서는 1연과 5연을 반복하여(수미상관) 운율을 느낄 수 있다. 또 2연과 4연에서 같은 단어인 '길', '도'를 반복하여 운율을 느낄 수 있다.

작품 설명 윤동주, 〈새로운 길〉

갈래	현대시, 자유시
제재	길
주제	언제나 새로운 마음으로 인생을 살아가고자 하는 의지
특징	① 1연과 5연을 반복하여 운율을 형성함. ② 같은 단어, 비슷한 문장 구조를 반복하여 운율을 형성함. ③ 상징적 소재를 사용하여 미래 지향적인 삶의 자세를 표현함.

2 '잊었노라'는 화자가 자신의 속마음과 반대로 표현한 것이므로, 화자의 속마음은 '당신을 잊을 수 없다.'는 것이다. 그리고 이는 자신의 속마음과 반대로 나타내어(반어를 사용하여) 애틋하고 간절한 심정을 강조한다.

평가 기준	확인☑
'잊었노라'에 담긴 화자의 속마음을 10자 이내의 한 문장으로 씀.	
'반어'의 개념을 '반대'라는 말을 넣어 30자 이내의 한 문장으로 씀.	

3 '복어알을 먹으면 죽는다'는 것은 복어알에 대한 일반 상식을 말한 것으로 화자가 자신의 생각을 반대로 나타낸 것이 아니다.

오답 풀이

① 카드 내용으로 보아 복어의 독은 알과 새끼를 외부의 적에게서 지키는 역할을 한다. 따라서 독을 통한 '복어의 사랑'은 자식을 향한 것이라 할 수 있다.
② 복어의 독이 새끼를 향한 것처럼 친구의 독한 마음도 자식을 위해 술을 끊은 것이다. 따라서 두 마음은 자식을 위한 부모의 사랑이라는 같은 의미를 지닌다.
③ 4연에서 화자는 '친구의 독한 마음'을 아름답다고 말하고 있는데, '복어의 독' 역시 같은 의미이므로 아름다운 것이라 할 수 있다.
⑤ 남을 해하는 독을 사랑이라고 말하는 것은 이치에 맞지 않는 모순된 표현이지만, 이를 통해 '부모의 사랑'이라는 진실을 전하고 있다.

4 제목 '열보다 큰 아홉'에는 앞뒤가 맞는 않는 표현이 사용되었다. 하지만 글쓴이는 이러한 모순된 표현을 통해 아홉은 미래의 꿈과 가능성을 담고 있는 수임을 강조하고 있다.

평가 기준	확인☑
제목에 사용된 표현 방법이 '역설'임을 씀.	
'아홉이 미래의 꿈과 가능성의 수'라는 글쓴이의 생각을 한 문장으로 씀.	

작품 설명 이문구, 〈열보다 큰 아홉〉

갈래	현대 수필
제재	숫자 열과 아홉
주제	숫자 아홉이 상징하는 의미, 무한한 꿈과 가능성을 지닌 청소년의 가치와 소중함
특징	① 숫자 열과 아홉을 비교와 대조하여 설명함. ② 다양한 예를 제시하여 독자의 이해를 도움. ③ '열보다 큰 아홉'이라는 역설 표현을 사용하여 주제를 강조함.

창의 · 융합 · 코딩 전략 ❷

68~69쪽

5 지금 대낮인 사람들은 어둡다 **6** ② **7** 풍자
8 ②

5 '지금 대낮인 사람들은 어둡다'에는 겉으로 봤을 때 앞뒤가 이치에 맞지 않는 내용으로 역설이 쓰였다. 화자는 '지금 대낮인 사람들'은 현재의 삶에 안주하여 희망과 꿈을 찾지 않기 때문에 '어둡다'라고 표현하여 어렵고 힘든 삶 속에서도 희망을 찾고 꿈을 꿀 수 있다는 주제를 강조하였다.

6 제시된 글의 서술자인 '나'가 박 선생님의 모습을 우스꽝스럽게 표현하고 있다. 이를 통해 '나'가 대상을 부정적으로 보고 있음을 알 수 있다.

7 제시된 사설시조는 두꺼비를 우스꽝스럽게 묘사하여 대상을 비판하고 있으며, 〈보기〉에서 말한 찰리 채플린 영화는 자신의 모습을 우스꽝스럽게 나타냄으로써 당시의 사회를 비판하고 있다. 이렇듯 우스꽝스럽게 나타내는 방식을 통해 대상을 간접적으로 비판하는 표현 방법을 '풍자'라고 한다.

8 (가)와 (나) 모두 떠나는 임에 대한 원망을 직설적으로 나타낸 부분은 없다.

오답 풀이

① (나)의 첫 부분을 보면 (가)의 1연과 4연의 내용이 그대로 나타나고 있다.
③ (가)와 (나)는 모두 사랑하는 사람이 자신을 떠나는 이별의 상황을 나타내고 있다.
④ (나)는 '사랑 그 아픔이 너무 커 숨을 쉴 수가 없어'라는 표현을 통해 임을 떠나보내는 화자의 아픔을 직접적으로 나타내고 있다.
⑤ (나)는 '그대 행복하길 빌어 줄게요'라는 표현을 통해 자신을 떠나는 임이 행복하기를 바라고 있다.

신유형 · 신경향 · 서술형 전략 (72~75쪽)

1 ⑤ 2 ㉠: 까마귀 ㉡: 백로 3 (가)와 〈보기〉는 서술자가 모두 이야기 안에 '나'로 등장하므로 1인칭 시점이라는 공통점이 있다. 4 서술자가 직접 개입하여 인물의 행동이나 사건을 평가하기 5 ⑤ 6 ④ 7 당시 관리들의 부패한 모습을 풍자를 사용하여 비판하기 위해서이다. 8 풍자하는 대상(뷔페에서 식사하는 사람들)을 우스꽝스럽게 그려 효과적으로 비판할 수 있다.

1 제시된 시의 화자는 의원이 아버지의 친구 또는 아버지처럼 섬기는 이의 친구와 아는 사이라는 것을 알고 의원을 통해 고향과 가족의 따스한 정과 친근함을 느끼고 있다.

2 (가)의 화자는 '까마귀'는 백로를 더럽히는 존재로 부정적으로 보고 '백로'는 희고 깨끗한 존재로 긍정적으로 본다. 반면에 (나)의 화자는 '까마귀'는 겉은 검지만 속은 검지 않은 존재로 긍정적으로 보고 '백로'는 겉은 희지만 속은 검은 존재로 부정적으로 본다.

작품 설명 (가) 정몽주의 어머니, 〈까마귀 싸우는 골에〉

갈래	평시조
제재	까마귀와 백로
주제	싸움을 일삼는 무리들과 어울리지 말기를 당부함.
특징	① 상징과 대조 표현으로 주제를 효과적으로 드러냄. ② 사회가 혼란스러웠던 고려 말에 정몽주의 어머니가 아들에게 올바르게 행동하라고 당부하기 위해 씀.

작품 설명 (나) 이직, 〈까마귀 검다 하고〉

갈래	평시조
제재	까마귀와 백로
주제	겉으로는 올바른 척하지만 양심이 없는 존재를 비판함.
특징	① 상징과 대조 표현으로 주제를 효과적으로 드러냄. ② 이성계를 도와 조선 개국을 도운 문인이 자신을 합리화하기 위해 씀.

3 (가)와 〈보기〉에는 '나'라는 서술자가 나타나 있어 둘 다 1인칭 시점임을 알 수 있다. 단, (가)에는 '나'가 주인공이어서 1인칭 주인공 시점이고, 〈보기〉는 '나'가 주인공인 어머니를 관찰하고 있기 때문에 1인칭 관찰자 시점이다.

평가 기준	확인☑
두 작품에 나타난 시점을 씀.	
두 작품에 나타난 시점이 공통된 이유를 씀.	

4 ㉡은 질문의 형식을 통해 길동은 축지법을 쓰기 때문에 기병들이 아무리 말을 채찍질해도 길동을 잡을 수 없을 것이라고 말하고 있다. 또한, 서술자가 이야기 안에 직접 개입하여 인물과 사건에 대해 평가하고 있다.

평가 기준	확인☑
서술자가 직접 개입하여 인물의 행동이나 사건을 평가한다고 씀.	
문맥에 맞게 씀.	

5 ㉠에는 화자의 속마음과 반대로 표현한 반어가 쓰였다. 임이 떠나면 매우 슬프고 괴로워 눈물을 흘릴 것이라는 마음을 반대로 표현하여 임을 배려하려는 화자의 자세를 강조하였다. 반어 표현을 사용하지 않고 직접적으로 표현하면 화자의 진짜 속마음을 추측하는 재미가 줄어들게 된다.

오답 풀이

① 〈보기〉의 문장과 ㉠은 모두 슬픈 분위기가 느껴진다.
②, ③ ㉠은 반어를 사용하여 임이 떠나지 않기를 바라는 화자의 속마음과 반대로 표현한다.
④ ㉠에만 느낄 수 있는 운율의 효과에 대한 설명이다.

6 '모국어'는 '여러 민족으로 이루어진 국가에서, 자기 민족의 언어를 국어 또는 외국어에 상대하여 이르는 말'을 뜻하고, '침묵'은 '아무 말도 없이 잠잠히 있음. 또는 그런 상태'를 뜻한다. '모국어'와 '침묵'의 사전적 의미로 보아 ㉠에는 앞뒤가 모순된 표현을 사용하여 전하고자 하는

바를 강조하고 있으므로 역설이 사용되었음을 알 수 있다. ㉠에서 인디언들은 자신들의 언어에서 침묵의 중요성을 강조하고 있을 뿐, 침묵 대신 언어로 소통하는 글쓴이를 비판하고 있지는 않다.

7 제시된 글에서는 암행어사 출두에 허둥대며 도망가는 관리들의 모습을 우스꽝스럽게 그려 당대 변학도를 포함한 부패한 관리들을 비판하고 있다.

평가 기준	확인☑
풍자의 대상으로 '부패한 관리'들을 씀.	
풍자를 사용한 의도를 '풍자'를 넣어 한 문장으로 씀.	

작품 설명 작자 미상, 〈춘향전〉

갈래	고전 소설
제재	관리들의 부정부패, 몽룡과 춘향의 사랑
주제	탐관오리에 대한 응징, 남녀 간의 사랑
특징	① 판소리로 불리다가 소설로 정착한 작품으로, 문장이 길고 운율이 느껴짐. ② 서술자가 개입하여 인물과 사건에 대한 자신의 생각을 드러냄.

8 ㉠은 사람들이 인터넷에서 찾아본 '호텔 뷔페 뽕 뽑기 전략'에 따라 줄지어 움직이며 음식을 먹고 있는 모습으로 표현하여 대상을 우스꽝스럽게 그리고 있다. 이렇듯 풍자를 사용하여 뷔페에서 자신의 능력치 이상으로 과도하게 음식을 먹는 사람들을 비판하고 있다.

평가 기준	확인☑
글쓴이가 비판하는 대상을 포함하여 씀.	
풍자의 표현 효과로 부정적 대상을 효과적으로 비판한다고 씀.	

작품 설명 이기호, 〈뷔페들 다녀오십니까〉

갈래	현대 수필, 중수필
제재	뷔페에 다녀온 사람들
주제	풍성해 보이지만 헛헛함만 주는 뷔페 음식을 조금이라도 더 먹으려고 헛된 노력을 하는 사람들에 대한 비판
특징	① 뷔페에서 보이는 일반적인 사람들의 모습을 새로운 시선으로 풍자함. ② 뷔페에서 식사하는 사람들을 부정적으로 바라보고 우스꽝스럽게 표현함.

적중 예상 전략 | 1회

76~79쪽

1 ③ **2** ⑤ **3** ① **4** ② **5** 민지의 순수함을 지켜 주고 싶은 마음 때문이다./세상의 때가 묻은 자신의 생각이 부끄러웠기 때문이다. **6** ② **7** ③ **8** ⑤ **9** 서술자가 이야기 밖에 있고, 인물의 감정을 전달하고 있지 않다.

1 (가)와 (나)의 화자는 모두 작품에 등장하는 '나'로 사람이다. (가)의 화자는 어른이 된 '나'로 외롭고 힘들었던 어린 시절을 떠올리고 있다. (나)의 화자는 열여섯 살의 '나', 또는 어른이 된 '나'로 친구와의 따뜻한 기억을 회상하고 있다.

오답 풀이

① (가)와 (나)의 화자는 둘 다 시 속에 '나'로 나타나 있다.
② (가)의 화자는 어른이 된 '나', (나)의 화자를 어른이 된 '나'로 볼 때, 둘 다 과거를 회상하고 있음을 알 수 있다.
④ (나)의 화자인 '나'는 친구가 붕어빵을 가방에 몰래 넣어 준 기억을 떠올리고 있다.
⑤ (가)의 화자는 1연에서 외로웠던 자신의 어린 시절을 떠올리고 있다. (나)는 1~3연에서 '어둠이 한기처럼', '썰렁한'이라는 표현으로 어둡고 차가운 정서가 드러나고 있다.

2 (가)의 화자는 엄마를 기다리며 외롭고 무섭고 슬펐던 어린 시절을 '윗목'에 빗대어 표현하며 눈시울을 붉히고 있으므로, 어린 시절에 대해 서글퍼하고 있다고 할 수 있다. '윗목'은 '온돌방에서 아궁이로부터 먼 쪽의 방바닥 불길이 잘 닿지 않아 아랫목보다 상대적으로 차가운 쪽.'이라는 뜻이다.

3 (가)의 시인은 화자를 '귀뚜라미'로 내세워 귀뚜라미가 세상에서 주목받지 못하는 존재임을 드러내고 화자의 어려운 처지를 효과적으로 표현하고 있다. 이를 통해 소외받는 처지에 놓인 이들의 공감을 이끌어 내고 있다.

4 ㉠은 귀뚜라미와 같은 연약한 존재가 발길에 눌려 우는 소리이므로 '힘든 상황에서 나오는 소리'이고, ㉡은 누군가의 마음에 울림을 주는 노래이므로 '누군가에게 감동을 주는 소리'이다.

5 (나)의 화자는 민지가 잡초를 보고 꽃이라고 말하자, 그런 민지의 순수한 모습에 감동을 받았고, 자신의 때 묻은 생각을 부끄러워하여 '그건 꽃이 아니라 잡초야.'라는 말을 못하였다.

평가 기준	확인☑
민지의 순수함을 지켜 주고 싶은 마음 때문이라고 씀.(세상의 때가 묻은 자신의 생각이 부끄러웠기 때문이라고 씀.)	
한 문장으로 씀.	

6 이 글의 서술자는 이야기 안에 등장하는 '나'이다. '나'는 이야기의 주인공으로 자신의 눈을 통해 보이는 대로 이야기를 전달한다.

7 (나)는 서술자가 '나'로 자신 이외의 인물의 심리는 전달하지 않아서 독자가 추측해야 한다. 반면에 〈보기〉의 서술자는 이야기 밖에 있는 서술자로, 모든 인물의 심리를 꿰뚫어 보고 전달한다.

8 (나)에서 0의 '나'는 '장원'이라는 종이가 붙은 그림이 자신의 그림이 아닌 것을 알고 난 후, 가슴이 떨려서 두 손으로 가슴을 가리며 사방을 둘러보고 있다. 따라서 장원을 받은 그림이 자신의 것이 아님을 이미 알고 있었다는 것은 적절하지 않다.

오답 풀이

① (가)의 1문단의 '나'는 '어릴 때는 부유한 집안에서 단 하나밖에 없는 딸로 사랑을 받으며 자랐고'에서 알 수 있다.
② (가)의 2문단의 '나 자신의 실수 때문에 못 받은 거니까 누구를 원망할 수도 없지만'에서 자신의 그림으로 다른 사람이 상을 받았음을 알았고, (가)의 3문단의 '그때 나를 스쳐 가던 그 아이, 그 아이의 표정 때문인지도 몰라.'에서 그 다른 사람이 0의 '나'임을 알았음을 알 수 있다.
③ (가)의 1문단의 '나는 한 번도 상 같은 건 받아 본 적 없어.'와 2문단의 '그렇지만 단 한 번 상을 받을 뻔한 적이 있지.'에서 알 수 있다.
④ (나)의 2문단의 '아버지가 사 준 내 오래된 크레파스에는 진작에 떨어지고 없는 회색이 히말라야시다 가지 끝 앞부분에 살짝 칠해져 있는 그림이었어.'에서 알 수 있다.

9 〈보기〉에서는 등장인물이 0의 '나'에서 '백선규'라고 지칭되고 있으며 서술자가 이야기 안에 등장하지 않기 때문에 3인칭 시점이다. 또 인물의 내면을 서술하지 않고 행동만을 전달하고 있으므로 3인칭 관찰자 시점으로 바뀌었다.

평가 기준	확인☑
서술자가 이야기 밖에 있음을 씀.	
인물의 감정을 전달하고 있지 않음을 씀.	

적중 예상 전략 | 2회

80~83쪽

1 ⑤ **2** ③ **3** ② **4** ② **5** 둘 다 겉보기에는 모순되지만 그 속에 중요한 사실이나 진리를 담은 표현인 역설을 사용하였다. **6** ② **7** ② **8** ④ **9** ③ **10** 자신의 힘으로 성실하게 노력해서 얻은 성공이 가치 있다./다른 사람에게 의지하지 않고 자신의 힘으로 삶을 개척해 나가야 한다.

1 〈보기〉는 산문이고, (가)는 시이다. (가)는 같은 단어, 같은 문장 구조, 1연과 5연의 반복을 통해 운율을 형성하고 있다. 이처럼 (가)는 다양한 표현 방법을 활용하여 새로운 길을 가겠다는 화자의 의지와 주제를 강조하고 있다. ⑤는 비유의 효과에 해당한다.

오답 풀이

(가)는 '길', '도'의 반복, '~도 가고 ~도 갈'의 비슷한 시구의 반복, '~를 ~(해)서 ~(으)로', '~가 ~(하)고' 의 비슷한 문장 구조의 반복, 1연과 5연을 반복하여 운율이 느껴진다.

2 (나)에 나타난 '너'는 바르게 살아가는 모범적인 모습을 보인다. 이에 대해 화자는 '너'를 본받고 싶어서 '너'를 그림자처럼 따라다니고 있다. 따라서 (나)의 주제는 '바르게 살아가는 '너'를 본받고 싶은 마음'이라고 할 수 있다.

3 (가)는 각 행의 끝에 '-면', '잊었노라'를, (나)는 각 행의 끝에 '도', '있다', '-고'라는 같은 시어(단어)를 반복하여 운율을 형성하고 있다.

오답 풀이

①, ⑤ (가)에만 해당한다.
③ (가), (나) 모두에 해당하지 않는다.
④ (나)에서 '봄 길'이라는 시어가 계절감을 드러내고 희망적 분위기를 느끼게 한다.

4 ㉠은 먼 훗날까지 '당신'을 잊지 못하고 그리워할 화자 자신의 마음을 반대로 표현한 말이다. 화자는 '당신'에 대한 자신의 마음, 즉 그리움을 강하게 나타내기 위해 반어를 사용하였다.

5 ㉡과 〈보기〉의 밑줄 친 표현은 모두 이치에 맞지 않는 모순된 표현으로 의미를 강조하고 있다. ㉡은 절망적인 상황에도 희망이 있음을 말하고, 〈보기〉의 밑줄 친 부분은 남을 위해 희생하기 때문에 '나뭇잎이 벌레 먹어서 예쁘

다'고 말하고 있다.

평가 기준	확인 ☑
'앞뒤의 내용이 맞지 않는'과 '사실이나 진실'을 포함하여 역설이 사용되었다고 씀.	
한 문장으로 씀.	

6 이 글에서는 양반의 무능함과 부도덕함을 풍자의 방법으로 비판하고 있다.

7 작가는 (가)에서 경제적으로 무능력한 양반의 모습을 비판하고 있고, (나)에서 양반이 신분을 이용해 횡포를 부리는 모습을 비판하고 있다.

8 (가)는 거울의 말에 대한 흑설 공주의 답변을 통해 이 세상 사람들은 누구나 자신만의 아름다움을 갖고 있다는 주제(가치)를 전하고 있다. 이는 원작인 〈백설 공주〉와의 가장 큰 차이점이다.

9 "그러다 굶어 죽으면 어떡해요?"라는 놀부 아내의 말로 보아 놀부 아내는 원작과 달리 다른 사람을 걱정하는 인물로 성격이 바뀌었다.

오답 풀이

① (나)는 고전 소설인 〈흥부전〉의 주제를 바꾸어서 만든, 재구성된 작품이다.

② 〈흥부전〉의 주요 인물이었던 인물들이 재구성된 작품 (나)에도 그대로 등장하고 있다.

④ 〈흥부전〉에서는 놀부가 심술궂어 흥부를 내쫓아 권선징악(착한 일을 권하고 악한 일을 징계함.)이라는 결과로 사건이 전개되었고, (나)에서는 놀부가 흥부가 스스로 돈을 벌 수 있게 하려는 이유로 흥부를 내쫓기 때문에 사건이 다르게 전개될 것임을 예측할 수 있다.

⑤ 〈흥부전〉에서의 놀부는 재물에 욕심이 많지만, (나)에서의 놀부는 스스로 일할 생각을 하지 않는 흥부를 깨우쳐 주기 위해 흥부를 모질게 내쫓으므로 긍정적인 인물로 그리고 있다.

10 원작 〈흥부전〉에서는 흥부가 박에서 나온 재물 때문에 부자가 되지만, (나)에서는 흥부가 바가지를 팔아서 부자가 된다. 작가는 오늘날의 가치관에 미루어 현실적으로 공감되고 더 가치 있다고 생각하는 방향으로 원작을 새롭게 재구성하였다.

평가 기준	확인 ☑
'스스로 노력함'과 같은 의미를 담아 작가가 강조하고자 하는 내용을 씀.	
한 문장으로 씀.	

정답과 해설 BOOK 2

1주 문법

1일 개념 돌파 전략 ❶ 7, 9쪽

1-2 ① **2-2** ② **3-2** ② **4-2** ①
5-2 모아쓰기

1-2 모음 'ㅢ'는 단어의 첫음절에 올 경우에는 [ㅢ]로만 발음한다. 따라서 '의사'는 [의사]로 발음한다.

오답 풀이

② 토의: 단어의 둘째 음절에 오는 'ㅢ'는 [ㅣ]로 발음하는 것도 허용하므로, '토의'는 [토의] 또는 [토이]로 발음한다.
③ 형의: 조사 '의'는 [ㅔ]로 발음하는 것도 허용하므로 [형의] 또는 [형에]로 발음한다.

2-2 '윷'의 받침 'ㅊ'은 [ㄷ]으로 발음하므로, [윧]으로 발음한다.

3-2 '되-'가 문장을 끝맺는 역할을 할 때는 '되어'로 쓰고, '돼'로 줄여 써야 한다. 따라서 ②는 '되었다'나 '됐다'로 써야 한다.

4-2 담화는 말하는 이와 듣는 이가 주고받는 발화의 연속체를 뜻한다.

5-2 '하늘'과 같이 우리말은 자음자와 모음자를 합쳐 음절 단위로 모아쓰는 방식으로 표기한다.

1일 개념 돌파 전략 ❷ 10~11쪽

1 ⑤ **2** ④ **3** ③ **4** ③ **5** ⑤

1 첫소리가 자음인 음절의 'ㅢ'는 [ㅣ]로만 발음하므로 '띄엄띄엄'은 [띠엄띠엄]으로만 발음한다.

오답 풀이

① 첫소리가 자음인 음절의 'ㅢ'는 [ㅣ]로만 발음한다.
②, ③ '의'가 단어의 첫음절에 올 때는 [ㅢ]로 발음하며, 단어의 둘째 음절과 그 뒤 음절에 오는 '의'는 [ㅢ]로 발음하는 것이 원칙이지만, [ㅣ]로 발음하는 것도 허용한다.
④ 조사 '의'는 [의]로 발음하는 것이 원칙이지만, [ㅔ]로 발음하는 것도 허용한다.

2 겹받침 'ㄵ'이 모음으로 시작하는 어미 '-아'와 결합되는 경우에는 [안자]로 뒤에 있는 자음 'ㅈ'을 뒤 음절 첫소리로 옮겨 발음한다.

3 학생이 수업에 지각한 상황에서 이루어지는 담화이므로 선생님의 "지금 몇 시니?"라는 말은 수업에 늦으면 안 된다는 질책의 의미를 담고 있다.

4 가획자는 기본자보다 소리가 세짐에 따라 기본자에 획을 더하여 만든 글자이다. 따라서 가획자 'ㄷ, ㅌ'은 기본자 'ㄴ'보다 소리가 세다.

5 한글은 하나의 글자가 하나의 소릿값을 가진 글자이다. 글자 하나하나가 의미를 가지는 문자는 한자 같은 글자이다.

자료실 한글의 창제 정신

자주정신	우리나라 말이 중국 말과 다름을 알고 우리나라 말에 맞는 문자가 필요하다고 생각함.
애민 정신	문자로 의사 표현을 하지 못하는 백성들의 고통을 인식하고 이를 가엾게 여김.
실용 정신	누구나 쉽게 외워서 늘 편히 쓸 수 있는 문자를 만들고자 함.

2일 필수 체크 전략 ❶ 12~15쪽

1 ⑤ 2 ② 3 ② 4 ③

1 '띠어쓰기'는 [띠어쓰기]로만 발음한다.

오답 풀이

'주의'는 [주의] 또는 [주이]로 발음한다.
'친구의'는 [친구의] 또는 [친구에]로 발음한다.

2 홑받침 'ㅍ'이 모음으로 시작되는 조사 '이'와 결합한 경우에는 받침을 제 소릿값대로 뒤 음절 첫소리로 옮겨 발음하므로 [무르피]가 맞는 발음이다.

오답 풀이

①, ③, ④ 모음으로 시작되는 조사 '을', '에'와 결합한 경우이다.
⑤ 모음으로 시작되는 실질 형태소 '아래'와 결합한 경우이다.

3 겹받침 'ㄻ'이 모음으로 시작된 조사 '은'과 결합한 경우이므로 뒤엣것(ㅁ)만을 뒤 음절 첫소리로 옮겨 [살:믄]으로 발음한다.

4 '바래다'는 '볕이나 습기를 받아 색이 변하다.'를 의미하고, '바라다'는 '생각이나 바람대로 어떤 일이 이루어지기를 기대하다.'를 의미하므로 '바래다'를 써야 한다.

오답 풀이

① 단어의 원래 형태(시들다)를 밝혀 '시듦'으로 써야 한다. → 용언의 어간과 어미는 구별하여 적는 것이 원칙임. → 용언 '시들다'의 어간은 '시들-'이므로 명사형 어미 '-ㅁ'을 붙여 '시듦'이 올바른 표기이다.
② '뵈(다)+었던'의 준말은 '뵀던'이다. '봤던'은 틀린 표기이다.
④ '안'은 '아니'의 준말이고, '않-'은 '아니하-'의 준말이다.
⑤ '왠지'는 '왜인지'의 준말이다.

2일 필수 체크 전략 ❷ 16~17쪽

1 ③ 2 ① 3 ⑤ 4 ①

1 '무늬'의 'ㅢ'는 자음 'ㄴ'을 첫소리로 가진 음절에 오므로 [ㅣ]로 발음해서 [무니]로 발음한다.

2 '솥'의 받침 'ㅌ'은 어말 또는 자음 앞에서 [ㄷ]으로 발음하고, '숲'의 받침 'ㅍ'은 [ㅂ]으로 발음한다.

오답 풀이

② 닦다[닥따], 키읔[키윽] → [ㄱ]
③ 히읗[히읃], 있다[읻따] → [ㄷ]
④ 짧다[짤따], 외곬[외골] → [ㄹ]
⑤ 맑다[말다], 핥다[할따] → [ㄹ]

3 '겉옷을'은 홑받침 'ㅌ' 뒤에 모음으로 시작하는 실질 형태소 '옷'이 결합되어 'ㅌ'이 대표음 [ㄷ]으로 바뀌어서 뒤 음절 첫소리로 간다. 또 홑받침 'ㅅ' 뒤에 모음으로 시작하는 조사 '을'이 결합되어 'ㅅ'은 제 음가대로 뒤 음절 첫소리로 가서 [거도슬]로 발음한다.

4 동사나 형용사를 소리 나는 대로만 적으면 그 뜻이 얼른 파악되지 않을 수 있으므로 어간과 어미를 구별하여(형태를 밝혀) '보고 싶어요'로 적어야 그 뜻을 쉽게 파악할 수 있다.

3일 필수 체크 전략 ❶ 18~21쪽

1 ④ 2 ④ 3 ② 4 ③

1 담화에서 말하는 이는 듣는 이가 되기도 하고, 듣는 이는 말하는 이가 되기도 하여 고정적이지 않다.

2 손님을 대접할 때 겸손하게 말하는 것이 우리 문화와 언어 관습인데 이를 모르는 외국인 손님은, 주인이 음식을 가득 차린 상을 보고 차린 것이 없다고 겸손한 태도를 보이자 당황하였다. 즉 외국인 손님이 주인의 말에 당황한 이유는 주인과 외국인 손님이 각각 속한 공동체의 문화가 다르기 때문이다.

3 'ㅂ', 'ㅍ'은 입 모양을 본떠 만든 기본자인 'ㅁ'에 획을 추가하여 만들었다.

자료실 이체자

기본자	ㄱ	ㄴ	ㅁ	ㅅ	ㅇ
가획자	ㅋ	ㄷ, ㅌ	ㅂ, ㅍ	ㅈ, ㅊ	ㆆ, ㅎ
이체자		ㄹ		ㅿ (반치음)	ㆁ (옛이응)

→ 'ㆁ(옛이응)', 'ㄹ', 'ㅿ(반치음)'은 'ㅇ', 'ㄴ', 'ㅅ'에 획을 더하여 만들었지만, 소리가 세지는 것은 아니어서 '이체자'라 함.

4 (가)와 같이 음절 단위로 모아쓰기를 하면 의미를 빨리 이해할 수 있는 장점이 있다. (나)와 같이 자음자와 모음자를 풀어쓰면 무슨 말인지 의미를 파악하기 어려울 뿐만 아니라 문장이 길어져 읽는 속도가 느려진다.

3일 필수 체크 전략 ❷ 22~23쪽

1 ④ 2 ② 3 ⑤ 4 ④ 5 ④

1 (가), (나)는 담화가 이루어진 시간과 장소, 말하는 이와 듣는 이의 관계 등 상황 맥락이 다르기 때문에 같은 발화인 '어떠세요?'가 서로 다른 의미로 해석된다. 상황 맥락을 고려할 때, (가)의 '어떠세요?'는 "머리 모양이 마음에 드세요?"라는 의미로, (나)의 '어떠세요?'는 "치료 부위가 아프세요?"라는 의미로 해석된다.

2 외국인인 파블로는 음식이 많이 차려져 있는데 '차린 건 없지만'이라고 말하는 수민이 아버지의 말을 이해하지 못하고 있다. 이는 손님을 대접할 때 겸손하게 말하는 한국의 문화와 언어적 관습을 파블로가 알지 못해 의사소통에 장애가 일어난 것이다. 따라서 이러한 사회·문화적 맥락을 파블로에게 이야기해 주면 의사소통이 원활해질 것이다.

3 모음의 재출자는 초출자 'ㅗ, ㅜ, ㅏ, ㅓ'에 기본자 'ㆍ'를 합하여 만들었다.

4 'ㅅ'은 이 모양을 본떠 만든 자음자이다.

5 영어 알파벳은 같은 위치에서 소리 나는 글자들의 모양 사이에 비슷함이 없지만 한글은 같은 위치에서 소리 나는 글자들의 모양이 서로 비슷하다. 〈보기〉를 보고 ④와 같은 반응을 이끌어 낼 수 없다.

4일 교과서 대표 전략 ❶ 24~27쪽

1 ⑤ 2 ㉠: 히망 ㉡: 저히 3 ③ 4 ⑤
5 ① 6 ④ 7 ③ 8 떡복기 → 떡볶이, 갈치졸임 → 갈치조림 9 ③ 10 ③ 11 ②
12 ② 13 ⑤

1 '길을[기를]', '꽃의[꼬츼]'를 소리 나는 대로 적으면 그 뜻을 쉽게 파악할 수 없어 의사소통에 방해가 될 수 있다.

오답 풀이
① 표기와 소리가 일치하는 것은 '본', '하얀'이다.
② 표기와 소리가 일치하지 않는 것은 '길을', '걷다가', '꽃의', '이름이', '궁금했다'이다.
③ 표준 발음법에 따라 '길을'은 [기를]로 발음한다.
④ 한글 맞춤법에 따르면 '이름이'로 단어의 형태를 밝혀 적어야 한다.

2 ㉠, ㉡ 모두 자음 'ㅎ'을 첫소리로 가지고 있으므로 'ㅢ'는 [ㅣ]로 발음한다.

3 받침 'ㅍ'은 대표음 [ㅂ]으로, 받침 'ㅌ'은 대표음 [ㄷ]으로 발음한다.

오답 풀이
①의 '꽃'은 [꼳]으로 발음한다.
②의 '숲'은 [숩]으로 발음한다.
④의 '낮'은 [낟]으로 발음한다.
⑤의 '부엌'은 [부억]으로 발음한다.

4 용언의 어간 말음 'ㄺ'은 'ㄱ' 앞에서 [ㄹ]로 발음하므로 '묽고'는 [물꼬]로 발음한다.

5 '값'의 겹받침 'ㅄ' 뒤에 모음으로 시작하는 조사 '이'가 오므로 뒤엣것 'ㅅ'만을 뒤 음절 첫소리로 옮겨 발음하고, 'ㅅ'이므로 된소리로 발음하여 [갑씨]로 발음한다.

오답 풀이
② [여덜비다], ③ [익따가], ④ [질머지고], ⑤ [칠그로]

6 '웃어른'에서 '웃'의 받침 'ㅅ'은 대표음 [ㄷ]으로 바꾸어서 발음하고, 뒤에 '어른'이라는 실질적인 의미를 지닌 모음 'ㅓ'가 이어지므로 대표음 [ㄷ]을 뒤 음절의 첫소리로 옮겨 [우더른]으로 발음한다.

7 '뵈어'의 준말은 '봬'이므로 '뵈어요'의 준말은 '뵈요'가 아니라 '봬요'이다.

8 '떡복기'의 바른 표기는 '떡볶이'이고, '갈치졸임'의 바른 표기는 '갈치조림'이다.

9 담화의 의미는 고정되어 있지 않으며 담화가 이루어지는 맥락 속에서 결정된다.

10 (가)는 미용실에서 미용사가 손님에게 질문하는 상황이고, (나)는 병원에서 의사가 환자에게 질문하는 상황이다.

11 외국에서 온 줄리엣은 "괜찮아요."라는 말을 있는 그대로 이해했다. 사회·문화적 맥락을 고려할 때 상대방을 배려한다면 줄리엣은 차 한잔 드릴 것을 한 번 더 권할 것이다.

12 자음자 'ㄱ'은 혀뿌리가 목구멍을 막는 모양을 본떠 만들었다.

13 모음자의 초출자와 재출자는 합성의 원리로 만들었다.

4일 교과서 대표 전략 ❷ 28~29쪽

1 ⑤	2 ㉠: 짤따 ㉡: 업:따	3 ②	4 ①
5 ③	6 문화	7 ㉠: ㅋ ㉡: ㅍ ㉢: ㅅ	8 ①
9 ⑤			

1 '민주주의의 의의' 발음은 다음과 같이 발음한다.

오답 풀이

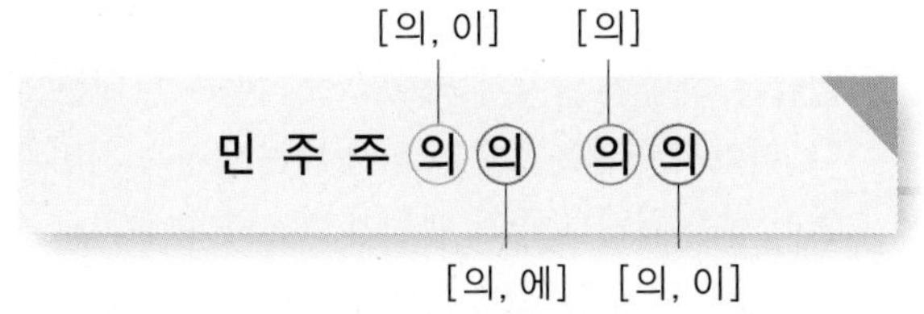

[민주주의의 의의], [민주주이의 의의], [민주주의에 의의], [민주주이에 의의], [민주주의의 의이], [민주주이의 의이], [민주주의에 의이], [민주주이에 의이]로 8개로 발음된다.

2 겹받침 'ㄼ'은 대표음 [ㄹ]로 발음하고, 'ㅄ'은 대표음 [ㅂ]으로 발음한다.

3 '부엌' 뒤에 모음으로 시작하는 실질 형태소 '안'이 오므로 받침 'ㅋ'의 대표음인 [ㄱ]을 뒤 음절 첫소리로 옮겨 발음한다. 따라서 '부엌 안'은 [부억안 → 부어간]으로 발음한다.

오답 풀이

①, ⑤ 받침 뒤에 형식 형태소(조사) '의', '으로'가 오므로 받침의 제 소릿값대로 뒤 음절로 옮겨 발음한다.

③ 'ㄶ' 뒤에 'ㄱ'이 결합되는 경우에는 [ㅋ]으로 발음한다.

④ 용언의 받침 'ㄺ'은 'ㄱ' 앞에서는 [ㄹ]로 발음한다.

4 '병이나 상처 따위가 고쳐져 본래대로 되다.'의 뜻을 가진 단어는 '낫다'이다. '오빠, 감기 빨리 낳으세요.'에서 '낳으세요'는 글의 흐름으로 볼 때 '낫다'를 잘못 쓴 것이다. '낫다'는 활용할 때 '나으세요'로 써야 한다. '낳다'는 '배 속의 아이, 새끼, 알을 몸 밖으로 내놓다.'의 뜻이다.

5 (가)는 식당에서 식당 주인과 손님의 대화이고, (나)는 치과에서 의사와 환자의 대화이다. 상황 맥락을 고려할 때 (가)의 발화는 음식의 맛이나 접대 태도에 만족했는지를 묻는 의도이고, (나)의 발화는 식사할 때 이의 상태가 괜찮았는지를 점검하는 의도가 담겨 있다.

6 재현이는 '우리 엄마'를 '나의 엄마'라는 의미로 말했는데, 다니엘은 민석이와 재현이의 엄마라는 의미로 이해했다. 우리나라에서는 자신을 포함한 여러 사람을 가리키지 않을 때에도 '우리'를 사용하는 문화가 있어서 의미 차이가 발생했다. 이렇게 같은 말도 문화의 차이에 따라 의미가 달라질 수 있음을 알 수 있다.

7 자음의 기본자 'ㄱ'에 소리가 세짐에 따라 획을 더하여 'ㅋ'을 만들었다. 자음의 가획자 'ㅂ'에서 획을 더하여 'ㅍ'을 만들었다. 발음 기관인 이의 모양을 본떠 'ㅅ'을 만들었다.

8 'ㆍ, ㅡ, ㅣ'는 하늘, 땅, 사람(천지인)을 본떠 만든 모음 기본자이다.

9 한글 자음자는 상형과 가획의 원리로 만들어져 형태가 비슷한 것끼리 발음 기관이 같은 특성이 있다. 예컨대 'ㄱ'은 발음 기관의 모양을 본떠 만들었고, 'ㅋ'은 'ㄱ'과 같은 위치에서 나는 소리로 'ㄱ'보다 소리가 세짐을 나타내기 위해 획을 더하여 만들었다. 하지만 같은 소리를 나타내는 영어 알파벳은 이러한 특성이 없다.

누구나 합격 전략

30~31쪽

1 ㉠: 소리 ㉡: 형태	2 ⑤	3 ①	4 ④
5 (1) 돼요(되어요) (2) 왠지		6 ⑤	7 ㉠: 장소
㉡: 선생님, 학생	8 ①	9 ③	10 ②

1 (가)의 '꼬치, 꼰만, 꼳꽈'는 '꽃이, 꽃만, 꽃과'를 소리 나는 대로 적은 것이다. (나)의 '꽃이, 꽃만, 꽃과'는 '꽃'과 조사 '이, 만, 과'의 원래 형태를 밝혀 적은 것이다.

2 단어의 첫음절에 오는 'ㅢ'는 [ㅢ]로만 발음한다. 따라서 '의지'는 [의지]로 발음한다.

오답 풀이

① '띄어쓰기'는 자음을 첫소리로 가지고 있으므로 [띠어쓰기]로 발음한다.
② '사랑의'에서 '의'는 조사이므로 [사랑의/사랑에]로 발음한다.
③ '무늬'는 자음을 첫소리로 가지고 있으므로 [무니]로 발음한다.
④ '협의'는 첫음절에 '의'가 오지 않으므로 [혀븨/혀비]로 발음한다.

3 표준 발음법 제10항을 따를 때, 겹받침 'ㄳ'은 어말 또는 자음 앞에서 [ㄱ]으로 발음한다.

4 겹받침 뒤에 모음으로 시작하는 형식 형태소(조사, 어미, 접미사)가 올 경우에 뒤엣것을 제 음가대로 뒤 음절의 첫소리로 옮겨 발음한다. 따라서 늙어[늘거], 삶은[살:믄], 짧은[짤븐]으로 발음한다.

5 (1) 문장을 끝맺고 있으므로 '되어요'의 준말은 '돼요'이다. (2) '웬일'은 '어찌 된 일'을 뜻하므로 문맥상 '왜 그런지 모르게', '뚜렷한 이유도 없이'를 뜻하는 '왜인지'나 그 준말인 '왠지'로 고쳐야 한다.

6 말하는 이와 듣는 이가 누구인지, 말하는 이와 듣는 이는 어떤 관계이며 어떤 상황에 처해 있는지 담화가 이루어진 시간과 장소는 어떠한지 등 담화의 상황 맥락이 드러나지 않아 담화의 의미를 정확히 알 수 없다. 하지만 말하는 이가 발화에 쓰인 단어 중 사전적 의미를 알지 못한 채 말하고 있지는 않다.

7 선생님이 수업에 늦은 학생을 꾸짖는 상황이므로 담화가 이루어진 장소는 수업 중인 교실이다. 말하는 이는 선생님이고 듣는 이는 학생이다.

8 (가)에서는 고모가 사는 지역과 주연이가 사는 지역이 달라 '쌀을 사다'의 의미가 달라졌다. 고모는 '쌀을 사다'라는 말을 '쌀을 팔아 돈을 마련하다.'라는 의미로 사용했지만, 주연이는 '돈을 주고 쌀을 사서 오다.'라는 의미로 이해하였다. (나)에서는 할머니는 지수와 세대가 달라 '공구(공동 구매)'라는 말을 이해하지 못하였다.

9 자음자의 기본자는 발음 기관의 모양과 움직임을, 모음자의 기본자는 하늘, 땅, 사람의 모양을 본떠 만들었다.

〈자음 기본자의 제자 원리〉

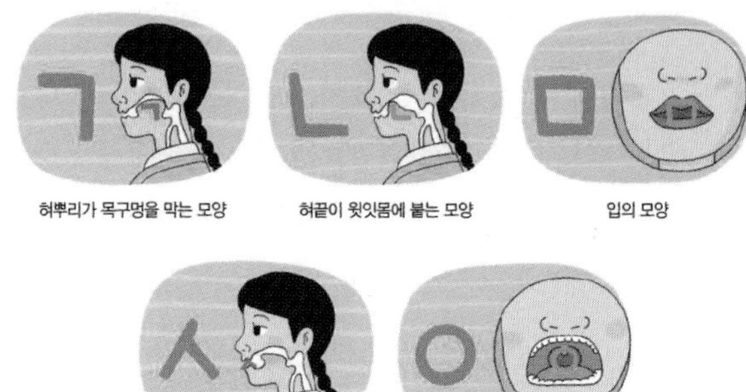

〈모음 기본자의 제자 원리〉

10 한글은 하나의 글자가 하나의 소리를 나타내는 문자이다. 따라서 한글은 같은 소리를 내는 글자는 의미와 상관없이 같은 글자로 적기 때문에 적은 수의 글자로 수많은 소리를 나타낼 수 있어 효율적이다.

창의 · 융합 · 코딩 전략 ❶

32~33쪽

1 ②　2 ①　3 넓이[널비]　4 ③

1 자음 'ㅎ'을 첫소리로 가지고 있으므로 '흰'은 [힌]으로 발음한다.

2 '벗긴'에서 첫음절 '벗'의 받침 'ㅅ'은 대표음 [ㄷ]으로 발음하므로 '벗긴'은 [벋낀]으로 발음한다.

오답 풀이

②는 밖[박], ③은 앉[안], ④는 앞[압], ⑤는 집[집]으로 발음한다.

3 1단계: 〈보기〉 중 받침이 홑받침이 아닌 쌍받침이거나 겹받침인 것은 '넓이, 있고, 값이, 흙 위'이다.
2단계: 받침 뒤의 말이 모음으로 시작하는 것은 '넓이, 값이, 흙 위'이다.
3단계: 받침 뒤에 모음으로 시작하는 형식 형태소가 오는 것은 접미사 '-이'가 오는 '넓이'와 '값이'이다. '흙 위'는 뒤에 모음으로 시작되는 실질 형태소가 오므로 겹받침의 대표음을 뒤 음절로 옮겨 [흐귀]로 발음한다.
4단계: 받침을 [ㄹ]로 발음하는 것은 '넓이[널비]'이다. '값이'는 [갑씨]로 발음한다.

4 대화의 상황 맥락을 고려할 때 감기에서 아직 회복된 것이 아니라는 의미이므로 ㉢의 기본형은 '낫다'가 되어야 한다. 따라서 ㉢은 '나았거든'이 적절한 표기이다.

창의 · 융합 · 코딩 전략 ❷

34~35쪽

5 ④　6 ③　7 ②　8 ⑤

5 해수욕장은 많은 사람들이 모여 함께 수영을 하는 곳이므로 이러한 상황 맥락을 고려할 때 '양심을 지켜 주세요.'라는 표어는 바다를 깨끗이 사용하고 쓰레기를 함부로 버리지 말아 달라는 의미로 해석할 수 있다.

▲ 학교 도서관

▲ 지하철 승강장　▲ 횡단보도　▲ 해수욕장　▲ 시험장

6 제시된 그림은 우리나라 사람과 외국인의 대화 상황으로, 외국인이 우리나라의 언어문화를 잘 몰라 대화에 어려움을 느끼고 있다. 우리나라와 문화가 다른 환경에서 자란 사람과 대화를 원활하게 하려면 사회·문화적 맥락을 고려해야 한다.

7 ㉠은 모음자의 기본자(상형), ㉡은 자음자의 기본자(상형), ㉢은 모음자의 초출자(합성), ㉣은 모음자의 재출자(합성), ㉤은 자음자의 가획자(가획)이다.

8 한글은 발음 기관의 모양을 본떠 자음 기본자를 만들었기 때문에 영어 알파벳과 달리 글자 모양과 발음 기관이 관련이 있다. 또한 같은 위치에서 소리 나는 글자의 모양이 비슷하여 글자의 모양을 통해 글자들의 관계나 소리의 특성을 파악할 수 있다.

2주 읽기/쓰기/듣기·말하기

1일 개념 돌파 전략 ❶ 39, 41쪽

1-2 정의 2-2 ① 3-2 ② 4-2 ① 5-2 ②

1-2 대상의 의미를 밝히는 설명 방법은 정의이다. 제시된 그림에서는 초식 동물의 뜻을 명확히 밝혀 설명하고 있으므로 '정의'의 설명 방법이 쓰였다.

2-2 '분석'은 대상을 구성하는 요소나 부분으로 나누어 설명하는 방법으로, 제시된 문장에서는 가야금을 구성하는 요소로 나누어 설명하고 있다.

오답 풀이

②는 분류와 구분에 대한 설명이다.

③은 비교와 대조에 대한 설명이다.

3-2 매체 자료는 전달하려는 내용과 관련이 있어야 하며 전달 내용을 잘 뒷받침할 수 있는 자료여야 한다.

4-2 글의 주제를 고려한 고쳐쓰기는 글 전체 수준의 고쳐쓰기이고, 문장의 흐름을 고려한 고쳐쓰기는 문단 수준의 고쳐쓰기이다.

오답 풀이

ㄷ은 단어 수준의 고쳐쓰기이다.

ㄹ은 문단 수준의 고쳐쓰기이다.

5-2 공감하며 대화할 때는 상대방의 말에 적절하게 맞장구를 치며 반응을 보여야 한다. 또한 상대방을 향해 몸을 돌리고 시선을 맞추며 상대방에게 관심을 나타내야 한다.

1일 개념 돌파 전략 ❷ 42~43쪽

1 ② 2 ㉠: 비교와 대조 ㉡: 분류와 구분 ㉢: 분석

3 ③ 4 ③ 5 ⓐ: 요약 ⓑ: 재구성

1 ㉠은 대상 '호랑이'의 뜻을 밝혀 설명한 정의가 쓰였다.
㉡은 육식 동물의 구체적인 예를 들어 설명한 예시가 쓰였다.
㉢은 지각하게 된 까닭을 밝혀 설명한 인과가 쓰였다.

2 ㉠은 진달래와 철쭉의 공통점과 차이점을 설명하고 있으므로 비교와 대조의 방법이 쓰였다.
㉡은 크기라는 기준에 따라 자동차의 종류를 나누어 설명하고 있으므로 분류와 구분의 방법이 쓰였다.
㉢은 곤충의 몸을 구성하고 있는 요소들을 쪼개어 설명하고 있으므로 분석의 설명 방법이 쓰였다.

3 ③은 도표(그래프)의 활용 효과이다.

4 '그러나'를 '또한'으로 수정하여 앞뒤 문장이 자연스럽게 이어지도록 하고 있다. 이것은 접속어의 사용이 적절한지를 고려한 것으로 문단 수준의 고쳐쓰기에 해당한다.

자료실 **고쳐쓰기의 일반 원리**

추가	새로운 내용, 문장, 단어 등을 보충하는 것
삭제	불필요한 내용, 문장, 단어 등을 빼는 것
대치	그 위치에서 다른 내용, 문장, 단어를 바꾸는 것
재구성	앞뒤 순서를 바꾸거나 내용을 늘이거나 줄이면서 조정하는 것

5 찬우는 ㉠에서는 은미가 한 말을 요약해서 말했고, ㉡에서는 은미가 한 말을 재구성해서 말하며 은미와 공감적 대화를 하였다.

2일 필수 체크 전략 ❶ 44~47쪽

1 ③ 2 ③ 3 ⓐ: 분류와 구분 ⓑ: 분석
4 ⑤

1 이 글에서는 예시의 설명 방법을 써서 정전기가 일상생활에서 발생하는 예를 설명하였고, 정의의 설명 방법을 써서 정전기의 뜻을 설명하였다.

제재 설명 김정훈, 〈정전기가 겨울로 간 까닭은?〉

갈래	설명문
제재	정전기
주제	정전기의 특성과 예방법
특징	① 제목이 질문 형식이어서 독자의 호기심을 일으킴. ② 정의, 인과, 예시, 분석 등의 설명 방법을 사용하여 대상을 설명함.

2 글쓴이는 한중일 삼국의 식사 문화와 젓가락의 차이점을 중심으로 설명하였다. 또 인과를 사용하여 삼국의 식사 문화의 차이가 젓가락 모양의 차이를 가져왔다는 점도 설명하였다.

제재 설명 김경은, 〈한중일 삼국의 젓가락〉

갈래	설명문
제재	한중일 삼국의 젓가락
주제	한중일 삼국의 식사 문화와 젓가락의 차이
특징	비교와 대조, 인과의 설명 방법을 사용하여 한중일 삼국의 식사 문화와 젓가락의 차이를 설명함.

3 ㉠은 '모양'을 기준으로 머리카락의 종류를 분류·구분하고 있다. ㉡은 머리카락을 구성하는 여러 요소를 분석하고 있다.

제재 설명 〈머리카락 얼마나 알고 있니?〉

갈래	설명문
제재	머리카락
주제	머리카락의 특성과 기능
특징	① 처음 부분에서 질문을 통해 독자의 흥미를 일으킴. ② 정의, 분류와 구분, 분석 등의 설명 방법을 사용하여 대상을 설명함. ③ 그림 자료를 사용하여 독자의 이해를 도움.

여러 대상을 가지고 묶거나 나누는 것은 분류와 구분, 하나의 대상을 가지고 구조를 살피는 것은 분석이라고 정리하자!

4 이 글에서는 정의, 예시, 분석, 인과의 설명 방법을 써서 공감각을 설명하였다. ⑤는 이 글에 쓰이지 않은 분류와 구분이 쓰였다.

오답 풀이

①은 정의, ②는 분석, ③은 인과, ④는 예시의 설명 방법이 쓰였다.

제재 설명 이명옥, 〈그림에서 들려오는 소리〉

갈래	설명문
제재	공감각이 드러난 그림
주제	그림을 활용한 공감각에 대한 이해
특징	① 정의, 예시, 분석 등의 설명 방법을 사용하여 공감각을 설명함. ② 독자에게 말을 거는 듯한 말투를 통해 친근감을 느끼게 함.

2일 필수 체크 전략 ❷ 48~49쪽

1 ① 2 ③ 3 ③ 4 ①

1 이 글에서는 대상의 뜻을 밝혀 설명하는 정의의 설명 방법은 쓰이지 않았다.

2 ㉠에는 대상을 기준에 따라 묶거나 나누어 설명하는 분류와 구분이 쓰였다. ③도 분류와 구분의 방법으로 세금의 종류를 설명하였다.

오답 풀이

①은 정의, ②는 예시, ④는 분석, ⑤는 인과의 설명 방법이 쓰였다.

제재 설명 서동준, 〈우리는 왜 간지럼을 느낄까〉

갈래	설명문
제재	간지럼
주제	간지럼을 타는 이유와 간지럼 연구가 지닌 의의
특징	① 분류와 구분, 비교와 대조, 인과 등의 설명 방법을 사용하여 간지럼의 특성과 간지럼을 타는 이유를 설명함. ② 질문을 통해 간지럼에 대한 독자의 흥미를 일으킴.

3 [A]에서는 여드름이 생기는 이유를 원인과 결과를 밝혀 설명한 인과의 설명 방법이 쓰였다. 〈보기〉에서도 해수면이 상승하는 이유를 인과의 방법으로 설명하였다.

4 〈보기〉와 달리 ㉠에서는 유제품과 고탄수화물 식품의 구체적인 예를 보여 주는 예시의 방법을 써서 독자의 이해를 돕고 있다.

제재 설명 〈여드름은 왜 생길까〉

갈래	설명문
제재	여드름
주제	여드름이 생기는 이유와 예방하는 방법
특징	정의, 예시, 인과 등의 설명 방법을 사용하여 대상을 설명함.

3일 필수 체크 전략 ❶ 50~53쪽

1 ③　2 ⑤　3 ⑤　4 ②

1 (가)는 현재의 부정적인 상황을 '몸살 앓는'으로 제시하고, '살린다'라는 긍정적인 뜻의 단어를 사용하여 탐방 예약제가 현재 상황을 해결할 수 있다는 긍정적인 입장을 나타내며, 그 필요성을 드러내고 있다.

2 이 글에 제시된 사진은 글의 내용을 이해하기 쉽게 하고 실제 모습을 확인할 수 있게 해 주고 있다.

제재 설명 〈사라진 명태의 귀환–명태 살리기 연구 과제 성공〉

갈래	기사문
제재	명태 살리기 연구 과제 성공
주제	명태 살리기 연구 과제가 성공을 이룸.
특징	① 다양한 설명 방법을 사용하여 대상을 설명함. ② 그림 자료를 사용하여 독자의 이해를 도움.

다양한 매체 자료가 사용된 글을 읽을 때와 그렇지 않은 글을 읽을 때를 비교해 보고, 글쓴이가 왜 매체 자료를 사용했는지 알아내 보자.

3 긴 문장은 이해하기 쉽도록 문장을 적절히 나누거나 짧게 줄여야 한다. ㉣은 '이 밖에도 머리카락을 비벼서 말리거나 머리카락이 젖어 있을 때 빗질을 하는 것도 머릿결에 나쁜 영향을 준다.'와 같이 명확한 문장으로 수정하거나 '이 밖에도 머리카락을 비벼서 말리면 머리카락끼리 마찰하여 머릿결이 상할 수 있다. 머리카락이 젖어 있을 때는 머리카락이 약해진 상태이므로 이때 빗질을 하는 것도 머릿결에 나쁜 영향을 준다.'와 같이 두 문장으로 나눈다.

제재 설명 〈건강한 머릿결을 갖고 싶어요!〉

갈래	설명문
제재	머리카락, 머릿결
주제	머리카락이 나빠지는 이유와 건강한 머릿결을 유지하는 방법
특징	① 다양한 설명 방법을 사용하여 머리카락이나 머릿결과 관련된 정보를 설명함. ② 그림 자료를 사용하여 독자의 이해를 도움.

4 공감하며 대화하려면 먼저 상대방의 감정과 상황, 처지를 이해하려는 태도를 지녀야 한다.

오답 풀이

① 준호는 효진이와 대화하면서 마음이 편해졌다고 하였다.
③ 공감하며 대화하기는 상대방의 관점에서 문제를 바라보며 협력적으로 소통하기 위한 대화이다.
④ 효진이는 준호와 눈을 맞추는 등의 소극적 들어 주기를 하였다.
⑤ 효진이는 준호가 한 말을 요약하거나 재구성하여 말하는 등의 적극적 들어 주기를 하였다.

3일 필수 체크 전략 ❷ 54~55쪽

1 ⑤ 2 ⑤ 3 ② 4 ④

1 제시된 기사는 인터넷 기사로, 미세 먼지를 가리킬 때 부정적인 느낌을 주는 '불청객'과 미세 먼지 때문에 뿌연 하늘이 담긴 사진을 제시하여 겨울철 미세 먼지가 심각함을 말하고 있다.

2 ㉠은 '달콤 창고'가 된 지하철 물품 보관함의 사진이다. 독자의 관심과 흥미를 끌고, 글의 내용을 생생하게 전달하기 위해 글의 처음 부분에 '달콤 창고'의 실제 모습을 제시하였다.

제재 설명 케이비에스(KBS), 〈명견만리〉 제작진, 〈착한 소비, 내 지갑 속의 투표용지〉

갈래	논설문
제재	달콤 창고
주제	착한 소비의 실천을 통해 기업, 사회, 세상의 미래를 바꿀 수 있음.
특징	다양한 표현 방법과 매체 자료를 사용하여 내용을 전달하고 독자의 이해를 도움.

3 제시된 글에서는 잘못 쓰거나 빠뜨린 글자가 있어서 수정한 내용은 없다.

오답 풀이

① '기르는데'를 '기르는 데'로 띄어쓰기를 하였다.(단어 수준)

② "그렇다면 어떤 점이 좋을까?"에 '수영을 하면'을 넣어 문장의 뜻이 분명하게 드러나도록 고쳤다.(문장 수준)

④ "난 초등학교 때까지 수영을 좋아했다."는 문단의 중심 내용에서 벗어나 삭제했다.(문단 수준)

⑤ '그러나'를 앞뒤 문장이 자연스럽게 연결되도록 '또한'으로 고쳤다.(문단 수준)

고쳐쓰기는 자신이 쓴 글에서 부족한 부분을 다듬어 독자가 이해하기 쉽게 글을 개선하는 것이야.

4 광수는 은미를 향해 앉아 은미의 눈을 바라보며 고개를 끄덕이거나 맞장구를 쳐주며 소극적 들어 주기를 하고 있다.

4일 교과서 대표 전략 ❶ 56~59쪽

1 ⑤ 2 비교와 대조 3 ② 4 ②
5 ① 6 ② 7 ④ 8 ④

1 (마)에는 귀화 식물인 오리새나 큰김의털이 우리나라에 정착하게 된 경로를 원인과 결과로 설명하고 있으므로 인과의 방법이 쓰였다.

2 제시된 글에 사용된 주된 설명 방법은 비교와 대조이다.

3 (나)는 세금의 쓰임새를 구체적인 예를 들어 설명하고 있는데, ②는 시계를 구성하는 요소를 분석의 방법으로 설명하고 있어서 (나)에 쓰인 설명 방법이 쓰이지 않았다.

오답 풀이

(가)에는 정의, (다)에는 분류와 구분, (라)에는 비교와 대조, (마)에는 인과의 방법이 쓰였다.

4 구들을 구성 요소인 '아궁이, 고래, 굴뚝'으로 나눈 후, 구들이 데워지는 순서를 설명하여 독자가 구들의 구조를 쉽게 이해할 수 있게 하였다.

5 (가)에서 '등산객으로 몸살 앓는 △△산, 탐방 예약제로 살린다'라는 제목을 통해 탐방 예약제에 대한 긍정적 입장을 드러내고 있음을 알 수 있다.

6 ㉠은 학생들의 식사 시간을 표로 제시하여 식사 시간별 학생의 비율을 구체적이고 정확한 수치로 보여 주고 있고, 〈보기〉는 도표(원그래프)로 제시하여 식사 시간별 학생의 비율을 한눈에 보여 주고 있다. 하지만 ㉠과 〈보기〉를 통해 식사 시간에 대한 학생들의 생각은 알 수 없다.

7 제시된 글은 건강한 머릿결에 대한 정보를 전하고 있다. (라)는 머릿결이 나빠지는 이유를 제시한 문단으로 주제와 관련 있는 내용을 다루므로 삭제할 필요가 없다.

8 ㉣에서 효진이는 지애가 한 말을 정리해서 자신이 지애를 이해하고 있음을 표현하였다.

4일 교과서 대표 전략 ❷ 60~61쪽

1 ⑤ 2 ⑤ 3 ② 4 경복궁의 구조를 설명하기 위해 분석의 설명 방법을 사용하는 것이 효과적이다. 분석은 대상을 구성하는 요소나 부분으로 나누어 설명하는 방법이다. 5 ④ 6 ③ 7 ⑤ 8 ④

1 제시된 글에서는 '국악기의 종류'를 연주 방법이라는 기준에 따라 종류별로 나누거나 묶는 분류와 구분의 방법이 쓰였다.

2 제시된 글에서는 '발효와 부패'를 비교와 대조의 설명 방법을 써서 설명하고 있다. ⑤도 비교와 대조의 방법으로 설명할 수 있다.

오답 풀이

①은 정의, ②는 분류와 구분, ③은 예시, ④는 인과의 방법으로 대상을 설명할 수 있다.

3 ㉠은 셜록 홈스의 뛰어난 추리력과 관찰력을 예로 들어 설명하고 있다.

4 경복궁의 구조는 '경회루, 교태전, 근정전' 등의 경복궁을 구성하고 있는 요소로 나누어 설명하는 것이 적절하다.

평가 기준	확인☑
분석의 설명 방법이 효과적임을 밝힘.	
대상을 구성하는 요소나 부분으로 나누어 설명한다는 분석의 개념을 설명함.	

5 글에 제시된 매체 자료의 종류는 그림이다. '달콤 창고'가 전국적으로 확산하는 모습을 한눈에 파악할 수 있도록 지도를 연속적으로 제시하여 달콤 창고가 많은 사람의 공감을 얻고 있다는 점을 전달하고자 했다.

6 제시된 매체 자료는 식사 속도에 따른 비만과 성인병 위험도를 보여 주는 도표(그래프)이다. 식사 속도가 빠를수록 비만과 성인병의 위험도가 커진다는 내용을 한눈에 알 수 있다.

7 제시된 글은 '수영'에 대한 정보를 제공하고 있는 글이다. ㉤은 달리기에 대한 정보를 전달하고 있어 주제에서 벗어난 내용이므로 삭제해야 한다.

8 상대방의 말을 요약하며 듣는 것은 적극적 들어 주기 방법이다. 앞에서 말한 준호의 말을 요약한 것으로 ④가 적절하다.

누구나 합격 전략 62~63쪽

1 ④ 2 ⑤ 3 (1) 정의 (2) 분류와 구분 (3) 비교와 대조 (4) 분석 4 ③ 5 ① 6 ② 7 ④

1 (가), (나)는 모두 분류와 구분의 설명 방법이 쓰였다. (가)는 간지러운 느낌의 종류를 가려움과 간지럼으로 나누었고, (나)는 세금의 종류를 걷는 기관과 걷는 방식에 따라 나누었다.

2 인과는 대상을 원인과 결과의 관계로 설명하는 방법인데, ⑤의 예는 정의가 쓰였다.

3 자전거의 뜻은 정의, 자전거의 종류는 분류와 구분, 자전거와 자동차의 공통점과 차이점은 비교와 대조, 자전거의 구조는 분석을 사용하여 설명하는 것이 효과적이다.

4 제시된 글은 기사문으로, 제목을 통해 기사의 주요 내용을 압축하여 전달하고 있다.

5 제시된 글은 한국의 명태 어획량 변화에 대해 말하고 있다. 변화 양상은 구체적 수치와 함께 도표(그래프)로 나타내면 내용을 한눈에 볼 수 있고 쉽게 이해할 수 있다.

6 글의 흐름으로 보아 '어떤 의견에 찬성하고 따르다.'나 '어떤 것을 붙들어서 버티게 하다.'라는 뜻의 '지지해'는 '어떤 상태나 상황을 그대로 이어 가다.'라는 뜻의 '유지해'로 고쳐야 한다.

7 두 사람 모두 상대방에게 자신의 비슷한 경험을 하고 있지는 않다.

창의·융합·코딩 전략 ❶ 64~65쪽

1 ⑤ 2 분석 – 모기의 몸을 구성하는 요소로 설명하고 있기 때문이다. 3 비교와 대조 4 ①

1 ㉤은 정전기를 예방하는 방법을 예시의 방법을 사용하여 설명하고 있다.

2 〈보기〉는 모기의 몸 구조를 구성하는 요소를 그림에 직접 표시하여 모기의 몸 구조를 쉽게 설명하고 있다.

평가 기준	확인☑
설명 방법을 '분석'이라고 씀.	
모기의 몸을 구성하는 요소로 설명하고 있기 때문이라고 씀.	

3 제시된 글은 간지럼과 가려움을 비교와 대조하여 대상의 특성을 드러내고 있다.

4 제시된 글에서는 꿀과 조청의 뜻을 설명하고 있지 않으므로, 〈보기〉에서 찾은 꿀과 조청의 뜻을 정의의 설명 방법을 써서 추가할 수 있다.

오답 풀이

② 〈보기〉에 '꿀'과 '조청'의 구조는 나타나지 않는다.
③ 〈보기〉에 '꿀'과 '조청'의 활용 사례는 나타나지 않는다.
④ 〈보기〉에서는 '꿀'과 '조청'의 공통점과 차이점을 비교하고 있을 뿐, 논리적 인과 관계는 제시하지 않고 있다.
⑤ 〈보기〉에 '꿀'과 '조청'의 여러 종류는 나타나지 않는다.

창의 · 융합 · 코딩 전략 ❷ (66~67쪽)

5 ㉠: 연도별 전국 기부 가게의 수의 증가 추세를 한눈에 알아볼 수 있다. ㉡: 연도별 전국 기부 가게 수의 증가량(구체적 수치)을 정확하게 알 수 있다. **6** 구제하는데 → 구제하는 데 **7** 부드럽게 눈을 맞추며 **8** 카메라가 갑자기 작동이 안 되어서 답답하겠다. 인터넷에서 해결 방법을 검색해 볼까?

5 ㉠은 전국 기부 가게 수의 변화를 연도별로 보여 주는 도표(막대그래프)이고, ㉡은 전국 기부 가게 수만 보여 주는 표이다. 표는 연도별 전국 기부 가게 수와 증가량 수치를 정확하게 알 수 있고, 도표(막대그래프)로 제시하면 전국 기부 가게 수가 매년 증가하는 변화 모습을 한눈에 알 수 있다.

평가 기준	확인☑
㉠ 자료가 도표임을 알고 내용을 한눈에 알아볼 수 있다고 씀.	
㉡ 자료가 표임을 알고 구체적인 수치를 알 수 있다고 씀.	

6 제시된 글은 홍길동의 영웅적인 모습을 설명한 글이다. '구제하는데'는 '구제하는 데'로 띄어 써야 한다.

오답 풀이

"또 홍길동은~부리기도 했다."를 두 문장으로 나누어 "또 홍길동은 비범한 능력을 지녔다. 축지법으로 ~ 부리는 등 도술에 능했다.'로 고칠 수 있다.
'하지만'은 '이뿐만 아니라'로 고칠 수 있다.

7 효진이는 고개를 끄덕이거나 부드럽게 지애의 눈을 맞추면서 공감하며 듣기를 하고 있다.

8 주연이는 지혁이의 관점에서 문제를 바라보거나 지혁이의 감정에 공감해 주지 않고 근거 없는 추측으로 지혁이의 잘못을 지적하고 있다.

평가 기준	확인☑
카메라가 작동이 잘 되지 않아 답답해하는 지혁이의 마음에 공감하는 말을 씀.	
인터넷에서 검색해 보자는 등의 해결 방안을 씀.	

신유형 · 신경향 · 서술형 전략 (70~73쪽)

1 ① **2** ㉠: 언찌 ㉡: 여덜 ㉢: 국:찌 **3** ④
4 한글 맞춤법 규정에 따라 '뵈다'의 어간 '뵈-'가 '-어'와 어울려 '봬'로 될 적에는 준 대로 적기 때문이다. **5** ③
6 ⓐ: 주지 않아도 돼요. ⓑ: 너한테 잘 어울려. **7** ④
8 ⑤ **9** 정전기로 고생하는 정도가 다른 이유는 사람의 피부 상태에 따라 정전기의 발생 정도가 달라지기 때문이다.
10 ⑤ **11** ㉠: 그래서/따라서/그러므로 ㉡: 이 밖에도 머리카락을 비벼서 말리면 머리카락끼리 마찰하여 머릿결이 상할 수 있다. 머리카락이 젖어 있을 때는 머리카락이 약해진 상태이므로 이때 빗질을 하는 것도 머릿결에 나쁜 영향을 준다. ㉢: 관리하는 **12** ③

1 'ㅢ'는 자음을 첫소리로 가질 때나 단어의 첫음절 이외에 올 때는 [ㅣ]로 발음하고, 조사 '의'는 [ㅔ]로도 발음함을 허용하므로, 단모음으로도 발음한다.

2 ㉠ 겹받침 'ㄵ' 뒤에 자음이 오면 [ㄴ]으로 발음한다.
㉡ 겹받침 'ㄼ'이 어말에이 오면 [ㄹ]로 발음한다.
㉢ 용언인 겹받침 'ㄺ'은 'ㄱ' 앞에서만 [ㄹ]로 발음하며, 다른 자음이 이어지는 경우에는 [ㄱ]으로 발음한다.

3 받침 'ㄷ, ㅌ'은 뒤에 형식 형태소인 'ㅣ'모음과 결합할 때만 'ㅈ, ㅊ'으로 소리가 바뀌어 난다.

4 '뵈-'가 어미 '-어'와 결합될 때 '봬'로 줄어들므로, 준 대로 '봬'로 적는다.

평가 기준	확인☑
'뵈-'가 '-어'와 어울려 'ㅙ'로 되어 준 대로 적었음을 씀.	
한 문장으로 씀.	

5 (가)는 식당에서 종업원이 식사를 마친 손님에게 하는 말이고, (나)는 의사가 환자에게 하는 말이라는 상황 맥락을 고려할 때, ③이 적절하다.

6 ㉠은 식사 시간에 음식을 더 먹도록 권할 때 주지 않아도 된다는 의미이고, ㉡은 옷 가게에서 옷이 잘 어울리는지 질문할 때 어울린다는 의미이다.

평가 기준	확인☑
㉠에 음식을 주지 않아도 된다는 의도로 말했음을 씀.	
㉡에 옷이 잘 어울린다는 의도로 말했음을 씀.	

7 ④는 자음 기본자인 'ㅁ'에 획을 더하여 다른 자음자 'ㅂ'을 입력하고 있으므로 '가획'의 원리가 적용되었다.

오답 풀이

①, ② 모음 기본자끼리 합하여 초출자를 만들었으므로 합성의 원리가 적용되었다.

③ 자음자에 획을 추가했으므로 가획의 원리가 적용되었다.

⑤ 자음자를 옆으로 나란히 쓰고 있으므로 병서의 원리가 적용되었다.

8 제시된 글은 식물의 종류를 원산지를 기준으로 나누어 설명(분류와 구분)하고 있다. 식물에 자생 식물과 외래 식물이 포함되며 외래 식물에 귀화 식물이 포함되게 도식화한 ⑤가 적절하다.

9 ㉠에 대한 답이 끝부분에 제시되어 있다.

평가 기준	확인☑
원인을 '사람의 피부 상태에 따라 정전기의 발생 정도가 다름'이라고 밝힘.	
결과를 '정전기로 고생하는 정도가 사람마다 다름'이라고 밝힘.	
'~ 이유는 ~ 때문이다.'의 문장 형식으로 씀.	

10 머리카락의 종류를 일정한 기준(모양)에 따라 나눈 분류와 구분의 방법으로 설명하는 것이 적절하다.

11 ㉠은 앞뒤 문장이 원인과 결과로 이어지고 있다. ㉡은 길이가 길어 문장을 두 문장으로 나눈다. ㉢은 문맥에 어울리는 단어인지 점검한다.

12 제시된 그림에서 재영이는 턱을 괸 채 시선을 아래로 하고 무표정한 얼굴로 친구의 말을 듣고 있다. 그래서 친구는 존중받지 못하는 느낌이 들어 기분이 상하였다. 대화할 때는 상대방 쪽으로 몸을 향하고 눈을 맞추어 상대방의 말에 집중하고 있음을 나타내야 한다.

적중 예상 전략 | 1회 74~77쪽

1 ① 2 ④ 3 ② 4 '빛이'는 받침 'ㅊ' 뒤에 모음으로 시작하는 조사 '이'가 오므로 제 음가대로 뒤 음절 첫소리로 옮겨 [비치]라고 발음해야 하기 때문이다.
5 ④ 6 ⑤ 7 ㉠: 오시 ㉡: 우돋 8 ③
9 ⑤ 10 ④ 11 ⓐ: 지각 ⓑ: 부족 12 ③
13 말하는 이와 듣는 이를 구체적으로 알 수 없고, 언제 어디에서 이루어진 담화인지, 무엇을 같이 쓴다는 것인지 알 수 없기 때문이다. 14 ② 15 ③ 16 ④
17 낫 놓고 기역 자도 모른다. - 영어로 쓴 글보다 한글로 쓴 글에 담긴 정보를 더 빠르게 파악할 수 있다.

1 '민주주의'에서 주의는 [주의] 또는 [주이]로 발음한다. 조사 '의'는 [의] 또는 [에]로 발음한다. 단어의 첫음절의 '의'는 [의]로만 발음하므로, '의의'는 [의의] 또는 [의이]로 발음한다. 따라서 ①의 발음은 나오지 않는다.

2 짧다[짤따], 핥다[할따]의 겹받침은 어말에서 대표음 [ㄹ]로 바뀌어 발음한다.

오답 풀이

① 받침 'ㅈ'의 대표음은 [ㄷ]이다.

② 'ㄳ', 'ㄺ'의 대표음은 [ㄱ]이다.

③ 숲[숩], 솥[솓]은 어말에서 서로 다른 소리로 발음된다.

⑤ 맑다[막따], 핥다[할따]의 겹받침은 자음 앞에서 각각 대표음 [ㄱ], [ㄹ]로 바뀐다. (단, '맑-'이 'ㄱ'으로 시작하는 어미와 만날 때는 [ㄹ]로 발음됨.)

3 겹받침 'ㄺ'은 어말 또는 자음 앞에서 [ㄱ]으로 발음하지만, 용언의 어간 말음 'ㄺ'은 'ㄱ' 앞에서 [ㄹ]로 발음한다. ②의 '맑고'는 'ㄱ'으로 시작하는 어미가 이어지므로 [말꼬]로 발음한다.

오답 풀이

① '굵지'는 'ㄱ'이 아닌 자음 앞에 오므로 'ㄺ'을 [ㄱ]으로 발음한다.

③, ④, ⑤ 'ㄱ'으로 시작하는 어미가 이어지므로 'ㄺ'을 [ㄹ]로 발음한다.

4 '빛이'를 [비시]로 잘못 발음하여 '화분을 빗이 많은 곳에 두자라'는 의미로 전달되어 의사소통이 잘 이루어지지 않았다. '빛이'는 [비치]로 발음한다.

평가 기준	확인 ☑
홑받침이 모음으로 시작하는 조사와 결합할 때 제 음가대로 뒤 음절 첫소리로 옮겨 발음한다는 표준 발음법을 밝혀 씀.	

5 ①, ④와 같이 '여덟', '칡'처럼 겹받침으로 끝나는 말 뒤에 모음으로 시작하는 형식 형태소 '이다', '으로'가 연결되는 경우에는 겹받침의 뒤엣것을 뒤 음절의 첫소리로 옮겨 발음한다. 따라서 ④의 '칡으로'는 [칠그로]로 발음한다.

6 '맛없다'에서 겹받침 'ㅄ'은 자음 앞에서 대표음 [ㅂ]으로 발음되고 있다. 맛없다[마덥따]의 발음에 겹받침이 모음으로 시작된 조사와 결합하는 조건은 나타나지 않으므로 ⑤는 적용되지 않았다.

7 ㉠ '옷'이 조사 '이'와 결합하므로 받침 'ㅅ'을 제 음가대로 뒤 음절의 첫소리로 옮겨 [오시]로 발음한다.

㉡ '웃-'이 실질 형태소인 '옷'과 결합하므로 받침 'ㅅ'이 대표음 [ㄷ]으로 바뀌어 뒤 음절의 첫소리로 옮겨 [우돋]으로 발음한다.

8 '돼'는 '되어'가 줄어든 말이므로 '되어요'는 '돼요'로 줄여 써야 한다.

9 '맞추다'는 '둘 이상의 일정한 대상들을 나란히 놓고 비교하여 살피다.'로, '친구의 답과 내 답을 맞추어 보다.'와 같이 쓰일 때는 바른 표기이다. 하지만 '문제에 대한 답을 틀리지 않게 하다.'의 의미로 쓰일 때는 '맞히다'를 써야 한다.

10 담화의 의미는 담화를 이루는 구성 요소인 말하는 이와 듣는 이, 시간과 장소, 의도와 목적, 상황 맥락과 사회·문화적 맥락 등이 종합적으로 작용하여 결정된다.

11 ㉠은 학교 앞 정문에서 지각하기 5분 전의 상황이고, ㉡은 교실 안에서 수업 시작하기 5분 전의 상황이다.

12 '임진각'은 추석이 되면 실향민들이 모여 합동 제사를 지내면서 고향에 대한 그리움을 달래는 곳이다. '임진각, 통일' 등을 통해 남북 분단으로 실향민이 존재하는 한국의 사회·역사적 배경이 담화의 사회·문화적 맥락으로 작용하고 있음을 알 수 있다.

13 제시된 담화는 말하는 이와 듣는 이, 담화가 이루어지는 시간과 장소, 즉 상황 맥락을 알 수 없어서 정확하게 의미를 파악하기 어렵다.

평가 기준	확인 ☑
담화의 상황 맥락 요소인 말하는 이와 듣는 이, 시간과 장소, 발화 목적과 의도가 분명히 드러나지 않음을 씀.	
'~ 때문이다.'로 끝맺음.	

14 'ㄴ'은 혀끝이 윗잇몸에 붙는 모양을 본떠 만든 자음 기본자이다. 'ㄱ'은 혀뿌리가 목구멍을 막는 모양을, 'ㅁ'은 입의 모양을, 'ㅅ'은 이의 모양을, 'ㅇ'은 목구멍의 모양을 본떠 만들었다.

15 모음 기본자 외의 나머지 모음은 합성의 원리에 따라 'ㅡ, ㅣ'에 'ㆍ'를 합하여 'ㅗ, ㅏ, ㅜ, ㅓ'를 만들었고, 'ㅗ, ㅏ, ㅜ, ㅓ'에 'ㆍ'를 한 번 더 합하여 'ㅛ, ㅑ, ㅠ, ㅕ'를 만들었다.

16 한글은 'ㅏ'가 [ㅏ]로만 발음되는데, 영어 'a'는 [ㅐ], [ㅔ], [ㅏ] 등 여러 소리로 발음된다.

오답 풀이

③ 'ㅏ'는 합성의 원리로 만들었다.

⑤ 한글은 하나의 글자가 하나의 소릿값만을 지니고 있어서 영어 알파벳보다 쉽게 읽을 수 있다.

17 한글의 모아쓰기 방식은 단어나 문장의 뜻을 바르게 이해할 수 있고, 읽기 편하다는 장점이 있다.

평가 기준	확인 ☑
'낫 놓고 기역 자도 모른다.'고 모아씀.	
장점으로 정보를 빠르게 이해할 수 있다고 씀.	

적중 예상 전략 | 2회

78~81쪽

1 ② 2 ② 3 ④ 4 ① 5 ③
6 ④ 7 ④ 8 (나) – 독자의 관심과 흥미를 끌고 내용을 이해하는 데 도움이 된다. 9 ④ 10 ⑤
11 의견을 말한 것뿐인데 친구들이 너 때문에 티셔츠를 못 만들게 된 것처럼 말했구나.

1 이 글은 정전기에 관한 여러 정보를 전달하기 위해 쓴 설명하는 글이다.

2 〈보기〉는 여드름을 예방하기 위해 유제품이나 고탄수화물 식품을 피해야 한다고 말하면서 고탄수화물 식품을 예로 들고 있다. (가)에서는 일상생활에서 정전기가 발생하는 예를, (라)에서는 마찰할 때 전자를 쉽게 잃는 물체와 쉽게 얻는 물체를 예를 들어 설명하고 있다.

3 ㉣은 원자의 구성 요소를 분석의 설명 방법을 써서 설명하였다. ④에는 분류와 구분의 설명 방법이 쓰였다.

4 (가)에서 우리나라의 체감 경제 고통 지수는 2006년 이후 상승하고 있다고 하였다. 하지만 (나)를 볼 때 경제가 나빠진 2008년에서 2009년 사이에 착한 소비에 해당하는 우리나라의 공정 무역 매출액이 무려 210퍼센트나 증가했다고 하였다.

5 (나)에서 도표(선그래프) [A]를 보면 주황색의 세계 경제 성장률은 하락하고 있지만, 착한 소비에 해당하는 초록색의 세계 공정 무역 매출액은 증가하고 있다는 것을 한눈에 알아볼 수 있다.

오답 풀이

① [A]를 보면 세계 경제 성장률이 하락하는 상황에서도 세계 공정 무역 매출액은 증가하는 현상이 나타나고 있다. 따라서 세계 경제 성장률의 하락을 세계 공정 무역 매출액 감소의 원인으로 해석하는 것은 적절하지 않다.
② [A]의 그래프에서 세계 경제 성장률과 세계 공정 무역 매출액을 대조하고 있기는 하지만, 이것이 착한 소비에 대한 사람들의 인식 개선과는 관련이 없다.
④ [A]를 보면 세계 공정 무역 매출액 증가와 세계 경제 성장률 하락이 나타나고 있다. 하지만 세계 공정 무역 매출액의 증가가 세계 경제 성장률이 하락하는 원인이라고 말할 수 있는 근거는 나타나지 않는다.
⑤ [A]는 세계 경제 성장률과 세계 공정 무역 매출액을 보여 주고 있을 뿐, 세계 경제 성장률에서 세계 공정 무역 매출액이 차지하는 비중은 나타내고 있지는 않다.

6 (라)에는 이미 머릿결에 좋은 음식에 관한 예시가 제시되어 있으므로, 머릿결에 좋은 음식을 예로 넣을 필요가 없다.

7 (다)에는 머릿결이 나빠지는 이유를 인과로 설명하였다. ④도 인과로 글을 쓰기에 적절한 대상이다.

오답 풀이

①은 정의, ②는 분류와 구분, ③은 분석, ⑤는 비교와 대조의 방법으로 설명하기에 적절한 대상이다.

8 〈보기〉는 머리카락의 구조를 나타낸 그림이다. (나)에서 머리카락을 이루는 구성 요소를 모표피, 모피질, 모수질로 나누어 설명하고 있으므로 (나)에 추가하면 내용 이해에 도움이 된다.

평가 기준	확인 ☑
적절한 문단으로 (나)를 제시함.	
효과로 독자의 관심과 흥미를 끈다고 씀.(또는 내용을 이해하는 데 도움이 된다고 씀.)	

9 자신의 생각을 주장하기보다는 상대방의 관점에서 문제를 바라보며 우호적인 태도로 들어 주어야 공감하며 대화할 수 있다.

10 한솔이는 오늘 도서관이 문을 닫았다는 준희의 말을 주의 깊게 듣지 않고, 모둠 회의 전까지 자료를 찾을 고민을 하는 준희에게 지금 도서관에서 책을 빌리면 된다고 말하였다.

11 상대방의 말을 요약하는 것은 적극적 들어 주기의 방법이므로, 준호의 속상한 감정을 헤아려 바로 앞에서 준호가 한 말을 요약하면 된다.

평가 기준	확인 ☑
준호가 앞에서 말한 '의견을 말한 것뿐인데 준호 때문에 친구들이 티셔츠를 못 만들게 된 것처럼 말했다'고 요약하여 씀.	
대화의 흐름에 맞게 말하는 말투로 자연스럽게 씀.	

필수 어휘 체크 전략 이렇게 봐요~

- 필수 개념어와 어휘를 뜻과 예로 익혀 봐요!
- 여러 유형의 문제를 쉽고 빠르게 풀어 봐요!
- 필수 어휘 테스트에서 틀린 문제가 있다면 필수 어휘 모음에서 뜻을 확인하여 완벽하게 마무리해요!

필수 어휘 체크 전략

필수 어휘 모음

화자

❶ [ ] 에서 말하는 이.

예 이 시에는 화자가 시 속에 직접 드러나 있다.

서술자

❷ [ ] 에서 작가를 대신하여 말하는 이.

예 이 소설은 서술자가 인물의 심리를 직접 전달하고 있다.

시샘하다

'시새움하다'의 준말. 자기보다 잘되거나 나은 사람을 공연히 미워하고 싫어하다.

예 진희는 춤을 잘 추는 언니를 시샘했다.

유년

어린 나이나 때.

예 소꿉친구들과 놀던 유년 시절의 기억이 새록새록 떠오른다.

윗목

온돌방에서 아궁이로부터 먼 쪽의 방바닥. 불길이 잘 닿지 않아 ❸ [ ] 보다 상대적으로 차가운 쪽이다.

예 차가운 윗목에 있지 말고 아랫목으로 내려오세요.

한기

추운 기운.

예 창문을 열자 차가운 바람이 들어와 한기가 느껴졌다.

❹ [ ]

따뜻한 기운.

예 사랑방의 구들이 식어 방바닥의 ❹ [ ] 가 가셨다.

답 | ❶ 시 ❷ 소설 ❸ 아랫목 ❹ 온기

타전

전보나 ❶ ______ 을 침.

예) 무전기가 고장 나서 타전이 불가능했다.

풋풋하다

생기가 있고 싱그럽다.

예) 신입생일 때 사진을 보니 친구들 모습이 풋풋하구나.

여울

❷ ______ 이나 바다 등의 바닥이 얕거나 폭이 좁아 물이 세게 흐르는 곳.

예) 징검다리가 여울의 얕은 곳을 따라 띄엄띄엄 놓여 있다.

넌지시

드러나지 않게 은근히.(시 〈고향〉에서 '넌즈시'로 쓰임.)

예) 나는 책을 읽고 있는 민준이에게 넌지시 다가갔다.

❸ ______

서로 거스르지 않는 사이라는 뜻으로, 허물이 없는 아주 친한 사이를 이르는 말.

예) 현지와 지수는 어렸을 때부터 운동을 같이한 ❸ ______ 이다.

❹ ______

한창 바쁠 때에 쓸데없는 일로 남을 귀찮게 구는 짓.

예) ❹ ______ 로 방해하는 것보다 도와주는 게 상책이다.

수작

남의 말이나 행동, 계획을 낮잡아 이르는 말.

예) 나는 오빠의 뻔히 보이는 수작에 넘어갔다.

답 | ❶ 무전 ❷ 강 ❸ 막역지간 ❹ 쌩이질

필수 어휘 체크 전략

생색

남에게 도움을 주고 그것을 ❶ 하거나 체면을 세우는 태도.

예 동생은 내게 생일 선물을 주고 나서 한동안 생색을 내었다.

기색

마음의 작용으로 얼굴에 드러나는 빛.

예 삼촌은 약속 시간에 늦어 놓고도 미안한 기색이 없었다.

쌔근쌔근

고르지 아니하고 가쁘게 자꾸 숨 쉬는 소리. 또는 그 모양.

예 찬우는 지각하기 1분 전에 교실에 와서 쌔근쌔근 가쁜 숨을 쉬었다.

복장

❷ 의 한복판.

예 실수로 친구의 복장을 쳤다.

비슬비슬

자꾸 힘없이 비틀거리는 ❸ .

예 길에서 어떤 할아버지가 비슬비슬 걸어가셔서 보기에 몹시 불안했다.

❹

어떤 일이 벌어지는 바람에 자기도 모르게 정신이 얼떨떨한 상태.

예 나는 당황하여 ❹ 에 엉뚱한 말을 하였다.

명색

겉으로 내세우는 구실이나 이유.

예 도시를 재정비한다는 명색으로 집들을 허물고 있다.

답 | ❶ 자랑 ❷ 가슴 ❸ 모양 ❹ 얼김

찬미하다

아름답고 훌륭한 것 등을 높여 말하며 칭찬하다.

예 우리 조상들은 자연물을 찬미하는 시가를 많이 지었다.

예견하다

앞으로 일어날 일을 미리 알거나 ❶ [ ].

예 감독은 선수들의 상태를 보고 승리를 예견하였다.

호송

① 목적지까지 보호하여 옮김. ② ❷ [ ]를 지은 사람을 목적지까지 감시하면서 데려가는 일.

예 범인을 경찰에 호송하였다.

매복

상대편의 동태를 살피거나 불시에 공격하려고 일정한 곳에 몰래 숨음.

예 경찰은 범인을 잡으려고 범인 집 앞에서 매복을 하였다.

일가

① 한집에 사는 ❸ [ ]. ② 성이 같고 혈연관계에 있는 사람들.

예 추석을 맞아 외할머니 댁에 일가가 모두 모였다.

갈취하다

남의 것을 강제로 ❹ [ ].

예 우리 동네에 현금을 갈취하는 나쁜 사람들이 있어.

지척

아주 가까운 거리.

예 우리 집에서 학교까지는 지척이다.

답 | ❶ 짐작하다 ❷ 죄 ❸ 가족 ❹ 빼앗다

필수 어휘 체크 전략

필수 어휘 테스트

01 단어의 뜻을 바르게 연결하시오.

(1) 화자 •　　　　• ㉠ 시에서 시인을 대신하여 말하는 이

(2) 서술자 •　　　　• ㉡ 소설에서 독자에게 이야기를 전달하는 이

02 빈칸에 알맞은 단어를 쓰시오.

(1) 지금 나는 나의 ______, 나의 당숙 때문에 울고 있는 나를 종종 발견하게 된다.
한집안. 혈연관계가 있는 같은 집안.

(2) 점순이는 가는 ______이 없고, 쌔근쌔근하고 심상치 않게 숨소리가 거칠어진다.
마음의 작용으로 얼굴에 드러나는 빛.

(3) 귀뚜르르 뚜르르 보내는 ______ 소리가 / 누구의 마음 하나 울릴 수 있을까.
전보나 무전을 침.

03 빈칸에 공통으로 들어갈 단어를 보기에서 고르시오.

보기
윗목　　생색　　복장　　수작

할머니: 거기 (　　　)은 아궁이에서 멀어서 차가울 텐데.
손님: 온돌이 좋아서 그런지 (　　　)도 별로 안 차요.

04 밑줄 친 부분의 뜻과 비슷한 것은?

계집애가 나물을 캐러 갔으면 갔지 남 울타리 엮는 데 <u>쌩이질을 하는 것</u>은 다 뭐냐.

① 놀라는 것　　② 귀찮게 구는 것　　③ 도와주는 것
④ 모른 척하는 것　　⑤ 친절하게 대하는 것

답 | 01 (1) ㉠ (2) ㉡ 02 (1) 일가 (2) 기색 (3) 타전 03 윗목 04 ②

05 **뜻풀이에 해당하는 단어를 고르시오.**

(1) (온기, 한기): 추운 기운.
(2) (유년, 청년): 어린 나이나 때.

06 **(   ) 안에서 글의 흐름에 어울리는 단어를 고르시오.**

감사는 전국에 체포령이 내린 길동을 잡아 (시샘 , 호송)하였고, 조정에서는 군사들을 남대문 부근에 (매복 , 예견)시켰다.

07 **다음 대화의 빈칸에 들어갈 알맞은 단어를 보기 에서 고르시오.**

보기

비슬비슬 막역지간 쌔근쌔근 넌지시

백석: 전 평안도 정주가 고향인데, 혹시 아무개 씨를 아시나요?
의원: 알고말고요. 그 아무개랑은 고향 친구로 (   )이라네.

08 **보기 를 참고하여 빈칸에 공통으로 들어갈 단어의 기본형을 쓰시오. (기본형은 '-다' 형태로 쓰는 것임.)**

보기

남의 것을 강제로 빼앗다.

아버지는 내 편지를 엄마가 '(   )'고 한 부분을 결코 취소하지 않았다. 그런데 엄마는 '(   )'는 말이 뭐가 어쨌다고 그 말에 그렇게 분개하는 것일까.

답 | 05 (1) 한기 (2) 유년 06 호송, 매복 07 막역지간 08 갈취하다

필수 어휘 체크 전략

필수 어휘 모음

표현

느낌이나 생각 등을 말, 글, 몸짓 등으로 나타내어 겉으로 드러냄.

예 할아버지가 나에게 용돈을 주는 것은 애정 표현의 한 방법이시다.

운율

시를 읽을 때 느껴지는 가락.

예 나는 운율이 잘 느껴지는 시를 읽으면 노래를 부르는 것 같아.

반어

표현하고자 하는 내용을 ❶ ______ 되게 나타내어 강조하는 표현.

예 내가 잘한 게 하나도 없는데, 엄마는 "잘했다."라고 반어로 말했다.

역설

겉보기에는 모순되지만 그 속에 중요한 사실이나 ❷ ______ 을 담은 표현.

예 수필 <열보다 큰 아홉>의 제목에는 역설의 표현이 담겨 있다.

모순

어떤 사실의 앞뒤, 또는 두 사실이 이치상 어긋나서 서로 맞지 않음을 이르는 말.

예 "구린내가 향기롭다."는 겉보기에는 모순된 표현이다.

풍자

개인이나 사회의 부정적 현상, 모순 등을 간접적으로 ❸ ______ 하기 위해 웃음을 사용하는 표현.

예 그의 소설은 풍자를 통해서 인물의 행동이나 사회의 모습을 비판하는 내용이 나타나 있다.

❹ ______

연극이나 영화의 대본으로 만들거나 다른 나라 말로 고치기 전의 원래 작품.

예 드라마가 인기를 끌면서 ❹ ______ 웹툰도 함께 인기를 끌고 있다.

답 | ❶ 반대 ❷ 진실 ❸ 비판 ❹ 원작

재구성

한 번 구성하였던 것을 다시 새롭게 구성함.

예 역사적 사건을 만화로 재구성하여 흥미롭게 보았다.

변형

형태나 모양, 성질 등이 달라지거나 달라지게 함.

예 세탁기를 돌릴 때 형태가 쉽게 변형되는 스웨터 등은 조심해야 합니다.

나무라다

상대방의 ❶ [ ] 이나 부족한 점을 꼬집어 말하다.

예 길에서 아이 엄마가 아이를 호되게 나무라고 있었다.

구린내

똥이나 방귀 냄새와 같이 고약한 ❷ [ ].

예 은행나무 열매에서 구린내가 지독하게 났다.

여물다

과실이나 곡식 등이 알이 들어 딴딴하게 잘 ❸ [ ].

예 감이 벌써 먹음직스럽게 여물었구나!

아름

두 팔을 둥글게 모아서 만든 둘레.

예 선생님께서 꽃다발을 한 아름 안고 교실에 들어오셨다.

❹ [ ]

근무하는 곳을 옮김.

예 어머니가 ❹ [ ] 을 가게 되어 부모님이 주말 부부가 되었다.

답 | ❶ 잘못 ❷ 냄새 ❸ 익다 ❹ 전근

필수 어휘 체크 전략

허풍

❶ [ ]보다 지나치게 부풀려 믿기 어려운 말이나 행동.

예 동생은 자기가 훌륭한 인품을 지녔다면서 허풍을 떨었다.

❷ [ ]

강렬하고 갑작스러워 누르기 어려운 감정.

예 나는 치솟는 분노의 ❷ [ ]을 가라앉히려 애썼다.

분분하다

여럿이 한데 뒤섞여 어수선하다.

예 꽃잎이 분분하게 떨어졌다.

녹음

푸른 잎이 울창하게 우거진 수풀. 그 수풀의 그늘.

예 이 채색화는 숲의 짙은 녹음을 잘 표현했네.

하롱하롱

작고 가벼운 물체가 떨어지면서 잇따라 흔들리는 ❸ [ ].

예 꽃잎이 하롱하롱 떨어지는 모습이 아름답게 보였다.

환곡

조선 시대에, 각 고을에서 봄에 백성들에게 ❹ [ ]을 꾸어 주고 가을에 이자를 붙여 거두어 두던 일. 또는 그 곡식.

예 조선 시대에 정선의 한 양반이 가난하여 환곡을 갚지 못해 곤궁에 빠졌다.

매매

물건을 팔고 사는 일.

예 불법 중고 매매가 활발하게 이루어지고 있다는 뉴스가 보도되었다.

답 | ❶ 실제 ❷ 격정 ❸ 모양 ❹ 곡식

❶ [ ]

제멋대로 굴며 매우 난폭함.

예 편의점에서 손님이 갑자기 물건을 던지며 ❶ [ ] 를 부렸다.

맹랑하다

생각한 바와 달리 허무하다.

예 나는 갈수록 일이 맹랑하게 되어 간다고 생각했다.

두엄

풀, 짚 또는 가축의 배설물 따위를 썩힌 ❷ [ ].

예 시골 길을 지나가는데 밭에서 두엄 냄새가 고약하게 났다.

치닫다

① 위쪽으로 ❸ [ ]. 또는 위쪽으로 달려 올라가다. ② 힘차고 바르게 나아가다.

예 멧돼지가 도로를 벗어나 산 중턱을 향해 치달았다.

어혈

타박상 따위로 살 속에 피가 맺힘. 또는 그 피.

예 찬수는 퍼렇게 어혈이 선명한 눈두덩을 달걀로 문질렀다.

탐관오리

백성의 재물을 탐내어 빼앗는, 행실이 깨끗하지 못한 ❹ [ ].

예 <춘향전>에 나오는 변 사또는 백성의 재물을 갉아먹는 탐관오리였다.

모질다

마음씨나 말씨나 행동이 몹시 쌀쌀맞고 독하다.

예 옆에서 지켜보니 현아는 마음이 모질지 못한 성격이다.

답 | ❶ 횡포 ❷ 거름 ❸ 달리다 ❹ 관리

필수 어휘 체크 전략

필수 어휘 테스트

01 밑줄 친 단어에 해당하는 뜻을 보기 에서 찾아 기호로 쓰시오.

보기
ㄱ. 표현하고자 하는 내용을 반대되게 나타내어 강조하는 표현.
ㄴ. 겉보기에는 모순되지만 그 속에 중요한 사실이나 진실을 담은 표현.
ㄷ. 개인이나 사회의 부정적 현상, 모순 등을 간접적으로 비판하기 위해 웃음을 사용하는 표현.

(1) 할머니가 손자에게 '우리 못난이'라며 반어로 말하였다.
(2) 〈양반전〉은 조선 후기 양반의 모습을 풍자한 고전 소설이다.
(3) '아아, 님은 갔지마는 나는 님을 보내지 아니하였습니다.'에는 역설이 쓰였다.

02 ( ) 안에서 글의 흐름에 어울리는 단어를 고르시오.

(1) 너는 호랑이 선생님이 (출근 , 전근) 가신다는 말을 듣고 눈물을 찔끔거렸지.
(2) "차갑지만 따뜻한 엄마의 손"은 겉보기에 (모순 , 과장)된 표현을 사용해 인상 깊었어.

03 빈칸에 공통으로 들어갈 단어를 보기 에서 고르시오.

보기
풋내 구린내 비린내 단내

은행나무 열매에서 ( )가 난다
주의해 주세요 ( )가 향기롭다

04 밑줄 친 말을 대신하여 쓸 수 있는 것은?

양반은 집이 가난해서 해마다 군에서 관의 곡식을 빌려다가 먹었는데, 몇 해가 지나고 보니 빌린 곡식이 일천 섬에 이르렀다.

① 두엄 ② 녹음 ③ 허풍
④ 환곡 ⑤ 재구성

답 | 01 (1) ㄱ (2) ㄷ (3) ㄴ
02 (1) 전근 (2) 모순 03 구린내
04 ④

05 초성을 참고하여 뜻풀이에 해당하는 알맞은 단어를 쓰시오.

(1) ㅇ ㅇ : 시를 읽을 때 느껴지는 가락.
(2) ㅇ ㅈ : 연극이나 영화의 대본으로 만들거나 다른 나라 말로 고치기 전의 원래 작품.

06 밑줄 친 단어의 뜻으로 바른 것은?

두꺼비 파리를 물고 두엄 위에 치달아 앉아

① 맹랑하게 놀다 ② 천천히 여물다 ③ 뛰어 올라가다
④ 거칠게 표현하다 ⑤ 모질게 행동하다

07 빈칸에 공통으로 들어갈 알맞은 단어를 보기 에서 고르시오.

보기
횡포 어혈 아름 출혈

환자: 발목을 삐어서 ( )이 선명하게 생겼어요.
한의사: 침으로 ( )을 빼 보도록 하죠.

08 빈칸에 알맞은 단어를 쓰시오.

조선 후기에는 백성들이 ______(재물을 탐내어 빼앗는, 행실이 깨끗하지 못한 관리.)에게 큰 고통을 받았다. 시조 〈두꺼비 파리를 물고〉는 이들에게 고통을 받은 백성들이 지었다고 볼 수 있다.

답 | 05 (1) 운율 (2) 원작 06 ③ 07 어혈
08 탐관오리

필수 어휘 체크 전략

필수 어휘 모음

표기

문자 또는 음성 기호로 언어를 표시함.

예 간판의 표기가 맞춤법에 어긋나네.

원리

사물의 본질이나 바탕이 되는 ❶ [   ].

예 이 기계의 작동 원리를 알고 싶다.

받침소리

음절의 구성에서 마지막 소리인 자음.

예 '낫, 낮, 낟, 낱, 낯'을 발음하면 받침소리가 모두 [ㄷ]으로 들려 단어가 구분이 되지 않는다.

대표음

자음이 ❷ [   ]으로 쓰일 때 하나의 자음으로 발음되는데, 그 하나의 자음을 이르는 말.

예 받침소리 'ㄱ, ㄲ'은 모두 대표음 [ㄱ]으로 발음한다.

홑받침

하나의 ❸ [   ]으로 된 받침.

예 '박', '정'은 모두 홑받침으로 된 단어이다.

쌍받침

같은 자음자가 겹쳐서 된 받침.

예 '낚시'를 쓰려면 '낚'으로 쌍받침 'ㄲ'을 써야 해요.

❹ [   ]

서로 다른 두 개의 자음으로 된 받침.

예 '닭', '넋'은 모두 ❹ [   ]이 쓰인 단어이다.

답 | ❶ 이치 ❷ 받침 ❸ 자음 ❹ 겹받침

음절

'구름'에서 '구'나 '름' 같이 한 번에 발음할 수 있는 소리마디.

예 어떻게 읽어야 할지 모르겠으니 한 음절씩 천천히 읽어 주세요.

어말

단어의 ❶ ______.

예 받침 'ㄲ'은 어말에서 [ㄱ]으로 발음된다. 즉 '밖'은 [박]으로 발음한다.

어간

❷ ______ 와 형용사가 활용할 때 변하지 않는 부분.

예 '먹고', '먹니'에서 '먹-'은 어간이다.

어미

❸ ______ 뒤에 붙어서 변하는 부분.

예 '먹고', '먹니'에서 '-고', '-니'는 어미야.

접미사

어근이나 단어의 뒤에 붙어 새로운 단어가 되게 하는 말.

예 '선생님'의 '-님', '개구쟁이'의 '-쟁이'는 접미사이다.

❹ ______ 형태소

구체적인 대상이나 동작, 상태를 표시하는 형태소.

예 '민수가 책을 읽었다.'에서 '민수', '책', '읽-'은 실질적인 의미를 지닌 ❹ ______ 형태소이다.

곬

한쪽으로 트여 나가는 방향이나 길.

예 강물이 한 곬으로만 흐른다.

답 | ❶ 끝 ❷ 동사 ❸ 어간 ❹ 실질

필수 어휘 체크 전략

발화

머릿속 생각이 ❶ [ ] 언어로 나타난 것.

예 발화가 모여 담화를 이룬다.

❷ [ ]

서로 이어져 있는 관계나 연관된 흐름.

예 그 사람은 일의 앞뒤 ❷ [ ] 은 전혀 모르면서 무조건 참견하기를 좋아했다.

창제

전에 없던 것을 처음으로 만들거나 정함.

예 훈민정음은 세종 대왕이 창제한 우리글이다.

상형

어떤 물건의 ❸ [ ] 을 본뜸.

예 한글의 'ㅁ'은 입 모양의 상형을 통해 만들었다.

가획

원글자에 ❹ [ ] 을 더함.

예 한글은 기본 글자를 바탕으로 하여 다시 가획의 원리를 적용해 만들었다.

합성

둘 이상의 것을 합쳐서 하나를 이룸.

예 영지는 고양이 얼굴과 자신의 얼굴을 합성한 사진을 친구에게 보냈다.

낫다

병이나 상처 등이 없어져 본래대로 되다.

예 친구의 감기가 다 나으면[나으면] 함께 여행 가자.

답 | ❶ 음성 ❷ 맥락 ❸ 형상 ❹ 획

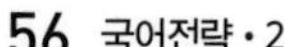

낳다

배 속의 아이, 새끼, 알을 몸 밖으로 ❶ .

예 이모, 딸을 낳으면[나으면] 이름을 뭐라고 지을 거예요?

마치다

하던 일이나 과정이 ❷ . 또는 그렇게 하다.

예 진아, 수업 마치고[마치고] 도서관에서 숙제할래?

맞히다

문제의 답이 틀리지 않게 하다.

예 문법 시험에서 한 문제만 맞히고[마치고] 모두 틀렸다.

반드시

틀림없이 ❸ .

예 이번에는 반드시[반드시] 내가 고른 책을 끝까지 읽겠다고 다짐했다.

반듯이

비뚤어지거나 굽거나 흐트러지지 않고 바르게.

예 엄마는 내게 허리를 반듯이[반드시] 하고 앉으라고 항상 잔소리를 하신다.

부치다

편지나 물건 등을 ❹ .

예 할머니는 김장 김치를 포장하여 결혼한 딸에게 택배로 부치었다[부치엳따].

붙이다

무엇에 닿아서 떨어지지 않게 하다.

예 형은 상처 난 무릎에 반창고를 붙이었다[부치엳따].

답 | ❶ 내보내다 ❷ 끝나다 ❸ 꼭 ❹ 보내다

필수 어휘 체크 전략

필수 어휘 테스트

01 뜻풀이에 해당하는 단어를 보기 에서 찾아 쓰시오.

보기
받침소리　　겹받침　　쌍받침　　홑받침

(1) (　　　　): 'ㄱ, ㄴ, ㄷ'과 같이 하나의 자음으로 된 받침.
(2) (　　　　): 'ㄳ, ㄵ, ㄺ'과 같이 서로 다른 두 자음으로 구성된 받침.

02 보기 를 참고하여 빈칸에 공통으로 들어갈 단어를 쓰시오.

보기
사물이나 본질의 바탕이 되는 이치.

- 표준 발음법의 (　　　　)을/를 설명한 표준 발음 제1항을 살펴볼까요?
- '훈민정음'은 오늘을 그 창제 (　　　　)의 과학성을 인정받아 더 많은 찬사를 받고 있다.

03 빈칸에 알맞은 단어를 쓰시오.

(1) 단어를 정확하게 발음하고 [　　　　]하는 것은 우리말, 우리글을 사용하는 데 아주 중요하다.
문자 또는 음성 기호로 언어를 표시함.

(2) 말하는 이와 듣는 이가 주고받는 [　　　　]의 연속체를 담화라고 합니다.
머릿속 생각이 음성 언어로 나타난 것.

04 다음 설명에 해당하는 단어는?

'사물 따위가 서로 이어져 있는 관계나 연관'이라는 뜻으로, 담화에서 담화의 흐름이나 의미 해석에 매우 중요한 역할을 한다.

① 굿　　② 음절　　③ 맥락
④ 실질　　⑤ 접미사

답 | 01 (1) 홑받침 (2) 겹받침 02 원리 03 (1) 표기 (2) 발화 04 ③

05 빈칸에 알맞은 단어를 쓰시오.

선생님: 세종 대왕은 누구나 쉽게 익혀 읽고 쓸 수 있는 새로운 문자를 ______ 했는데요. 이 문자는 무엇일까요? 전에 없던 것을 처음으로 만들거나 정함.
학생: 훈민정음입니다.

06 밑줄 친 부분과 바꿔 쓰기에 적절한 것은?

훈민정음에서 자음자를 만든 원리는 발음 기관의 모양을 본떠 만들었다는 점이고, 모음자를 만든 원리는 '하늘, 땅, 사람'의 모양을 본떠 만들었다는 점이다.

① 소형하여 ② 중형하여 ③ 상형하여
④ 기형하여 ⑤ 조형하여

07 밑줄 친 단어의 뜻으로 바른 것은?

한글의 자음자 가운데 'ㅋ, ㄷ, ㅌ, ㅂ, ㅍ, ㅈ, ㅊ, ㆆ, ㅎ'은 기본자보다 소리가 세짐에 따라 기본자에 가획하여 만들었다.

① 획을 빼어 ② 선을 그어 ③ 점을 찍어
④ 획을 더하여 ⑤ 동그라미를 그려

08 보기 를 참고하여 빈칸에 공통으로 들어갈 단어를 쓰시오.

보기
둘 이상의 것을 합쳐서 하나를 이룸.

한글의 모음자는 기본자를 (   )하여 만들었다. 한글의 모음자 가운데 'ㅗ, ㅏ, ㅜ, ㅓ'는 기본자인 'ㅡ'와 'ㅣ'에 'ㆍ'를 한 번 (   )하여 만들었고, 'ㅛ, ㅑ, ㅠ, ㅕ'는 'ㅗ, ㅏ, ㅜ, ㅓ'에 'ㆍ'를 한 번 더 (   )하여 만들었다.

답 | 05 창제 06 ③ 07 ④ 08 합성

필수 어휘 체크 전략

필수 어휘 모음

대상

어떤 일이나 행동의 상대나 목표가 되는 사람이나 물건.

예 이 책은 어른과 어린이 모두를 대상으로 하여 쓴 이야기입니다.

구체적

실제적이고 ❶ 한 것.

예 중간고사 일정이 아직 구체적으로 정해지지 않았다.

견주다

둘 이상의 사물을 질이나 양 따위에서 어떠한 차이가 있는지 알기 위하여 서로 대어 보다.

예 옷가게에서 코트 두 개를 거울에 대보며 견주었다.

차이

서로 같지 않고 ❷ . 또는 서로 다른 정도.

예 방송국에서 영화배우를 보았는데 화면과 별 차이가 없었다.

요소

무엇을 이루는 데 반드시 있어야 할 중요한 성분이나 조건.

예 키가 크고 싶다면 5대 영양 요소를 고루 갖춘 식사를 해야 해.

❸

어떤 작용을 한쪽에서 다른 쪽으로 전달하는 물체. 또는 그런 수단.

예 그가 그린 작품들이 신문과 방송 ❸ 에 소개되었다.

의도

무엇을 하고자 하는 생각이나 ❹ .

예 글을 읽을 때는 글쓴이가 어떤 의도로 썼는지를 파악하며 읽으면 좋아.

답 | ❶ 자세 ❷ 다름 ❸ 매체 ❹ 계획

개선

부족한 점, 잘못된 점, 나쁜 점 등을 고쳐서 더 좋아지게 함.

예 이번에 마을 버스 노선이 개선되어서 교통이 무척 편해졌어.

호응

앞에 어떤 말이 오면 거기에 응하는 말이 따라옴. 또는 그런 일.

예 '결코'가 오면 뒤 서술어에 '아니다', '없다' 따위의 부정하는 말이 와야 호응이 된다.

어법

❶ ______의 일정한 법칙.

예 '꽃이'는 소리 나는 대로 '꼬치'라고 쓰면 정확한 뜻을 알 수 없어. 그래서 '꽃이'라고 어법에 맞도록 써야 한다는 원칙이 더해진 거야.

관점

사물이나 현상을 보고 생각하는 개인의 입장 또는 ❷ ______.

예 수지와 재민이는 하나의 그림을 서로 다른 관점에서 바라보았다.

❸ ______

남의 감정, 의견, 주장 따위에 대하여 자기도 그렇다고 느낌 또는 그렇게 느끼는 기분.

예 ❸ ______하며 대화한다는 것은 상대방의 생각에 자신도 그렇다고 느끼면서 대화하는 것을 말해.

감정

일이나 대상에 대하여 마음에 일어나는 느낌이나 기분.

예 내 동생은 감정이 풍부해서 작은 일에도 잘 웃고 잘 운다.

의사소통

가지고 있는 ❹ ______이나 뜻이 서로 통함.

예 말하는 이는 의도를 분명하게 드러내어 말하고, 듣는 이는 말하는 이의 말에 적절하게 반응하면 의사소통을 원활하게 할 수 있다.

답 | ❶ 말 ❷ 태도 ❸ 공감 ❹ 생각

필수 어휘 체크 전략

맞장구

남의 말이 옳다고 호응하거나 동의하는 일.

예 친구가 내 말을 들으며 맞장구를 쳐 주어서 신나게 말을 했다.

반응

어떤 자극에 대하여 일정한 동작이나 태도를 보임. 또는 그런 동작이나 태도.

예 우리나라 드라마가 해외에서 뜨거운 반응을 얻고 있다고 한다.

기승

❶ [ ]이나 힘 따위가 성해서 좀처럼 누그러들지 않음.

예 겨울만 되면 정전기가 기승을 부린다.

지지하다

어떤 사람이나 단체 등이 내세우는 주의나 의견 등에 ❷ [ ]하고 따르다.

예 당선자는 자신을 지지해 준 사람들에게 고마움을 표시했다.

❸ [ ]하다

늘어서 많아지다. 또는 늘려서 많게 하다.

예 환기를 안 했더니 벽에 곰팡이가 ❸ [ ]했다.

과도하다

정도가 지나치다.

예 이번 달에 과도하게 돈을 썼어.

방류하다

큰 물고기로 자라도록 어린 물고기를 강물에 ❹ [ ].

예 어부는 잡힌 새끼 물고기를 다시 바다에 방류하였다.

어획

바다나 강에 사는 생물을 잡거나 캐냄. 또는 그 생물.

예 바다에 나가서 어획 활동을 할 때는 거친 파도에 휩쓸리지 않도록 조심해야 한다.

답 | ❶ 기운 ❷ 찬성 ❸ 증식 ❹ 놓아주다

필수 어휘 테스트

01 뜻풀이에 해당하는 단어를 바르게 연결하시오.

(1) 사물이나 현상을 보고 생각하는 개인의 입장 또는 태도. •

(2) 남의 감정, 의견, 주장 따위에 대하여 자기도 그렇다고 느낌. 또는 그렇게 느끼는 기분. •

• ㉠ 공감

• ㉡ 관점

02 뜻풀이와 초성을 참고하여 빈칸에 들어갈 단어를 쓰시오.

매일 불볕더위가 (　　　　)을 부려 밖에서 키우던 화초의 잎사귀가 말라 버렸다.

ㄱ ㅅ : 기운이나 힘 따위가 성해서 좀처럼 누그러들지 않음. 또는 그 기운이나 힘.

03 빈칸에 알맞은 단어를 쓰시오.

(1) 현주는 회원들이 압도적으로 (　　　　)하여 회장에 당선되었다.

어떤 사람이나 단체 등이 내세우는 주의나 의견 등에 찬성하고 따르다.

(2) 나는 친구의 말에 고개를 끄덕여 가며 (　　　　)을/를 쳐주었다.

남의 말이 옳다고 호응하거나 동의하는 일.

04 보기 를 참고하여 빈칸에 공통으로 들어갈 단어의 기본형을 쓰시오.

보기

정도가 지나치다.

- (　　　　) 분비된 피지는 먼지나 때 등과 함께 굳어서 모공 안에 쌓인다.
- 해양 수산부는 (　　　　) 어획 등으로 사라진 명태 자원을 회복하기 위한 연구를 했다.

답 | 01 (1) ㉡ (2) ㉠ 02 기승
03 (1) 지지 (2) 맞장구 04 과도하다

05 뜻풀이에 해당하는 단어를 보기 에서 찾아 쓰시오.

보기

감정 매체 의사소통 대상

(1) (   ): 가지고 있는 생각이나 뜻이 서로 통함.
(2) (   ): 어떤 작용을 한쪽에서 다른 쪽으로 전달하는 물체. 또는 그런 수단.

06 밑줄 친 단어와 바꿔 쓰기에 알맞은 것은?

모공 안에 쌓인 피지에 세균이 쉽게 증식하여 여드름이 생기는 것이다.

① 견주어 ② 개선하여 ③ 눌러붙어
④ 떨어져서 ⑤ 불어나서

07 밑줄 친 단어의 의미에 해당하는 의미를 보기 에서 고르시오.

보기

ㄱ. 모아 둔 물을 흘려 보내다.
ㄴ. 큰 물고기로 자라도록 어린 물고기를 강물에 놓아주다.

2년 전 양식하여 방류한 어린 명태가 속초 앞바다에서 잡혔다.

08 다음 설명에 해당하는 단어는?

'수산물을 잡거나 채취함. 또는 그 수산물'이라는 뜻으로, '고기잡이'로 바꾸어 쓸 수 있다.

① 획득 ② 이득 ③ 어획
④ 어종 ⑤ 치어

답 | 05 (1) 의사소통 (2) 매체 06 ⑤
07 ㄴ 08 ③

상위권 필수 내신 대비서

2022 신간

내신 고득점을 위한 필수 심화 학습서

중학 일등전략

전과목 시리즈

체계적인 시험대비

주 3일, 하루 6쪽 구성
총 2~3주의 분량으로
빠르고 완벽하게 시험 대비!

1등을 위한 공부법

탄탄한 중학 개념 기본기에
실전 문제풀이의 감각을 더해
어떠한 상황에도 자신감 UP!

문제유형 완전 정복

기출문제 분석을 통해
개념 확인 유형부터 서술형,
고난도 유형까지 다양하게 마스터!

완벽한 1등 만들기! 전과목 내신 대비서

국어: 예비중~중3(문학1~3/문법1~3)
영어: 중2~3
수학: 중1~3(학기용)

사회: 중1~3(사회①, 사회②, 역사①, 역사②)
과학: 중1~3(학기용)

정답은
이안에
있어!

배움으로 행복한 내일을 꿈꾸는

천재교육 커뮤니티 안내

교재 안내부터 구매까지 한 번에!

천재교육 홈페이지

천재교육 홈페이지에서는 자사가 발행하는 참고서,
교과서에 대한 소개는 물론 도서 구매도 할 수 있습니다.
회원에게 지급되는 별을 모아 다양한 상품 응모에도
도전해 보세요.

구독, 좋아요는 필수! 핵유용 정보 가득한

천재교육 유튜브 <천재TV>

신간에 대한 자세한 정보가 궁금하세요?
참고서를 어떻게 활용해야 할지 고민인가요?
공부 외 다양한 고민을 해결해 줄 채널이 필요한가요?
학생들에게 꼭 필요한 콘텐츠로 가득한 천재TV로 놀러 오세요!

다양한 교육 꿀팁에 깜짝 이벤트는 덤!

천재교육 인스타그램

천재교육의 새롭고 중요한 소식을 가장 먼저 접하고 싶다면?
천재교육 인스타그램 팔로우가 필수!
누구보다 빠르고 재미있게 천재교육의 소식을 전달합니다.
깜짝 이벤트도 수시로 진행되니 놓치지 마세요!

book.chunjae.co.kr

교재 내용 문의 ······························ 교재 홈페이지 ▸ 중학 ▸ 교재상담
교재 내용 외 문의 ······························ 교재 홈페이지 ▸ 고객센터 ▸ 1:1문의
발간 후 발견되는 오류 ······························ 교재 홈페이지 ▸ 중학 ▸ 학습지원 ▸ 학습자료실

ISBN 979-11-259-6691-3

정가 15,000원

고득점을 예약하는 내신 대비서

국어전략

중학 2

시험에 잘 나오는

개념BOOK 2

천재교육

국어전략

국어전략
중학 2

시험에 잘 나오는

개념BOOK 2

개념BOOK 하나면
국어 공부 **끝!**

문법

차례

1 모음 'ㅢ'의 발음

규정 **표준 발음법** ← 표준어의 공식적인 발음 원칙을 밝혀 놓은 것.

제5항 'ㅢ'는 ❶ ______ 모음으로 발음한다. ← [ㅢ]로 발음하는 것이 원칙임.

다만, 자음을 첫소리로 가지고 있는 음절의 'ㅢ'는 [ㅣ]로 발음한다.

다만, 단어의 첫음절 이외의 '의'는 [ㅣ]로, 조사 '의'는 [ㅔ]로 발음함도 허용한다.

해설

- 단어의 첫음절에 오는 '의'는 [의]로만 발음함.
- 단어의 둘째 음절이나 그 뒤에 오는 '의'는 [의] 또는 [이]로 발음함.
- 첫소리가 자음인 음절의 'ㅢ'는 [ㅣ]로만 발음함.
- 조사로 사용된 '의'는 [의] 또는 [에]로 발음함.

예

단어	원칙	허용	해설
의사	[의사]	–	'의'가 단어 첫음절에 나옴.
주의	[주의]	[주이]	'의'가 단어 첫음절에 나오지 않음. (둘째 음절에 나옴.)
띄어쓰기	[띠어쓰기]	–	'의'가 자음(ㄸ)을 첫소리로 가짐.
나의 (소망)	[나의]	[❷ ______]	'의'가 조사로 쓰임.

❶ 이중 ❷ 나에

바로 확인

모음 'ㅢ' 발음의 원리를 바르게 연결하시오.

(1) 조사로 쓰일 때 • • ㉠ [ㅣ]로만 발음함.

(2) 단어의 둘째 음절에 올 때 • • ㉡ [ㅢ]나 [ㅔ]로 발음함.

(3) 자음을 첫소리로 가질 때 • • ㉢ [ㅢ]나 [ㅣ]로 발음함.

답 | (1) ㉡ (2) ㉢ (3) ㉠

2 받침의 발음

규정

표준 발음법

제8항 받침소리로는 'ㄱ, ㄴ, ㄷ, ㄹ, ㅁ, ㅂ, ㅇ'의 ❶ [ ] 개 자음만 발음한다.

제9항 받침 'ㄲ, ㅋ', 'ㅅ, ㅆ, ㅈ, ㅊ, ㅌ', 'ㅍ'은 어말(단어의 끝(부엌)) 또는 자음 앞(부엌과)에서 각각 대표음[ㄱ, ㄷ, ㅂ]으로 발음한다.

해설

- 어말이나 자음 앞에서 받침소리로는 'ㄱ, ㄴ, ㄷ, ㄹ, ㅁ, ㅂ, ㅇ'의 7개 자음만 발음되고 이 외의 받침들은 대표음으로 발음함.
- ㄲ, ㅋ → 대표음 [ㄱ]
  ㅌ, ㅅ, ㅆ, ㅈ, ㅊ, ㅎ → 대표음 [ㄷ]
  ㅍ → 대표음 [ㅂ]

예

단어	받침 표기		받침소리
수박, 눈치, 걷다, 살림, 집, 사랑	ㄱ, ㄴ, ㄷ, ㄹ, ㅁ, ㅂ, ㅇ	→	표기된 받침을 제 소리 그대로 발음함.
창밖, 부엌, 키읔	ㄲ, ㅋ	→	대표음 [❷]으로 발음함.
끝, 밭, 낫, 났다, 낮, 낯, 히읗	ㅌ, ㅅ, ㅆ, ㅈ, ㅊ, ㅎ	→	대표음[ㄷ]으로 발음함.
숲, 무릎, 짚신	ㅍ	→	대표음[ㅂ]으로 발음함.

❶ 7 ❷ ㄱ

바로 확인

㉠에 들어갈 대표음을 쓰시오.

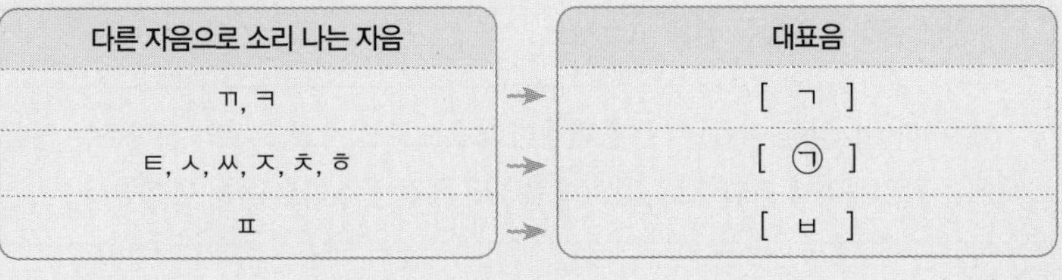

다른 자음으로 소리 나는 자음		대표음
ㄲ, ㅋ	→	[ㄱ]
ㅌ, ㅅ, ㅆ, ㅈ, ㅊ, ㅎ	→	[㉠]
ㅍ	→	[ㅂ]

답 | ㄷ

3 받침+모음의 발음①

규정 **표준 발음법**

제13항 홑받침이나 쌍받침이 모음으로 시작된 조사나 어미, 접미사와 결합되는 경우에는, 제 ❶ [ ] 대로 뒤 음절 첫소리로 옮겨 발음한다.

(홑받침: 한 개의 자음으로 된 받침. 쌍받침: 같은 자음이 겹친 것.(ㄲ, ㅆ) / 음가: =소릿값)

해설 • 받침 뒤에 모음으로 시작되는 조사, 어미, 접미사가 오면 연이어 발음함.

예

	단어	모음으로 시작된 조사와 결합될 때	모음으로 시작된 어미와 결합될 때	모음으로 시작된 접미사와 결합될 때
홑받침	닻	닻이[다치]	–	–
	발	발은[바른]	–	–
	앞	앞을[❷]	–	–
	길다	–	길어서[기러서]	길이[기리]
쌍받침	깎다	–	깎아[까까]	깎이다[까끼다]
	있다	–	있어[이써]	있이[이씨]

❶ 음가 ❷ 아플

조사는 체언(명사) 뒤에, 어미는 용언(동사나 형용사)의 어간 뒤에 오는 거 알지!

바로 확인

(　　) 안에 들어갈 알맞은 말을 고르시오.

'발이[바리], 앞을[아플]'처럼 홑받침이 모음으로 시작된 조사와 결합하는 경우에는 받침을 (제 음가대로 , 대표음을) 뒤 음절 첫소리로 옮겨 발음한다.

답 | 제 음가대로

4 받침+모음의 발음②

규정

표준 발음법

제15항 받침 뒤에 모음으로 시작되는 ❶ [   ] 형태소가 연결되는 경우에는, 대표음으로 바꾸어서 뒤 음절 첫소리로 옮겨 발음한다.

해설

- 받침 뒤에 모음으로 시작되는 실질 형태소가 오면 끊어 발음함. 즉 받침을 대표음으로 바꾸어서 이어 발음함.

예

단어	발음
옷 안	[옫안 → ❷ [ ]]
부엌 안	[부억안 → 부어간]
겉옷	[걷옫 → 거돋]
헛웃음	[헏우슴 → 허두슴]
옷 위	[옫위 → 오뒤]

❶ 실질 ❷ 오단

바로 확인

다음과 같은 표준 발음법 규정을 적용할 수 없는 단어는?

> 홑받침이나 쌍받침이 모음으로 시작하는 실질 형태소(체언이나 용언의 어간 등)와 연결될 때 대표음으로 바꾸어서 뒤 음절 첫소리로 옮겨 발음한다.

① 꽃 위[꼬뒤] ② 옷이[오시] ③ 밭 아래[바다래]

답 | ②

5 겹받침의 발음①

규정 **표준 발음법**

제10항 겹받침 'ㄳ', 'ㄵ', 'ㄼ, ㄽ, ㄾ', 'ㅄ'은 어말 또는 ❶ [ ] 앞에서 각각 [ㄱ, ㄴ, ㄹ, ㅂ]으로 발음한다.

겹받침: 서로 다른 두 개의 자음으로 이루어진 받침.

해설

- 겹받침을 이루는 두 개의 자음 중 ❷ [ ] 의 자음이 탈락하는 경우임, 즉 겹받침의 앞에 있는 자음으로 소리 남.
- 겹받침 'ㄳ'은 [ㄱ]으로, 'ㄵ'은 [ㄴ]으로, 'ㄼ, ㄽ, ㄾ'은 [ㄹ]로, 'ㅄ'은 [ㅂ]으로 발음함.

예

단어	겹받침		대표음
몫	ㄳ	→	[ㄱ]
앉고	ㄵ	→	[ㄴ]
여덟, 외곬, 핥고	ㄼ, ㄽ, ㄾ	→	[ㄹ]
없고	ㅄ	→	[ㅂ]

❶ 자음 ❷ 뒤

국어 규범 중에는 예외의 경우가 있어. 겹받침의 발음 규정의 예외는 12쪽에서 따로 설명해 줄게.

바로 확인

받침소리가 나머지 셋과 다른 단어를 찾아 쓰시오.

곬 얹다 떫다 핥다

답 | 얹다

6 겹받침의 발음②

규정 **표준 발음법**

제11항 겹받침 'ㄺ, ㄻ, ㄿ'은 어말 또는 자음 앞에서 각각 [ㄱ, ㅁ, ❶] 으로 발음한다.

해설

- 겹받침을 이루는 두 개의 자음 중 앞선 자음인 '❷ '이 탈락하는 경우임, 즉 겹받침의 뒤에 있는 자음으로 소리 남.

예

단어	겹받침		대표음
닭	ㄺ	→	[ㄱ]
삶	ㄻ	→	[ㅁ]
읊다	ㄿ	→	[ㅂ]

❶ ㅂ ❷ ㄹ

'ㄿ'의 경우는 'ㅍ'의 대표음인 [ㅂ]으로 발음되는 거 알겠지?

바로 확인

|보기|의 예로 보아 ㉠에 들어갈 대표 자음을 쓰시오.

보기

닭[닥] 닭도[닥또] 맑다[막따] 밝지[박찌]

겹받침 'ㄺ'은 어말 또는 자음 앞에서 [㉠]으로 발음한다.

답 | ㄱ

겹받침+모음의 발음①

규정

표준 발음법

제14항 겹받침이 ❶ ______ 으로 시작된 조사나 어미, 접미사와 결합되는 경우에는, 뒤엣것만을 뒤 음절 첫소리로 옮겨 발음한다.(이 경우, 'ㅅ'은 ❷ ______ 로 발음함.)

해설

- 겹받침 뒤에 모음으로 시작되는 조사, 어미, 접미사가 오면 연이어 발음함.
- 겹받침 중 뒤엣것이 'ㅅ'인 경우에는 'ㅅ'을 뒤 음절로 옮겨 발음하되, [ㅆ]으로 발음함.

예

단어	겹받침	모음으로 시작된 조사와 결합될 때	모음으로 시작된 어미와 결합될 때	모음으로 시작된 접미사와 결합될 때
닭	ㄺ	닭을[달글]	–	–
앉다	ㄵ	–	앉아[안자]	–
넓다	ㄼ	–	넓어[널버]	넓이[널비]
넋	ㄳ	넋을[넉쓸]	–	–

❶ 모음 ❷ 된소리

바로 확인

( ) 안에 들어갈 알맞은 말을 고르시오.

> 겹받침이 모음으로 시작된 조사나 어미와 결합하는 경우에는 겹받침 중 (앞엣것 , 뒤엣것)만을 뒤 음절 첫소리로 옮겨 발음한다.

답 | 뒤엣것

8 겹받침+모음의 발음②

규정

표준 발음법

제15항 [붙임] 겹받침 뒤에 모음으로 시작되는 실질 형태소가 연결되는 경우에는, 겹받침을 이루는 두 개의 자음 중 ❶ [ ] 만을 옮겨 발음한다.

해설

• 받침 뒤에 모음으로 시작되는 실질 형태소가 오면 끊어 발음함. 즉 겹받침이 있는 말에 모음으로 시작되면서 실질적인 뜻을 지닌 형태소(체언, 용언의 어간 등)가 이어지는 경우에는, ❷ [ ] 으로 바꾸어서 뒤 음절 첫소리로 옮겨 발음함.

예

값을	값없다
[갑쓸]	[갑업따 → 가법따]

→ '값없다'는 겹받침 뒤에 모음으로 시작하는 실질 형태소 '없다'(형용사)가 왔으므로, 대표음으로 바꾼 후 이어 발음함.

닭을	닭 앞
[달글]	[닥압 → 다갑]

→ '닭 앞'은 겹받침 뒤에 모음으로 시작하는 실질 형태소 '앞'(명사)이 왔으므로, 대표음으로 바꾼 후 이어 발음함.

❶ 하나 ❷ 대표음

바로 확인

다음 말의 표준 발음을 쓰시오.

(1) 닭 오리[닥오리 →]

(2) 흙 언덕[흑언덕 →]

답 | (1) 다고리 (2) 흐건덕

9 겹받침의 예외 발음

규정

표준 발음법

제10항 다만, '밟-'은 자음 앞에서 [❶]으로 발음한다.

해설

- 'ㄼ'은 원칙적으로는 'ㅂ'을 탈락시켜 [ㄹ]로 발음해야 하지만 '밟-'만은 자음 앞에서 항상 [밥:]으로 발음함.

예

넓다[널따]	짧다[짤따]	밟다[밥 : 따]	밟지[밥 : 찌]
겹받침 'ㄼ'은 자음 앞에서 [ㄹ]로 발음함.		〈예외〉 '밟-'은 자음 앞에서 [밥:]으로 발음함.	

규정

표준 발음법

제11항 다만, 용언의 어간 말음 'ㄺ'은 'ㄱ' 앞에서 [❷]로 발음한다.

해설

- 겹받침 'ㄺ'이 용언, 즉 동사나 형용사의 어간 끝에 쓰이고 'ㄱ'으로 시작하는 어미가 연결되는 경우에는 [ㄹ]로 발음함.

예

닭과[닥꽈]	흙과[흑꽈]	맑게[말께]	묽고[물꼬]
겹받침 'ㄺ'은 단어 끝 또는 자음 앞에서 [ㄱ]으로 발음함.		〈예외〉 용언의 어간 끝 'ㄺ'은 'ㄱ' 앞에서 [ㄹ]로 발음함.	

❶ 밥 ❷ ㄹ

바로 확인

밑줄 친 단어의 바른 발음을 고르시오.

(1) 이 땅을 여덟[여덜 , 여덥] 번이나 밟다니[발:따니 , 밥:따니] 감동적이다.

(2) 그의 편지를 읽지[익찌 , 일찌] 않으려고 했는데 결국 읽고[익꼬 , 일꼬] 말았다.

답 | (1) 여덜, 밥 : 따니 (2) 익찌, 일꼬

10 받침 'ㅎ'의 발음

규정 **표준 발음법 제12항**

1. 'ㅎ(ㄶ, ㅀ)' 뒤에 'ㄱ, ㄷ, ㅈ'이 결합되는 경우에는, 뒤 음절 첫소리와 합쳐서 [ㅋ, ㅌ, ㅊ]으로 발음한다.
2. 'ㅎ(ㄶ, ㅀ)' 뒤에 'ㅅ'이 결합되는 경우에는, 'ㅅ'을 [❶]으로 발음한다.
3. 'ㅎ' 뒤에 'ㄴ'이 결합되는 경우에는, [❷]으로 발음한다.
4. 'ㅎ(ㄶ, ㅀ)' 뒤에 모음으로 시작된 어미나 접미사가 결합되는 경우에는, 'ㅎ'을 발음하지 않는다.

해설

1. '좋고', '좋던', '좋지'처럼 'ㅎ' 뒤에 'ㄱ, ㄷ, ㅈ'이 결합되는 경우에는 'ㅎ'을 뒤 음절 첫소리와 합쳐서 [조코], [조턴], [조치]처럼 [ㅋ, ㅌ, ㅊ]으로 발음함.
2. '놓소[노쏘]'처럼 'ㅎ'은 발음하지 않고 'ㅅ'을 [ㅆ]으로 발음함.
3. '놓는[논는]'처럼 'ㅎ'을 [ㄴ]으로 발음함.

예

단어	발음	해설	단어	발음	해설
놓고 않던 닳지	[노코] [안턴] [달치]	ㅎ+ㄱ→ㅋ ㅎ+ㄷ→ㅌ ㅎ+ㅈ→ㅊ	놓는 쌓네	[논는] [싼네]	ㅎ+ㄴ→ㄴ+ㄴ
닿소 많소 싫소	[다:쏘] [만:쏘] [실쏘]	ㅎ+ㅅ→ㅆ	낳은 않은 싫어도 쌓이다	[나은] [아는] [시러도] [싸이다]	ㅎ+모음으로 시작된 어미, 접미사→'ㅎ'을 발음하지 않음.

❶ ㅆ ❷ ㄴ

바로 확인

㉠, ㉡에 들어갈 자음을 쓰시오.

> '닳지'처럼 'ㅀ' 뒤에 'ㅈ'이 결합되는 경우에는 '(㉠)'과 'ㅈ'이 합쳐져 '(㉡)'으로 발음한다.

답 | ㉠: ㅎ ㉡: ㅊ

11 한글 맞춤법의 원칙

규정

한글 맞춤법 ← 우리말을 한글로 표기할 때의 원칙을 밝혀 놓은 것.

제1항 한글 맞춤법은 표준어를 ❶ [ ] 대로 적되, ❷ [ ] 에 맞도록 함을 원칙으로 한다.
(첫 번째 원칙 / 두 번째 원칙)

해설

- 첫 번째 원칙은 표준어를 발음에 따라 적는다는 의미임.
- 두 번째 원칙은 첫 번째 원칙만을 적용하기 어렵기 때문에 생김. 예를 들어 '꽃을'을 소리대로 적으면 '꼬츨'이 되는데, 이러한 표기는 그 뜻이 얼른 파악되지 않는다는 단점이 있음(두 번째 원칙이 붙은 이유). 그리하여 단어의 원래 형태를 밝혀 적는다는(두 번째 원칙: 어법에 맞도록 표기함.) 또 하나의 원칙이 붙은 것임.

예

하늘이 파랗다, 바다와 파도

발음과 표기가 일치하는 것	발음과 표기가 일치하지 않는 것
바다와[바다와], 파도[파도]	하늘이[하느리], 파랗다[파라타]

❶ 소리 ❷ 어법

바로 확인

| 보기 |의 밑줄 친 말을 참고하여 (   ) 안에 들어갈 알맞은 말을 고르시오.

| 보기 |

꼬치 매우 아름다워서 꼳만 보게 되고 꼳꽈 함께 있고 싶어.

→

우리말은 표준어를 소리대로 적되, 의미를 파악하기 쉽도록 어법에 맞게 단어의 (소리 , 형태)를 밝혀 적어야 한다.

답 | 형태

12 준말의 올바른 표기

규정

한글 맞춤법

제35항 모음 'ㅗ, ㅜ'로 끝난 어간에 '-아/-어, -았-/-었-'이 어울려 'ㅘ/ㅝ, ㅘㅆ/ㅝㅆ'으로 될 적에는 준 대로 적는다.

[붙임2] 'ㅚ' 뒤에 '-어, -었-'이 어울려 'ㅙ, ㅙㅆ'으로 될 적에도 준 대로 적는다.

해설

- 모음 'ㅗ, ㅜ' + '-아/-어' → 'ㅘ/ㅝ'
- 모음 'ㅚ' + '-어/-었' → 'ㅙ, ㅙㅆ': 'ㅚ + 어 → ㅙ'로 되므로, '되어 → ❶ ____'의 형태로 축약됨.
  - '되어'로 풀 수 없는 말은 '되'로 적음.
  - '되어'로 풀 수 있는 말은 '돼'로 적음.

예

- 남에게 존경 받는 사람이 되라(×). → ❷ ____(○) / 돼라(○)
  되+어라 → 돼라
- 그는 중학교 선생님이 됬다(×). → 되었다(○) / 됐다(○)
  되+었다 → 됐다
- 그녀에게 꿈을 이루는 사람이 돼라고(×) 말해 주었다. → 되라고(○)
  되어라고(×)

❶ 돼 ❷ 되어라

바로 확인

밑줄 친 말의 표기가 올바른 것은?

① 정말 잘됬구나.
② 밥이 죽이 돼 버렸다.
③ 나쁜 짓을 하면 안 되.

답 | ②

13 자주 틀리는 단어

⋯→ 43~47쪽을 참고하세요.

유형 1 ❶ [   ]이 같거나 유사하여 헷갈려서 쓰는 단어

예

- 자세를 (반드시 , 반듯이) 해라.
  - 반드시: 틀림없이 꼭
  - 반듯이: 작은 물체, 또는 생각이나 행동 따위가 굽지 아니하고 바르게
- 휴일에 가게 문이 (다쳐 , 닫혀) 선물을 사지 못했다.
  - 다치다: 신체에 상처가 생기다.
  - 닫히다: 하루의 영업이 끝나다.
- 이불이 오래돼서 색깔이 누렇게 (바랐다 , 바랬다).
  - 바라다: 생각이나 바람대로 이루어졌으면 하고 생각하다.
  - 바래다: 볕이나 습기를 받아 색이 변하다.
- 어미 소가 송아지를 (낫다 , 낳다).
  - 낫다: 병이나 상처 등이 고쳐져 본래대로 되다.
  - 낳다: 배 속의 아이, 새끼, 알을 몸 밖으로 내놓다.
- 공책에 사진을 (붙이다 , 부치다)
  - 붙이다: 맞닿아 떨어지지 않게 하다.
  - 부치다: 편지나 물건 따위를 일정한 수단이나 방법을 써서 상대에게로 보내다.

유형 2 표기를 자주 틀리는 단어

예

만듬(×) → 만듦(○)	떡복기(×) → 떡볶이(○)
웬지(×) → ❷ [ ](○)	수재비(×) → 수제비(○)
왠일(×) → 웬일(○)	육계장(×) → 육개장(○)
안 되(×) → 안 돼(○)	김치찌게(×) → 김치찌개(○)
어떻해(×) → 어떡해(○)	갈치졸임(×) → 갈치조림(○)
않 좋아해(×) → 안 좋아해(○)	하지 안았다(×) → 하지 않았다(○)

❶ 발음 ❷ 왠지

바로 확인

'부치다'와 '붙이다' 중 알맞은 말을 쓰시오.

(1) 우체국에 가서 편지를 (   ).

(2) 햇빛을 가리려고 창문에 신문지를 (   ).

답 | (1) 부치다 (2) 붙이다

14 담화의 개념과 구성 요소

뜻 말하는 이와 듣는 이가 주고받는 ❶ [ ]가 모여 이루어진 것.

특징
- 담화의 구성 요소로는 말하는 이, 듣는 이, 내용, ❷ [ ]이 있음.

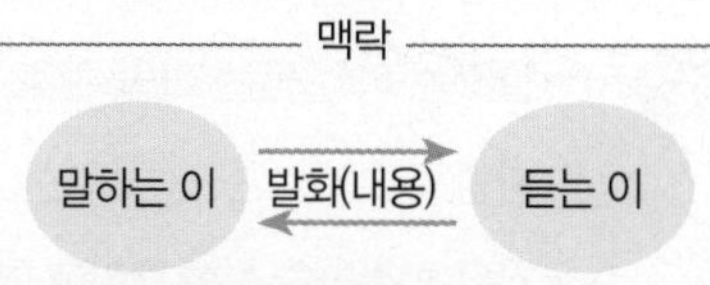

- 말하는 이는 듣는 이이기도 하고 듣는 이는 말하는 이이기도 함.

예

맥락: 시험이 얼마 남지 않아 방과 후에 공부하기

유미 — 같이 시험공부를 하자고 제안 → 성현

유미 ← 도서관에서 시험공부하자고 제안 — 성현

말하는 이(듣는 이) / 전달하려는 내용 / 말하는 이(듣는 이)

❶ 발화 ❷ 맥락

바로 확인

담화를 바르게 분석했으면 ○, 틀리면 ×표 하시오.

(식당에서)
주인: 어떠세요?
손님: 맛있어요.

→ 주인과 손님은 말하는 이이자 듣는 이로 식당 분위기를 말하고 있다.

답 | ×

 담화의 상황 맥락

뜻 담화의 해석에 영향을 미치는, 장면 자체와 관련된 맥락.

특징
- 말하는 이와 듣는 이의 관계, 시간과 ❶ [　　　], 발화 의도나 목적 등을 포함함.
- 같은 발화라도 상황 맥락에 따라 의미가 다르게 해석될 수 있음.
- 의사소통을 원활하게 하려면 ❷ [　　　] 맥락을 고려해야 함.

예

상황 맥락					"어떠세요?"의 의미
말하는 이	듣는 이	장소	상황		
미용사	손님	미용실	미용사가 손님의 머리를 손질함.	➡	"머리 모양이 마음에 드세요?"
의사	환자	병원	의사가 환자를 치료함.	➡	"치료 부위가 아프세요?"

→ 같은 발화이지만 상황 맥락에 따라 그 의미가 다름.

❶ 장소 ❷ 상황

바로 확인

상황 맥락에 따른 ㉠의 의미로 알맞은 말을 고르시오.

(신발 가게에서 손님이 신발을 신어 보는 상황)
점원: ㉠불편하지는 않으세요?
손님: 네, 괜찮아요.

→ ㉠은 (가격이 적당한가요? , 신발이 발에 잘 맞으세요?)의 의도로 묻고 있다.

답 | 신발이 발에 잘 맞으세요?

16 담화의 사회·문화적 맥락

뜻 담화의 해석에 영향을 미치는, 사회·문화적 배경과 관련된 맥락.

특징
- 지역, 세대, ❶ [　　], 관습, 역사적·사회적 배경 등을 포함함.
- 같은 발화라도 ❷ [　　] ·문화적 맥락에 따라 의미가 다르게 해석될 수 있음.
- 사회·문화적 맥락이 다른 사람과 대화할 때 상대방을 배려해야 함.

예

- 수민이 아버지의 발화 의도: 손님에게 음식을 대접할 때 겸손하게 표현함.
- 파블로가 이해한 내용: 준비한 음식의 가짓수나 양이 많지 않음.

→ 문화와 언어적 관습이 달라 담화의 의미 해석에 차이가 생김.

❶ 문화 ❷ 사회

바로 확인

담화의 해석에 가장 영향을 미친 요소를 보기 에서 한 개 찾아 쓰시오.

보기

지역　　세대　　문화　　역사적 배경

손자: 할아버지, 생일 선물로 '문상'을 받고 싶어요.
할아버지: 문상? 누가 돌아가셨니?

답 | 세대

한글의 제자 원리 - 자음자

원리

- 상형의 원리: 발음 기관의 모양을 본떠 ❶ [　　] 를 만듦.

기본자	ㄱ	ㄴ	ㅁ	ㅅ	ㅇ
본뜬 모양	혀뿌리가 목구멍을 막는 모양	혀끝이 윗잇몸에 붙는 모양	입의 모양	이의 모양	목구멍의 모양

- 가획의 원리: 소리가 세짐에 따라 기본자에 ❷ [　　] 을 더하여 만듦.

기본자	ㄱ	ㄴ	ㅁ	ㅅ	ㅇ
가획자	ㅋ	ㄷ, ㅌ	ㅂ, ㅍ	ㅈ, ㅊ	ㆆ, ㅎ
이체자		ㄹ		ㅿ(반치음)	ㆁ(옛이응)

→ 'ㆁ', 'ㄹ', 'ㅿ'은 소리의 성질이 더 세지 않은데도 기본자에 획을 더하여 만들어 '이체자'라고 함.

특징

- 자음자의 제자 원리에는 상형의 원리와 가획의 원리가 있음.
- 'ㄱ, ㅋ'처럼 소리 나는 위치나 특성이 비슷한 글자는 모양도 유사함.
- 자음자는 기본자 5자를 바탕으로 하여 총 17자를 만듦.

❶ 기본자 ❷ 획

바로 확인

㉠, ㉡에 들어갈 자음자를 쓰시오.

기본자	ㄱ	(㉠)	ㅁ	(㉡)	ㅇ
본뜬 모양	혀뿌리가 목구멍을 막는 모양	혀끝이 윗잇몸에 붙는 모양	입의 모양	이의 모양	목구멍의 모양

답 | ㉠: ㄴ ㉡: ㅅ

한글의 제자 원리 - 모음자

원리

- ❶ ______의 원리: 하늘, 땅, 사람의 모양을 본떠 기본자를 만듦.

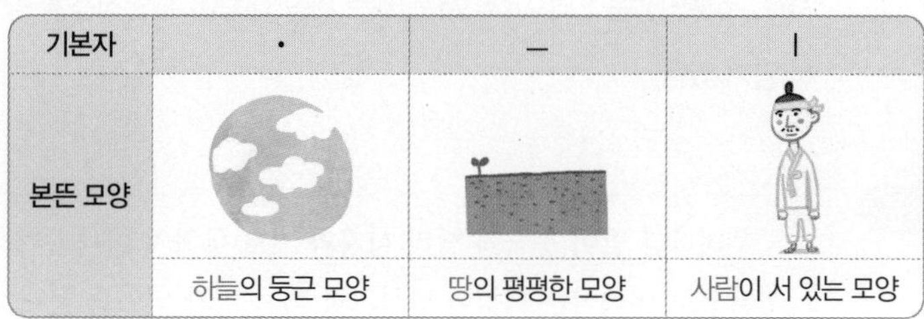

기본자	·	ㅡ	ㅣ
본뜬 모양	하늘의 둥근 모양	땅의 평평한 모양	사람이 서 있는 모양

- 합성의 원리: 기본자를 합하여 다른 모음자를 만듦.

기본자	초출자	재출자
·, ㅡ, ㅣ	ㅗ, ㅏ, ㅜ, ❷ ______	ㅛ, ㅑ, ㅠ, ㅕ

'ㅡ'와 'ㅣ'에 '·'를 한 번 합하여 만듦. 'ㅗ, ㅏ, ㅜ, ㅓ'에 '·'를 한 번 더 합하여 만듦.

특징

- 모음자의 제자 원리에는 상형의 원리와 합성의 원리가 있음.
- 모음자는 기본자 3자를 합성하여 총 11자를 만듦.

❶ 상형 ❷ ㅓ

기본자 3자를 합하여
다른 모음자를 만든 원리는
우리가 항상 쓰는 휴대 전화의
자판(천지인)에 적용되어 있지!

바로 확인

㉠~㉢에 들어갈 알맞은 말을 쓰시오.

기본자	·	ㅡ	ㅣ
본뜬 모양	(㉠)의 둥근 모양을 본뜸.	(㉡)의 평평한 모양을 본뜸.	(㉢)이 서 있는 모양을 본뜸.

답 | ㉠: 하늘 ㉡: 땅 ㉢: 사람

19 한글의 창제 정신

뜻 '훈민정음'은 ❶ ______ 대왕이 누구나 쉽게 익혀 쓸 수 있게 만든 새로운 문자로, ≪훈민정음≫의 '어제 서문'에는 세종 대왕이 훈민정음을 창제한 배경이 담겨 있음.

서문

> 우리나라 말이 중국과 달라 한자와 서로 통하지 아니하여서, 이런 까닭으로 어리석은 백성이 말하고자 하는 바가 있어도 끝내 제 뜻을 펴지 못하는 사람이 많다. 내가 이것을 가엾게 생각하여 새로 스물여덟 글자를 만드니, 모든 사람이 쉽게 익혀서 날마다 쓰는 데 편하게 하고자 할 따름이다.
>
> (자주정신 / 애민 정신 / 실용 정신)

특성

- 자주정신: 한자는 우리말을 표기하는 데 적합하지 않아 우리말을 표기하기에 적합한 글자를 만듦.
- ❷ ______ 정신: 문자 생활을 하지 못하는 백성들을 가엾게 여겨 백성들을 위해 글자를 만듦.
- 실용 정신: 누구나 배우기 쉽고 쓰기 편한 글자를 만듦.

❶ 세종 ❷ 애민

바로 확인

다음 설명과 관련 있는 한글의 창제 정신은?

> 우리나라 말이 중국과 다름을 알고, 우리나라 말에 맞는 문자가 필요하다고 생각함.

① 자주정신　② 애민 정신　③ 실용 정신

답 | ①

20 한글의 특성

특성

- 한글은 소릿값을 기호로 나타낸 ❶ ______ 문자임.
- 한글은 적은 수의 자음자와 모음자를 조합하여 수많은 소리를 나타냄.
  → 컴퓨터나 휴대 전화 등 디지털 기기에 정보를 간편하게 입력할 수 있어 효율적임.
- 한글은 대개 하나의 글자가 하나의 소리로만 발음되어 읽기 쉬움.
  → 기계 번역이나 음성 인식 기술 등 한글 정보화에 매우 유리함.
- 한글은 자음자와 모음자를 가로세로로 묶어서 음절 단위로 모아씀.

ㅎㅏㄴㄱㅡㄹㅊㅏㅇㅈㅔ → 한글 창제

풀어쓰기 　 모아쓰기

→ 모아쓰기 방식이 글을 읽기도 편하고 의미 파악을 쉽게 할 수 있음.

의의

- 한글은 독창성, 과학성, 실용성, 경제성을 지닌 우수한 문자임.
- 특히 한글은 체계적으로 만들어져 ❷ ______ 시대에 활용하기 적합한 문자임.

❶ 표음 ❷ 정보화

각 글자가 의미를 나타내는 한자와 달리, 한글은 각 글자가 소리를 나타내.

한자 '家'는 '집'이라는 의미와 [가]라는 소리밖에 나타내지 못하지만, 한글은 'ㄱ' 글자 하나로 [가], [그], [공], [격] 등등 수많은 소리를 표현할 수 있지.

바로 확인

한글의 특성으로 적절한 것은?

① 글자 하나가 하나의 의미를 가지고 있다.
② 글자 하나가 음절 하나를 이루어 글을 읽기 쉽다.
③ 컴퓨터에 정보를 입력할 때 한자보다 입력 속도가 빠르고 간편하다.

답 | ③

21 정의

뜻 대상의 ❶ [ ] 을 밝혀 풀이하는 설명 방법.

특징
- 대체로 '설명 대상은 ❷ [ ] 이다. / 뜻한다.' 등의 문장 형식임.
- 대상의 의미와 범위를 분명하게 밝혀 이해를 돕고자 할 때 주로 쓰임.

예
- 발효 식품은(설명 대상) 효모나 젖산 등 미생물의 발효 작용을 이용하여 만든 식품이(발효 식품의 뜻)다.
- 착시란(설명 대상) 시각적인 착시 현상, 곧 대상이 실제와 매우 다르게 보이는 것을(착시의 뜻) 뜻한다.
- 소음은(설명 대상) 보통 불쾌하고 시끄러워 듣는 사람에게 별로 도움이 되지 않는 소리(소음의 뜻)를 말한다.

❶ 뜻 ❷ 무엇

바로 확인

㉠에 공통으로 들어갈 설명 방법을 쓰시오.

- (㉠)은 대상의 뜻을 밝혀 풀이하는 설명 방법이다.
- "지문은 손가락 안쪽 끝에 있는 피부의 무늬나 그것이 남긴 흔적을 말한다." 에는 (㉠)의 설명 방법이 사용되었다.

답 | 정의

22 예시

뜻 어떤 대상이나 현상을 구체적인 ❶ ______를 들어 설명하는 방법.

특성
- 일반적인 진술이나 추상적인 대상을 알기 쉽게 설명하기 위해 친근하고 ❷ ______인 예를 들어 설명함.
- 주로 '예를 들어', '예컨대', '가령' 같은 말과 함께 사용함.

예
- 사람보다 오래 사는 나무들이 있다. 예를 들어 은행나무는 수명이 천 년 이상이다. → 사람보다 오래 사는 나무의 예로 '은행나무'를 들고 있음.
- 홈스는 범죄와 관련된 분야에서는 모르는 것이 없을 정도로 해박하지만, 그 외의 분야에서는 무지한 편이다. 예를 들어 문학이나 철학, 천문학과 관련된 지식은 거의 없어서 지구가 태양 주변을 돈다는 사실을 모를 정도이다.
  → 홈스가 범죄 이외의 분야에 무지하다는 사실을 '문학, 철학, 천문학' 관련 지식이 없다는 예를 들어 설명하고 있음.

❶ 예 ❷ 구체적

정의와 예시는 같이 쓰이는 경우가 많아. 먼저 대상의 뜻을 설명한 후, 알기 쉬운 예를 들어 주는 거지.

바로 확인

예시의 방법으로 설명하기에 적절한 대상은?

① 머리카락의 구조
② 머리카락의 종류
③ 머리카락에 좋은 음식

답 | ③

23 비교와 대조

뜻 둘 이상의 대상이나 현상의 공통점과 차이점을 견주어 설명하는 방법.

특징

- '비교'는 주로 ❶ ____ 이나 유사성을 중심으로, '대조'는 ❷ ____ 이나 상대적인 성질을 중심으로 설명함.
- 주로 '마찬가지로', '반면', '그러나' 같은 말과 함께 사용함.

예

- 야구와 축구는 모두 공을 사용하는 운동 경기라는 공통점이 있다. 야구는 한 팀이 9명이지만, 축구는 한 팀이 11명이라는 차이점이 있다.
  (야구와 축구: 설명 대상 / 공을 사용하는 운동 경기라는: 공통점을 중심으로 설명함. → 비교 / 한 팀이 9명이지만, 축구는 한 팀이 11명이라는: 차이점을 중심으로 설명함. → 대조)
- 내향적인 사람은 머릿속으로 충분히 생각한 후 자기 생각을 말한다. 반면 외향적인 사람은 다른 사람과 대화를 나누며 자기 생각을 형성한다.
  (내향적인 사람과 외향적인 사람의 차이점을 중심으로 설명함. → 대조)
- 꿀과 조청은 다양한 영양 성분이 들어 있는 천연 감미료라는 공통점이 있다. 반면 꿀은 수요에 비해 생산량이 적지만 조청은 많은 양을 생산할 수 있다는 차이점이 있다.
  (꿀과 조청은: 설명 대상 / 다양한 영양 성분이 들어 있는 천연 감미료라는: 공통점을 중심으로 설명함. → 비교 / 꿀은 수요에 비해 생산량이 적지만 조청은 많은 양을 생산할 수 있다는: 차이점을 중심으로 설명함. → 대조)

❶ 공통점 ❷ 차이점

비교는 '공통점',
대조는 '차이점'이
기준이라는 점 잊지 마!

바로 확인

비교와 대조의 설명 방법이 쓰인 것은?

① 아토피 피부염, 두드러기 등 가려움과 관련된 피부 질환이 많다.
② 축구는 주로 발로 공을 차서 상대편의 골에 공을 많이 넣으면 이기는 경기이다.
③ 거문고와 가야금은 우리나라의 전통 악기로, 거문고는 줄이 6개인데 반해 가야금은 줄이 12개이다.

답 | ③

24 인과

어떤 대상이나 현상을 ❶ [   ]과 결과 중심으로 설명하는 방법.

특징

- 문제가 되는 사회 현상이나 과학의 원리 등을 설명하는 데 적합함.
- 주로 '❷ [   ]', '따라서', '~이기 때문에' 같은 말과 함께 사용함.
- 어떤 결과를 가져오는 원인, 또는 원인에 따른 결과를 설명할 때 주로 쓰임.

예

- 온실 효과로 지구의 기온이 상승하면 남극과 북극의 빙하가 녹게 되어 해수면이 상승한다.

원인		결과
온실 효과로 지구의 기온이 상승함.	→	남극과 북극의 빙하가 녹게 되어 해수면이 상승함.

- 피지샘에서 만들어진 피지가 피부 밖으로 원활히 배출되지 못하면 먼지나 때 등과 함께 굳어 모공 안에 쌓이게 된다. 이렇게 쌓인 피지에 세균이 증식해서 여드름이 생기는 것이다.

원인		결과
피지가 피부 밖으로 배출되지 못하고 모공 안에 쌓임. 이렇게 쌓인 피지에 세균이 증식함.	→	여드름이 생김.

❶ 원인 ❷ 왜냐하면

바로 확인

인과의 설명 방법으로 설명하기에 적절한 대상은?

① 반려 동물의 뜻
② 중국과 일본의 문화
③ 정전기가 일어나는 이유

답 | ③

25 분류와 구분

뜻 어떤 대상이나 현상들을 일정한 ❶ _____ 에 따라 묶거나 나누어서 설명하는 방법.

특징
- 여러 대상이나 현상들을 공통적인 특성에 근거하여 묶거나 ❷ _____ .
- 상위 항목을 하위 항목으로 나누기도 하고, 하위 항목을 상위 항목으로 묶기도 함.

예
- 악기는(설명 대상) 어떻게 소리를 내느냐에(기준) 따라 현악기, 관악기, 타악기로 나뉜다. 가야금과 거문고는 현악기, 피리와 단소는 관악기, 북과 장구는 타악기로 묶을 수 있다.
  → '소리를 내는 방식'을 기준으로 현악기, 관악기, 타악기로 나누어 설명한 뒤, 세부 악기를 기준에 따라 다시 묶어서 설명함.
- 세금은(설명 대상) 국가가 국민에게 세금을 걷는 방식에(기준) 따라 일반적으로 직접세와 간접세로 나눌 수 있다.
  → 국가가 국민에게 세금을 걷는 방식을 기준으로 세금을 직접세와 간접세로 나누어 설명함.
- 만두는(설명 대상) 안에 들어가는 소의 재료에(기준) 따라 고기만두, 김치만두, 호박만두, 버섯만두 등으로 나눌 수 있다.
  → 소의 재료를 기준으로 만두를 나누어 설명함.

❶ 기준 ❷ 나눔

바로 확인

분류와 구분의 설명 방법이 쓰인 것은?

① 피겨 스케이팅의 대표적인 기술에는 점프, 스핀 등이 있다.
② 스핀은 축이 되는 발 하나로 한 자리에 서서 여러 자세로 도는 피겨 스케이팅의 기술을 뜻한다.
③ 피겨 스케이팅의 점프는 도약 방법에 따라 악셀, 토루프, 살코, 루프, 플립, 러츠로 나눌 수 있다.

답 | ③

26 분석

뜻 하나의 대상이나 현상을 ❶ ______이나 구성 요소로 나누어 설명하는 방법.

특징

- 복잡한 대상이나 현상을 하위 구성 요소로 나누어 자세하게 설명함.
- 분류가 여러 대상들을 종류별로 묶거나 나눈다면, 분석은 ❷ ______의 대상을 부분이나 구성 요소로 파헤침.

예

- 구들의 구조는 크게 불을 때는 곳인 아궁이, 열기가 지나가는 통로인 고래, 그리고 연기가 밖으로 배출되는 굴뚝으로 나뉜다.
  → '구들(한국 전통 난방 장치)'의 구성 요소인 아궁이, 고래, 굴뚝으로 그 구조를 설명함.
- 사진기의 기본 구조는 빛을 받아들이고 그 양을 조절하는 '렌즈 통'과, 필름이 장치되어 있는 '몸체'로 이루어져 있다.
  → '사진기'의 구성 요소인 렌즈 통과 몸체로 사진기의 기본 구조를 설명함.
- 경복궁은 경회루, 교태전, 근정전 등으로 구성되어 있다.
  → 경복궁을 이루는 여러 건물들을 밝혀 경복궁의 구조를 설명함.

❶ 부분 ❷ 하나

여러 대상을 나누거나 묶어 설명하는 것은 분류와 구분, 하나의 대상을 구성 요소로 나누어 설명하는 것은 분석!

바로 확인

분석의 설명 방법이 쓰이지 않은 것은?

① 곤충은 머리, 가슴, 배로 이루어졌다.
② 악기는 소리 내는 방법에 따라 현악기, 관악기, 타악기 등으로 나눌 수 있다.
③ 자전거는 핸들, 몸체, 안장, 두 개의 바퀴, 브레이크, 페달 등으로 나눌 수 있다.

답 | ②

27 매체의 표현 의도·효과

뜻

• ❶ [ ] : 책, 텔레비전, 인터넷 등 사람들의 생각이나 느낌을 전달하고 공유하는 수단.

특징

• 독자의 ❷ [ ] 와 관심을 유발하고, 내용을 쉽게 이해하게 하며, 내용을 한눈에 파악하게 하는 효과가 있음.

예

그림: 일기 예보에서 내용을 한눈에 쉽게 파악할 수 있게 전달함.

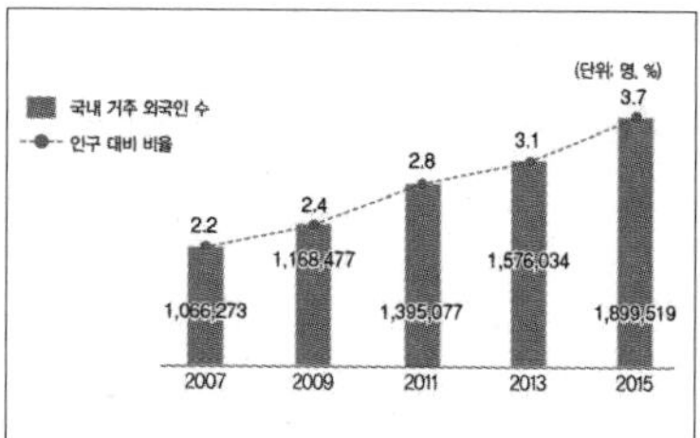

도표(막대그래프): 내용을 한눈에 파악하게 함, 내용의 신뢰도를 높임.

사진: 실제 모습을 보여 줌.

밥을 빨리 먹는 이유	비율(%)
놀기 위해	30
숙제하기 위해	25
습관이 되어서	20
친구가 빨리 먹어서	15
기타	10

표: 구체적 수치를 알 수 있음.

❶ 매체 ❷ 흥미

바로 확인

다음 내용을 발표할 때 활용할 매체 자료로 적절한 것은?

교내 CCTV 설치에 대한 학생들의 찬성과 반대 의견을 물은 설문 조사 결과

① 사진 ② 도표 ③ 배경 음악

답 | ②

고쳐쓰기의 방법

뜻 글의 잘못된 부분을 바로잡아서 읽는 이가 ❶ ____ 하기 쉽게 다시 쓰는 일.

단계

글 수준	• 글의 목적이 분명하게 드러나는가? • 글 전체가 하나의 ❷ ____ 로 통일되었는가? • 문단과 문단이 자연스럽게 연결되었는가?
문단 수준	• 중심 문장과 뒷받침 문장을 제대로 갖추고 있는가? • 문장과 문장이 자연스럽게 연결되어 있는가? • 문단의 중심 내용에서 벗어나는 문장은 없는가?
문장 수준	• 문장이 어색하거나 의미가 불분명한 부분은 없는가? • 문장이 지나치게 길거나 짧지 않은가?
단어 수준	• 문맥에 맞는 적절한 단어를 사용하였는가? • 중복되거나 빠진 단어는 없는가? • 맞춤법과 띄어쓰기를 잘 지켰는가?

예

삭제

나는 초등학교 때까지 수영을 좋아했다. 수영은 물속에서 온몸을 사용하는 운동이기 때문에 심장이나 폐를 향상시키는 데 도움을 준다. 그러나 물에 대한 공포심을 없애 주고 대담성과 침착성을 기르는 데 도움을 준다. 수영을 하면 어떤 점이 좋을까?

주제에서 벗어난 문장임.

'폐의 기능을'로 고침.

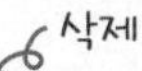

'또한'으로 고침.

누락된 내용을 추가함.

문맥에 어울리는 표현으로 바꿈.

글의 흐름에 맞게 문장 순서를 바꿈.

❶ 이해 ❷ 주제

바로 확인

㉠~㉣ 중 글의 주제에 벗어나 삭제해야 하는 문장의 기호를 쓰시오.

㉠ 나는 국어 시간이 재미있다. ㉡ 바로 수업을 재미있게 진행하시는 국어 선생님 덕분이다. ㉢ 국어 선생님은 유머로 딱딱한 수업 시간을 웃음바다로 만들곤 한다. ㉣ 그리고 영어 선생님이 요리를 굉장히 잘한다는 소문이 나 있다.

답 | ㉣

29 공감하며 대화하기

뜻 ❶ [   ]의 감정을 이해하고 상대방의 관점에서 문제를 바라보며 협력적으로 소통하는 대화.

방법

소극적 들어 주기	적극적 들어 주기
• 상대방의 말에 ❷ [ ]하며 고개를 끄덕이거나 눈을 맞추는 등 적절한 반응 보이기 • 상대방의 말에 맞장구치기 • 상대방이 이야기를 이어 가도록 격려하기	• 상대방이 한 말을 요약하기 • 상대방의 생각과 감정을 파악하여 자신의 말로 재진술하기 • 공감을 형성할 수 있는 자신의 경험 공유하기

예

지효: 친구와 다툰 후로 며칠째 서로 말도 안 하고 있어.

해준: (눈을 맞추며) 저런, 그래서?
소극적 들어 주기(상대의 말에 집중함.)

지효: 계속 신경이 쓰여.

해준: 친구와 다툰 상태라서 마음이 좋지 않겠네.
적극적 들어 주기(상대방의 감정을 파악하여 자신의 말로 재구성함.)

❶ 상대방 ❷ 집중

자신의 견해를 드러내기보다, 우선 상대방의 말을 들어 주는 것이 공감하며 대화하기의 핵심이야.

바로 확인

공감하며 대화하기에 대한 설명으로 적절하지 않은 것은?

① 상대에 대한 신뢰감과 친밀감을 형성하게 되는 효과가 있다.

② 상대방의 생각에 자신도 그렇다고 느끼면서 대화하는 방식을 뜻한다.

③ 상대의 고민을 해결해 주기 위해 자신의 견해를 내세우는 것이 핵심이다.

답 | ③

표준 발음법과 한글 맞춤법

표준 발음법

제1장 | 총칙

제1항 표준 발음법은 표준어의 실제 발음을 따르되, 국어의 전통성과 합리성을 고려하여 정함을 원칙으로 한다.

[질문] 국어의 전통성과 합리성을 고려한다는 것은 무슨 뜻이에요?
[답변] 우리말은 역사적으로 보면 '말[馬][말]', '말[言][말ː]'처럼 소리의 길이에 따라 뜻을 구별해 온 전통을 가지고 있어요. 그래서 표준 발음법에 소리의 길이에 대한 규정을 포함하였는데, 이것이 바로 전통성을 고려한 것이에요. 합리성을 고려한다는 것은 국어의 규칙이나 법칙에 따라 표준 발음법을 정한다는 뜻이에요.

제2장 | 자음과 모음

제2항 표준어의 자음은 다음 19개로 한다.

ㄱ ㄲ ㄴ ㄷ ㄸ ㄹ ㅁ ㅂ ㅃ ㅅ
ㅆ ㅇ ㅈ ㅉ ㅊ ㅋ ㅌ ㅍ ㅎ

제3항 표준어의 모음은 다음 21개로 한다.

ㅏ ㅐ ㅑ ㅒ ㅓ ㅔ ㅕ ㅖ ㅗ ㅘ ㅙ
ㅚ ㅛ ㅜ ㅝ ㅞ ㅟ ㅠ ㅡ ㅢ ㅣ

제4항 'ㅏ ㅐ ㅓ ㅔ ㅗ ㅚ ㅜ ㅟ ㅡ ㅣ'는 단모음(單母音)으로 발음한다.

[붙임] 'ㅚ, ㅟ'는 이중 모음으로 발음할 수 있다.

제5항 'ㅑ ㅒ ㅕ ㅖ ㅘ ㅙ ㅛ ㅝ ㅞ ㅠ ㅢ'는 이중 모음으로 발음한다.

다만 1. 용언의 활용형에 나타나는 '져, 쪄, 쳐'는 [저, 쩌, 처]로 발음한다.

가지어 → 가져[가저]　　찌어 → 쪄[쩌]　　다치어 → 다쳐[다처]

다만 2. '예, 례' 이외의 'ㅖ'는 [ㅔ]로도 발음한다.

계집[계ː집/게ː집]　　계시다[계ː시다/게ː시다]
시계[시계/시게](時計)　　연계[연계/연게](連繫)
메별[메별/메별](袂別)　　개폐[개폐/개페](開閉)
혜택[혜ː택/헤ː택](惠澤)　　지혜[지혜/지헤](智慧)

다만 3. 자음을 첫소리로 가지고 있는 음절의 'ㅢ'는 [ㅣ]로 발음한다.

늴리리　　닁큼　　무늬　　띄어쓰기　　씌어
틔어　　희어　　희떱다　　희망　　유희

다만 4. 단어의 첫음절 이외의 '의'는 [ㅣ]로, 조사 '의'는 [ㅔ]로 발음함도 허용한다.

주의[주의/주이]　　협의[혀븨/혀비]
우리의[우리의/우리에]　　강의의[강ː의의/강ː이에]

제4장 | 받침의 발음

제8항 받침소리로는 'ㄱ, ㄴ, ㄷ, ㄹ, ㅁ, ㅂ, ㅇ'의 7개 자음만 발음한다.

제9항 받침 'ㄲ, ㅋ', 'ㅅ, ㅆ, ㅈ, ㅊ, ㅌ', 'ㅍ'은 어말 또는 자음 앞에서 각각 대표음 [ㄱ, ㄷ, ㅂ]으로 발음한다.

닦다[닥따]	키읔[키윽]	키읔과[키윽꽈]
옷[옫]	웃다[욷:따]	있다[읻따]
젖[젇]	빚다[빋따]	꽃[꼳]
쫓다[쫃따]	솥[솓]	뱉다[밷:따]
앞[압]	덮다[덥따]	

제10항 겹받침 'ㄳ', 'ㄵ', 'ㄼ, ㄽ, ㄾ', 'ㅄ'은 어말 또는 자음 앞에서 각각 [ㄱ, ㄴ, ㄹ, ㅂ]으로 발음한다.

넋[넉]	넋과[넉꽈]	앉다[안따]
여덟[여덜]	넓다[널따]	외곬[외골]
핥다[할따]	값[갑]	없다[업:따]

다만, '밟-'은 자음 앞에서 [밥]으로 발음하고, '넓-'은 다음과 같은 경우에 [넙]으로 발음한다.

(1) 밟다[밥:따]	밟소[밥:쏘]	밟지[밥:찌]
밟는[밥:는→밤:는]	밟게[밥:께]	밟고[밥:꼬]
(2) 넓-죽하다[넙쭈카다]	넓-둥글다[넙뚱글다]	

제11항 겹받침 'ㄺ, ㄻ, ㄿ'은 어말 또는 자음 앞에서 각각 [ㄱ, ㅁ, ㅂ]으로 발음한다.

닭[닥] 흙과[흑꽈] 맑다[막따]
늙지[늑찌] 삶[삼ː] 젊다[점ː따]
읊고[읍꼬] 읊다[읍따]

다만, 용언의 어간 말음 'ㄺ'은 'ㄱ' 앞에서 [ㄹ]로 발음한다.

맑게[말께] 묽고[물꼬] 얽거나[얼꺼나]

제12항 받침 'ㅎ'의 발음은 다음과 같다.

1. 'ㅎ(ㄶ, ㅀ)' 뒤에 'ㄱ, ㄷ, ㅈ'이 결합되는 경우에는, 뒤 음절 첫소리와 합쳐서 [ㅋ, ㅌ, ㅊ]으로 발음한다.

놓고[노코] 좋던[조ː턴] 쌓지[싸치]
많고[만ː코] 않던[안턴] 닳지[달치]

[붙임 1] 받침 'ㄱ(ㄺ), ㄷ, ㅂ(ㄼ), ㅈ(ㄵ)'이 뒤 음절 첫소리 'ㅎ'과 결합되는 경우에도, 역시 두 음을 합쳐서 [ㅋ, ㅌ, ㅍ, ㅊ]으로 발음한다.

각하[가카] 먹히다[머키다] 밝히다[발키다]
맏형[마텽] 좁히다[조피다] 넓히다[널피다]
꽂히다[꼬치다] 앉히다[안치다]

[붙임 2] 규정에 따라 [ㄷ]으로 발음되는 'ㅅ, ㅈ, ㅊ, ㅌ'의 경우에도 이에 준한다.

옷 한 벌[오탄벌] 낮 한때[나탄때]
꽃 한 송이[꼬탄송이] 숱하다[수타다]

2. 'ㅎ(ㄶ, ㅀ)' 뒤에 'ㅅ'이 결합되는 경우에는, 'ㅅ'을 [ㅆ]으로 발음한다.

닿소[다:쏘] 많소[만:쏘] 싫소[실쏘]

3. 'ㅎ' 뒤에 'ㄴ'이 결합되는 경우에는, [ㄴ]으로 발음한다.

놓는[논는] 쌓네[싼네]

[붙임] 'ㄶ, ㅀ' 뒤에 'ㄴ'이 결합되는 경우에는, 'ㅎ'을 발음하지 않는다.

않네[안네] 않는[안는]
뚫네[뚤네→뚤레] 뚫는[뚤는→뚤른]

* '뚫네[뚤네 → 뚤레], 뚫는[뚤는 → 뚤른]'에 대해서는 제20항 참조.

4. 'ㅎ(ㄶ, ㅀ)' 뒤에 모음으로 시작된 어미나 접미사가 결합되는 경우에는, 'ㅎ'을 발음하지 않는다.

낳은[나은] 놓아[노아] 쌓이다[싸이다]
많아[마:나] 않은[아는] 닳아[다라]
싫어도[시러도]

제13항 홑받침이나 쌍받침이 모음으로 시작된 조사나 어미, 접미사와 결합되는 경우에는, 제 음가대로 뒤 음절 첫소리로 옮겨 발음한다.

깎아[까까] 옷이[오시] 있어[이써]
낮이[나지] 꽂아[꼬자] 꽃을[꼬츨]
쫓아[쪼차] 밭에[바테] 앞으로[아프로]
덮이다[더피다]

제14항 겹받침이 모음으로 시작된 조사나 어미, 접미사와 결합되는 경우에는, 뒤엣것만을 뒤 음절 첫소리로 옮겨 발음한다.(이 경우, 'ㅅ'은 된소리로 발음함.)

넋이[넉씨]	앉아[안자]	닭을[달글]
젊어[절머]	곬이[골씨]	핥아[할타]
읊어[을퍼]	값을[갑쓸]	없어[업ː써]

제15항 받침 뒤에 모음 'ㅏ, ㅓ, ㅗ, ㅜ, ㅟ'들로 시작되는 실질 형태소가 연결되는 경우에는, 대표음으로 바꾸어서 뒤 음절 첫소리로 옮겨 발음한다.

밭 아래[바다래]	늪 앞[느밥]	젖어미[저더미]
맛없다[마덥따]	겉옷[거돋]	헛웃음[허두슴]

다만, '맛있다, 멋있다'는 [마싣따], [머싣따]로도 발음할 수 있다.

[붙임] 겹받침의 경우에는, 그중 하나만을 옮겨 발음한다.

넋 없다[너겁따]	닭 앞에[다가페]	값있는[가빈는]

제16항 한글 자모의 이름은 그 받침소리를 연음하되, 'ㄷ, ㅈ, ㅊ, ㅋ, ㅌ, ㅍ, ㅎ'의 경우에는 특별히 다음과 같이 발음한다.

디귿이[디그시]	디귿을[디그슬]	디귿에[디그세]
지읒이[지으시]	지읒을[지으슬]	지읒에[지으세]
치읓이[치으시]	치읓을[치으슬]	치읓에[치으세]
키읔이[키으기]	키읔을[키으글]	키읔에[키으게]
티읕이[티으시]	티읕을[티으슬]	티읕에[티으세]
피읖이[피으비]	피읖을[피으블]	피읖에[피으베]
히읗이[히으시]	히읗을[히으슬]	히읗에[히으세]

한글 맞춤법

제1장 | 총칙

제1항 한글 맞춤법은 표준어를 소리대로 적되, 어법에 맞도록 함을 원칙으로 한다.

[질문] 한글 맞춤법 총칙 제1항을 자세히 설명해 주세요.

[답변] '구름', '나무', '하늘'은 [구름], [나무], [하늘]이라고 소리 나는 대로 적었지요? 이처럼 표준어는 발음되는 소리대로 적는 것이 원칙이에요. 그런데 표준어를 소리대로 적는다는 원칙만을 적용하기 어려운 경우도 있어요. '꽃이', '꽃나무', '꽃과'는 각각 [꼬치], [꼰나무], [꼳꽈]로 발음돼요. 이것을 소리대로 '꼬치', '꼰나무', '꼳꽈'로 적으면 그 뜻이 얼른 파악되지 않을 거예요. 그래서 어법에 맞게 적는다는 또 하나의 원칙이 붙었습니다. 어법에 맞게 적는다는 것은 뜻을 파악하기 쉽도록 단어의 본래 형태를 밝혀 적는다는 뜻이에요.

제2장 | 자모

제4항 한글 자모의 수는 스물넉 자로 하고, 그 순서와 이름은 다음과 같이 정한다.

ㄱ(기역)	ㄴ(니은)	ㄷ(디귿)	ㄹ(리을)	ㅁ(미음)
ㅂ(비읍)	ㅅ(시옷)	ㅇ(이응)	ㅈ(지읒)	ㅊ(치읓)
ㅋ(키읔)	ㅌ(티읕)	ㅍ(피읖)	ㅎ(히읗)	
ㅏ(아)	ㅑ(야)	ㅓ(어)	ㅕ(여)	ㅗ(오)
ㅛ(요)	ㅜ(우)	ㅠ(유)	ㅡ(으)	ㅣ(이)

[붙임 1] 위의 자모로써 적을 수 없는 소리는 두 개 이상의 자모를 어울러서 적되, 그 순서와 이름은 다음과 같이 정한다.

ㄲ(쌍기역)	ㄸ(쌍디귿)	ㅃ(쌍비읍)	ㅆ(쌍시옷)	ㅉ(쌍지읒)	
ㅐ(애)	ㅒ(얘)	ㅔ(에)	ㅖ(예)	ㅘ(와)	ㅙ(왜)
ㅚ(외)	ㅝ(워)	ㅞ(웨)	ㅟ(위)	ㅢ(의)	

[붙임 2] 사전에 올릴 적의 자모 순서는 다음과 같이 정한다.

자음: ㄱ ㄲ ㄴ ㄷ ㄸ ㄹ ㅁ ㅂ ㅃ ㅅ ㅆ ㅇ ㅈ ㅉ ㅊ ㅋ ㅌ ㅍ ㅎ
모음: ㅏ ㅐ ㅑ ㅒ ㅓ ㅔ ㅕ ㅖ ㅗ ㅘ ㅙ ㅚ ㅛ ㅜ ㅝ ㅞ ㅟ ㅠ ㅡ ㅢ ㅣ

제3장 | 소리에 관한 것

제4절 모음

제8항 '계, 례, 몌, 폐, 혜'의 'ㅖ'는 'ㅔ'로 소리 나는 경우가 있더라도 'ㅖ'로 적는다.(ㄱ을 취하고, ㄴ을 버림.)

ㄱ	ㄴ	ㄱ	ㄴ
계수(桂樹)	게수	혜택(惠澤)	헤택
사례(謝禮)	사레	계집	게집
연몌(連袂)	연메	핑계	핑게
폐품(廢品)	페품	계시다	게시다

다만, 다음 말은 본음대로 적는다.

게송(偈頌) 게시판(揭示板) 휴게실(休憩室)

제9항 '의'나, 자음을 첫소리로 가지고 있는 음절의 'ㅢ'는 'ㅣ'로 소리 나는 경우가 있더라도 'ㅢ'로 적는다.(ㄱ을 취하고, ㄴ을 버림.)

ㄱ	ㄴ	ㄱ	ㄴ
의의(意義)	의이	닁큼	닝큼
본의(本義)	본이	띄어쓰기	띠어쓰기
무늬[紋]	무니	씌어	씨어
보늬	보니	틔어	티어
오늬	오니	희망(希望)	히망
하늬바람	하니바람	희다	히다
늴리리	닐리리	유희(遊戲)	유히

제4장 | 형태에 관한 것

제2절 | 어간과 어미

제15항 용언의 어간과 어미는 구별하여 적는다.

먹다	먹고	먹어	먹으니	먹음
신다	신고	신어	신으니	신음
믿다	믿고	믿어	믿으니	믿음
울다	울고	울어	(우니)	욺

[붙임 1] 두 개의 용언이 어울려 한 개의 용언이 될 적에, 앞말의 본뜻이 유지되고 있는 것은 그 원형을 밝히어 적고, 그 본뜻에서 멀어진 것은 밝히어 적지 아니한다.

(1) 앞말의 본뜻이 유지되고 있는 것

넘어지다	늘어나다	늘어지다	돌아가다
되짚어가다	들어가다	떨어지다	벌어지다
엎어지다	접어들다	틀어지다	흩어지다

(2) 본뜻에서 멀어진 것

드러나다 사라지다 쓰러지다

제18항 다음과 같은 용언들은 어미가 바뀔 경우, 그 어간이나 어미가 원칙에 벗어나면 벗어나는 대로 적는다.

1. 어간의 끝 'ㄹ'이 줄어질 적

갈다: 가니 간 갑니다 가시다 가오

2. 어간의 끝 'ㅅ'이 줄어질 적

긋다: 그어 그으니 그었다

제5절 | 준말

제35항 모음 'ㅗ, ㅜ'로 끝난 어간에 '-아/-어, -았-/-었-'이 어울려 'ㅘ/ㅝ, ㅘㅆ/ㅝㅆ'으로 될 적에는 준 대로 적는다.

본말	준말	본말	준말
꼬아	꽈	꼬았다	꽜다
보아	봐	보았다	봤다
쏘아	쏴	쏘았다	쐈다
두어	둬	두었다	뒀다
쑤어	쒀	쑤었다	쒔다
주어	줘	주었다	줬다

[붙임 1] '놓아'가 '놔'로 줄 적에는 준 대로 적는다.

[붙임 2] 'ㅚ' 뒤에 '-어, -었-'이 어울려 'ㅙ, ㅙㅆ'으로 될 적에도 준 대로 적는다.

본말	준말	본말	준말
괴어	괘	괴었다	괬다
되어	돼	되었다	됐다
뵈어	봬	뵈었다	뵀다
쇠어	쇄	쇠었다	쇘다
쐬어	쐐	쐬었다	쐤다

제36항 'ㅣ' 뒤에 '-어'가 와서 'ㅕ'로 줄 적에는 준 대로 적는다.

본말	준말	본말	준말
가지어	가져	가지었다	가졌다
견디어	견뎌	견디었다	견뎠다
다니어	다녀	다니었다	다녔다
막히어	막혀	막히었다	막혔다
버티어	버텨	버티었다	버텼다
치이어	치여	치이었다	치였다

제6장 | 그 밖의 것

제57항 다음 말들은 각각 구별하여 적는다.

가름	둘로 가름.
갈음	새 책상으로 갈음하였다.

거름	풀을 썩힌 거름.
걸음	빠른 걸음.

거치다	영월을 거쳐 왔다.
걷히다	외상값이 잘 걷힌다.

걷잡다	걷잡을 수 없는 상태.
겉잡다	겉잡아서 이틀 걸릴 일.

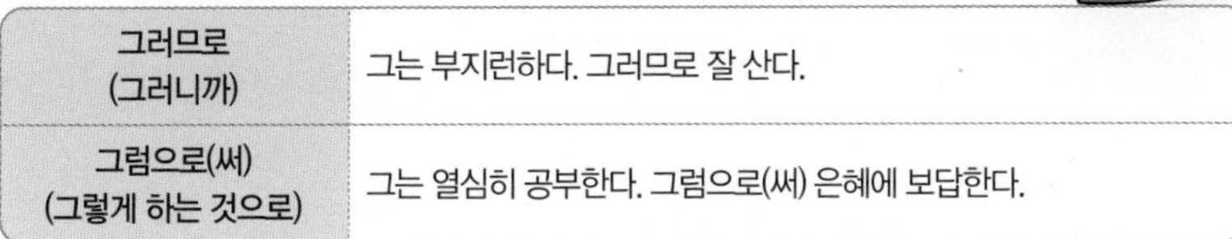

그러므로 (그러니까)	그는 부지런하다. 그러므로 잘 산다.
그럼으로(써) (그렇게 하는 것으로)	그는 열심히 공부한다. 그럼으로(써) 은혜에 보답한다.

노름	노름판이 벌어졌다.
놀음(놀이)	즐거운 놀음.

느리다	진도가 너무 느리다.
늘이다	고무줄을 늘인다.
늘리다	수출량을 더 늘린다.

다리다	옷을 다린다.
달이다	약을 달인다.

다치다	부주의로 손을 다쳤다.
닫히다	문이 저절로 닫혔다.
닫치다	문을 힘껏 닫쳤다.

마치다	벌써 일을 마쳤다.
맞히다	여러 문제를 더 맞혔다.

목거리	목거리가 덧났다.
목걸이	금목걸이, 은목걸이.

바치다	나라를 위해 목숨을 바쳤다.
받치다	우산을 받치고 간다. 책받침을 받친다.
받히다	쇠뿔에 받혔다.
밭치다	술을 체에 밭친다.

반드시	약속은 반드시 지켜라.
반듯이	고개를 반듯이 들어라.

부딪치다	차와 차가 마주 부딪쳤다.
부딪히다	마차가 화물차에 부딪혔다.

부치다	힘이 부치는 일이다. 편지를 부친다. 논밭을 부친다. 빈대떡을 부친다. 식목일에 부치는 글. 회의에 부치는 안건. 인쇄에 부치는 원고. 숙식을 부친다.
붙이다	우표를 붙인다. 책상을 벽에 붙였다. 흥정을 붙인다. 불을 붙인다. 감시원을 붙인다. 조건을 붙인다. 취미를 붙인다. 별명을 붙인다.

시키다	일을 시킨다.
식히다	끓인 물을 식힌다.

아름	세 아름 되는 둘레.
알음	전부터 알음이 있는 사이.
앎	앎이 힘이다.

안치다	밥을 안친다.
앉히다	윗자리에 앉힌다.

어름	두 물건의 어름에서 일어난 현상.
얼음	얼음이 얼었다.

이따가	이따가 오너라.
있다가	돈은 있다가도 없다.

저리다	다친 다리가 저린다.
절이다	김장 배추를 절인다.

조리다	생선을 조린다. 통조림, 병조림.
졸이다	마음을 졸인다.

주리다	여러 날을 주렸다.
줄이다	비용을 줄인다.

하노라고	하노라고 한 것이 이 모양이다.
하느라고	공부하느라고 밤을 새웠다.

-느니보다 (어미)	나를 찾아오느니보다 집에 있거라.
-는 이보다 (의존 명사)	오는 이가 가는 이보다 많다.

-(으)리만큼 (어미)	나를 미워하리만큼 그에게 잘못한 일이 없다.
-(으)ㄹ 이만큼 (의존 명사)	찬성할 이도 반대할 이만큼이나 많을 것이다.

-(으)러 (목적)	공부하러 간다.
-(으)려 (의도)	서울 가려 한다.

-(으)로서 (자격)	사람으로서 그럴 수는 없다.
-(으)로써 (수단)	닭으로써 꿩을 대신했다.

-(으)므로 (어미)	그가 나를 믿으므로 나도 그를 믿는다.
(-ㅁ,-음)으로(써) (조사)	그는 믿음으로(써) 산 보람을 느꼈다.

국어전략

고득점을 예약하는 내신 대비서

국어전략

중학 2

시험에 잘 나오는

개념BOOK 1

천재교육

국어전략

국어전략
중학 2

시험에 잘 나오는

개념BOOK 1

개념BOOK 하나면
국어 공부 끝!

문학

차례

1 화자

뜻 ❶ [   ]에서 시인을 대신하여 말하는 이로 '시적 화자'라고도 함.

특징

- 시에서 보통 '나'로 드러나지만 겉으로 드러나지 않기도 함.
- 시인은 시의 주제나 ❷ [   ]를 효과적으로 드러낼 수 있는 화자를 내세움.
- 시인의 말을 대신하여 전하는 존재로 화자는 시인이 될 수도 있고, 시인이 아닌 다른 존재일 수도 있음.

예

시		화자
그렇소 나는 코뿔소 코에 뿔이 났소 창 같지 않소 멋지지 않소 그렇소 나는 코뿔소 – 최승호, 〈코뿔소〉에서	➡	① 시에서 말하는 이가 '나'로 나타남. ② 시인이 코뿔소는 아니므로 시의 화자가 시인과 일치하지 않음. ③ 코뿔소의 생김새에 대한 시인의 생각을 효과적으로 드러내기 위해 시의 화자를 코뿔소로 설정하고 있음.

❶ 시 ❷ 분위기

화자는 사람, 사물 또는 동식물 등 다양한 모습으로 나타나지.

바로 확인

㉠에 공통으로 들어갈 알맞은 말을 쓰시오.

- (㉠)는 시인을 대신하여 시인의 생각을 독자에게 전한다.
- 시인이 시의 주제를 효과적으로 전달하기 위해 '어린아이'를 말하는 이로 설정할 수 있으므로, 시인과 (㉠)는 일치하지 않을 수도 있다.

답 | 화자

작품으로 개념 확인

민지의 꽃 | 정희성

(비상)

강원도 평창군 미탄면 청옥산 기슭
덜렁 집 한 채 짓고 살러 들어간 제자를 찾아갔다
화자의 행동이 나타남.
거기서 만들고 거기서 키웠다는 / 다섯 살배기 딸 민지
민지가 아침 일찍 눈 비비고 일어나
저보다 큰 물뿌리개를 나한테 들리고
화자가 겉으로 드러남.
질경이 나싱개 토끼풀 억새……
이런 풀들에게 물을 주며 / 잘 잤니, 인사를 하는 것이었다
그게 뭔데 거기다 물을 주니? / 꽃이야, 하고 민지가 대답했다
그건 잡초야, 라고 말하려던 내 입이 다물어졌다
민지에게 꽃이 아니라 풀이라는 사실을 알려 주지 않음.
내 말은 때가 묻어 / 천지와 귀신을 감동시키지 못하는데
화자가 자신의 모습을 반성함.
꽃이야, 하는 그 애의 말 한마디가
풀잎의 풋풋한 잠을 흔들어 깨우는 것이었다

» 이 시의 화자는 제자의 집을 찾아가 제자의 다섯 살배기 딸 민지와 '풀'에 대해 나눈 대화를 통해 자신의 모습을 되돌아보고 있다. '제자를 찾아갔다', '나한테 들리고' 등의 표현을 통해 화자에 대한 정보를 확인할 수 있으며, 화자의 말은 '때가 묻'은 반면, 민지의 말은 '풀잎의 풋풋한 잠을 흔들어 깨우는 것'이라고 표현하며 시인이 말하고자 하는 민지의 순수함을 잘 나타내고 있다.

바로 확인

이 시의 화자에 대한 설명으로 적절하지 않은 것은?

① 강원도 평창군에서 딸과 함께 살고 있는 제자를 찾아갔다.
② 민지가 풀을 꽃이라고 잘못 알고 있자 이를 바로잡아 주고 있다.
③ 다섯 살배기 민지의 말에 담긴 순수한 마음을 독자에게 잘 전달하고 있다.

답 | ②

작품으로 개념 확인

귀뚜라미 | 나희덕

(미래엔)

높은 가지를 흔드는 매미 소리에 묻혀 / 내(화자) 울음 아직은 노래 아니다.
여름에 매미 떼가 우는 소리 때문에 '나'의 울음이 노래가 되어 사람들에게 전해지지 않기 때문에

차가운 바닥 위에 토하는 울음, / 풀잎 없고 이슬 한 방울 내리지 않는
화자가 처해 있는 열악한 상황 ①
지하도 콘크리트 벽 좁은 틈에서 / 숨 막힐 듯, 그러나 나 여기 살아 있다
화자가 처해 있는 열악한 상황 ②
귀뚜르르 뚜르르 보내는 타전 소리가 / 누구의 마음 하나 울릴 수 있을까.
자신의 생존을 알리는 귀뚜라미의 울음소리

지금은 매미 떼가 하늘을 찌르는 시절
그 소리 걷히고 맑은 가을이
어린 풀숲 위에 내려와 뒤척이기도 하고
계단을 타고 이 땅 밑까지 내려오는 날
발길에 눌려 우는 내 울음도
누군가의 가슴에 실려 가는 노래일 수 있을까.
누군가의 가슴에 감동을 주고 싶은 화자의 소망

» 이 시의 화자는 '귀뚜라미'인데, 차가운 지하도 콘크리트 벽 좁은 틈에서 미약한 울음소리를 내고 있다. 그러나 귀뚜라미의 울음소리는 여름에 크게 울려 퍼지는 매미 소리에 묻혀 거의 들리지 않는다. 하지만 귀뚜라미는 가을이 되면 자신의 울음소리가 사람들에게 감동을 주는 노래가 될 수 있기를 소망하고 있다.

바로 확인

이 시의 화자에 대한 설명으로 적절한 것은?

① 화자는 여름에 높은 가지에서 울고 있는 매미이다.
② 화자는 매미와 귀뚜라미의 울음소리를 듣고 있는 사람이다.
③ 화자는 콘크리트 바닥에서 약한 울음소리를 내는 귀뚜라미이다.

답 | ③

작품으로 개념 확인 **훈민가** | 정철 (천재(노))

백성을 가르치는 노래.

오늘도 다 새었다 호미 메고 가자스라
화자가 이웃들에게 부지런히 일하자고 권유함.
내 논 다 매어든 네 논 좀 매어 주마 → 서로 돕는 상부상조의 정신
화자('나')가 농민임을 알 수 있음.
올 길에 뽕 따다가 누에 먹여 보자스라
화자가 이웃들에게 부지런히 일하자고 권유함.

» 이 시조는 작가가 백성들에게 유교적 윤리를 깨우치게 하기 위해 지은 작품이다. 작가는 농민을 화자로 내세움으로써 근면하고 서로 돕는 올바른 삶의 자세를 효과적으로 전달하고 있다. 이 시조에서 화자는 자신처럼 농사를 짓는 이웃들에게 '호미 메고 가자스라', '누에 먹여 보자스라'라고 말하며, 함께 부지런히 농사일을 하자고 권유하고 있다. 또 '내 논 다 매어든 네 논 좀 매어 주마'라며 서로 도와 일하는 상부상조의 정신을 표현하고 있다.

바로 확인

이 시의 화자에 대한 설명으로 적절하지 않은 것은?

① 아침부터 부지런히 농사일을 하는 농민이다.

② 서로 도우며 살아가자고 이웃들에게 말하고 있다.

③ 농사일에 게으른 이웃을 꾸짖으며 열심히 일할 것을 명령하고 있다.

답 | ③

2 화자의 상황

뜻 시에서 화자가 처해 있는 형편이나 처지, 분위기.

특징
- 시에 드러난 ❶ ______ 를 통해 화자가 처한 상황을 알 수 있음.
- 시에서 ❷ ______ 가 겪고 있는 여러 가지 구체적인 상황을 말함.

예

시		화자의 상황
높은 가지를 흔드는 매미 소리에 묻혀 내 울음 아직은 노래 아니다. 차가운 바닥 위에 토하는 울음, 풀잎 없고 이슬 한 방울 내리지 않는 지하도 콘크리트 벽 좁은 틈에서 숨 막힐 듯, 그러나 나 여기 살아 있다 – 나희덕, 〈귀뚜라미〉에서	➡	① 여름의 매미 소리에 화자인 귀뚜라미의 울음소리가 묻히고 있음. ② 차가운 지하도 콘크리트 벽 좁은 틈에서 미약하게 울음소리를 내보내고 있음.

❶ 정보 ❷ 화자

화자의 상황을 파악할 때 시간적·공간적 배경을 확인하는 것이 좋아.

바로 확인

㉠에 들어갈 알맞은 말을 쓰시오.

> 화자의 (㉠)은 시에서 화자가 겪고 있는 처지나 형편을 말하는 것으로, 예를 들면 화자가 사랑하는 임과 이별한 상황, 억압적인 현실에서 고통받는 상황 등이 있다.

답 | 상황

작품으로 개념 확인 **고향** | 백석 (천재(노))

나는 북관(北關)에 혼자 앓어누워서 / 어느 아츰 의원을 뵈이었다

화자의 상황 ① 혼자 지내고 있음. ② 병에 걸려서 의원에게 진료를 받고 있음.

의원은 여래(如來) 같은 상을 하고 관공(關公)의 수염을 드리워서

먼 옛적 어느 나라 신선 같은데

새끼손톱 길게 돋은 손을 내어 / 묵묵하니 한참 맥을 짚더니

문득 물어 고향이 어데냐 한다

평안도 정주라는 곳이라 한즉 / 그러면 아무개 씨 고향이란다

화자의 상황 ③ 고향을 떠나 타향에 있음. ④ 타향에서 고향 사람과 아는 의원을 만남.

그러면 아무개 씰 아느냐 한즉

의원은 빙긋이 웃음을 띠고

막역지간(莫逆之間)이라며 수염을 쓴다

나는 아버지로 섬기는 이라 한즉

① '나'의 아버지 ② '나'가 아버지처럼 여기는 이

의원은 또다시 넌즈시 웃고 / 말없이 팔을 잡어 맥을 보는데

손길은 따스하고 부드러워 / 고향도 아버지도 아버지의 친구도 다 있었다

화자의 상황을 통해 화자의 정서를 짐작할 수 있음. → 의원을 통해 고향과 혈육의 따스한 정을 느낌.

» 이 시에는 낯선 타향에서 혼자 아프게 된 화자가 자신을 진료하는 의원과의 대화를 통해 고향의 따스한 정을 느끼게 되는 상황이 나타나 있다. '나는 북관에 혼자 앓어누워서 / 어느 아츰 의원을 뵈이었다', '문득 물어 고향이 어데냐 한다 / 평안도 정주라는 곳이라 한즉' 등에서 화자가 현재 고향이 아닌 곳에서 지내고 있으며, 혼자 아픈 상황에서 고향과 가족의 따스한 정을 떠올리며 그리워하고 있음을 짐작할 수 있다.

바로 **확인**

이 시의 화자가 처한 상황으로 적절한 것은?

① 가족들과 떨어져 고향에 혼자 남아 있다.

② 타향에서 병에 걸려 앓다가 의원을 만나 진료를 받고 있다.

③ 낯선 곳에서 자신이 알고 지내던 고향 사람을 만나 반가워하고 있다.

답 | ②

3 화자의 정서

뜻 화자가 자신이 처한 상황이나 대상에 대해 느끼는 ❶ [   ].

특징
- 화자의 정서는 시어로 ❷ [   ] 드러나기도 하고, 여러 시어를 통해 미루어 짐작해야 하는 경우도 있음(자신의 감정을 직접적으로 표현하거나 다른 사물 등을 통해 간접적으로 나타냄.).
- 화자의 말이나 행동 등을 통해 화자가 느끼는 감정이나 기분을 알 수 있음.

예

시구		화자의 정서
어쩐지 베풀 줄 모르는 손 같아서 밉다 – 이생진, 〈벌레 먹은 나뭇잎〉에서	➡	대상에 대한 '미움'의 감정이 '밉다'는 시어로 직접적으로 나타남.
따뜻한 말을 들으면 (중략) 미소가 사르르 번진다. – 〈따뜻한 말〉에서	➡	대상에 대한 '행복'의 감정이 '미소가 번진다.'는 행동으로 간접적으로 나타남.

❶ 감정 ❷ 직접

화자의 말과 행동에 나타난 감정을 잘 파악해 보자.

바로 확인

(   ) 안에 들어갈 알맞은 말을 고르시오.

> 나는 북관(北關)에 혼자 앓어누워서
> 어느 아츰 의원을 뵈이었다 (중략)
> 손길은 따스하고 부드러워
> 고향도 아버지도 아버지의 친구도 다 있었다.
> – 백석, 〈고향〉에서

➡ 밑줄 친 '손길은 따스하고 부드러워'에서 화자는 (고향의 따스한 정 , 고향을 잃은 슬픔)을 느끼고 있다.

답 | 고향의 따스한 정

작품으로 개념 확인

세상에서 가장 따뜻했던 저녁 | 복효근

(지학사)

어둠이 한기처럼 스며들고

배 속에 붕어 새끼 두어 마리 요동을 칠 때
화자가 느끼는 배고픔을 붕어 새끼가 요동을 치는 모습으로 나타냄.

학교 앞 버스 정류장을 지나는데 / 먼저 와 기다리던 선재가

내가 멘 책가방 지퍼가 열렸다며 닫아 주었다.
화자

아무도 없는 집 썰렁한 내 방까지 / 붕어빵 냄새가 따라왔다.
'썰렁한'이라는 표현을 통해 화자의 외로운 처지를 나타냄.

학교에서 받은 우유 꺼내려 가방을 여는데

아직 온기가 식지 않은 종이봉투에 / 붕어가 다섯 마리
친구의 따뜻한 마음을 촉각적으로 나타냄. 선재가 넣어 준 붕어빵 다섯 개

내 열여섯 세상에 / 가장 따뜻했던 저녁
'따뜻했던'이라는 표현을 통해 친구의 따뜻한 마음에 화자가 느낀 감동을 나타냄.

» 이 시는 친구가 준 붕어빵을 먹고 따뜻함을 느낀 화자의 마음이 잘 나타나 있는 작품이다. '내 열여섯 세상에 / 가장 따뜻했던 저녁'이라는 표현은 친구가 준 붕어빵에 대한 화자의 감동을 잘 나타내고 있다. 또한 이 시에서 화자는 '아무도 없는 집 썰렁한 내 방'이라는 표현을 통해 빈집에서 느끼는 화자의 외로움을 간접적으로 나타내고 있다.

바로 확인

이 시에 나타난 화자의 정서로 적절하지 않은 것은?

① '두어 마리 요동을 칠 때'라는 표현을 통해 화자의 기대감을 나타내고 있다.

② '아무도 없는 집'이라는 표현을 통해 화자의 외로움을 나타내고 있다.

③ '따뜻했던 저녁'이라는 표현을 통해 화자가 느낀 감동을 드러내고 있다.

답 | ①

작품으로 개념 확인

고향 | 정지용

(천재(노))

고향에 고향에 돌아와도 / 그리던 고향은 아니러뇨.
화자: 고향을 그리워하며 고향에 돌아온 사람

산꿩이 알을 품고 / 뻐꾸기 제철에 울건만,
고향의 변함없는 자연

마음은 제 고향 지니지 않고 / 머언 항구로 떠도는 구름.
화자의 정서: 고향이 낯설게 느껴짐. 방황하는 화자의 정서를 빗댄 표현

오늘도 뫼 끝에 홀로 오르니 / 흰 점 꽃이 인정스레 웃고,
고향의 변함없는 자연

어린 시절에 불던 풀피리 소리 아니 나고
어린 시절의 추억 속 고향과 현재의 고향이 일치하지 않음.
메마른 입술에 쓰디쓰다.
고향을 잃어버린 듯한 상실감에 씁쓸해함.

고향에 고향에 돌아와도

그리던 하늘만이 높푸르구나.

» 이 시에서 화자는 겉으로 드러나 있지는 않다. 하지만 '고향에 고향에 돌아와도 / 그리던 고향은 아니러뇨'를 통해 화자가 고향에 돌아온 사람이며, 고향을 그리워한 사람임을 알 수 있다. 그런데 화자는 고향을 둘러보며 고향의 자연은 고향을 떠나기 전과 다르지 않고 그대로이지만 어린 시절의 추억과 관련된 고향의 모습은 볼 수 없다며 씁쓸해하고 있다.

바로 확인

이 시에 나타난 화자의 정서로 적절한 것은?

① 화자는 고향의 아름다운 자연 풍경에 감탄하고 있다.

② 화자는 고향에서 어린 시절의 추억을 떠올리며 만족하고 있다.

③ 화자는 마음속으로 그리워하던 고향을 잃어버린 상실감에 씁쓸해하고 있다.
무엇인가를 잃어버린 뒤의 느낌이나 감정 상태.

답 | ③

작품으로 개념 확인 엄마 걱정 | 기형도

(천재(노), 천재(박))

열무 삼십 단을 이고 / 시장에 간 우리 엄마

안 오시네, 해는 시든 지 오래
밤이 깊었음을 의미함.
나는 찬밥처럼 방에 담겨
유년 시절의 어린 화자(과거)
아무리 천천히 숙제를 해도

엄마 안 오시네, 배춧잎 같은 발소리 타박타박

안 들리네, 어둡고 무서워
유년 시절의 화자가 느끼는 두려움이 나타남.
금 간 창틈으로 고요히 빗소리

빈방에 혼자 엎드려 훌쩍거리던
유년 시절의 화자가 느끼는 외로움이 나타남.

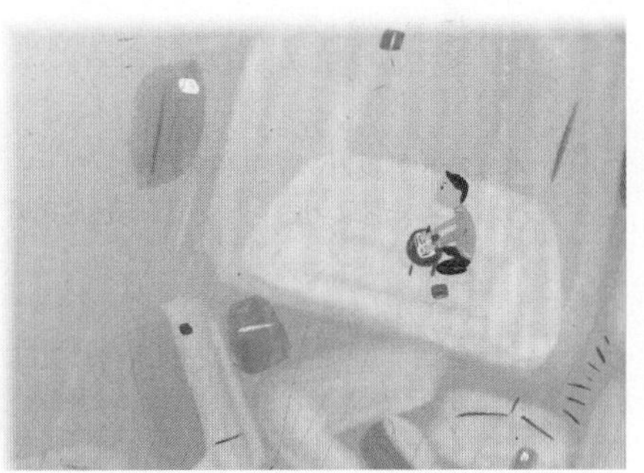

아주 먼 옛날
과거의 유년 시절을 의미함.
지금도 내 눈시울을 뜨겁게 하는
어른이 된 화자(현재)
그 시절, 내 유년의 윗목
힘들었던 유년 시절을 차가운 윗목에 빗댐.

» 이 시는 외로움과 두려움으로 힘들었던 화자의 유년 시절을 회상한 작품이다. 1연에서 화자는 혼자 집에서 숙제를 하며 시장에 간 엄마를 기다리고 있다. 그런데 2연을 보면 1연의 모습은 현재 상황이 아니라 어른이 된 화자가 떠올리고 있는 과거 상황임을 알 수 있다. 즉 화자는 현재 어른이 되었으며 자신의 유년 시절을 회상하고 있다.

바로 확인

이 시에 나타난 화자의 정서로 적절한 것은?

① 어린아이인 화자가 자신의 앞날을 생각하며 걱정하고 있다.

② 어른이 된 화자가 자신의 어린 시절을 떠올리며 안타까워하고 있다.

③ 어른이 된 화자가 자신이 어렸을 때 돌아가신 어머니를 그리워하고 있다.

답 | ②

4 화자의 태도

뜻 화자가 자신이 처한 상황이나 대상에 대해 갖는 ❶ [ ].

특징
- 시의 분위기나 시어, 말투 등을 통해 태도를 미루어 알 수 있음.
- 화자가 자신을 대하는 태도는 반성, 성찰 등으로 드러남.
- 화자가 대상을 대하는 태도는 예찬, 감탄, 연민, 희생, 비판 등으로 드러남.

예

시구		화자의 태도
내 말은 때가 묻어 천지와 귀신을 감동시키지 못하는데 – 정희성, 〈민지의 꽃〉에서	➡	❷ [ ]
가야 할 때가 언제인가를 분명히 알고 가는 이의 / 뒷모습은 얼마나 아름다운가. – 이형기, 〈낙화〉에서	➡	예찬
메뚜기가 없다! // 오 이 불길한 고요— / 생명의 황금 고리가 끊어졌느니…… – 정호승, 〈들판이 적막하다〉에서	➡	비판

❶ 자세 ❷ 반성

바로 확인

( ) 안에 들어갈 알맞은 말을 고르시오.

맑은 가을이 (중략)
이 땅 밑까지 내려오는 날
발길에 눌려 우는 내 울음도
누군가의 가슴에 실려 가는 노래
일 수 있을까.

– 나희덕, 〈귀뚜라미〉에서

➡ '나'는 자신의 울음소리가 누군가에게 감동을 주는 노래가 될 것임을 (포기 , 소망)하고 있다.

답 | 소망

작품으로 개념 확인 나룻배와 행인 | 한용운

(천재(박), 교학사)

나는 나룻배 / 당신은 행인.
화자, '나룻배'에 비유됨. 화자가 기다리는 이, '행인'에 비유됨.

당신은 흙발로 나를 짓밟습니다. / 나는 당신을 안고 물을 건너갑니다.
'나'에 대한 '당신'의 무정한 태도 '당신'에 대한 '나'의 헌신적 태도
나는 당신을 안으면 깊으나 옅으나 급한 여울이나 건너갑니다.
'당신'을 소중하게 여기는 '나'의 태도

만일 당신이 아니 오시면 나는 바람을 쐬고 눈비를 맞으며 밤에서 낮까지 당신을 기다리고 있습니다.
'당신'에 대한 '나'의 헌신적 기다림

당신은 물만 건너면 나를 돌아보지도 않고 가십니다그려.
'나'에 대한 '당신'의 무정한 태도
그러나 당신이 언제든지 오실 줄만은 알아요.
'당신'에 대한 '나'의 절대적인 믿음
나는 당신을 기다리면서 날마다 날마다 낡아 갑니다.

나는 나룻배 / 당신은 행인.

» 이 시는 '당신'에 대한 '나'의 희생과 믿음을 통해 참된 사랑의 의미에 대해 노래한 작품이다. 화자인 '나'는 나룻배로, 행인인 '당신'을 기다리다가 '당신'이 오면 강을 건너가 준다. 이 과정에서 '나'는 '당신'의 무정하고 무심한 태도를 기꺼이 견뎌 낸다. 또한 '당신'이 언제든 올 것이라 굳게 믿으며, 자신이 낡아 가더라도 '당신'을 기다리겠다는 헌신적 태도를 보이고 있다.

바로 확인

이 시에 나타난 화자의 태도로 적절한 것은?

① 무심한 '당신'이 오지 않을 것이라고 절망하고 있다.

② '당신'을 위해 헌신하는 태도로 '당신'을 기다리고 있다.

③ '당신'의 희생과 헌신을 예찬하며 '당신'이 올 것을 굳게 믿고 있다.

답 | ②

5 서술자, 시점

	서술자	시점
뜻	❶ [　　] 에서 작가를 대신하여 독자에게 이야기를 전달하는 이.	인물이나 사건을 바라보는 서술자의 관점.
특징	• 등장인물의 행동과 심리, 사건 진행 상황 등을 전달함. • 작품 속 상황을 전달하는 이로 작가와는 다른 존재임. • 서술자에 따라 작품의 분위기나 내용이 달라질 수 있음.	• ❷ [　　] 의 위치(이야기 안 또는 이야기 밖)와 서술하는 범위에 따라 시점이 달라짐. • 작가는 작품의 주제를 가장 효과적으로 전달할 수 있는 방식으로 시점을 결정함.

예

소설의 한 장면		서술자의 역할		시점
흐리고 비 오는 하늘은 어둠침침하게 벌써 황혼에 가까운 듯하다. 창경원 앞까지 다다라서야 그는 턱에 닿은 숨을 돌리고 걸음도 늦추잡았다. 한 걸음, 두 걸음 집이 가까워 갈수록 그의 마음조차 괴상하게 누그러졌다. – 현진건, 〈운수 좋은 날〉에서	➡	① 사건이 벌어지고 있는 배경을 묘사하고 있음. ② 등장인물의 행동을 서술하고 있음. ③ 등장인물의 심리를 서술하고 있음.	➡	3인칭 전지적 시점

❶ 소설 ❷ 서술자

바로 확인

㉠, ㉡에 들어갈 알맞은 말을 쓰시오.

이 어사는 춘향의 마음을 떠보려고 짐짓 한번 다그쳐 보는 것인데, 춘향은 어이가 없고 기가 콱 막힌다. – 〈춘향전〉에서	➡	이 글의 (㉠)는 이야기 밖에서 춘향이라는 인물의 (㉡)를 독자에게 전달하고 있다.

답 | ㉠: 서술자 ㉡: 심리

작품으로 개념 확인 **동백꽃** | 김유정 (천재(노), 천재(박), 교학사, 금성, 미래엔)

* (나)는 (가)의 서술자를 바꾸어서 다시 씀.

(가) "느 집엔 이거 없지?" 하고 생색 있는 큰소리를 하고는 제가 준 것을 남이 알면 큰일 날 테니 여기서 얼른 먹어 버리란다. 그리고 또 하는 소리가

"너 봄 감자가 맛있단다." / "난 감자 안 먹는다. 니나 먹어라."

나는 고개도 돌리려 하지 않고(서술자인 '나'가 이야기 안에 등장함.) 일하던 손으로 그 감자를 도로 어깨 너머로 쑥 밀어 버렸다. / 그랬더니 그래도 가는 기색이 없고, 그뿐만 아니라 쌔근쌔근하고 심상치 않게 숨소리가 점점 거칠어진다. 이건 또 뭐야 싶어서 그때에야 비로소 돌아다보니 나는 참으로 놀랐다.(서술자인 '나'의 심리가 나타남.)

(나) "느 집엔 이거 없지?" 하고 생색 있는 큰소리를 하고는 점순이는 순돌이에게 자기가 준 것을 남이 알면 큰일 날 테니 얼른 먹어 버리라고 말한다.(이야기 안에 등장하지 않는 서술자가 등장인물의 말과 행동을 서술함.) 그리고 또 하는 소리가 / "너 봄 감자가 맛있단다." / "난 감자 안 먹는다. 니나 먹어라."

순돌이는 점순이의 말에 자존심이 상하여(순돌이의 심리가 나타남.) 고개도 돌리지 않은 채 일하던 손으로 그 감자를 도로 어깨 너머로 쑥 밀어 버렸다. 점순이는 자신의 호의가 거절당하자 몹시 화가 났다.(점순이의 심리가 나타남.)

» (가)는 서술자인 '나'가 이야기에 등장하여 자신의 속마음을 서술하고 있으며, (나)는 이야기에 등장하지 않는 서술자가 순돌이((가)의 '나'에 해당)와 점순이의 속마음을 서술하고 있다. 따라서 (가)는 1인칭 주인공 시점, (나)는 3인칭 전지적 시점이다.

바로 확인

(가)와 (나)의 서술자를 바르게 비교하지 않은 것은?

① (가)와 (나)는 동일한 사건을 시점을 달리하여 서술하고 있다.
② (가)와 (나)는 서술자가 자신의 속마음을 상세하게 나타내고 있다.
③ (가)는 서술자가 이야기 안에, (나)는 서술자가 이야기 밖에 위치하고 있다.

답 | ②

6 1인칭 주인공 시점

뜻 '나'가 이야기 안의 주인공으로 자신이 겪은 사건을 직접 서술하는 시점.

특징
- 주인공이자 ❶ [　　　] 인 '나'의 심리를 효과적으로 나타냄.
- 주인공이 경험한 것만 서술할 수 있으므로 다른 등장인물의 ❷ [　　　] 는 직접적으로 서술할 수 없음.
- 인물이나 사건에 대한 설명이 서술자인 '나'의 관점으로 제한됨.

예

소설의 한 장면		서술상 특징
그런데 이놈의 계집애(점순이)가 까닭 없이 기를 복복 쓰며 나(주인공이자 서술자)를 말려 죽이려고 드는 것이다. – 김유정, 〈동백꽃〉에서	➡	① 주인공이며 서술자인 '나'가 자신의 심리를 나타내고 있음. ② '나'는 점순이의 심리를 정확하게 파악하지 못하고 있음. ③ '나'는 점순이의 행동을 자신의 관점에서 서술하고 있음.

❶ 서술자 ❷ 심리

서술자인 '나'의 특성, '나'의 성격 등이 소설의 내용이나 분위기에 미치는 영향을 생각하면 서술자를 설정한 효과를 알 수 있겠구나.

바로 확인

㉠에 공통으로 들어갈 알맞은 말을 쓰시오.

- 1인칭 주인공 시점의 서술자인 '나'는 이야기 안에 (㉠)으로 등장하여 사건을 이끌어 간다.
- 1인칭 (㉠) 시점의 서술자는 자신이 직접 경험한 것만 전달할 수 있기 때문에 서술 내용에 제한이 따른다.

답 | 주인공

작품으로 개념 확인 **동백꽃** | 김유정 (천재(노), 천재(박), 교학사, 금성, 미래엔)

설혹 주는 감자를 안 받아먹은 것이 실례라 하면, 주면 그냥 주었지 "느 집엔 이거 없지?"는 다 뭐냐. [그렇잖아도 즈이는 마름이고 우리는 그 손에서 배재를 얻어 땅을 부치므로 일상 굽실거린다. 우리가 이 마을에 처음 들어와 집이 없어서 곤란으로 지낼 제, 집터를 빌리고 그 위에 집을 또 짓도록 마련해 준 것도 점순네의 호의였다. 그리고 우리 어머니, 아버지도 농사 때 양식이 달리면 점순네한테 가서 부지런히 꾸어다 먹으면서 인품 그런 집은 다시없으리라고 침이 마르도록 칭찬하곤 하는 것이다. 그러면서도 열일곱씩이나 된 것들이 수군수군하고 붙어 다니면 동리의 소문이 사납다고 주의를 시켜 준 것도 또 어머니였다. 왜냐하면 내가 점순이하고 일을 저질렀다가는 점순네가 노할 것이고, 그러면 우리는 땅도 떨어지고 집도 내쫓기고 하지 않으면 안 되는 까닭이었다.]

점순이의 말에 '나'가 자존심이 상함. – 감자를 거절한 이유

마름: 땅 주인을 대신하여 소작권을 관리하는 사람.

배재: 마름과 소작인이 주고받은 소작권 위임 문서.

[ ]: '나'의 집안 사정, 소작인이어서 마름인 점순네의 눈치를 봐야 함.

'나'가 점순이가 준 감자를 거절하게 된 이유에 해당하는 상황

그런데 이놈의 계집애가 까닭 없이 기를 복복 쓰며 나를 말려 죽이려고 드는 것이다.

점순이의 행동을 이해하지 못하는 '나'

» 이 장면에서 '나'는 점순이가 준 감자를 거절한 이유를 서술하고 있다. 점순이의 말에 자존심이 상한 '나'의 마음이 드러나 있으며, 마름인 점순네의 눈치를 보며 사는 소작인의 아들인 '나'의 사정도 드러나 있다. 이처럼 1인칭 주인공 시점은 주인공이 서술자이기 때문에 주인공의 속마음과 주인공의 사정에 대해 자세하게 서술할 수 있다는 특징이 있다.

바로 **확인**

이 글의 서술자에 대한 설명으로 적절하지 않은 것은?

① 이야기 안에 등장하는 인물로 자신의 이야기를 서술한다.

② 자신의 내면 심리와 자신이 처한 상황을 솔직하게 드러낸다.

③ 점순이나 어머니 등 다른 등장인물의 속마음을 정확하게 전달한다.

답 | ③

작품으로 개념 확인 일가 | 공선옥

(비상)

["내가 내 외로움 때문에 울 때는 아직 그가 덜 컸다는 증거
서술자 [ ]: '나'가 당숙(아저씨)의 외로움에 공감하며 떠올린 국어 선생님의 말
고 나와 상관없는 남의 외로움 때문에 울 수 있다면 이미 그가 다 컸다는 것을 의미한다. 그는 이제 더 이상 어린애가 아니다."]

선생님이 그 말을 할 때는 무슨 뜻인 줄 정말 몰랐다. 그러나 나는 어둠 속에서 벽에 등을 기대고 앉아 있을 때 알게 되었다. 작년 이맘때 나는 미옥이 때문에 울었다. (작년: '나' 자신의 외로움 때문에 욺.) 그러나 지금 나는 나의 일가, 나의 당숙 때문에 울고 있는 나를 종종 발견하게 된다. (주인공인 '나'의 정신적 성장이 '나'의 서술을 통해 잘 드러남.) 미옥이를 생각하며 울 때는 미옥이가 내 마음을 알아주지 않은 게 원통해서 울었던 것임을 나는 알고 있다. 그런데 지금 이 눈물은 왜 나오는 것일까. 이것도 나중에 저절로 알아지는 눈물일까. 그것은 아직 알 수 없었다. 다만, 한 가지 내가 알 수 있는 것은 어떤 한 사람의 외로움이 이제사 내게로 전해져 왔다는 것뿐. (현재: 남인 당숙(아저씨)의 외로움 때문에 욺.) 나는 이제 열일곱 살이다. 더는 어린애가 아닌 것이다.

» 이 장면에서 '나'는 '나'의 당숙(아저씨, 아버지의 사촌 형제) 때문에 울고 있는 자신의 모습을 선생님의 말과 연결 지어 서술하고 있다. '나'는 자신과 상관없는 남인 당숙의 외로움을 느낄 수 있을 정도로 자신이 어른으로 성장했음을 깨닫고 있다. '나'의 가족과 당숙 사이에서 일어난 사건이 아직 미숙한 청소년인 '나'에게 미친 영향이 1인칭 주인공 시점의 서술을 통해 독자에게 잘 전달되고 있다.

바로 확인

이 글의 서술자에 대한 설명으로 가장 적절한 것은?

① 이야기 밖에서 주인공인 '나'의 행동을 관찰하여 전하고 있다.
② 이야기 밖에서 당숙의 심리를 모두 알고 독자에게 전하고 있다.
③ 이야기 안의 등장인물인 '나'로 자신의 내면 심리를 서술하고 있다.

답 | ③

작품으로 개념 확인

내가 그린 히말라야시다 그림 | 성석제 (미래엔, 지학사)

소나뭇과의 개잎갈나무.

가 1 → 서술자인 '나'가 자신의 내면을 서술하고 있음.

우리는 주최 측이 확인 도장을 찍어서 준 도화지를 한 장씩 받아서 그림을 그리기 위해 여기저기로 흩어졌지. 그런데 내 뒤에서 그림을 그리던 녀석, [옷도 지저분하고 검정 고무신을 신은 데다 간장 냄새가 나던 녀석]이 기억에 오래 남았어. 그 냄새며 꼴이 싫어서 자리를 옮기려고 했지만 이미 노란색 크레파스로 그 앞의 나무와 갈색 나무 교사의 밑그림을 그린 뒤라서 그럴 수도 없었어.

서술자가 과거를 회상하고 있음이 나타남.

[ ]: 0의 서술자에 대해 자신의 관점에서 서술하고 있음.

나 0 → 서술자인 '나'가 자신의 내면을 서술하고 있음.

내 앞에는 언제부터인가 여자아이가 두 명 앉아 있었어. 한 아이는 낯이 익었어. 같은 반을 한 적은 없지만, 천수기 선생님하고 같이 가는 걸 몇 번 본 적이 있었지. [자주색 원피스에 검정 에나멜 구두를 신고 있었고 머리에 푸른 구슬 리본을 매고 있는데 무척 얼굴이 희고 예뻤지. 나하고 한 반이었다고 해도 나 같은 촌뜨기에게는 말을 걸지도 않았겠지.]

[ ]: 1의 서술자에 대해 자신의 관점에서 서술하고 있음.

» 이 장면에서는 초등학교 4학년 때 사생 대회에 참가한 두 명의 인물이 각자 자신의 관점에서 상대방을 서술하고 있다. 1의 서술자인 '나'는 자신의 뒤에서 그림을 그리던 0의 서술자를 지저분하고 냄새가 났던 아이로 서술하고 있다. 0의 서술자인 '나'는 1의 서술자를 얼굴이 희고 예쁘며 자신에게는 말도 걸지 않았을 도도한 아이로 서술하고 있다.

바로 확인

이 글에 대한 설명으로 적절하지 않은 것은?

① 두 명의 서술자가 각각 자신의 내면을 서술하고 있다.

② 이야기 밖의 서술자가 등장인물의 심리를 상세하게 서술하고 있다.

③ 두 명의 서술자는 상대방의 모습에 대해 자신의 관점에서 서술하고 있다.

답 | ②

7 1인칭 관찰자 시점

뜻 이야기 안의 '❶ ____'가 주인공을 관찰하며 이야기를 서술하는 시점.

특징
- 서술자인 '나'는 이야기의 주인공이 아니며 자신이 ❷ ____한 것을 독자에게 전달함.
- 인물이나 사건에 대한 설명이 서술자인 '나'의 관점으로 제한됨.
- 주인공의 심리가 정확하게 드러나지 않음. → 독자의 상상력을 자극함.

예

소설의 한 장면		서술상 특징
(해방 전에 뼘박 박 선생님은, 덴노헤이까는 우리 조선 사람들을 일본 사람들과 같이 사랑하고, 우리 조선 사람들이 잘 살기를 근심하신다고 늘 가르쳐 주곤 했다.) 뼘박 박 선생님은 미국에는 덴노헤이까는 없고, 덴노헤이까보다 훌륭한 '돌멩이'라는 양반이 있다고 대답했다. – 채만식, 〈이상한 선생님〉에서	➡	① 서술자인 '나'가 주인공인 '뼘박 박 선생님'에 대해 서술함. ② 어린 학생인 '나'는 일본을 찬양하던 '뼘박 박 선생님'이 갑자기 미국을 찬양하는 이유를 알아차리지 못함.

❶ 나 ❷ 관찰

바로 확인

시점과 그에 대한 설명을 바르게 연결하시오.

(1) 1인칭 주인공 시점 •   • ㉠ 자신이 겪은 사건과 자신의 심리를 독자에게 전달함.

(2) 1인칭 관찰자 시점 •   • ㉡ 자신이 주인공에 대해 관찰한 것을 독자에게 전달함.

답 | (1) ㉠ (2) ㉡

작품으로 개념 확인 **사랑손님과 어머니** | 주요섭 (동아, 창비)

"응, 이 꽃! 저, 사랑 아저씨가 엄마 갖다 주라구 줘."
옥희의 거짓말
하고 불쑥 말했습니다. 그런 거짓말이 어디서 그렇게 툭 튀어나왔는지 나도 모르지요.

꽃을 들고 냄새를 맡고 있던 어머니는 내 말이 끝나기가 무섭게 무엇에 몹시 놀란 사람처럼 화닥닥하였습니다. 그러고는 금시에 어머니 얼굴이 그 꽃보다도 더 빨갛게 되었습니다.
옥희의 눈에 비친 어머니의 모습과 행동
그 꽃을 든 어머니 손가락이 파르르 떠는 것을 나는 보았습니다. 어머니는 무슨 무서운 것을 생각하는 듯이 방 안을 휘 한번 둘러보시더니,

"옥희야, 그런 걸 받아 오문 안 돼."

하고 말하는 목소리는 몹시 떨렸습니다. 나는 꽃을 그렇게도 좋아하는 어머니가 이 꽃을 받고 그처럼 성을 낼 줄은 참으로 뜻밖이었습니다.
옥희가 생각한 어머니의 심리 → 어린아이인 서술자의 인식의 한계
어머니가 그렇게도 성을 내는 것을 보니까 그 꽃을 내가 가져왔다고 그러지 않고 아저씨가 주더라고 거짓말을 한 것이 참 잘되었다고 나는 속으로 생각했습니다.

» 이 장면은 옥희가 어머니에게 꽃을 주며 사랑 아저씨가 주었다고 거짓말을 하는 부분이다. 사랑 아저씨가 주었다는 꽃을 받은 어머니의 모습과 행동, 심리 등이 어린아이인 옥희의 눈을 통해 서술되고 있어 독자는 어머니의 속마음을 정확하게 파악할 수 없게 된다. 이에 따라 독자는 옥희의 서술이 아니라 자신이 직접 어머니의 속마음을 적극적으로 파악하며 읽게 된다.

바로 확인

이 글의 서술자에 대한 설명으로 적절하지 않은 것은?

① 서술자가 주인공의 속마음을 정확히 알고 독자에게 전달한다.
② 서술자가 주인공의 외양과 행동을 관찰하여 독자에게 전달한다.
③ 서술자가 주인공에 대한 자신의 주관적 판단을 독자에게 전달한다.

답 | ①

8 3인칭 전지적 시점

뜻 이야기 ❶ ☐ 의 서술자가 등장인물의 행동뿐만 아니라 심리까지 서술하는 시점.

특징
- 서술자가 인물의 행동이나 사건의 의미를 모두 알고 서술함.
- 서술자가 인물의 속마음과 과거부터 현재까지 사건에 대한 모든 정보를 전달하여 독자의 ❷ ☐ 이 제한되기도 함.

예

소설의 한 장면		서술상 특징
흥부는 형을 만나기도 전에 예전에 맞던 생각을 하니 겁이 저절로 났다. 온몸을 떨며 공손히 마루 아래에 서서 두 손을 마주 잡고 절하며 문안을 드린다. 이럴 때 다른 사람 같으면 와락 뛰어 내려와서 부축하여 올라가며 이렇게 위로했을 것이다. (중략) 그러나 놀부는 워낙 도리는 모르는 놈이라 흥부가 곡식이나 돈을 구걸하러 온 것인 줄 지레짐작하고 못 본 체 딴청을 피운다. – 〈흥부전〉에서	➡	① 서술자가 이야기 안에 나타나지 않음.('나'가 없음.) ② 형을 겁내고 있는 흥부의 심리를 서술하고 있음. ③ 서술자가 놀부의 행동을 평가하여 비판하고 있음.

❶ 밖 ❷ 상상력

이야기 밖의 서술자가 사건의 진행 상황과 등장인물의 심리까지 모두 알려 주는 시점은 3인칭 전지적 시점!

바로 확인

㉠, ㉡에 들어갈 알맞은 말을 쓰시오.

- 3인칭 전지적 시점은 이야기에 등장하는 여러 인물들의 말과 행동뿐만 아니라 (㉠)까지 나타낼 수 있다.
- 3인칭 전지적 시점의 서술자는 때로는 인물의 (㉡)이나 사건이 지닌 의미를 해설하기도 한다.

답 | ㉠: 심리 ㉡: 행동

작품으로 개념 확인

홍길동전 | 허균

(교학사, 금성)

이러한 조정의 움직임을 길동은 모두 예견하고 있었다. (중략) 길동이 남대문
서술자의 서술을 통해 등장인물인 홍길동의 심리가 나타남.
안에 당도하자 좌우의 포수가 명령에 따라 일시에 총을 쏘았다. 하지만 때 아닌 폭우가 갑자기 쏟아지는 바람에 총구에 물이 가득하여 총질조차 할 수 없었다. 길
길동의 도술 때문에
동을 향해 총 한 번 겨눠 보지 못한 채, 길동을 태운 수레는 대궐문 앞에 이르렀다. 길동이 호송하는 군사들에게 말하였다.

"너희는 나를 여기까지 성공적으로 압송하였으니, 이제 내가 간다 해도 처벌을
자신을 호송하는 군사들을 배려한 길동의 마음이 나타남.
받아 죽는 일은 없을 것이다."

순식간에 몸을 날려 수레를 깨뜨리고는 수레에서 내려와 천천히 걸어 나갔다. 정예 기병들이 말을 달려 길동을 쏘려 하였다. 하
군사들이 길동을 잡지 못할 것이라는 서술자의 해설이 나타남.(서술자의 개입)
지만 말을 아무리 채찍질한들 축지법을 써서 달아
→ 길동이 축지법을 쓰기 때문에
나는 길동을 어찌 잡을 수 있겠는가? 성안의 모든 백성들은 그 신기한 술법에 그저 놀랄 뿐이었다.

» 이 장면에는 수레에 실려 조정으로 압송되던 길동이 도술을 부려 탈출하는 사건이 나타나 있다. 길동이 조정의 움직임을 모두 예견하고 있었다는 내용, 군사들이 탈출하는 길동을 잡지 못하는 이유 등 인물의 심리와 사건의 정황을 서술자가 모두 알고 독자에게 전달하고 있다. 특히 서술자가 작중 상황에 대해 의견을 밝히는 서술자의 개입은 3인칭 전지적 시점에서만 나타나는 특징에 해당한다.

바로 확인

이 글의 서술자에 대한 설명으로 적절하지 않은 것은?

① 서술자가 등장인물인 홍길동의 뛰어난 성품을 직접 예찬하고 있다.
② 조정의 움직임을 예견하고 있었던 홍길동의 심리를 보여 주고 있다.
③ 군사들이 홍길동을 잡지 못하는 이유를 해설하여 독자에게 전달하고 있다.

답 | ①

9 3인칭 관찰자 시점

뜻 이야기 밖의 서술자가 등장인물의 행동이나 사건 등을 ❶ [ ] 하여 이야기를 서술하는 시점.

특징

- 인물과 사건의 모습을 ❷ [ ] 으로 드러냄. → 인물의 심리는 알지 못하고 겉모습이나 행동만 알 수 있음.
- 인물의 심리나 사건 전개를 독자가 적극적으로 상상하게 됨.

예

소설의 한 장면		서술상 특징
이날은 소녀가 징검다리 한가운데 앉아 세수를 하고 있었다. 분홍 스웨터 소매를 걷어 올린 팔과 목덜미가 마냥 희었다. 한참 세수를 하고 나더니, 이번에는 물속을 빤히 들여다본다. - 황순원, 〈소나기〉에서	➡	① 서술자가 이야기 안에 나타나지 않음.('나'가 없음.) ② 등장인물인 소녀의 행동을 관찰하듯이 서술함.

❶ 관찰 ❷ 객관적

이야기 밖의 서술자가 등장인물이 겪는 일을 객관적으로 본 대로만 전달하는 시점은 3인칭 관찰자 시점!

바로 확인

( ) 안에 들어갈 알맞은 말을 각각 고르시오.

> 3인칭 관찰자 시점은 (이야기 안 , 이야기 밖)의 서술자가 등장인물의 행동이나 사건을 서술하는데, 등장인물의 심리를 직접 (제시한다 , 제시하지 않는다)는 특징이 있다.

답 | 이야기 밖, 제시하지 않는다

작품으로 개념 확인 소나기 | 황순원

(천재(박), 미래엔)

무명 겹저고리를 벗어 소녀의 어깨를 싸 주었다. 소녀는 비에 젖은 눈을 들어 한 번 쳐다보았을 뿐, 소년이 하는 대로 잠자코 있었다. 그러면서 안고 온 꽃묶음 속에서 가지가 꺾이고 꽃이 일그러진 송이를 골라 발밑에 버린다.

(소녀를 위하는 소년의 행동)

소녀가 들어선 곳도 비가 새기 시작했다. 더 거기서 비를 그을 수 없었다.

밖을 내다보던 소년이 무엇을 생각했는지 수수밭 쪽으로 달려간다. 세워 놓은 수숫단 속을 비집어 보더니, 옆의 수숫단을 날라다 덧세운다. 다시 속을 비집어 본다. 그러고는 소녀 쪽을 향해 손짓을 한다. / 수숫단 속은 비는 안 새었다. 그저 어둡고 좁은 게 안됐다. 앞에 나앉은 소년은 그냥 비를 맞아야만 했다. 그런 소년의 어깨에서 김이 올랐다.

(소년의 심리가 나타나지 않음. → 3인칭 관찰자 시점의 특징)

소녀가 속삭이듯이, 이리 들어와 앉으라고 했다. 괜찮다고 했다. 소녀가 다시, 들어와 앉으라고 했다.

(소년을 걱정하는 소녀의 마음이 나타남.)

» 이 장면은 소년이 원두막에서 비를 맞는 소녀를 위해 무명 겹저고리를 벗어 주고, 수숫단으로 비를 피할 수 있는 공간을 만들어 주는 부분이다. 서술자는 이야기 밖에 있어 등장인물로 나타나지 않는다. 또한 '소년이 무엇을 생각했는지' 등의 표현을 볼 때 인물의 심리를 서술하지 않은 채 인물들의 말과 행동만을 제시하고 있다.

바로 확인

이 글의 서술상 특징으로 적절한 것은?

① 서술자가 이야기 안에 주인공으로 등장하여 사건을 이끌어 가고 있다.

② 서술자가 소년과 소녀의 순수하고 풋풋한 심리를 상세히 묘사하고 있다.

③ 서술자가 등장인물의 말과 행동을 관찰하듯이 객관적으로 서술하고 있다.

답 | ③

10 운율

뜻 ❶ [   ]를 읽을 때 느껴지는 말의 가락.

특징
- 같거나 비슷한 소리, 시어나 시구, 문장 구조를 반복하면 생김.
- 일정한 글자 ❷ [   ]를 반복하거나 끊어 읽는 마디(음보)를 반복하면 생김.
- 의성어나 의태어를 사용하면 생김.

예

시구		운율
나의 사랑, 나의 결별		'나의'라는 같은 시어의 반복
그립다 / 말을 할까 / 하니 그리워 (7글자) (5글자) 그냥 갈까 / 그래도 / 다시 더 한 번 … (음보) (음보) (음보)	➡	① 7글자+5글자의 글자 수 반복 ② 3개의 소리 마디의 끊어 읽기 반복
풀잎에도 상처가 있다 꽃잎에도 상처가 있다		'~에도 상처가 있다'라는 문장 구조의 반복

❶ 시 ❷ 수

운율을 만드는
기본 조건은 소리의 규칙적인
반복인 것 알지?

바로 확인

운율을 형성하기 위한 방법이 아닌 것을 고르시오.

ㄱ. 같은 단어를 되풀이한다.
ㄴ. 색깔을 나타내는 시어를 사용한다.
ㄷ. 같거나 비슷한 문장 구조를 되풀이한다.

답 | ㄴ

작품으로 개념 확인 **진달래꽃** | 김소월 (동아, 지학사)

나 보기가∨역겨워∨ → 전체적으로 세 마디의 끊어 읽기가 나타남.

가실 때에는∨

말없이∨고이 보내∨드리우리다.∨

1, 2, 4연에서 '-우리다'를 반복함.

영변에 약산 / 진달래꽃

아름 따다 가실 길에 뿌리우리다.

가시는 걸음걸음 / 놓인 그 꽃을

7글자와 5글자의 글자 수를 반복하여 운율을 형성함.

사뿐히 즈려밟고 가시옵소서.

[나 보기가 역겨워 / 가실 때에는

[ ]: 1연과 비슷한 형태를 반복함.(수미상관)

죽어도 아니 눈물 흘리우리다.]

반어: 너무 슬퍼서 눈물을 흘릴 것이라는 속마음을 강조함.

» 이 시는 사랑하는 이와의 이별을 가정한 후 사랑하는 이를 순순히 떠나보내려는 화자의 안타까운 마음을 노래하고 있는 작품이다. 이 시는 3음보의 반복과 7자·5자의 반복, '-우리다'의 반복 등을 통해 운율을 형성하고 있다. 또한 1연의 내용을 4연에서 반복하여 사용하는 '수미상관'을 통해서도 운율을 형성하고 시에 구조적 안정감도 주고 있다.

바로 확인

이 시에 나타난 운율 형성 방법으로 적절하지 않은 것은?

① '7자·5자'라는 일정한 글자 수의 반복

② '3음보'라는 일정한 끊어 읽기의 반복

③ '~ 밟고 ~ 옵소서'라는 동일한 문장 구조의 반복

답 | ③

작품으로 개념 확인 　**별** | 정진규

(동아)

별들의 바탕은 어둠이 마땅하다 　□: 시어를 반복하여 운율이 느껴짐.
어두워야만 별을 볼 수 있기 때문에
대낮에는 보이지 않는다

지금 대낮인 사람들은
현실이 힘들지 않은 사람들, 현실에 만족하며 살아가는 사람들
별들이 보이지 않는다
굳이 별을 볼 필요가 없음. 희망이나 소망을 가질 필요가 없음.
지금 어둠인 사람들에게만
힘들고 고달픈 사람들, 슬픔과 절망에 찬 사람들
별들이 보인다
힘든 현실을 이겨내기 위해 희망을 품고 미래에 대한 꿈을 꿈.
지금 어둠인 사람들만

별들을 낳을 수 있다
희망과 꿈을 이야기하고 이를 현실로 이루어 낼 수 있음.

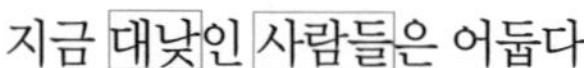
지금 대낮인 사람들은 어둡다
역설-희망을 볼 수 없는 사람들이 더 불행함.

» 이 시는 어두워야 볼 수 있는 별을 통해 힘겹고 고달픈 삶을 살아가는 사람들에 대한 위로를 전하는 작품이다. 화자는 지금 어둠인 사람은 별을 볼 수 있는 것과 달리, 지금 대낮인 사람은 별을 볼 수 없다는 점에서 '지금 대낮인 사람들은 어둡다'라고 말하고 있다. 이는 대낮이 어둡다는 모순된 말로 현재의 삶에 안주하는 사람들은 그 이상의 삶에 대한 희망을 꿈꿀 수 없다는 진리를 전하는 역설적 표현이다. '별', '어둠', '대낮', '사람들', '지금 대낮인 사람들', '지금 어둠인 사람들', '보이지 않는다' 등을 반복하여 운율을 형성하고 있다.

바로 확인

이 시에 나타난 운율을 형성하는 방법이 아닌 것은?

① '별', '어둠'이라는 시어를 반복한다.

② 각 행에서 4자와 3자의 글자 수를 반복한다.

③ '지금 대낮인 사람들', '지금 어둠인 사람들'이라는 시구를 반복한다.

답 | ②

작품으로 개념 확인

새로운 길 | 윤동주

(금성)

내를 건너서 숲으로
고개를 넘어서 마을로

→ 1연과 5연의 반복(수미상관)

어제도 가고 오늘도 갈 / 나의 길 새로운 길

나: 화자 / 길: 인생의 길

민들레가 피고 까치가 날고 / 아가씨가 지나고 바람이 일고

'~이/가 ~고'의 비슷한 문장 구조의 반복

나의 길은 언제나 새로운 길
오늘도…… 내일도……

언제나 새로운 길을 가겠다는 화자의 의지

내를 건너서 숲으로
고개를 넘어서 마을로

» 이 시는 우리가 살아가야 할 인생의 길을 언제나 새로운 마음으로 걸으며 평화로운 곳에 다다르고자 하는 소망을 노래한 작품이다. 첫 연과 마지막 연이 반복되고 있으며, 시 전체에 '길', '로', '도' 등이 반복되고 있다. 또한 '민들레가 피고 까치가 날고' 등에서 비슷한 문장 구조가 반복되면서 운율을 형성하고 있다.

바로 확인

이 시에서 운율이 느껴지는 이유로 볼 수 없는 것은?

① 첫 연과 마지막 연이 반복된다.
② 첫 연의 첫 시행이 네 개의 음보로 끊어 읽힌다.
③ 동일한 시어와 시구, 비슷한 문장 구조가 반복된다.

답 | ②

11 반어

뜻 원래 표현하려는 내용을 실제 의미와 ❶ ______ 되는 말이나 상황으로 표현하는 방법.

특징
- 나타내고자 하는 의미를 반대로 표현함으로써 그 의미를 더 ❷ ______ 함.
- 상황에 따라 대상을 비꼬거나 비판할 수 있음.
  → 상황과 맥락에 따라 의미를 해석해야 함.

예
- (예쁜 손자에게) "우리 못난이!"

의미	효과
손자가 예쁘다는 것을 못난이라고 반대로 표현함.	손자가 예쁘다는 것을 강조함.

- (늦게 일어난 아들에게) "참 일찍도 일어났다."

의미	효과
아들이 늦게 일어난 것을 일찍 일어났다며 반대로 표현함.	아들이 늦게 일어난 것에 대한 비꼼의 의미를 나타냄.

❶ 반대 ❷ 강조

속마음과 반대로 말하면
더 효과적으로 강조할 수 있다고?

바로 확인

반어의 표현 방법이 사용된 것을 고르시오.

ㄱ. 엄마 안 오시네, 배춧잎 같은 발소리 타박타박
ㄴ. 당신은 물만 건너면 나를 돌아보지도 않고 가십니다그려.
ㄷ. 나 보기가 역겨워 / 가실 때에는 / 죽어도 아니 눈물 흘리우리다.

답 | ㄷ

작품으로 개념 확인

먼 후일 | 김소월

(천재(노), 천재(박), 교학사, 비상)

먼 훗날 당신이 찾으시면
화자는 임과의 재회를 가정하고 있음.
그때에 내 말이 '잊었노라'
화자는 '당신'에게 잊었다고 말하려 함.

당신이 속으로 나무라면

'무척 그리다가 잊었노라'
화자의 속마음을 일부 나타내고 있음.

그래도 당신이 나무라면

'믿기지 않아서 잊었노라'
'당신'과의 이별이 믿기지 않았다는 화자의 속마음을 일부 나타내고 있음.

오늘도 어제도 아니 잊고
화자가 '당신'을 잊지 않았음을 알 수 있음.
먼 훗날 그때에 '잊었노라'
화자가 '당신'에 대한 자신의 그리움을 강조하기 위해 반어로 표현함.

» 이 시는 사랑하는 임과 헤어진 화자가 먼 훗날 '당신'과 재회할 것을 가정하며 '당신'에 대한 그리움을 강조하여 나타내고 있는 작품이다. 1~4연에서 화자는 '당신'을 '잊었노라'라고 반복하여 말하고 있는데, 5연의 '오늘도 어제도 아니 잊고'라는 표현을 통해 실제 화자는 임을 잊지 않았음을 알 수 있다. 따라서 화자가 말하는 '잊었노라'는 자신의 속마음과 반대로 나타내어 그 의미를 강조하는 '반어법'을 사용한 것이다.

바로 **확인**

이 시의 화자가 '잊었노라'라고 말한 이유로 적절한 것은?

① 자신의 마음과 반대로 표현하여 '당신'을 잊지 않았음을 강조하기 위해
② 자신의 마음을 솔직하게 나타냄으로써 '당신'에 대한 미련을 없애기 위해
③ 자신의 마음을 있는 그대로 드러내어 '당신'을 원망하는 마음을 나타내기 위해

답 | ①

작품으로 개념 확인 **넌 바보다** | 신형건 (미래엔)

씹던 껌을 아무 데나 퉤, 뱉지 못하고

종이에 싸서 쓰레기통으로 달려가는 / 너는 참 바보다.
'너'의 바른 행동 □: 반어

개구멍으로 쏙 빠져나가면 금방일 것을

비잉 돌아 교문으로 다니는 / 너는 참 바보다.
'너'의 바른 행동

얼굴에 검댕 칠을 한 연탄장수 아저씨한테

쓸데없이 꾸벅, 인사하는 / 너는 참 바보다. (중략)
'너'의 바른 행동

바보라고 불러도 화내지 않고

씨익 웃어 버리고 마는 너는 / 정말 정말 바보다.
'너'의 너그럽고 따뜻한 마음씨

—그럼, 난 뭐냐?

그런 네가 좋아서 그림자처럼
화자의 속마음, '너는 바보다'가 반어임을 알 수 있음.

네 뒤를 졸졸 따라다니는 / 나는?

» 이 시는 '너'를 좋아하는 화자의 마음을 드러낸 작품이다. 1연에서 화자는 친구인 '너'의 긍정적 행동과 따뜻한 품성을 먼저 이야기한 후 '너는 참 바보다.', '너는 / 정말 정말 바보다.' 라고 말하고 있다. 2연에서는 그러한 '너'가 좋아 졸졸 따라다니는 자신의 속마음을 이야기함으로써 1연에서 반복된 '너는 ~ 바보다'가, 사실은 '너'를 긍정적으로 생각하는 화자의 마음을 반대로 표현한 반어임이 드러나고 있다.

바로 **확인**

'너는 참 바보다.'에 담긴 화자의 속마음으로 가장 적절한 것은?

① '너'의 바른 행동과 따뜻한 마음씨가 참 좋다.

② '너'의 융통성 없는 행동 때문에 네가 걱정된다.

③ '너'는 똑똑한 척하지만 사실은 바보 같은 면이 있다.

답 | ①

작품으로 개념 확인

운수 좋은 날 | 현진건

(천재(노))

이 환자가 그러고도 먹는 데는 물리지 않았다. 사흘 전부터 설렁탕 국물이 마시고 싶다고 남편을 졸랐다.

(이 환자: 김 첨지의 아내)

"이런! 조밥도 못 먹는 년이 설렁탕은, 또 처먹고 지랄병을 하게."라고 야단을 쳐 보았건만 못 사 주는 마음이 시원치는 않았다.

(못 사 주는 마음이 시원치는 않았다: 아내가 신경 쓰이는 김 첨지)

인제 설렁탕을 사 줄 수도 있다. 앓는 어미 곁에서 배고파 보채는 개똥이(세 살 먹이)에게 죽을 사 줄 수도 있다 — 팔십 전을 손에 쥔 김 첨지의 마음은 푼푼하였다. (중략)

(인제 설렁탕을 사 줄 수도 있다: 아내를 위하는 김 첨지의 마음 / 팔십 전: 김 첨지가 운수 좋게 아침부터 번 돈 / 푼푼하였다: 모자람 없이 넉넉하였다.)

산 사람의 눈에서 떨어진 닭똥 같은 눈물이 죽은 이의 뻣뻣한 얼굴을 어룽어룽 적신다. 문득 김 첨지는 미친 듯이 제 얼굴을 죽은 이의 얼굴에 한데 비비대며 중얼거렸다.

(산 사람: 김 첨지 / 죽은 이: 김 첨지의 아내 / 얼굴을 죽은 이의 얼굴에 한데 비비대며 중얼거렸다: 아내의 죽음을 맞은 김 첨지의 비통한 심정)

"설렁탕을 사다 놓았는데 왜 먹지를 못하니, 왜 먹지를 못하니? 괴상하게도 ㉠오늘은 운수가 좋더니만……."

(오늘은 운수가 좋더니만: 운수 좋은 날이 가장 운수 나쁜 날로 드러남.)

» 이 장면은 가난한 인력거꾼인 김 첨지가 돈을 연달아 번 하루 끝에 아내의 죽음이라는 비극적 사건을 맞게 되는 부분이다. 가난한 김 첨지가 아픈 아내에게 설렁탕을 사 줄 수 있을 정도로 돈을 많이 번 운수 좋은 날에 아내의 죽음을 맞이한다는 점에서 "오늘은 운수가 좋더니만……."이 반어임이 드러나고 있다. 즉 김 첨지에게 가장 운수가 좋지 않은 날을 작가는 '운수 좋은 날'이라고 반대로 표현한 것이다.

바로 확인

㉠에 쓰인 표현과 그 효과를 바르게 설명한 것은?

① 아내의 죽음이라는 비극을 강조하기 위해 반어를 사용하였다.

② 아내의 죽음을 애통해하는 김 첨지의 심정을 비유적으로 드러내었다.

③ 아내를 사랑하는 김 첨지의 마음을 강조하기 위해 역설을 사용하였다.

답 | ①

12 역설

뜻 겉보기에는 이치에 맞지 않지만 그 안에 어떤 ❶ ______ 을 담고 있는 표현 방법.

특징

- 논리적으로 모순된 표현을 통해 특정 의미를 ❷ ______ 함.
- 일반적인 상식과 맞지 않는 표현을 통해 독자가 그 의미를 스스로 생각하도록 함.
  상반된 어휘나 사물을 연결함.

예

- 엄마의 차가운 따뜻한 손
  뜻이 상반된 어휘

의미	효과
차가운 엄마의 손에는 따뜻한 엄마의 마음이 내포되어 있음.	엄마의 손에서 느낄 수 있는 따뜻한 마음을 강조함.

- 지는 것이 이기는 것이다.
  뜻이 상반된 어휘

의미	효과
상대에게 아량 있고 너그럽게 대하면서 양보하는 것이 결국 승리하는 일임.	남을 배려하며 양보하는 자세의 가치를 강조함.

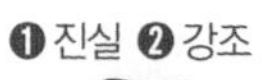

모순은 어떤 사실의 앞뒤 또는 두 사실이 이치에 어긋나서 서로 맞지 않는다는 뜻으로 쓰여.

바로 확인

㉠에 들어갈 알맞은 표현 방법을 쓰시오.

> "나뭇잎이 벌레 먹어서 예쁘다."에서 벌레 먹은 나뭇잎이 예쁘다는 것은 겉으로는 이치에 맞지 않는 모순된 표현을 통해 남에게 베푸는 삶의 가치를 강조하는 (㉠)법이 사용되었다.

답 | 역설

작품으로 개념 확인 독은 아름답다 | 함민복

(천재(박))

은행나무 열매에서 구린내가 난다
은행나무 열매에서 구린내가 난다는 일반적인 상식을 나타냄.
주의해 주세요 구린내가 향기롭다
구린내가 은행나무 열매를 보호하기 때문에 향기롭다고 말함. → 역설법

밤톨이 여물면서 밤송이가 따가워진다
밤송이에 날카로운 가시가 있다는 일반적인 상식을 나타냄.
㉠날카롭게 찌르는 가시가 너그럽다
밤송이의 가시가 밤톨을 보호하기 때문에 너그럽다고 말함. → 역설법

복어알을 먹으면 죽는다
복어에 독이 있다는 일반적인 상식을 나타냄.
복어의 독이 복어의 사랑이다
복어의 독이 복어의 알을 보호하고 있기 때문에 '사랑'이라고 말함. → 역설법

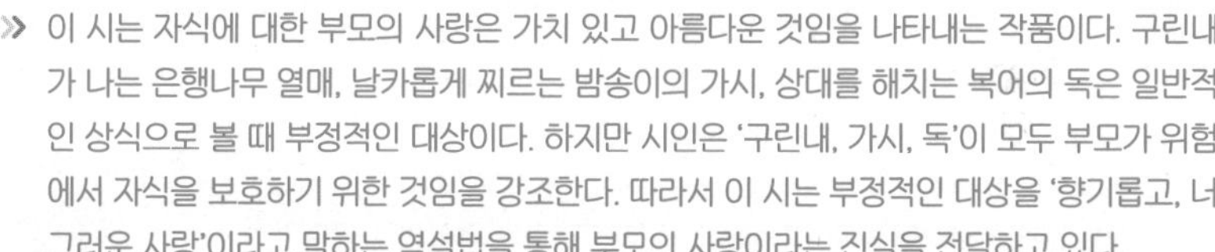

자식을 낳고 술을 끊은 친구가 있다
친구가 자식을 위해 술을 끊은 모습을 나타냄.
친구의 독한 마음이 아름답다
친구의 독한 마음은 자식을 위한 마음이므로 아름답다고 말함. → 역설법

» 이 시는 자식에 대한 부모의 사랑은 가치 있고 아름다운 것임을 나타내는 작품이다. 구린내가 나는 은행나무 열매, 날카롭게 찌르는 밤송이의 가시, 상대를 해치는 복어의 독은 일반적인 상식으로 볼 때 부정적인 대상이다. 하지만 시인은 '구린내, 가시, 독'이 모두 부모가 위험에서 자식을 보호하기 위한 것임을 강조한다. 따라서 이 시는 부정적인 대상을 '향기롭고, 너그러운 사랑'이라고 말하는 역설법을 통해 부모의 사랑이라는 진실을 전달하고 있다.

바로 확인

㉠에 대한 설명으로 적절하지 않은 것은?

① 모순된 표현을 통해 숨겨진 진실을 나타내는 역설이 사용되었다.
② 날카롭게 찌르는 가시가 너그럽다는 것은 이치에 맞지 않는 표현이다.
③ '밤송이의 가시'를 통해 인간을 위한 자연의 배려와 희생을 강조하고 있다.

답 | ③

작품으로 개념 확인

봄 길 | 정호승

(비상)

길이 끝나는 곳에서도 / 길이 있다
역설: 절망적인 상황에서도 그것을 극복할 방법이 있음을 강조함.
길이 끝나는 곳에서도 / 길이 되는 사람이 있다
역설: 절망적인 상황에서도 그것을 극복하기 위해 노력하는 사람이 있음을 강조함.
스스로 봄 길이 되어
희망의 공간
끝없이 걸어가는 사람이 있다

강물은 흐르다가 멈추고

새들은 날아가 돌아오지 않고

하늘과 땅 사이의 모든 꽃잎은 흩어져도

보라

㉠ 사랑이 끝난 곳에서도
역설: 사랑이 끝난 절망적인 상황에서도 사랑을 잃지 않는 사람이 있음.
사랑으로 남아 있는 사람이 있다

스스로 사랑이 되어

한없이 봄 길을 걸어가는 사람이 있다

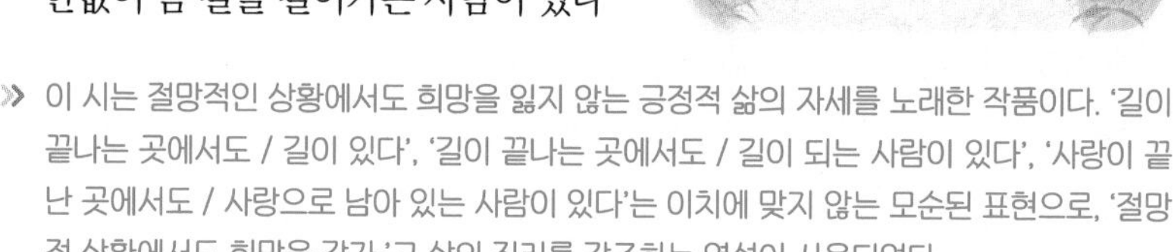

» 이 시는 절망적인 상황에서도 희망을 잃지 않는 긍정적 삶의 자세를 노래한 작품이다. '길이 끝나는 곳에서도 / 길이 있다', '길이 끝나는 곳에서도 / 길이 되는 사람이 있다', '사랑이 끝난 곳에서도 / 사랑으로 남아 있는 사람이 있다'는 이치에 맞지 않는 모순된 표현으로, '절망적 상황에서도 희망을 갖자.'고 삶의 진리를 강조하는 역설이 사용되었다.

바로 확인

㉠과 같은 표현 방법이 쓰이지 않은 것은?

① 이것은 소리 없는 아우성

② 흰 점 꽃이 인정스레 웃고

③ 날카롭게 찌르는 가시가 너그럽다

답 | ②

작품으로 개념 확인　낙화 | 이형기

(천재(노))

가야 할 때가 언제인가를

분명히 알고 가는 이의 / 뒷모습은 얼마나 아름다운가.
이별을 받아들이는 모습의 아름다움

봄 한철 / 격정을 인내한 / 나의 사랑은 지고 있다.
꽃이 지는 것을 사랑이 지고 있다고 표현함. → 낙화를 '이별'에 빗대고 있음.

분분한 낙화…… / ㉠결별이 이룩하는 축복에 싸여 / 지금은 가야 할 때,
역설: 결별(이별)을 통해 영혼의 성숙을 이룰 수 있으므로 '축복'이라고 표현함.

무성한 녹음과 그리고 / 머지않아 열매 맺는
꽃이 진 후에 맺는 결실
가을을 향하여

나의 청춘은 꽃답게 죽는다. (중략)
녹음과 열매를 위한 꽃의 희생
→ 이별은 내적 성숙을 위해 치러야 할 희생임.

나의 사랑, 나의 결별,

샘터에 물 고이듯 성숙하는 / 내 영혼의 슬픈 눈.
이별의 아픔을 통해 서서히 영혼이 성숙함.

» 이 시는 꽃이 떨어진 뒤 열매가 맺히는 자연 현상을 통해, 이별한 후 인간의 영혼이 더욱 성숙해질 수 있음을 노래한 작품이다. '결별이 이룩하는 축복'은 '결별'과 '축복'이라는 서로 모순되는 말을 결합한 역설적 표현으로, 이별이라는 아픈 체험이 영혼을 성숙하게 할 수 있다는 삶의 진리를 인상적으로 표현하고 있다.

㉠에 대한 설명으로 적절하지 않은 것은?

① 이별로 인한 아픔을 반어법으로 표현하고 있다.

② '이별을 통한 영혼의 성숙'이라는 의미를 내포한다.

③ '결별'이 '축복'을 이룩한다는 모순된 표현이 사용되었다.

답 | ①

작품으로 개념 확인

열보다 큰 아홉 | 이문구

(지학사)

역설: 완전한 것(열)보다 완전함을 향한 가능성(아홉)이 더 크다는 의미임.

우리의 조상들이 열보다 아홉을 더 사랑한 것은 무슨 까닭이었을까요? 간단히 말해서 모든 일에 완벽함을 기대하지 않았다는 뜻이 아니었을까요? 다시 말하면, 이 세상에 완전한 것은 없다는 사실을, 우리의 선조들은 아주 오랜 옛날부터 익히 알고 있었다는 것입니다. (중략)

조상들이 열보다 아홉을 더 사랑한 까닭

[열이란 수가 넘치지도 않고 모자라지도 않고, 또 조금도 여유가 없는 꽉 찬 수, 그래서 다음도 없고 다음다음도 없이 아주 끝나 버린 수]라는 점에서, 아홉은 열보다 많고, 열보다 크고, 열보다 높고, 열보다 깊고, 열보다 넓고, 열보다 멀고, 열보다 긴 수였으며, 그리하여 다음, 또 그다음, 그도 아니면 그 다음다음을 바라볼 수 있는, 미래의 꿈과 그 가능성의 수였기에, 슬기롭고 끈기 있는 우리의 선조들에게 일찍부터 열보다 열 배도 넘는 사랑을 담뿍 받아 왔던 것입니다.

[ ]: 열이란 숫자의 특성

역설: 아홉을 열보다 큰 수로 표현하여 가능성의 가치가 큼을 강조함.

아홉이란 숫자의 특성, 조상들이 열보다 아홉을 더 사랑한 까닭

» 이 수필은 숫자 '아홉'의 의미를 숫자 '열'의 의미와 대조하여 전하고 있다. 조금도 여유가 없이 꽉 차고 다음이 없는 끝나 버린 '열'에 반해, '아홉'은 다음을 바라볼 수 있는 가능성이 무궁무진하기 때문에 열보다 아홉이 크다는 것이다. 글쓴이는 열보다 아홉이 크다는 역설적 표현을 통해 숫자 아홉이 지닌 '미래의 꿈과 가능성'의 의미를 강조하고 있다.

바로 확인

이 글에 쓰인 역설의 효과에 대한 설명으로 적절하지 않은 것은?

① 열이라는 숫자가 지닌 여러 의미를 참신하게 전달한다.

② 조상들이 열보다 아홉을 더 사랑한 까닭을 인상적으로 전달한다.

③ 완전한 것보다 완전한 것을 향해 나아가는 것의 가치를 강조한다.

답 | ①

작품으로 개념 확인 나의 모국어는 침묵 | 류시화 (미래엔)

[자기 앞에 있는 존재를 가장 잘 느끼는 방법은 말을 통한 것이 아니라 침묵을 통한 것임을 그들은 깨닫고 있었다.] (중략)

[ ]: 침묵의 가치

라코타족 인디언인 '서 있는 곰'은 말한다.

"침묵은 라코타족에게 의미 깊은 것이었다. <u>라코타족은 대화를 시작할 때, 잠시 침묵하는 것을 진정한 예의로 알고 있었다</u>. '말 이전에 침묵이 먼저'라는 것을 알았던 것이다. 슬픈 일이 닥쳤거나 누가 병에 걸렸거나, 또는 누가 죽었을 때, 나의 부족은 먼저 침묵하는 것을 잊지 않았다. 어떤 불행 속에서도 침묵하는 마음을 잃지 않았다." (중략)

인디언 부족들의 전통

나는 인디언을 만나면 그들의 부족 언어를 묻곤 했다.

"당신의 모국어는 무엇입니까?"

그러면 그들은 이렇게 답하곤 했다.

㉠"<u>우리의 모국어는 침묵입니다.</u>"

→ 역설: 말(모국어)이 침묵이라는 이치에 맞지 않는 표현을 통해 말보다 침묵이 상대방을 더 잘 느낄 수 있다는 진리를 강조함.

» 이 수필은 대화를 시작하기 전에 잠시 침묵하는 인디언 부족들의 전통을 통해 침묵이 말보다 더 상대방을 잘 느낄 수 있음을 전하는 글이다. "우리의 모국어는 침묵입니다."라는 인디언들의 말은 역설적 표현으로, 말보다 침묵의 가치를 중요하게 여기는 인디언들의 자세를 인상적으로 강조하고 있다.

바로 확인

㉠에 대한 설명으로 적절하지 <u>않은</u> 것은?

① 역설적인 표현을 사용하였다.

② 인디언은 부족마다 모국어가 서로 다르다.

③ 침묵을 통해 상대방을 더 잘 알 수 있음을 나타낸다.

답 | ②

13 풍자

뜻 대상을 비꼬거나 우습게 그려 대상을 간접적으로 ❶ 하는 표현.

특징
- 인물의 ❷ 적인 면이나 사회의 부조리한 모습 등을 효과적으로 비판할 수 있음.
- 대상을 우스꽝스럽게 만들어 대상의 부정적 모습을 비판적으로 성찰하도록 유도함.

예

소설 속 장면		풍자	
		비판하는 대상	웃음 유발
일본 정치 때에, 혈서로 지원병을 지원했다 체격 검사에 키가 제 척수에 차지 못해 낙방이 되었다면, 그래서 땅을 치고 울었다면, 얼마나 작은 키인지 알 일이다. – 채만식, 〈이상한 선생님〉에서	➡	일본의 지원병으로 지원한 친일 행위	키가 작아 낙방이 된 것
		비판하는 대상	웃음 유발
본관 사또 똥을 싸고, 멍석 구멍에 생쥐 눈 뜨듯 하면서 관아 깊숙한 안채로 들어가며 급히 내뱉는 말이, "어, 추워라. 문 들어온다 바람 닫아라." – 〈춘향전〉에서	➡	춘향에게 수청을 강요한 행위(글에 나타나 있지 않음.)	똥을 싸고 말을 거꾸로 하는 우스꽝스러운 행위

❶ 비판 ❷ 부정

바로 확인

풍자에 대한 설명으로 적절한 것은?

① 속마음과 반대로 표현하여 전달하고자 하는 의미를 강조한다.
② 대상을 우스꽝스럽게 나타내어 대상의 부정적인 면을 비판한다.
③ 이치에 맞지 않는 모순된 표현을 사용하여 특정한 진실을 나타낸다.

답 | ②

작품으로 개념 확인 **춘향전** (비상, 창비)

각 읍 수령 도망칠 때 그 거동이 장관이었다. 임실 현감은 하도 급해서 갓을 거꾸로 뒤집어 쓰고는,

백성 앞에 군림하던 수령들이 암행어사 출도에 허둥지둥 도망치는 모습

[“여보아라, 어느 놈이 갓 구멍을 막았구나.” / 소리치자 누군가,

[ ]: 독자의 웃음을 유발하는 우스꽝스러운 장면 → 탐관오리의 모습을 풍자하여 비판함.

“갓을 뒤집어 썼소.” / “아따, 언제 바로 쓸 새 있더냐. 좀 눌러 다오.”

하여 그대로 꽉 누르니 갓이 벌컥 뒤집혔다.] 겨우 갓을 쓰고 나서 오줌을 눈다는 것이 그만 칼집을 쥐고 누니, 오줌 맞은 하인들이

“허, 요새는 하늘이 비를 따뜻하게 덥혀서 내리는 모양일세.”

허겁지겁 도망치다 오줌을 누는 수령의 모습을 조롱하며 비꼬는 말 → 풍자의 효과

하며 갈팡질팡하였다.

[구례 현감은 말을 거꾸로 타고 채찍질을 하니 말이 뒤로 달아났다.

백성 앞에 군림하던 수령들이 암행어사 출도에 허둥지둥 도망치는 우스꽝스러운 모습

“허, 이 말이 웬일이냐? 본래 목이 없느냐?”

[ ]: 독자의 웃음을 유발하는 우스꽝스러운 장면 → 탐관오리의 모습을 풍자하여 비판함.

“거꾸로 타셨소. 내려서 바로 타시오.”

“어느 겨를에 바로 타겠느냐! 목을 빼어다가 말 똥구멍에 박아라.”]

우스꽝스러운 말인 동시에 구례 현감의 포악한 면모를 드러냄. → 풍자의 효과

» 이 장면은 암행어사가 출도하자 각 읍 수령들이 도망치는 모습을 묘사한 부분이다. 허둥지둥 도망치느라 갓을 뒤집어쓰고는 어느 놈이 갓 구멍을 막았다고 소리치는 모습, 말을 거꾸로 타고는 말의 목을 빼어다가 말 똥구멍에 박으라고 말하는 모습 등을 통해 수령들의 모습을 우스꽝스럽게 나타내어 조롱함으로써 백성들을 수탈하는 탐관오리를 풍자하고 있다.

바로 확인

이 글에 쓰인 풍자의 방법으로 적절하지 않은 것은?

① 하인들이 수령들의 잘못된 행동을 직설적으로 언급하고 있다.

② 수령들의 행동을 우스꽝스럽게 나타내어 비꼬고 조롱하고 있다.

③ 말의 목을 빼어 똥구멍에 박으라는 엉뚱한 말을 통해 웃음을 자아내고 있다.

답 | ①

작품으로 개념 확인 **양반전** | 박지원 (천재(노), 천재(박), 동아, 지학사)

양반은 어질고 책 읽기를 좋아해서 고을에 군수가 새로 부임할 때마다 반드시 그 집에 찾아가 인사를 차렸다. 하지만 집이 가난해서 해마다 군(郡)에서 환곡을 빌려다가 먹었는데, 몇 해가 지나고 보니 빌린 곡식이 일천 섬에 이르렀다.
양반의 집이 경제적으로 어려운 형편에 처해 있음을 알 수 있음.

관찰사가 각 고을을 순시하다가 환곡 장부를 살펴보고는 몹시 노하여 말했다.

"어떤 놈의 양반이 관아 곡식을 이처럼 축냈단 말이냐!"

관찰사는 양반을 옥에 가두도록 명했다. 군수는 양반이 가난해서 빌린 곡식을 갚을 길이 없는 형편임을 딱하게 여겨 차마 가두지 못했지만, 그렇다고 해서 달리 뾰족한 방법을 찾을 수도 없었다. 양반은 밤낮으로 울기만 할 뿐 아무런 대책이 없었다. 그러자 양반의 아내가 나무랐다.
양반을 불쌍하게 여기는 군수의 모습이 나타남.
무능력한 양반의 모습을 우스꽝스럽게 나타냄. → 풍자가 사용됨.

"평생 당신은 책 읽기를 좋아하더니만 환곡 갚는 데는 아무 소용도 없구려. 쯧쯧, 양반! 양반은 한 푼어치도 안 되는구려!"
경제적으로 무능력한 양반의 모습을 비판함.

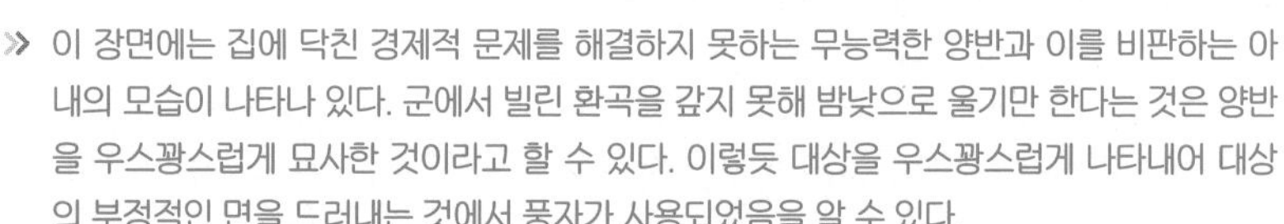

» 이 장면에는 집에 닥친 경제적 문제를 해결하지 못하는 무능력한 양반과 이를 비판하는 아내의 모습이 나타나 있다. 군에서 빌린 환곡을 갚지 못해 밤낮으로 울기만 한다는 것은 양반을 우스꽝스럽게 묘사한 것이라고 할 수 있다. 이렇듯 대상을 우스꽝스럽게 나타내어 대상의 부정적인 면을 드러내는 것에서 풍자가 사용되었음을 알 수 있다.

바로 확인

이 글에 사용된 풍자에 대한 설명으로 적절한 것은?

① 어질고 학식이 높은 양반이 천대받는 당대의 현실을 조롱하고 있다.
② 아내의 말을 통해 경제적으로 무능력한 양반의 모습을 비판하고 있다.
③ 양반을 옥에 가두라는 관찰사의 명령을 통해 당시 사회 제도를 비꼬고 있다.

답 | ②

작품으로 개념 확인

이상한 선생님 | 채만식

(비상)

우리는 뼘박 박 선생님더러 미국에도 덴노헤이까가 있느냐고 물었다. (중략)
박 선생의 별명 주인공 일본의 '천황'
(해방 전에 뼘박 박 선생님은, 덴노헤이까는 우리 조선 사람들을 일본 사람들과 같이 사랑하고, 우리 조선 사람들이 잘 살기를 근심하신다고 늘 가르쳐 주곤 했다.)
해방 전에 박 선생이 일본을 찬양하는 인물이었음을 알 수 있음.

뼘박 박 선생님은 미국에는 덴노헤이까는 없고, 덴노헤이까보다 훌륭한 '돌멩이'라는 양반이 있다고 대답했다.
미국의 대통령 트루먼을 가리킴.

[우리는 그럼 이번에는 그 '돌멩이'라는 훌륭한 어른을 위하여 '미국 신민노 세이시(미국 신민 서사)'를 부르고, 기미가요(일본의 국가) 대신 돌멩이 가요를 부르고 해야 하나 보다고 생각했다.

아무튼 뼘박 박 선생님은 참 이상한 선생님이었다.]

[ ]: 일본을 찬양하던 박 선생이 미국을 찬양하는 모습이 어린 서술자의 눈에 이해가 되지 않음. → 박 선생의 기회주의적 행태에 대한 비판, 독자의 웃음 유발

» 이 장면에서는 광복 전에는 일본을 찬양했다가 광복 후에는 미국을 찬양하는 박 선생님의 기회주의적인 모습이 나타나 있다. 그런데 어린 학생인 서술자의 눈에 이런 박 선생님의 모습이 이해가 되지 않아 '박 선생님은 참 이상한 선생님이었다.'라고 한 것이다. 이렇듯 판단이 미숙하고 순진한 어린아이를 서술자로 내세워 비판의 대상인 박 선생님의 부정적 면모를 부각함으로써 풍자의 효과를 높이고 있다.

바로 확인

이 글에 쓰인 풍자에 대한 설명으로 적절한 것은?

① 풍자의 대상: 박 선생님의 가르침을 이해하지 못하는 '나'
② 풍자의 수법: 박 선생님의 행동을 반어적 표현으로 비꼼.
③ 풍자의 내용: 해방 전에는 일본을 찬양하고, 해방 후에는 미국을 찬양하는 박 선생님의 기회주의적인 태도

답 | ③

14 문학 작품의 재구성

뜻 기존의 문학 작품을 자신의 ❶ ______ 에서 바꾸어 새롭게 창작하는 것.

어떤 대상이나 상황에 대해 생각하는 태도.

특징

- 기존 작품의 내용, 표현, 형식, 갈래, 매체, 맥락 등을 바꾸어 씀.
- 기존 문학 작품의 일부를 변형하는 것이 아니라 또 하나의 작품을 새롭게 ❷ ______ 하는 것임.

예

- 〈흑설 공주〉 (원작: 〈백설 공주〉)

내용	재구성 방법
흑설 공주는 그제서야 미소를 지으며 대답했다. "그래, 그게 정답이란다. 세상 사람들은 누구나 각각 다른 아름다움을 가지고 있거든."	동화 〈백설 공주〉의 주인공을 '흑설 공주'로 바꾸고, 외모 지상주의를 비판하는 주제로 새롭게 창작함.

- 드라마 대본 〈소나기〉 (원작: 소설 〈소나기〉)

내용	재구성 방법
S# 82. 뒤뜰 대추를 따고 있는 윤 초시를 보며 소녀는 안도의 숨을 쉰다. 그런 소녀를 보자 윤 초시는 마음이 따뜻해진다. **윤 초시:** (대추를 건네며) 맛보거라. 늬 애비 나던 해에 심은 거란다.	소설을 드라마 대본으로 갈래를 바꾸어 씀에 따라 '장면 번호', '배경', '지시문' 등이 나타남.

❶ 관점 ❷ 창조

바로 확인

㉠에 공통으로 들어갈 알맞은 말을 쓰시오.

- 문학 작품의 (㉠)은 단순히 원작을 변형하는 것이 아니라 새로운 작품을 창조하는 것이다.
- 시의 갈래를 바꾸어 소설로 다시 창작했다면 이는 문학 작품의 (㉠)이다.

답 | 재구성

작품으로 개념 확인

(가) 흥부전 / (나) 놀부전 | 류일윤

(미래엔)

가 "목멘 소리 내어 눈물방울이나 찍어 내면 네 잔꾀에 내가 속을 줄 알고! 어림 반 푼어치도 없다. 쌀 한 말이나 주자 한들 대청 큰 뒤주에 가득가득 들었으니 네놈 주자고 뒤주 헐며, 벼 한 말을 주자 한들 곳간 노적가리 태산같이 쌓였는데 네놈 주자고 노적가리를 헌단 말이냐?"

곡식을 빌려 달라는 흥부에게 잔꾀를 부리고 있다며 질책함.

놀부가 말을 마치자마자 몽둥이를 들어 메더니 좁은 골에 벼락 치듯 후다닥 뚝딱 동생을 두드려 패기 시작했다.

동생을 도와주기 싫어 몽둥이를 들어 때리는 모습을 통해 놀부의 탐욕스러운 성격이 나타남.

나 그러던 어느 날, 놀부는 부인에게 이렇게 말했지요.

"여보, 이제 흥부네 가족이 찾아오면 절대 도와주지 마시오. 도와주는 것도 한두 번이지 자꾸 도와주니까 의지만 하고 스스로 일할 생각을 하지 않는 것 같구려."

놀부의 말을 통해 스스로 개척하는 삶의 가치를 강조하고 있음.

"그러다 굶어 죽으면 어떡해요?"

"내게 다 생각이 있으니 당신은 절대 도와주면 안 돼요. 마음이 아파도 냉정하게 대하시오."

동생의 앞날을 염려하는 놀부의 따뜻한 성격이 나타남.

» (가)는 (나)의 원작으로, (가)에서 놀부는 흥부가 잔꾀를 부리고 있다고 질책하며 몽둥이를 들어 동생을 때리고 있다. (나)의 놀부도 냉정하게 대하라고 부인에게 말하고 있지만 그렇게 행동하려는 이유는 흥부가 스스로 일할 생각을 하지 않는 것을 염려했기 때문이다. 따라서 (가)에서 (나)로 재구성되면서 놀부의 성격과 글의 주제가 달라졌음을 확인할 수 있다.

바로 확인

(가)를 재구성하여 (나)를 창작할 때, 작가가 한 생각으로 적절한 것은?

① 매체를 변화시켜 형제간의 우애라는 주제를 강조해야지.

② 새로운 인물을 등장시켜 형과 동생의 갈등 관계를 부각해야지.

③ 놀부의 성격을 변화시켜 스스로 개척하는 삶의 가치를 강조해야지.

답 | ③

작품으로 개념 확인 흑설 공주 | 이경혜

(지학사)

나무꾼과 공주의 결혼식이 성대하게 거행되었다.

검게 빛나는 공주가 어찌나 아름다운지 숯검정을 얼굴에 칠하는 게 유행이 되었다. 더 아름다워지고 싶은 여자들은 아예 굴뚝 속에 들어갔다 나오기도 하였다.

흑설 공주로 인해 하얀 피부만이 아름답다는 세상 사람들의 편견이 깨짐.

큰 깨달음을 얻은 흑설 공주는 다락방의 거울에게 가서 물었다.

자신의 모습 그 자체에서 아름다움을 발견함.

"거울아 거울아, 세상에서 가장 못생긴 사람이 누구니?"

그러면 거울은 그때마다 정직하게 대답했다.

"저 바닷가 마을 오두막에 사는 메리라는 처녀입니다."

그러면 공주는 그 사람을 불러다 자신의 아름다움을 깨달을 수 있도록 도와주었다.[다른 사람들이 세운 아름다움의 기준이라는 것은 하루아침에 바뀔 수 있는 허약한 것으로, 아름다움이란 것은 누구에게나 깃들어 있다는 것을 알려 주었다.]

[ ]: 공주가 깨달은 아름다움의 진정한 의미

자신만이 가지고 있는 아름다움을 찾아내어 바라볼 수 있는 눈을 키워 주었던 것이다. 그리하여 흑설 공주의 나라에는 아름답지 않은 사람이 하나도 없게 되었다.

원작을 재구성하며 달라진 주제: 모든 사람들은 각자 나름의 아름다움을 지닌 존재임.

» 동화 〈백설 공주〉를 재구성한 작품으로 제시된 장면은 결말 부분이다. 원작인 〈백설 공주〉와 같이 〈흑설 공주〉에서도 왕비는 감옥에 갇히고, 공주는 사랑하는 사람(나무꾼)과 결혼을 한다. 하지만 주인공인 백설 공주만이 세상에서 가장 아름다운 사람으로 남은 원작과 달리, 〈흑설 공주〉에서는 모든 사람들이 각자 나름의 아름다움을 지니고 있다는 것을 깨닫게 된다는 내용으로 재구성되었다.

바로 확인

이 글을 재구성하는 과정에서 작가가 고려한 점이 아닌 것은?

① 공주가 사랑하는 사람과 결혼하는 원작의 내용은 그대로 살린다.

② 흑설 공주의 깨달음과 이를 실천하려 노력하는 모습을 표현한다.

③ 원작과 달리 결말에서 거울을 등장시켜 새로운 갈등 상황을 제시한다.

답 | ③

국어전략